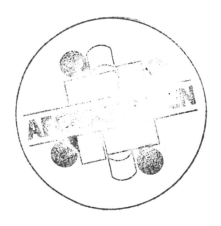

DE SMAAK VAN STILTE

www.mynx.nl

Charles Maclean

DE SMAAK VAN STILTE

Oorspronkelijke titel: Home before dark
Vertaling: Ed van Eeden en Karin van Gerwen
Zetwerk: Ottenhof Boekproducties
Omslagontwerp: Hilden Design, München

Eerste druk mei 2008

ISBN 978-90-225-4948-3

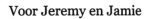

Voor Jeremy en Jamie

Ooit zullen er dagen zijn, misschien niet nu, maar binnen maanden of jaren, dat ze in je hoofd zal zitten, en dan zal de telefoon rinkelen en gedachteloos zul je die opnemen en je afvragen of zij het is die belt om je te vertellen dat het goed met haar gaat.

Je blijft je zorgen maken over je kinderen, ook als ze het huis uit zijn. Dat blijf je doen, ook al zijn ze er niet meer om je bezorgd over te maken en zullen ze er nooit meer zijn.

Als er ooit een eind komt aan je wens om de klok terug te kunnen draaien, of aan je hoop om op een morgen wakker te worden met de gedachte dat het alleen maar een nachtmerrie is geweest, dan heb ik dat punt nog niet bereikt.

Accepteren is moeilijk, vermoed ik, en verdriet is moeilijker te verwerken als je gezin geweld aangedaan is. We zijn nooit meer dezelfde geweest sinds de dood van Sophie. De moordenaar heeft niet alleen zijn slachtoffer vermoord, maar ook een klein deel van het gezin. Hij vermoordde die nacht een stukje van Laura en van mij.

Ik heb over hem gedroomd, over onze moordenaar en die van jou – een menselijk wezen zonder geweten, zonder respect voor het leven van een ander, iemand die niet maalt om de pijn en de puinhopen die hij achterlaat, iemand die niet menselijk is, in ieder geval niet naar mijn mening, maar toch vrij rondloopt en zijn leven mag leven.

Ik had adviezen voor ze, inzichten. Ik vond dat het goed was die te delen met anderen, vreemden, wier levens hij verwoest had. Alsof mijn eigen ervaring me een uniek begrip verleende over waar ze doorheen waren gegaan. Ik had zo'n medelijden met ze. Ik vond en vind nog steeds dat wat er gebeurd is gedeeltelijk mijn fout was. En ik vroeg me af of ik zou schrijven. Ik wilde schrijven.

Maar iets hield me tegen.

Florence

Toen de telefoon rinkelde, zat Sam Metcalf net lekker zoals ze het liefst zat: in haar ondergoed in kleermakerszit op de vloer, luisterend naar Maria Callas die uit volle borst Catalani's 'Ebben, ne andro lontana' zong, en bedacht dat ze al een hele tijd geleden uit dit verrekte leven had willen verdwijnen.

Over vier dagen zou ze met het vliegtuig uit Florence vertrekken, enkele reis naar Boston. Haar uitgeklede appartement in Oltrano – met zijn okerkleurige muren kaal zonder foto's en bijna zonder meubels; een kartonnen stad van dozen en koffers, klaar om verscheept te worden – leek op een vertrekhal van een derdewereldland, maar Sam voelde zich nog steeds beroerd omdat het een plek was met heel veel herinneringen.

Ze deed haar koptelefoon af.

Er was niets wat haar daar nog hield. Federico had al meer dan een maand geen contact met haar gezocht en ze verwachtte niet ooit nog wat van hem te horen. En toch – Sam sloot haar ogen – wist je het maar nooit, misschien kwam de klootzak nog afscheid nemen ook.

De telefoon bleef maar rinkelen, werkte op haar zenuwen. Ieder normaal mens zou toch allang begrepen hebben dat ze niet thuis was.

Ze wreef in haar ogen, haar mollige knokkels stootten even tegen haar bril, en keek naar de keukenklok, een kitscherig, smakeloos ding boven het antieke gasstel – de bekende afbeelding, met een laag kookvet van jaren eroverheen, was een reproductie van de engel Gabriël uit de *Annunciatie* van Leonardo.

Elf minuten voor twaalf.

Ze zou de exacte tijd van het telefoontje nooit vergeten.

Ze kwam overeind, keek rond naar de telefoon en volgde het spoor op de grond en vond hem onder een stapel papieren.

Haar hand beefde. Alsjeblieft... alsjeblieft God, laat het Federico niet zijn.

'*Pronto?*'

'Ja, hallo... is dit Sam? Sam Metcalf?'

Ze liet haar adem stukje bij beetje ontsnappen.

Het was een jonge, vriendelijke stem met een haar onbekend Amerikaans accent – haar gebed was, helaas, verhoord.

'Wie wil dat weten?'

'Ik heb je nummer van een wederzijdse kennis gekregen. Ed zei dat je binnenkort de stad zou verlaten en ik wilde nog met je praten over Sophie...'

'Kende jij haar dan? Momentje. Wie ben jij eigenlijk?'

'Ja, ma'am, ik had dat geluk.' Hij zuchtte diep, een beetje overdreven. 'Een engel, als die zouden bestaan... zei Sophie en ik zag alle kleuren van de regenboog.'

'Hoor eens, meneer... Het spijt me, maar wie heeft u dit nummer gegeven?'

'Noem me maar Ward,' zei hij zachtjes en hij sprak de naam als een vraag uit.

'Hóé moet ik je noemen?' Ze moest bijna lachen.

'Sam, we hebben elkaar nooit ontmoet, maar... volgens mij weten we allebei waarover ik bel.'

De eerste alarmschok trok door haar heen.

'Waar heb je het in hemelsnaam over?'

'Gewoon, dat het misschien beter zou zijn – na wat er met Sophie is gebeurd – om het verleden te laten rusten. Niemand weet ervan. En laten we dat zo houden.'

En weer zette zijn stem aan het eind van de zin een vraagteken.

Ineens begreep ze het, o, jezus, haar huid tintelde – dit was het telefoontje dat ze verwacht en gevreesd had, al zo lang dat ze dacht dat hij het vergeten was.

'Wat moet je?'

'Ik weet zeker dat zij het zo zou willen,' ging Ward rustig verder, 'van bovenaf naar de toestand hier beneden kijkend...'

Sam hing op, ramde de hoorn op de haak.

Even later rinkelde de telefoon weer.

Ze had zich niet bewogen. Ze staarde naar haar blote armen, die ze over haar buik had geslagen, streelde zichzelf, wiegde heen en weer, kon er niet mee stoppen.

Hij ging vijf keer over.

In de dromen die ze had gehad, had de beller altijd al opgehangen voor ze had kunnen opnemen; was ze badend in het zweet wakker geworden met een arm uitgestrekt naar de stille telefoon. Nu hij eindelijk contact had gezocht, wist Sam dat ze die droom nooit meer zou hebben.

Op een bepaalde manier was dat een opluchting.

DEEL 1

1

'Weet je zeker dat je hiermee door wilt gaan?' vroeg Laura.

'Of ik het zeker weet?'

'Alles zal je aan haar doen denken.'

Ik draaide me om naar mijn vrouw, maar ik wist even niet wat ik moest zeggen.

Zij staarde recht voor zich uit. 'Nou, als je maar niet vergeet dat ik je gewaarschuwd heb.'

We stonden pal voor Borgo san Frediano geparkeerd, tegenover de ingang van het atelier. Het was bloedheet in de taxi.

'We zijn er nou, dus kunnen we net zo goed naar binnen gaan,' zei ik en ik probeerde mijn ongeduld te verbergen. Ik was nu al laat voor mijn volgende afspraak bij de *questura*. 'Ik ben niet naar Florence gekomen omdat ik wilde vergeten.'

Ze reageerde bozig: 'En ik niet om te sightseeën.'

Ik had Laura voorgesteld dat ze de Fra Angelico in San Marco zou gaan bezichtigen in de tijd dat ik bij de politie was.

'Lieverd... het komt allemaal wel goed. Dan hebben we dit maar gehad.'

Ik stapte uit de auto en hield het portier voor haar open.

Haar onwil om Bailey Grant te ontmoeten en om naar de tekeningen van Sophie te gaan kijken was begrijpelijk. Elf maanden geleden, toen ik de portfolio van onze dochter ging halen in de studio, ontdekte ik dat ik haar door het kijken naar haar werk (heel veel nog onafgemaakt) nog een keer verloor. Laura wilde toen nog niet met me mee. Nu zou ze het moeilijker vinden – een stuk moeilijker.

Ik had haar niet alles verteld.

De tekeningen waren nog niet zo lang geleden boven water gekomen. Een van Sophies medestudenten had een map en een schetsboek gevonden toen ze de kastjes in de kleedkamer uitmestte. Bailey had geschreven dat de schetsen opmerkelijk waren, maar ook wat verwarrend. Zijn woorden.

Terwijl ik de taxi betaalde, wachtte Laura voor de smalle deur, onder een gescheurd groen luifeltje. Het was praktisch middag en ik voelde de zon in mijn nek branden.

'Ik herinner me niet dat het zo... armoedig was,' zei ze.

De vage lucht van olie en terpentine werd scherper toen we de marmeren treden opliepen. Boven aan de trap stond een jonge vrouw in spijkerbroek en een zwart T-shirt ons op te wachten; ze droeg een arm vol spiegeltjes.

'Het is een hele klim,' zei ze in het Engels. 'Ik ben trouwens India, de assistent van meneer Grant.' Haar kastanjebruine haar was jongensachtig kort geknipt. Ik had haar nog nooit gezien. 'Jullie moeten... de ouders van Sophie zijn.'

Ik knikte en zonder verder nog iets te zeggen nam ze ons mee langs een wirwar van hete, stoffige kamertjes met smalle ramen. Vroeger was het gebouw een kerk geweest, voor het tot atelierruimtes werd omgebouwd. Langs een openstaande deur vingen we een glimp op van een tekenklas aan het werk, de studenten werkten stil en geconcentreerd.

Ik nam Laura's arm en kneep er even in.

Toen we de eerste keer met Sophie in het atelier gingen kijken, was ze pas achttien jaar en wist ze nog steeds niet zeker of ze wel naar Italië wilde gaan om te tekenen en schilderen. 'Ik vind het hier doodeng,' zei ze en ze huiverde even, 'het lijkt wel een kunstkerkhof.'

Ik luisterde niet toen ze zei dat ze bang was voor Florence, bang was om geïmponeerd te worden, om aan de schoonheid ten onder te gaan. Ik probeerde haar te overtuigen door te zeggen dat het beter was om dit tussenjaar haar artistieke talent te ontwikkelen dan om te backpacken door Afrika of op het strand in Thailand te liggen. Uiteindelijk was het haar eigen beslissing geweest, maar ik vind het jammer... nee, het is meer dan jammer, ik verwijt mezelf dat ik haar besluit heb beïnvloed. Ik heb zelfs gezegd – ik hoor het me nog zeggen – dat ze 'ons ooit dankbaar zou zijn'.

Dit soort dingen blijven altijd door je hoofd spoken als je ze de kans geeft.

India trok het donkere gordijn voor de privéstudio van Bailey Grant opzij en zei: 'Hier zijn ze.'

Hij stond voor zijn ezel, palet en kwast in de hand, Ry Cooder op de stereo. Ik kreeg de indruk dat hij razendsnel deze pose had aangenomen

– het toonbeeld van de artiest aan het werk – toen hij ons hoorde aankomen. Met zijn golvende grijze lokken, witlinnen jasje en vale spijkerbroek cultiveerde Bailey het beeld van de moderne maestro.

'Waar moet ik deze laten?' India had de spiegels nog steeds vast.

Hij gaf geen antwoord, maar smeerde steeds geconcentreerder verf op het canvas dat op zijn ezel stond. Ik was niet verbaasd dat hij nog steeds aan hetzelfde schilderij werkte – een afgrijselijke, levensgrote kruisafname in de stijl van Titiaan – als de laatste keer toen ik hem gezien had. Zijn talent was lesgeven.

'Waar moet ik deze laten?' herhaalde India. Ik zag een portret van haar, een klein mooi hoofd, tegen de muur staan. 'Jij hebt erom gevraagd.'

'Maakt niet uit.'

Ze zette de spiegels luidruchtig op het enige stukje vrije grond en ging weg.

'Twee seconden... dan kom ik bij u.'

Wat later deed hij een paar stappen naar achteren, bekeek zijn werk en zuchtte. Toen pakte hij een van de spiegels, en met zijn rug naar het doek hield hij die boven zijn schouder omhoog en keek naar wat hij had gemaakt.

'"Il vero maestro", noemde Leonardo het – de ware meester. Geeft je een ander perspectief, een frisse blik,' legde hij uit, terwijl hij naar ons toe liep. 'Een spiegel liegt niet. Hoe gaat het met jullie?'

We gaven elkaar een hand. De zijne was klam van het zweet en ik bedacht dat Bailey nerveus was omdat we hier allebei waren. Dit moest niet makkelijk voor hem zijn. We hadden na de dood van Sophie niets aan te merken op het atelier. Bailey had ons een ontroerende condoleancebrief geschreven, maar had Laura na het gebeurde nog niet gezien. Voor haar bewaarde hij zijn ernstige glimlachje als teken van zijn onuitgesproken sympathie.

We praatten wat over ditjes en datjes: het mooie weer, de toeristendrukte, de beurs die mijn vrouw en ik hadden geschonken uit naam van Sophie.

'Kunnen we alsjeblieft beginnen?' vroeg Laura.

Even leek hij geschrokken, daarna knikte hij en leidde ons naar een oude leren bank onder een raam. Op een koffietafel lag de donkergroene map die Laura's broer, Will, zijn nichtje voor haar laatste verjaardag had gegeven. Haar initialen SL waren er met goud in gegraveerd. Ik keek even naar Laura, maar die keek er onbewogen naar.

Handig bond Bailey met een elastiekje zijn haar in een staart, sloeg de map open en bladerde door de tekeningen. Daar stonden grotendeels gipsen, antieke voorwerpen op en beelden uit de renaissance. Het was academisch werk, duidelijk heel goed; ik kan helaas niet zeggen dat ik het herkende als werk van Sophie.

'Nog pril, maar je kunt het echte talent al zien,' zei Bailey enthousiast en hij hield een houtskoolschets van een Romeins masker omhoog. 'Haar *sfumato* – de rokerige overgang van licht naar schaduw – is opmerkelijk goed voor een beginner. Sophie was gedreven, weet u. Ze had die gepassioneerde blik in haar ogen als ze tekende...'

'Bailey,' onderbrak ik hem, 'we hebben niet heel veel tijd, je had het over een schetsboek.'

'O, ja, het schetsboek.' Hij legde de tekening op de andere en sloeg de map dicht. 'Vlak voor jullie kwamen hebben we nog gezocht. Het is blijkbaar tijdelijk even weg.'

Het was even stil.

'Hoe bedoelt u?' Laura fronste haar wenkbrauwen. 'Hebt u het niet?'

Hij speelde met de linten van de map. 'Het lag op mijn bureau in mijn kantoor boven. Daar lag het gisteren nog. We ontdekten pas een uur geleden dat het weg was.'

'Nou, ik neem aan dat het wel weer opduikt,' zei ik. Het atelier stond berucht om zijn slordigheden.

'Sorry, maar dit pik ik niet.' Laura sprong op van de bank, liep om de koffietafel heen en ging voor Bailey staan. 'Waarom heb je die tekeningen niet naar ons opgestuurd? Nu zijn we helemaal naar Florence gekomen... en waarvoor? Zodat je ons kunt vertellen dat Sophie een "belofte" was?' Laura is de kalmste persoon die ik ken, maar als ze kwaad is dan is ze niet te stoppen. 'En nu ben je dat schetsboek kwijt?'

Bailey kromp ineen onder haar keiharde blauwe ogen. 'Ik weet zeker dat het wel weer opduikt.' Hij wreef over de achterkant van zijn nek. 'Hoe lang blijven jullie in de stad?'

'Overmorgen vliegen we terug,' kwam ik tussenbeide.

'Aangezien we ze waarschijnlijk nooit te zien zullen krijgen,' zei Laura ijzig, 'zou je dan misschien zo goed willen zijn om te vertellen wat er zo speciaal was aan die tekeningen?'

Bailey keek naar mij voor hij antwoord gaf. Het was geen samenzwering om iets voor mijn vrouw achter te houden. Ik had alleen gedacht dat het beter was om haar niet te laten schrikken of ongerust te maken tot we samen het schetsboek hadden bekeken en besloten hadden wat we ermee zouden doen, als we er wat mee zouden doen.

Ik knikte dat hij verder kon gaan.

'De tekeningen stellen een huis voor,' begon hij aarzelend. 'Oostindische inkt, grotendeels interieurs, ze zijn heel minutieus, obsessief gedetailleerd. Er zijn een of twee menselijke gedaantes, maar onwezenlijk, eerder beelden dan echte mensen...'

Laura viel hem in de rede. 'Wat voor huis? Die villa waar Sophie in woonde?'

Hij schudde zijn hoofd. 'Het is een withouten koloniaal huis, met een veranda, ze staan ook in die rijke Amerikaanse voorsteden. Binnen is alles zoals je zou verwachten, alleen in het klein. De sfeer is flets, beklemmend, dreigend. De schaal en de dreiging komt van de deuren en ramen, het zijn surrealistische glimpen van onze eigen, grote wereld. Het lijkt alsof je in een poppenhuis gevangenzit.'

Bailey pauzeerde even om dit te laten bezinken.

Ik keek naar Laura. Haar gezicht stond blanco.

'Er is bijvoorbeeld een tekening van de keuken, waarin de achterdeur openstaat. Achter de drempel is een schaduw getekend – de ramen zijn donker alsof er een schaduw over het hele huis hangt. Buiten zie je een reep van een broekspijp en iets als een gigantische sneaker.'

Laura beet op haar lip. Ze keek naar haar handen. Ik zag dat het haar moeite kostte om kalm te blijven. 'Ik neem aan dat je denkt dat dit... iets zegt over Sophies geestelijke toestand?'

'De tekeningen spreken voor zichzelf,' zei Bailey. 'Ik heb geen idee wat ze betekenen, maar een paar lijken op een rare manier voorspellend.'

'Als dat zo is...' Ze viel stil, mijn arme echtgenote. Ik zag de tranen in haar ogen wellen. Toen ze weer wat zei trilde haar stem. 'Waarom belde ze dan niet? Waarom heeft ze tegen niemand iets gezegd?'

'Ga even zitten, Laura,' zei ik rustig.

2

Op de dag dat we Sophie verloren, namen we afscheid van de toekomst. Met onmiddellijke ingang waren al haar volgende dagen geannuleerd en zoveel van de onze dat, als we vooruit keken, we ons realiseerden dat ons oude leven voorgoed voorbij was.

Laura en ik vonden het moeilijk om met elkaar te praten. Er waren geen woorden voor en als die er wel waren, wilden we die niet gebruiken. We vluchtten in de troost die familie en vrienden brachten, we steunden elkaar, maar we bleven twee mensen die in aparte kamers van verdriet en wanhoop opgesloten zaten. Ze zeggen dat het een nachtmerrie van ouders is om een kind te verliezen, maar uit een nachtmerrie word je wakker. En dan begint het ergste pas.

Iedere morgen is er de pijn van het verlies, die zich bij het wakker worden weer opdringt. Ik leerde om dat korte moment van vergeten te haten. De diepe pijn wordt minder, maar verdwijnt nooit.

Het is niet dat je door moet gaan met je leven, het is het feit dát je dat doet.

Vroeger, overgeleverd aan de genade van vreemden, lieten we ons als verbijsterde drenkelingen leiden door de ambtelijke wereld. Het maakt uiteraard verschil als er dingen in het buitenland verkeerd gaan, als je geld hebt. We werden heel welwillend door de Florentijnse autoriteiten ontvangen, zeker door de *questura*, de Italiaanse staatspolitie. Dit kan ondankbaar klinken, maar ik had veel minder goedgelovig moeten zijn.

Ik vond Andrea Morelli, die het moordonderzoek van Sophie leidde, aardig. Hij had een innemende charme, leek eerder vasthoudend dan briljant, maar had een vertrouwenwekkend solide postuur. Zijn belofte om 'degene die dit afgrijselijke gedaan had' voor het gerecht te brengen stilde een tijdje mijn eigen behoefte aan wraak.

Ik overtuigde mezelf ervan dat we in goede handen waren. Het feit dat inspecteur Morelli zich zo sympathiek opstelde, zo gevoelig met Laura omging, inzicht had in een mondaine levensstijl, maakte hem immers niet minder competent of minder gedreven om Sophies moordenaar te vinden. Maar inmiddels weet ik zeker dat hij vanaf dag één wist dat hij deze zaak niet zou oplossen.

Onze dochter was in elkaar geslagen en gewurgd op een aprilnacht, de 27e om precies te zijn, toen de temperatuur onverwacht tot onder nul daalde. Ze was toen een half jaar in Florence en had ons net gemaild dat ze haar tweede cursus in het atelier geweldig vond. Over een paar weken zou ze twintig zijn geworden.

We huurden een kamer in de Villa Nardini, waar haar kamer uitkeek over de statige tuinen. In de '*boscos*', een stukje grond waar de natuur haar gang mocht gaan, was een quasiverlaten grot, en daar werd haar lichaam gevonden door de honden die 's ochtends werden uitgelaten. Waarom Sophie, die een hekel aan kou had, zo laat de tuin nog was ingegaan bleef een mysterie.

Er waren weinig fysieke bewijzen. Niets wees op een rendez-vous en niets wees erop dat ze was achtervolgd en in de grot was overweldigd. Er waren geen sporen, geen vingerafdrukken, geen vezels, geen lichaamssappen, speeksel of haren waar DNA van genomen kon worden. Forensische tests wezen uit dat Sophies moordenaar haar niet seksueel misbruikt had (wat nog een kleine opluchting was). Ze was bewusteloos geslagen en vervolgens gewurgd.

Doordat de dader zo voorzichtig geweest was, zelfs pietepeuterig precies, bij het begaan van een misdaad waarbij gevoelens gewoonlijk uit de hand lopen, dacht Morelli dat Sophie door een kennis was vermoord.

Hoe beestachtig ook, zei hij, het was geen willekeurige daad.

Het kantoor van de inspecteur lag op de zesde verdieping van het politiebureau op de Via Zara. Een kleine, celachtige ruimte met een honingraatplafond en maar net plek voor een bureau en twee stoelen. Onder het hoge raam hingen her en der wat ingelijste diploma's en familiefoto's.

'Ik kan me uw frustratie voorstellen, *signor* Lister,' zei Morelli, terwijl hij de deur achter ons sloot en gebaarde dat ik moest gaan zitten. 'Geloof me, ik voel hetzelfde.'

'Met andere woorden,' zei ik vlak, 'u bent niet veel verder gekomen.'

Hij glimlachte. 'We hebben wat vooruitgang geboekt sinds uw laatste bezoek.' Zijn Engels, met een licht accent, was bijna foutloos. 'We hebben het lokale onderzoek uitgebreid tot vijf kilometer in de omtrek. We concentreren ons nu op de immigranten. Dat kost tijd.'

'Hoeveel mensen hebt u aan de zaak werken?'

Morelli leunde achterover in zijn stoel en sloeg zijn benen over elkaar. Een kalende vierendertigjarige Genuaan, klein, maar stevig gebouwd, met zo'n gezonde uitstraling waar ik een hekel aan heb gekregen. Ik had het idee dat hij meer bezig was geweest met zijn golfhandicap en zijn verdacht egaal uitziende teint, dan met het vinden van de moordenaar van Sophie.

'Dat varieert, maar ik verzeker u, signor Lister, dat het nog steeds een heel actief onderzoek is. We nemen alle computers van internetcafés van heel Florence in en onderzoeken de harde schijven. De Computer Crime Squad in Milaan stelt een profiel op, waardoor we een beter beeld krijgen van degene naar wie we zoeken.'

Dit was allemaal oud nieuws. 'Wat hebt u voor bewijs dat Sophie online gestalkt werd?'

'Als we bewijzen hadden, dan zou hij nu vastzitten. Maar we weten bijna zeker hoe hij in haar leven is gekomen. Cyberstalkers zijn vaak geïsoleerde, contactgestoorde individuen. De immigrant past in dit profiel omdat hij last heeft van stress of een culturele shock en lijdt onder het verlies van de cultuur uit zijn geboorteland.'

'Andrea, het is al meer dan een jaar geleden, en je hebt nog niet eens een verdachte.'

Hij pakte de telefoon van zijn bureau, toetste een paar nummers in en vroeg in het Engels naar 'het Sophie Lister'-dossier. 'Wij hebben de hoop nog niet opgegeven.'

Ik schudde mijn hoofd. Dat is niet wat je wilt horen van iemand die een moordonderzoek leidt. Niet als het slachtoffer je eigen kind is.

Morelli had geen enkele ondersteuning gevonden voor zijn theorie dat Sophie haar moordenaar kende. Haar docenten en vrienden van het atelier, haar hospita en de andere huurders in de Villa Nardini bevestigden allemaal wat ze ons verteld had – dat ze veel te druk met haar werk was voor romantiek. Niemand had haar met een onbekende gezien, of een verandering in haar gedrag gemerkt. Er hingen ook geen verdachte figuren rond de villa of het atelier in de Oltrarno.

Als Sophie zich bedreigd voelde, of merkte dat ze gestalkt werd, dan had ze dat tegen niemand gezegd. Ik bleef maar aan Baileys beschrijving van de tekeningen denken en vroeg me af hoe lang ze al in angst leefde. Waarom had ze niets tegen ons gezegd? Laura had het recht om zich dat af te vragen. Ik wist alleen niet of ik het antwoord wilde weten.

Sophie hield altijd zeer trouw contact, belde af en toe met haar mobiel naar huis en mailde regelmatig de hele familie (het meest naar haar broer George, met wie ze heel close was). Ze had een laptop in Florence, maar kon vanuit haar kamer niet op het internet – de Villa Nardini deed geen concessies aan de moderne tijden.

Zoals zoveel andere studenten ging ze in internetcafés online, surfde over het web en voerde haar e-mailcorrespondentie. Op een van deze felverlichte anonieme plekken, in Florence zo gewoon als pizzeria's, zou ze volgens de politie haar moordenaar ontmoet hebben.

'Ik denk niet dat hij haar online ontmoette,' zei Morelli. 'In ieder geval niet op de gebruikelijke manier. Ik denk dat hij haar eerst in de echte wereld zag en dat ze elkaar misschien later ontmoet hebben en online zijn gegaan.'

Er was geen elektronisch spoor. Zelfs met hun beperkte middelen om een onderzoek in cyberspace te doen, had de questura dat kunnen vaststellen. Sophie bezocht niet vaak chatrooms – en als ze het deed was het niet onder de naam die ze op MSN gebruikte. Er zaten geen bewaarde gesprekken in de archieven van de belangrijkste providers. Ik had zelf ook wat onderzoek gedaan.

'Hoe zou hij haar gevonden hebben?' wilde ik weten.

'Veronderstel dat hij haar op straat ziet lopen, of in een winkel of een restaurant – ze was tenslotte knap – en haar naar een internetcafé gevolgd is. Daar verstuurt ze een paar e-mails. Hij wacht tot ze weggaat, gaat op haar plek zitten en haalt haar gegevens uit de computer die ze net gebruikt heeft. Of misschien gluurt hij over haar schouder als hij langs haar beeldscherm loopt en onthoudt hij haar e-mailadres.

En later neemt hij online contact met haar op, er groeit een leuke vriendschap en zij denkt heel naïef dat hij heel ver weg is, in een andere stad, misschien zelfs wel in een ander land – maar al die tijd zit hij ergens in dat café, misschien achter het scherm naast haar en houdt hij haar in de gaten.'

De inspecteur valt even stil en onze ogen kruisen elkaar als hij met een hand over zijn kale hoofd wrijft. 'Hij gebruikt internet om persoonlijke informatie over haar te vinden, en dan een combinatie van stalking in de echte/online wereld. Op een dag verschijnt hij gewoon in haar leven en vertelt haar dat hij degene is met wie ze online praat.'

Er werd op de deur geklopt en zijn secretaresse kwam binnen. Ze gaf Morelli een dossier en ging weer weg zonder ook maar één keer in mijn richting te hebben gekeken.

Hij opende het dossier en haalde er een paar foto's uit. 'Herinnert u zich deze nog?'

De glimmende foto's die hij op zijn bureau uitstalde waren van een omtrek van kalk op de stenen vloer van de grot. Die was om Sophie heen getrokken voor haar lichaam van de plaats delict was verwijderd.

Ik knikte. Ik had geen idee van wat er zou komen.

Hij leunde voorover en pakte een van de foto's. Van het diagram, een opname van de laatste plek op aarde waar ze geweest was, werd ik telkens weer woedend en misselijk. Ik had nooit foto's van Sophies lichaam gezien.

'De positie van het slachtoffer is interessant,' zei hij. 'Ze is niet gevallen, maar is languit op haar rug gelegd met haar armen gevouwen over haar borst. Dit is voorzichtig door iemand gedaan die haar respect wilde betonen.'

Ik fronste mijn wenkbrauwen. 'U bedoelt: spijt had?'

'Signor Lister, wat ik nu ga zeggen, kunt u schokkend vinden. Ik bedoel liefde... *amore*. Haar moordenaar was misschien verliefd op haar, of dacht dat hij verliefd was. Het grootste waanidee van de cyberstalker gaat vaker over romantische liefde en spirituele eenheid dan over seksuele aantrekkingskracht.'

'Liefde,' herhaalde ik kalm, hoewel ik kookte. Misschien zou elke vader reageren zoals ik. 'En daarom sloeg hij haar bewusteloos voor hij haar wurgde? Laat je zo zien dat je van iemand houdt, *commendatore*? Liefde!'

Ik merkte dat ik mijn stem verhief.

Morelli drukte zijn handpalmen tegen elkaar. Hij ademde diep in en zei toen: 'Bij dit type mens kan liefde, als zijn attenties niet gewaardeerd worden, gemakkelijk in geweld omslaan. Soms van het ene op het andere moment.'

'U verwacht toch niet dat ik hem zielig ga vinden?'

'Hij kan geloofd hebben dat uw dochter zijn gevoelens beantwoordde. In zijn ogen, snapt u, konden ze het "ideale paar" zijn.'

Dit was allemaal giswerk. Hij had echt geen enkel aanknopingspunt.

'Onderzoek geeft aan dat er een grotere kans op geweld is als slachtoffers en stalker vroeger een intieme relatie hebben gehad.'

'Wat probeert u te zeggen? Dat het geliefden zijn geweest?'

'Ik denk dat zoiets goed mogelijk is.'

Ik was zo blij dat Laura hier niet bij was. Ze had hem een klap verkocht.

'Ik begrijp dat dit heel moeilijk voor u is.' Hij keek me aandachtig aan. 'Als het een van mijn kinderen was overkomen... ik zou hetzelfde reageren.'

'Probeert u me te vertellen dat Sophie het over zichzelf heeft afgeroepen?'

Hij schudde zijn hoofd. 'Ze kan hem onbewust hebben aangemoedigd. Misschien heeft ze online met hem geflirt, omdat ze het onschuldig en veilig vond.'

'Waarom geven jullie toch altijd uiteindelijk het slachtoffer de schuld?'

'Signor Lister.' Hij hief zijn handen op. 'Dit is geen makkelijke zaak.'

Er volgde een korte, zware stilte.

'Denkt u dat Sophie wist dat ze in gevaar verkeerde?' vroeg ik. Ik wist het antwoord al, maar soms zijn dat de beste vragen.

Morelli drukte zijn wijsvingers tegen elkaar en tikte daarmee tegen zijn kin. 'Ik denk... van wel,' zei hij ernstig, 'ja, ze kan het geweten hebben.'

Er kwam een beeld op van Sophie toen ze een jaar of vijf, zes was en urenlang speelde met het poppenhuis dat nu nog steeds in haar kamer thuis stond. Ik wilde hem vertellen over het schetsboek, de tekeningen die haar moord leken te voorspellen, maar omdat ik niets kon laten zien, hield ik mijn mond.

Hij ging staan om zo een eind aan ons gesprek te maken.

We gaven elkaar een hand en Morelli beloofde me op de hoogte te houden van eventuele nieuwe ontwikkelingen. Het was duidelijk dat hij die niet op korte termijn verwachtte. Het beste waar ik op kon hopen was een cold-casebehandeling, misschien over jaren. Hij had me gevraagd te accepteren dat de moordenaar van Sophie wellicht nooit voor de rechter zou komen.

Ik had nog één vraag voor hem.

'Hebt u ooit gesproken met een vriendin van Sophie, Sam Metcalf?'

'Metcalf?' De inspecteur kreeg inmiddels grote haast. Misschien zat hij in zijn gedachten al aan de lunch. 'Die naam zegt me niets.'

'Blijkbaar gebruikte Sophie haar huis soms om online te gaan.'

'Laat het adres maar hier, dan zal ik het uitzoeken.'

'Volgende week vliegt ze terug naar Amerika. Voorgoed. Ik heb morgen een afspraak met haar. Ik zou u kunnen vertellen hoe dat verlopen is.'

'In elk geval...' zei Morelli terwijl hij me naar de deur bracht. Hij stond stil en legde een hand op mijn schouder, zodat ik me moest omdraaien om hem aan te kunnen kijken. 'Dit individu, deze indringer... de waarheid is, signor Lister, dat hij van de andere kant van de aardbol kan zijn gekomen om uw dochter te vermoorden... en daar weer naar teruggekeerd is.'

Ik wilde hem herinneren aan zijn immigrantentheorie, maar dacht toen: wat als het schetsboek gestolen was uit het atelier? Kon een van de tekeningen haar moordenaar identificeren?

'Of hij is nog hier,' zei ik, 'hier in Florence.'

3

Laura en ik zaten met een fles wijn op het terras van ons hotel, een voormalig klooster met zijn eigen olijfboomgaard in de Viale dei Colli. Het was er een graad of twee koeler dan in de heuvels, maar nog steeds ontzettend warm. We hadden de tuin voor onszelf en het enige wat je hoorde was het slaapverwekkende gekoer van duiven en het klateren van een waterketen onder aan de heuvel die een reeks fonteinen en spiegelende vijvers met elkaar verbond. Het was vredig in de Villa Arrighetti, bijna té vredig. Persoonlijk had ik liever in een hotel in de stad gezeten.

Ik wilde dichter bij de drukke straten en piazza's zijn waar Sophie ook had gelopen, bij de plaatsen waar ze geweest was. De helse reputatie van Florence in de zomer interesseerde me helemaal niets. Maar Laura wilde per se weg van de sprinkhaanachtige zwermen toeristen en de hitte, het verkeer en het lawaai. Ze was op een andere pelgrimage dan ik. We hebben allemaal onze eigen manier van herinneren, onze eigen ontsnappingswegen.

Rond half drie ging Laura binnen even rusten. We waren de avond ervoor laat aangekomen en ze had geklaagd dat ze niet goed geslapen had. Ik bestelde een espresso, pleegde wat telefoontjes en ging toen ook naar onze suite: twee schaars gemeubileerde kamers met hoge plafonds die uitkwamen op een loggia met zuilen. Het was er luxueus, maar niet opvallend. Ik keek in de slaapkamer en zag dat Laura sliep. Ik pakte een koud biertje uit de koelkast en nam mijn laptop mee naar het balkon.

Het was nu bijna tien voor drie en ik voelde een soort opgewonden verwachting, een niet onplezierige knoop in mijn maag. Ik logde in op internet en luisterde naar een pianoconcert van Mozart, terwijl ik mijn e-mail checkte.

Niets van Sam Metcalf. Ik nam dus aan dat de afspraak voor morgen nog steeds stond. Ik was niet van plan geweest om inspecteur Morelli over Sam te vertellen – ze had me gevraagd tegen niemand iets te zeggen – maar ik voelde me verplicht hem te laten weten dat zijn afdeling niet zo grondig had gewerkt als hij beweerde.

In Londen waren ze net zo apathisch. De manier waarop onze eigen politie de dingen had aangepakt was deprimerend onbeholpen. Na de moord op Sophie waren er twee mensen van Scotland Yard naar Florence gestuurd om de questura te assisteren. Toen ze een maand later weer terug waren, omschreven ze hun reisje als een prettig tijdverdrijf. Ik klaagde en de zaak kwam bij het klachtenbureau van de politie terecht. Het enige wat ik echt wilde bereiken was de officiële mening veranderen dat Sophies moordenaar waarschijnlijk nooit gepakt zou worden.

En toch, terwijl de tijd verstreek, en de weken en maanden een jaar werden, zonk ik geleidelijk aan steeds dieper in die inertie die mensen ook wel 'acceptatie' noemen. Ik ben niet het type dat blijft hangen in het verleden, ik geloof in verdergaan met je leven. Maar verdriet trekt zijn eigen plan en sleept je mee. De pijn verdwijnt niet, die is soms even weg of slaapt even, maar komt terug, meestal op momenten dat je het het minst verwacht.

Laura vond na de dood van Sophie wat troost in haar geloof. Als rasatheïst had ik die optie niet. Ik begroef me in mijn werk – zestien uur per dag, eindeloos veel afspraken, constant onderweg. Ik wilde niet wakker zijn als ik niets te doen had. Ik ben altijd een handelaar geweest (Laura beweerde dat ze geen verschil zag), maar sinds de moord heb ik geen lol meer in deals sluiten en geld verdienen – geld dat we niet nodig hebben. Ik ging maar door en door.

Nadat ik met Bailey en Morelli had gepraat, besefte ik dat als ik niet kon leren leven met wat er gebeurd was (terug in Florence speelden er weer sterke emoties op), ik nooit het idee zou kwijtraken dat ik Sophie als vader in de steek had gelaten, had laten zitten.

Precies om drie uur tikte ik het wachtwoord in van het chatprogramma dat ik gebruik. Adorablejoker was niet online. Ik klikte op haar gebruikersnaam en verzond 'je bent laat' met een druk op de entertoets naar de chatbox.

templedog: je bent laat

Er kwam geen reactie. Ze was waarschijnlijk al naar haar werk.

Ik staarde naar het scherm en baalde van het feit dat ik haar misgelopen was of dat ze het gewoon vergeten was, toen ineens haar naam verscheen en de smiley ernaast met een lach oplichtte, wat betekende: 'Ik ben er'.

adorablejoker: nee, jij bent laat… ik was al bijna weg
templedog: ik kan niet lang blijven
aj: heb je nog meer nieuws?
td: momentje, even een sigaret opsteken
aj: hou daar toch eens mee op
td: blaas rook in je ogen
aj: ik zweer je… hou die troep bij me uit de buurt
td: nog een paar trekjes, dan maak ik hem uit
aj: tuurlijk doe je dat
td: verdomme… wacht heel even

Ik kon haar horen lachen. Ik keek door de openslaande deuren naar de slaapkamer en zag dat Laura wakker was. Rechtop in bed, met de afstandsbediening op de tv gericht.

Er was maar een kleine kans dat ze naar het balkon zou komen en dan nog hoefde ik alleen maar de minimaliseerknop aan te raken en de chatbox zou verdwijnen. Ik had niets te verbergen, maar ik had nu even geen zin om 'adorablejoker' aan mijn vrouw uit te leggen.

td: ik moet helaas weg, wanneer ben je weer online?
aj: geen idee, dat kan even duren
td: klinkt onheilspellend, ik geniet van onze gesprekken
aj: tijd om die gewoonte eens te doorbreken man
td: wat bedoel je daarmee?
aj: ik moet naar DC
td: o, en waarom
aj: naar een vriend, ik ben een paar weken weg

Ik drukte mijn sigaret uit. Nog steeds luisterend naar Mozart keek ik van het beeldscherm naar buiten, kneep mijn ogen dicht tegen het felle zonlicht en liet mijn blik langs de cipressen glijden die heuvelafwaarts tussen de olijfbomen stonden. In gedachten zag ik haar naast het raam van haar appartement in Brooklyn zitten – een wereld ver weg.

aj: hij is gewoon een vriend, getrouwd, twee koters
td: ach, prima toch… je moet er ook veel vaker uit
aj: het is niet wat je denkt, hoor
td: ik kan me niet herinneren dat ik gezegd heb wat ik denk. Ik ben hier
zelf behoorlijk druk
aj: nou… nu moet ik echt weg
td: veel plezier in Washington
aj: bedankt… ik moet rennen

Ik begon nog wat te tikken, gewoon om het laatste woord te hebben, maar Jelena was verdwenen. Het kleine gele icoontje naast haar naam was grijs geworden.

Het stelde niets voor, natuurlijk – we chatten online, een paar maanden al, totaal onschuldig en boven verdenking – maar ik had iets als boosheid gevoeld, misschien zelfs jaloezie, waar ik van schrok. Ik scrolde terug en herlas wat ze gezegd had over naar haar 'vriend' in DC gaan. Ik had geen reden om ook maar iets te voelen.

Ik wachtte nog even voor het geval ze van gedachten veranderde en weer online zou komen. Toen logde ik uit en staarde vanaf het balkon over Florence – hetzelfde uitzicht van daken en torens en kopergroene koepels, gedomineerd door de roze bochel van Brunelleschi's dom, dat ik op het prikbord in mijn kantoor in Londen had hangen en daar waarschijnlijk altijd zou laten hangen. De kaart van Sophie waarop ze me feliciteerde met mijn verjaardag was een week nadat ik hoorde dat ze dood was aangekomen.

Toen ik het hoorde, zat ik midden in de grootste en belangrijkste deal van mijn leven – een goudmijnavontuur in Australië, waar ik me in had weten te werken. We hadden net de papieren getekend en zouden het met een handdruk bezegelen, toen ik aan de telefoon werd geroepen. In een jubelstemming ving ik de gemompelde woorden 'vanuit Florence' op en ik wist meteen, als een stomp in mijn maag, dat er iets met Sophie was.

Je hebt je ergste angsten nog niet echt onder woorden gebracht tot die woorden hardop worden uitgesproken. Gek genoeg herinner ik me dat de geur van 'Joy', het parfum dat Laura gebruikt, nog rond de hoorn hing. Dat was zo vertrouwd… even dacht ik: nee, niets aan de hand. Toen kwam de bevestiging dat mijn moment van triomf, ieder moment van triomf en trouwens ook van afgang, aan diggelen viel, verdween in het niets. Voor altijd.

Ik stond op, liep naar de rand van het balkon en keek vanboven op het hotelterrein neer en probeerde het gevoel van onrust, van angst te negeren. Misschien voelde ik me zo omdat ik aan Sophie dacht, of omdat ik me afvroeg wanneer ik weer van 'adorablejoker' zou horen, of omdat ik bang was dat de afspraak met Sam Metcalf weer een doodlopende weg zou blijken te zijn; ik wist niet precies waarom. Toen realiseerde ik me ineens dat ik in de gaten werd gehouden.

Onze loggia was vanuit de tuin niet te zien, maar aan het eind van de rij cipressen, aan de andere kant van het oude ijzeren hek naar de Viale Galileo Galilei, kon ik net een figuur onderscheiden die roerloos naar de villa staarde.

Ik draaide me vlug om, stootte bijna mijn bier om – Laura kwam net het balkon op. Ik zei iets tegen haar en zij glimlachte. Toen ik weer naar de heuvel keek, was de figuur verdwenen.

4

Bij een bocht in de trap bleef Sam Metcalf even staan, ze hing even tegen de leuning en keek omhoog tussen de spijlen door naar de overloop voor ze de laatste treden beklom. Het was een voorzorgsmaatregel die ze altijd nam, sinds ze ooit 's nachts laat thuisgekomen was na een feestje en ontdekte dat er een vreemde op haar stond te wachten. Ze prees zichzelf gelukkig dat hij alleen maar haar geld had gewild. Sam tastte in haar broekzak naar haar sleutel.

Ze bleef op de drempel staan, duwde de deur wijd open, zodat ze kon zien of er iemand in de gang of de keuken was. Daarna, nog steeds op haar hoede, luisterde ze roerloos of ze boven de keiharde muziek uit onbekende geluiden hoorde.

De Iraniërs in het appartement onder haar draaiden op volle sterkte Sheryl Crows 'All I wanna do'. Eindelijk was ze er zeker van dat ze alleen in het appartement was.

Het was verdomme klaarlichte dag... wat zou er kunnen gebeuren?

Ze moest zichzelf streng toespreken voor ze naar binnen durfde te stappen, haar spullen op de grond liet vallen en, gewapend met een mes van het magnetische rek in de keuken, in alle kamers keek. Die waren nog net zo als toen ze was weggegaan.

Luid getoeter rees op vanuit de straat onder haar raam. Ze liep terug naar de gang en schopte de voordeur dicht. Daarna leunde ze er met gesloten ogen tegenaan.

De muziek kalmeerde haar, terwijl ze op de zin wachtte die ze zo mooi vond over de opkomende zon boven de Santa Monicaboulevard, maar ineens hield Sheryls hymne uit 1990 over lamlendig LA op. In de hierop volgende stilte hoorde ze een automotor draaien.

Even later sloeg de deur van het Iraanse stel dicht en roffelden er voetstappen op de stenen trap. Vanaf de straat brulde een hese mannenstem 'Vaffanculo!'.

Toen trok de auto op en rinkelde haar telefoon.

In de keuken keek Sam even naar de Leonardoklok boven het gasstel, ze concentreerde zich op het maken van een kop koffie en probeerde vooral niet te denken aan waar ze een halfuur geleden had moeten zijn. Ze nam niet op, wie haar ook probeerde te bellen.

Ze maakte plek voor haar laptop, ging aan tafel zitten en wachtte tot de telefoon ophield met rinkelen. Ze wist dat ze Sophies vader had moeten bellen, had moeten vertellen dat ze de afspraak niet haalde, een excuus had moeten verzinnen. De laatste schrille tonen galmden door het lege appartement. Ze nam een slok koffie en brandde haar lippen.

Shit... haar handen bleven trillen.

'Niemand weet... ervan. En dat moesten we maar zo houden.'

De stem klonk verleidelijk, brutaal en wat hees, een beetje als de jonge Bill Clinton. Het was het insinuerende middenwesten-accent met de vragende toon aan het eind van een zin waar het helemaal niet nodig was waar ze kippenvel van had gekregen, waardoor ze had geweten wat er zou gebeuren als ze zou gaan praten.

Gisteravond, bij haar vriend Jimmy in Fiesole, was ze te bang geweest om hem in vertrouwen te nemen. Hij zou erop gestaan hebben dat ze naar de questura was gegaan. Maar wat had ze de politie kunnen vertellen? Dat ze een vaag dreigtelefoontje had gehad van een onbekende en dat ze dacht dat het de moordenaar was? Sam had lang genoeg in Italië gewoond om te weten dat de politie haar niet zou beschermen. Nee, ze zouden eerder haar '*permesso*' innemen en haar verbieden om het land te verlaten.

Ze had tot vier uur 's ochtends liggen piekeren of ze nou wel of niet naar de afspraak op de Trinatabrug moest gaan. Ze vond het afschuwelijk dat ze de ouders van Sophie liet zitten – voelde zich dubbel schuldig, omdat ze hen allang had moeten vertellen wat ze al zo lang wist – maar ze durfde het risico nu niet te nemen.

Ze was niet bereid te sterven voor mensen die ze nooit ontmoet had.

En zo dik was ze nu ook weer niet met Sophie geweest. Het meisje was naar haar toe gekomen na een lezing van de British Council en had gezegd dat ze geïnteresseerd was in keramiek uit het begin van de renaissance. Sam, wier vakgebied dit was, had haar onder haar hoede genomen. Een aardig meisje, mooi, getalenteerd, onschuldig en toch... Sophie Lister bleek, helaas, haar plek eerder te gebruiken voor online privégesprekken dan om de geheimen van de Della Robbiaworkshop te ontrafelen. Ze hadden amper met elkaar gepraat.

Sam zette haar Toshiba aan. Vroeger had ze aan de vingers van het dode meisje gedacht die de toetsen hadden beroerd, was ze bang geweest dat haar slechte karma op haar zou overgaan, alsof het een soort virus was dat je kon doorgeven; maar daar was ze overheen.

Het was de website die ze afgelopen week toevallig was tegengekomen terwijl ze haar favorietenlijst opschoonde – een website die daar alleen door Sophie kon zijn achtergelaten – die, dacht ze, het apparaat had besmet.

Sam liep de slaapkamer in om te pakken.

Ze ging met de trein naar Venetië en zou Santa Maria Novella om tien over half zes verlaten – binnen twee uur. Omdat ze die avond geen vlucht meer had kunnen krijgen, had ze haar vliegticket naar Boston gecanceld en de vijftig procent die ze terugkreeg besteed aan een treinkaart door Europa. Ze had niemand, ook Jimmy niet, verteld dat haar plannen gewijzigd waren. Dat was veel veiliger.

Ze vond het niet erg om Florence te verlaten. Ze was op haar negentiende tijdens een Study Abroadprogramma verliefd geworden op de stad en die was bijna tien jaar haar thuis geweest. Maar nu had ze gemerkt dat ze veranderd was in iets wat ze verafschuwde: in de eeuwige studente, die jaar na jaar de ene na de andere cursus in de schone kunsten afrondde en zichzelf wijsmaakte dat het haar niet alleen om Federico ging.

Op achtentwintigjarige leeftijd, nog steeds aantrekkelijk met haar lichte huid, donker krullend haar en blauwe ogen – ze noemde het haar joodse-meisjelook – waren er dagen dat Sam bang was dat haar beste jaren voorbij waren. Ze kende veel te veel eenzame Amerikaanse vrouwen van middelbare leeftijd, die waren gekomen voor kunst en seks, maar moesten gaan werken in boekwinkels of als gidsen of lerares Engels in een van de talloze taalscholen in Florence. Zelfs als haar leven niet in gevaar zou zijn, was het hoog tijd om weg te gaan.

Sam fronste haar wenkbrauwen en luisterde.

Het zachte tikken kwam van haar reiswekkertje op het nachtkastje. Ze klapte het in, legde het in het doosje van groenehagedissenhuid, gooide het in haar handbagagetas en ging met een zucht op haar bed zitten. Ze wist dat ze eigenlijk het vuile beddengoed af moest halen, maar had er de energie niet voor. Ineens zag ze een verfrommeld hoopje crèmekleurige zijde. Ze trok een nachthemd onder het kussen vandaan dat ze een paar weken geleden voor het laatst gedragen had. Als het warm was, sliep ze altijd naakt.

Wacht eens even. Het voelen tussen matras en kussen had een vage herinnering opgeroepen van haar en Federico. Jezus... wacht verdomme eens even.

Ze smeet de kussens opzij en wipte toen van het bed om de lakens eraf te trekken. Ze trok het bed van de muur en gooide de matras op de vloer. Hij was verdwenen, geen twijfel mogelijk, ze had het geweten als ze hem had ingepakt – haar vibrator was er niet.

Ze dacht diep na, probeerde zich de laatste keer te herinneren, zocht naar een onschuldige verklaring. Tenzij Federico... maar die klootzak had haar al weken geleden zijn sleutel teruggegeven, op dezelfde dag dat hij haar gedumpt had, en was, zo voorspelbaar dat ze zich nog voor hem schaamde ook, teruggekeerd naar zijn Florentijnse vrouw en kinderen.

Haar maag protesteerde. Ze rende naar de badkamer en hing boven de wasbak tot de misselijkheid over was. Toen ze naar zichzelf in de spiegel keek, zag Sam dat haar ogen bijna zwart waren. Haar pupillen waren van angst zo vergroot dat er slechts een dun cirkeltje blauw zichtbaar was. Ze had wat nodig... ze wist dat ze nog ergens wat valium moest hebben. Haar bleke gezicht schoof opzij toen ze het deurtje van de medicijnkast opendeed.

Daar, op het glazen plankje, lag haar 'zilveren kogel'.

'O, god, nee,' Sam blies haar adem uit terwijl ze de vibrator pakte en deze met trillende vingers langzaam uit de verchroomde huls trok. Toen liet ze hem bijna vallen. Aan de onderkant zat een klein hartvormig stickertje geplakt dat daar nog nooit had gezeten.

Ze liep terug naar de keuken en pakte haar mobiel. Haar handen trilden zo erg dat ze vier of vijf keer moest drukken voor ze het nummer goed had.

Ward moest hier gisteravond zijn geweest, hij had een souvenirtje voor haar achtergelaten.

5

'Ik moet je nog wat vertellen,' zei ik.

Met getuite lippen, alsof ze een kus ging geven, leunde Laura naar voren om over een vork vol risotto te blazen die nog te heet was om te eten.

'Ik had eerder op de dag met iemand afgesproken, een vriendin van Sophie, ze heet Sam Metcalf.' Ik aarzelde even. 'Ik was op de afgesproken plek, maar zij is niet op komen dagen.'

Laura liet haar vork zakken.

'Ik denk dat ze uit angst is weggebleven.'

'Vind je dit leuk, Ed? Doe je me dit daarom iedere keer aan?'

Ze ging harder praten, alsof ze vergeten was dat we in een restaurant zaten. Het was drukker dan gisteren op het terras van de Villa Arrighetti, de andere tafels waren bijna allemaal bezet door oudere koppels die zachtjes praatten.

'Een week geleden,' ging ik verder en ik lette niet op de nieuwsgierige blikken die naar ons toegeworpen werden, 'kreeg ik een e-mail van dit meisje. Er stond in dat ze wat dingen van Sophie in haar laptop had gevonden die misschien interessant konden zijn. Blijkbaar gebruikte Sophie haar computer om online te gaan.'

'Waarom nam ze contact op met jou?' Laura was meteen sceptisch. 'Waarom niet met de politie?'

'Toen de moord gepleegd werd, was ze in Boston. Ze wist er niets van tot ze een maand later weer in Florence was. En ik weet niet zeker of ze naar de politie is gegaan.'

'Heb je Morelli dit ook verteld?'

'Ik heb haar naam genoemd, maar hij reageerde niet. Sam vroeg me om het niemand te vertellen.'

'En vind jij dat niet raar?' Laura fronste haar wenkbrauwen en zei toen: 'En waarom duurde het zo lang om een afspraak te maken?'

'Hoor eens, ik weet alleen wat ze in haar e-mails zette... we hebben elkaar nooit gesproken.'

Ze blies weer over haar eten en nam een hap rijst. 'Weet je... dit is echt verrukkelijk.'

'Zullen we even bij het onderwerp blijven? Het is belangrijk.'

'Zo verdomd belangrijk dat je het me nu pas vertelt.'

'Ik had het je nog niet verteld omdat ik je geen... hoop wilde geven.'

Ik had het haar willen vertellen, maar pas nadat ik het meisje gesproken had en wist of haar informatie belangrijk was. Net zoals met het schetsboek: ik wilde voorkomen dat mijn vrouw overstuur raakte om niets.

'Hoop?' Laura glimlachte en schudde haar hoofd.

'Maar goed, ik vertel het je nu,' zei ik rustig; het laatste wat ik wilde was ruzie. 'Ik vroeg je of je Sophie ooit de naam Sam hebt horen noemen.'

'Misschien denk jij van wel.'

'Ik wil gerechtigheid voor haar, Laura. Is daar iets mis mee?' Ze gaf geen antwoord, maar haar bleke, harde ogen keken rustig in de mijne. 'Nou... is er iets mis mee?'

Het was niet zo dat Laura niet wilde dat Sophies moordenaar gepakt zou worden. Ze wilde alleen de dingen niet tot in het oneindige laten voortslepen. Zoals ik al eerder zei, we gingen op onze eigen manier om met het verlies. Zij zocht een ander soort vrede.

Ze bleef naar me staren terwijl ze een slok wijn nam. 'Wees vanavond wel op tijd. Want je komt toch wel, hè?'

'Wat denk je? Tuurlijk ben ik er.' Ik had niet veel zin in de requiemmis die ze geregeld had voor Sophie (die nooit een voet in de kerk zette als het niet per se hoefde) in San Miniato, maar ik wist dat Laura mijn steun nodig had.

Op dat moment kwamen onze hoofdgerechten. Zij had carpaccio besteld, ik geroosterd lam met rozemarijn. We aten in stilte en genoten van het eten. Het is een vreemde, onaangename waarheid, maar verlies stilt de trek niet.

Laura had zich voor de lunch omgekleed in een luchtig zomerjurkje en iets anders met haar lichtblonde, fijne haar gedaan. Toen we elkaar voor het eerst ontmoetten, droeg ze een haarband en een gestreept shirt met een opstaande kraag – dat was een hele tijd geleden. Ik zei dat ze er mooi uitzag.

'Wat dacht je van een siësta?' vroeg ik, toen we van tafel waren opgestaan en langzaam over het terras terugwandelden.

Ze zuchtte. 'Misschien kan ik beter even gaan rusten.'

Onder aan de stenen trap die naar de *piano nobile*, de bovenste verdieping, leidde, draaide Laura zich naar me toe en zei op een lage, gevoelige toon: 'Laat het los, Eddie. Laat het verleden met rust. Jij noch iemand anders kan haar terugbrengen.'

Een vriendin die een meevoelend advies geeft.

Meteen nadat we in onze suite waren, deed ik de deur op slot. Laura wachtte bij het raam, tegen het licht. Ze bewoog niet toen ik achter haar kwam staan. Ik nam het initiatief, maar wist zeker dat het precies was wat ze wilde.

Er was haast, daarna gedeelde, plezierige ontspanning. Misschien voelde ik me rot om haar, misschien om ons allebei, misschien had ze medelijden met mij, maar we kwamen nu even uit onze gescheiden vestingen en konden even vergeten. Ik vind het moeilijk om hierover te schrijven.

Ik wil niet maar blijven zeggen dat ik van mijn vrouw houd... dat deed ik, maar al voor de moord op Sophie liep het niet zo lekker tussen ons. In de eerste dagen en weken nadat het gebeurd was, had ik Laura hard nodig. We hielden elkaar vast, hielden elkaar letterlijk vast, maar toen dat niet meer hielp, toen de drug was uitgewerkt, trokken we ons in onszelf terug en groeiden we verder uit elkaar.

We praatten niet, niet over wat we net gedaan hadden.

Laura stond op en liep naar de badkamer. Naakt zag ze er kwetsbaar en zéér Engels uit. Ze had een bijna perfect figuur, maar ze bewoog zich schokkerig zonder kleren aan. Ik zei dat ik nog wat moest werken. Ze draaide zich om en glimlachte naar me vanuit de badkamerdeur, met haar onnatuurlijke heldere lavendelkleurige ogen, en ik voelde een steek van schuld.

Er was nog steeds liefde, van beide kanten, maar er stierf iedere dag een stukje van af.

Na een douche liep ik met mijn mobiel en laptop de loggia op en keek of Sam woord had gehouden. Er was niets.

Het volgende halfuur besteedde ik aan werk. Ik werkte me door mijn e-mails, en telefoneerde met Londen. Mijn bedrijf, Beauly-Lister, pioniert in 'land-met-uitzicht', op de meest gewilde, wat doorgaans onbedorven betekent, locaties. Onze concurrenten maken zich meestal druk om kapitaalkosten, landprijzen en marginale groei. Wij hebben als uitgangspunt dat een prachtig uitzicht eigenlijk een soort kunstwerk is dat bijna, maar niet helemaal, onbetaalbaar is.

Ik liet Audrey, mijn assistente, weten hoe laat we de volgende dag op Heathrow zouden landen, zodat de auto op tijd daar kon zijn.

Tijdens dit gesprek kreeg ik een inkomende mail van Sam Metcalf en maakte vlug een einde aan het telefoontje.

Wat Sam te vertellen had, was teleurstellend kort.

HOOR EENS, IK HEB EEN FOUT GEMAAKT... ER IS ECHT NIETS OM OVER TE PRATEN. ZOEK ALSJEBLIEFT GEEN CONTACT MEER MET ME. HET SPIJT ME, SAM.

De e-mail had een bijlage die ik onmiddellijk opende. Het bleek nog meer tekst. Ik vroeg me af waarom Sam die niet gewoon bij haar mail had gezet. Zou ze van gedachte veranderd zijn?

JE KUNT DIT BEKIJKEN, had ze geschreven. IK KWAM HET TEGEN TOEN IK MIJN FAVORIETENLIJST OPSCHOONDE. ZOALS IK AL ZEI, VOLGENS MIJ HEEFT JOUW DOCHTER DIT ACHTERGELATEN.

En toen stond er op een aparte regel het adres van een website:

www.homebeforedark.net.kg

Het kostte veel tijd om de afbeeldingen te downloaden. Ik had geen idee wat ik kon verwachten. Ik was bang dat het iets zou zijn over Sophie waar ik niets over wilde weten. Een golf van verdriet overspoelde me, toen ik bedacht dat ze geheimen voor me had gehad.

Er was geen duidelijke homepage, geen titels die je welkom heetten op de site, geen enkele tag of tekst, alleen een teller in de linkeronderhoek. Ik was de 572e bezoeker. De domeinnaam, homebeforedark, suggereerde iets apocalyptisch, misschien iets religieus of iets newage-achtigs. Daar had ik allemaal niets mee.

Terwijl de centrale afbeelding op het scherm verscheen, eerst half verborgen achter bomen, grasvelden en schuttingen, werd ik steeds opgewondener: want wat langzaam voor mijn ogen een vorm kreeg, was een wit Amerikaans koloniaal huis in een voorstad.

Bijna had ik Laura geroepen om te komen kijken.

Ik wilde weten of zij 'het' ook zag, of ze hetzelfde verband legde als ik met het 'withouten poppenhuis' dat Bailey Grant zo levendig uit zijn hoofd had beschreven uit Sophies schetsboek.

Het was niet moeilijk om uit het prachtige design van het landhuis met pilaren op mijn scherm te begrijpen waar Sophie haar inspiratie

37

had gevonden. De afbeeldingen hadden de superrealistische, 3D-achtige uitstraling van een virtueel gebouw, dat je net als in een poppenhuis binnen kunt gaan en kamer voor kamer kunt bekijken.

Dit kon geen toeval zijn. Ik keek achterom onze slaapkamer in en zag dat Laura sliep. Ik had geen zin om haar te storen.

Er waren geen instructies over hoe de site te bezichtigen was. De toegang was vast en zeker beveiligd, maar dat wilde niet zeggen dat het niet de moeite waard was om het te proberen. Ik bewoog de cursor naar het poortje in de schutting en dubbelklikte op de deurklink – zonder resultaat. Ik probeerde de Amerikaanse brievenbus; de vlag stond in top, wat er veelbelovend uitzag, maar weer gebeurde er niets. Ik volgde het pad naar de donkergroene voordeur en klikte op de koperen deurklopper.

Een standaard pop-upvenster verscheen onder aan het scherm en vroeg om een gebruikersnaam en wachtwoord. Ik probeerde een aantal willekeurige combinaties, maar gaf het toen op. Ik had nu graag George' hulp gehad – mijn vijftienjarige zoon was een fanatiek *gamer* en hij was erg handig in het ontdekken van visuele aanwijzingen. Laura had hem van school willen houden en mee naar Florence willen nemen, maar om verschillende redenen had ik dat tegengehouden.

Ik draaide het nummer van Baileys atelier. Een meisje, niet India, nam op en zei dat ze zou kijken of hij gestoord kon worden. Vervolgens zette ze me in de wacht met een bandje van de Eagles: 'Hotel California'.

Terwijl ik wachtte, bewoog ik de cursor langzaam over de buitenkant van het huis. De luiken van de ramen waren allemaal gesloten en gaven het gebouw een verlaten, beter gezegd een grimmige, sfeer. Ik klikte op allemaal en ineens sprongen de luiken van een dakvenster open en werd een halfopenstaand schuifraam zichtbaar. Ik slaakte een vreugdekreet, want ik dacht dat ik nu naar binnen kon, maar het raam bewoog geen millimeter. Daarachter was het pikzwart.

'Dus dit noem jij werken. Ik vroeg het me al af.'

Laura, gehuld in een badlaken, stond naast me en keek over mijn schouder naar het scherm. Ik was zo verdiept geweest in mijn bezigheden dat ik haar niet gehoord had.

'Herken je dit?'

En precies op dit moment werden de Eagles weggedraaid en stak ik mijn hand omhoog.

'Meneer Lister, ik heb goed nieuws...'

Ik liet Bailey niet uitspreken. 'En ik heb een vraag. Dat withouten huis in Sophies tekeningen... voordeur, paneel links onder, is dat een kattenluikje?'

Het viel even stil aan de andere kant van de lijn.

'Hoe kunt u dat nou weten?'

Ik keek naar Laura. Ik wilde haar omhelzen.

'Bailey, stel dat Sophies moordenaar van die tekeningen wist – was er iets in dat huis dat hij bedreigend kon vinden voor zichzelf?'

'Dat kunt u zelf bekijken. We hebben namelijk het schetsboek gevonden.'

Ik draaide me naar Laura om. 'Heb je gehoord wat hij zei?'

Ze knikte afwezig terwijl ze naar het scherm staarde. Ik begon me te realiseren hoe belangrijk dit allemaal kon zijn, toen ik voelde dat ze mijn arm aanraakte.

'Als het u uitkomt,' zei Bailey, 'dan kan ik het vanavond langsbrengen.'

'Betekent dat niet dat iemand contact met je zoekt?' vroeg Laura en wees naar een oranje oplichtend pictogram in de taakbalk van mijn laptop.

'Hier, praat jij maar met hem verder,' zei ik en ik gaf haar mijn mobiel.

'Het zou dat meisje kunnen zijn... die vriendin van Sophie.'

Ik wist zeker dat het niet Sam Metcalf zou zijn, maar het oranje pictogram bleef knipperen en ik moest mijn vrouw afleiden.

6

Twee keer rinkelen, toen stopte het.

Toen hij weer rinkelde, griste ze de hoorn van de haak.

'Ik ben het, Jimmy.'

'Moment.' Sam liep naar het raam en keek naar beneden, naar de Borgo Stella. Hij stond op de stoep, recht onder haar, en praatte in zijn mobiel; ze kon de bovenkant van zijn hoofd zien, met een Rayban zwierig op zijn blonde krullen, en het shirt met de brede paarse strepen dat hij gisteren ook aanhad. Hij stapte achterwaarts van de stoep af, en met zijn armen in de lucht riep hij: '*E Samantha, ti amo.*' Jimmy moest altijd zo nodig de clown uithangen. '*Amore e 'il cor gentil sono una cosa...*'

Ze leunde naar voren om naar twee kanten de straat in te kunnen kijken.

Een meisje in spijkerbroek liep voorbij met één zonnebloem over haar schouder alsof het een vishengel was, de onderkant van de steel was in aluminiumfolie gewikkeld. Ze hoorde Puccini's 'Nessun Dorma' ergens uit een open raam, de stemmen probeerden boven het straatlawaai uit te komen. Niets verdachts te zien. De geruststellende geur van hars uit de meubelwerkplaats van twee verdiepingen lager dreef haar tegemoet.

'Oké,' zei ze en hing op.

Ze liep terug naar de gang en liet met de zoemer Jimmy binnen. Haar gebouw had geen gesloten cameracircuit of intercom, daarom stond ze erop dat hij eerst belde. Ze zou de deur niet van het slot halen voor ze zijn stem had gehoord en door het kijkgaatje had gecontroleerd of hij alleen was.

'Je ziet er wat verhit uit,' viel hij met de deur in huis.

'Bedankt.' Ze had nog wel haar best gedaan, haar rode ogen met water gedept, haar haar naar achteren gestoken en zelfs wat make-up op gedaan. Maar Jimmy kende haar.

40

Hij liep langs haar de gang in. Ze deed de voordeur achter hem op slot, draaide zich om en zag hem staan, wachtend op haar. Ze viel struikelend in zijn armen. 'God, wat ben ik blij dat ik je zie, je hebt geen idee.'

'Hé, hé, hé, rustig aan.'

Ze trilde over haar hele lichaam.

'Je bent later dan afgesproken. We moeten meteen gaan.'

'Gaan? Waarnaartoe?' Hij keek haar eens goed aan. 'Ga je me nog vertellen wat er aan de hand is? Heeft die klootzak je weer lastig-gevallen?'

Jimmy was nooit een grote fan van Federico geweest.

Ze maakte zich van hem los en schudde haar hoofd. Aan de telefoon had ze alleen maar gezegd dat ze in moeilijkheden zat, dat ze hem nodig had. Het was typisch Jimmy dat hij geen seconde had geaarzeld, maar dat het hem verdomme bijna een uur had gekost om hier te komen.

'De plannen zijn veranderd. Ik vertrek vandaag, ik heb geboekt voor de trein van tien over half zes naar Venetië.'

'Maar vanavond dan... het feest? Daar moet je wel zijn.'

'Ach, vertel iedereen maar... weet ik veel, zeg maar dat ik bericht van thuis heb gekregen. Dat ik direct terug moest voor een familiebegrafenis. Of bedenk maar iets beters.'

'Nou, nou, Metcalf, je kunt wel beter dan dat. Ik ben het, Jimmy. Wat is er verdomme aan de hand?'

Sam glimlachte en raakte met een hand even zijn gezicht aan. Ze vond het geen prettig idee om hem in vertrouwen te nemen.

Ze kende Jimmy Macchado al sinds de middelbare school. Na hun eindexamen in South Bend, Indiana, hadden ze even geen contact meer gehad, maar ze waren elkaar stom toevallig in Florence weer tegengekomen – hij had net een baan gekregen als docent cinematografie aan de New York Film Academy op de Via Dei Pucci – en ze hernieuwden hun oude vriendschap. Een jaar geleden was hij naar Fiesole verhuisd, maar ze waren goede vrienden gebleven en hingen bijna dagelijks met elkaar aan de telefoon.

Jimmy was de enige in Florence die ze kon vertrouwen.

'Luister, je moet me naar Santa Maria Novella brengen. Het enige wat jij hoeft te doen is ervoor zorgen dat ik die trein haal.'

'Je bent gek. Ik verzet geen stap voor je me precies verteld hebt wat er allemaal aan de hand is.'

Nadenkend kauwde ze op haar lip.

Ze draaide zich om en liep de huiskamer in, slalomde tussen de dozen door naar de bank. Hij volgde haar en hielp twee zitplaatsen vrij te maken. Ze pakte zijn handen en zocht zijn ogen.

'Je mag hier absoluut met niemand over praten... en ik maak geen grapje, Jimmy.'

Hij trok een vinger en duim langs zijn lippen. 'Potdicht.'

'Ken je Sophie nog, dat Engelse meisje dat vermoord is?'

'Hoe kan ik zoiets nou vergeten?'

'Ik kreeg gisteren een telefoontje van de man die haar vermoord heeft.' Sam wachtte even op zijn reactie, maar Jimmy keek haar alleen maar aan. 'Hij waarschuwde me niet in het verleden te gaan wroeten.'

'Wat? Momentje, even terug. Jij kent haar moordenaar?'

'Ik heb 'm alleen gezien. Maar hij weet wie ik ben.'

'Dus dat is er gisteren gebeurd. Waarom heb je me dat niet verteld?'

'Omdat ik verdomme doodsbang was... Jimmy, volgens mij is hij hier in mijn appartement geweest.' Haar stem sloeg over.

'Oké, rustig maar. Vertel me gewoon wat er gebeurd is. Wanneer heb je hem gezien?'

'Zo'n tien dagen voor Sophie vermoord werd. Het was 's avonds laat, ik ging de gordijnen dichtdoen en zag een man aan de overkant van de straat staan. Jong, begin dertig denk ik, gewone lengte, zag er goed uit – verder heb ik niet zo naar hem gekeken. Ik dacht dat hij op iemand wachtte. Maar toen keek hij omhoog en keken we elkaar aan. Iets in zijn blik maakte dat ik terugdeinsde.

Niet lachen, maar ik dacht dat ik een bewonderaar had. Het kwam niet in me op dat hij op Sophie stond te wachten. Ik heb er niet meer aan gedacht tot ik weer terug was in Florence en hoorde wat er gebeurd was.'

'Ben je naar de questura geweest?'

Ze schudde haar hoofd. 'Ik heb wel het nummer ingetoetst, ik voelde me schuldig genoeg, maar toen bedacht ik dat als de man die ik gezien had verantwoordelijk was voor Sophies dood, dat hij dan wist waar ik woonde en hoe ik eruitzag. Hoe wilde de politie voorkomen dat hij achter mij aanging?'

'Maar dat deed hij toch, hè?' zei Jimmy. 'Je hebt nooit meer wat van hem gehoord of gezien – tot gisteren, klopt dat? Dus waarom heeft hij een jaar gewacht om je te bedreigen? Waarom nu?'

'Hoe moet ik dat verdomme weten? Dan zou ik als de sodemieter Florence ontvlucht zijn. Als ik geen werk had gehad, zou ik het gedaan hebben.'

'Jij bent gebleven voor Federico, houd jezelf niet voor de gek. Heb je hem van het telefoontje verteld? Heb je het überhaupt wel iemand verteld?'

De tranen sprongen in haar ogen. 'Nee, nee, niemand.'

Vroeger, toen ze zich realiseerde dat ze hulp nodig had, was hij de eerste geweest die ze had willen bellen. In een zwak moment had ze zelfs zijn nummer ingetoetst. Wat haar tegenhield was dat ze wist dat ze kapot zou zijn als Federico weigerde.

'Samantha, lieverd,' zei Jimmy zacht. 'Wat is er aan de hand? Vertel het me.'

Ze vroeg zich af of ze hem kon vragen om haar laptop naar het hotel van Ed Lister te brengen. De Toshiba had geen tas en ze had hem in bubbeltjesplastic gewikkeld en in haar L.L.Bean-boekentas gestopt – en die stond in de gang bij haar rugzak en koffer. Sam aarzelde.

'Ik kan niet... Jimmy, geloof me, jij wilt hier niet bij betrokken raken. Veel te gevaarlijk. En nu moeten we weg, anders mis ik mijn trein.'

Ze kon wel raden waarom Ward nu teruggekomen was. Op de een of andere manier moest hij achter de bestanden in haar computer zijn gekomen – bestanden die Sophie had achtergelaten en die hem misschien konden identificeren, en hij had er alles voor over om dat te voorkomen.

7

Het withouten huis verdween van het scherm en er verscheen de tekst van Sam Metcalfs korte e-mail met het verzoek geen contact meer met haar op te nemen. Ik beantwoordde hem toch, bedankte haar voor de informatie en voor het zoeken naar de gebruikersnaam en het password voor de homebeforedark-website. Geen verwijt over haar niet nagekomen afspraak, geen gesmeek om haar besluit te veranderen – ik hield het kort en to the point. Ik dacht dat dit mijn grootste kans was om onze breekbare band in stand te houden.

Het berichtenpictogram knipperde niet meer. Ik wist niet of Laura had gezien dat ik aarzelde om te antwoorden of begrepen had dat ik dat helemaal niet gedaan had. Eigenlijk was ze allergisch voor computers. Glimlachend over iets wat Bailey zei door de telefoon, leek het haar niet meer te interesseren. Ik voelde me opgelucht toen ze zich omdraaide en met mijn mobiel tegen haar oor door de openslaande deuren terugliep naar de slaapkamer.

Ik ging naar mijn contactenlijst en zag dat 'adorablejoker', het meisje uit Brooklyn dat ik alleen maar als Jelena kende (ze vond het niet nodig om me haar volledige naam te vertellen), een korte boodschap had achtergelaten, maar 'momenteel offline' was – of zichzelf onzichtbaar had gemaakt. Ik dacht even na voor ik begon te tikken. Ze liet het me niet eens afmaken.

adorablejoker: geen tijd… moet al rennen.
templedog: was jij niet degene die een boodschap stuurde?
aj: ik heb zo'n 45 minuten om op Pennstation te komen
td: wat wilde je vertellen?
aj: niets belangrijks… oké, vannacht droomde ik dat je in moeilijkheden zat, had iets te maken met Florence, met je dochter… gaat alles goed?

Ik schrok.

Ik had niet tegen Jelena gezegd dat ik in Italië was en niets over het vervolg na de moord op Sophie. Haar intuïtie grensde af en toe aan helderziendheid. Ze beweerde dat het door haar eilandbloed kwam; de moeder van haar moeder kwam van Martinique.

td: alles gaat goed
aj: je bent niet thuis, hè?
td: in Florence… met mijn vrouw. We vliegen morgen terug
aj: dus het klopt

Ze wist van ons verlies. Zelf begon ze bijna nooit over het onderwerp, maar als ik erover begon, luisterde ze aandachtig. Ik vond haar sympathie altijd warm en echt, niet overdreven. Ironisch genoeg was het Sophie die onze paden had laten kruisen in cyberspace. Nadat ze vermoord was, verspilde ik zieldodende uren surfend langs chatrooms, hopend dat ik een spoor zou oppikken dat naar haar moordenaar zou leiden. In een van die chatrooms – de naam weet ik niet meer – kwam ik Jelena tegen.

Al meteen in het eerste gesprek dat we hadden, zes maanden geleden, waarschuwde ik haar dat ik rouwde om een kind dat vermoord was; maar ik weidde er verder niet over uit en vertelde niet veel details. Ik vertelde bijvoorbeeld niet dat Sophie haar moordenaar op internet ontmoet zou kunnen hebben.

Ik wilde haar niet bang maken en wegjagen.

td: we verzamelen hier wat spullen van Sophie. We moesten wel
    terugkomen… er wordt vanavond een mis voor haar opgedragen
aj: ik snap het, ik wilde dat ik een gebed voor haar kon opzeggen
td: je hoeft je niet te verontschuldigen
aj: maar het hoort niet… Ed, er zit iets helemaal fout… wees voorzichtig
td: jij maakt je veel te bezorgd. Ik zit helemaal niet in moeilijkheden
aj: wat is jouw sterrenbeeld ook alweer?
td: heel grappig… moest jij geen trein halen?
aj: ja en ik moet echt hoognodig weg. Jij houdt me aan de praat
td: welnee, het is precies andersom
aj: stop met dat verdomde gelieg

Nadat Jelena – of 'Jelly' zoals ze zelf zei – offline was gegaan, keek ik nog even naar haar foto die ik op mijn scherm had gezet. Het was een soort pasfoto – de enige foto die ze me van zichzelf gestuurd had: een slank meisje met een bruine huidskleur en een warrige haardos in een olijfkleurig T-shirt met voorop een verwassen, handgedrukt logo van The Clash. Ik had haar nooit verteld dat ik met die band had gewerkt, begin 1980 toen ik in New York woonde en in de muziekbusiness zat. Ik wilde niet het idee wekken dat ik aan het opscheppen was. En ze zou dan ook weten hoe oud ik was.

Ze leek absurd jong en absurd mooi. Hoofd naar één kant en met haar kin naar beneden keek ze recht in de camera met haar schuinstaande amandelvormige ogen (ze beweerde ook Indonesische en Nederlandse voorouders te hebben) die ondeugend glinsterden met een 'kom-maar-op'-blik; ze heeft een volle rode mond en je kunt zien dat ze die niet lang gesloten kan houden en dat ze sufferds niet lang kan verdragen. Aan de hand van één onduidelijke digitale afdruk kon ik niet zeggen of ze echt mooi was (ze vond zelf dat ze de gelaatstrekken van een mier had), maar het was een gezicht waar je naar wilde kijken en waar ik niet naar kon kijken zonder dat ik moest glimlachen.

'Eddie!' Laura riep me vanuit de slaapkamer. 'Opschieten, anders zijn we te laat.'

Ik klikte het bestand weg en sloot mijn laptop af.

Vroeg of laat zou een aantrekkelijke en slimme jonge vrouw als Jelena iemand tegenkomen (ik vermoedde half en half dat dat al was gebeurd) en dat zou het einde zijn van onze onorthodoxe, maar ongevaarlijke vriendschap. Ze was vijfentwintig, ik zesenveertig, met een gezin – en dat was nog maar het begin van onze verschillen.

Er was niets geheimzinnigs tussen ons. In de echte wereld zou ik geld hebben gezet op het overspelige aspect van een getrouwd zakenman van middelbare leeftijd die privégesprekken had met een vrouw die jong genoeg was om zijn dochter te kunnen zijn. Misschien had ik een blinde vlek wat Jelly betreft. Maar, voor mij in ieder geval, was ze niet meer dan een charmante *nickname*, een geest aan de andere kant van de computerterminal.

In haar gezelschap kon ik een tijdje aan de realiteit ontsnappen. Zo simpel lag het.

8

Zonder Jimmy's hulp was het Sam nooit gelukt.

Even na half zes waren ze op het station aangekomen en hij droeg haar tassen voor haar terwijl ze zich een weg baanden door een jubelende menigte op Santa Maria Novella – ze had geen rekening gehouden met een plaatselijke voetbalwedstrijd waarvan de fans zich mengden tussen de normale spitsuurreizigers – naar het spoor van de Venetië Express.

Jimmy, badend in het zweet en met de tickets tussen zijn tanden, hielp haar de trein in en vond met nog een paar minuten speling haar gereserveerde stoel bij het raam.

'Beloof me dat je het panoramarijtuig neemt,' hijgde hij.

Ze keek door het smalle, vieze raam en trok een gezicht. Een oudere vrouw in weduwezwart knikte beleefd naar de stoel tegenover haar. Sam glimlachte naar haar en zakte met een zucht op de bank.

Ze voelde zich opgelucht en draaierig. Ze keek even naar Jimmy die een plek in het bagagerek zocht voor haar koffer toen de trein ineens naar voren schoot.

'Laat maar zitten. Ga nu maar, anders zitten we straks samen in Venetië.' Het was even door haar hoofd geschoten om hem te vragen mee te gaan. 'Ik loop met je mee naar de deur. Ik heb nog wat voor je...' Ze joeg hem weg.

Zodra zijn rug naar haar toegekeerd was, ritste Sam haar koffer open. De zijden ochtendjas lag bovenop. Ze had hem voor Federico gekocht – maar dat deed er nu niet toe. Ze wilde Jimmy de ochtendjas geven, maar er was geen sprake van dat ze hem die in papier gewikkeld kon geven. Ze had de elegante doos waarin hij gezeten had weggegooid om meer plek in haar koffer te hebben.

Sam aarzelde even, maar leegde toen haar L.L.Bean-boekentas op tafel. Ze legde haar laptop in de koffer, bedekte hem met kleren en ritste de koffer weer dicht.

Ze vroeg de oude vrouw om even op haar spullen te letten en rende toen de gang door met de herkenbare wit-zwarte boekentas.

'O, mijn God,' zei Jimmy toen ze hem de tas gaf. 'Precies wat ik altijd al had willen hebben... wat is het?'

Sam lachte en bukte uit de trein om hem op zijn mond te kunnen kussen. 'Ik sta bij je, bij jóú, heel diep in het krijt.'

Ze zag de conducteur over het perron langs de trein lopen en de wagondeuren dichtduwen. Er was verder niemand op het perron. Jimmy keek even in de canvastas en fluisterde: 'Die moet een kapitaal gekost hebben...'

Ze hoorde rennende voetstappen. Een vrouw rende voorbij.

'Als het de verkeerde maat is, of als je de kleur niet mooi vindt, of wat dan ook... je mag hem ruilen... je kent de winkel in de Via Tornabuoni.'

'En deze?' Hij hield de tas omhoog. 'Ik zal hem naar je opsturen.'

De deur werd dichtgeduwd. Terwijl de trein langzaam begon te rijden, liep Jimmy naast haar wagon mee. Ze hoorde de eerste getjilpte maten van 'O Sole Mio' – Jimmy's idee van een leuke ringtone – en glimlachte toen ze hem zag zoeken naar zijn mobiel en zag stilstaan om op zijn display te kijken. Een joviale, bezorgde, tengere gestalte in zijn playboyoutfit, die zo uit een film van Fellini leek te komen. Sam voelde zich weer even schuldig bij de gedachte dat ze haar vriend in gevaar kon hebben gebracht, maar voor zover ze wist waren ze niet gevolgd. Ze zou hem missen.

Toen deed Jimmy een stap naar achteren, hij zwaaide naar haar en verdween uit het zicht.

9

Als het donker werd gingen de hekken van de Villa Nardini dicht en maakte de familie gebruik van een minder opvallende ingang in de met klimop bedekte buitenmuur aan de Via Rucellai. Ik was er om zeven uur. De Nardini's waren uit, maar ik had toestemming om te gaan en staan waar ik wilde in het huis en op het terrein. Op de avond dat Sophie vermoord werd nadat ze van een feestje thuiskwam, was ze door dezelfde deur naar binnen gegaan.

De gebeurtenissen hadden al talloze malen door mijn hoofd gespookt. Haar moordenaar zag zijn kans en stapte vliegensvlug uit de schaduw – ik zag een magnolia aan de overkant van de straat die een schaduw op de stoep wierp. Er waren heel veel plekken waar hij zich had kunnen verstoppen.

Maar was het echt zo gebeurd? Had ze niet gegild, gevochten, geprobeerd weg te rennen? Morelli dacht dat ze de 'indringer' had binnengelaten, omdat ze hem kende. De Via Rucellai is een rustige, goed verlichte hoofdstraat met een familiehotel op de hoek en een rusthuis voor nonnen dat op de tuin van de villa uitkeek.

Niemand had iets gezien of gehoord.

Mijn hand had amper de bel beroerd toen de met nagels beslagen eiken deur al naar binnen toe openging. Rutillio, de oude portier, stond midden in de deuropening; hij kon met zijn lange, geheimzinnige gezicht, half verlicht door de lamp, zo uit een schilderij uit de renaissance zijn gestapt. Een goede ziel, die lief was geweest voor Sophie – ik had hem ook in de requiemmis gezien. Rutillio was kapot geweest van verdriet toen hij moest getuigen bij het onderzoek. '*Buona sera, signor Lister*'.

Ik was blij dat ik niet genoeg Italiaans sprak om een gesprek met hem te beginnen terwijl ik achter hem aan liep over een geplaveid voorhof, verlicht door lantaarns, naar het terras. De geometrisch aangelegde tuin strekte zich voor me uit in een poel van intieme duisternis.

Het was een warme, sterreloze avond. Rutillio gaf me een zaklamp en nadat ik hem bedankt had, liep ik de kant op die hij me gewezen had: langs de hoge kelkvormige fontein en dan de trappen af naar beneden. Ik was niet in het huis geïnteresseerd.

Toen we hier eerder waren, had ik Laura geholpen met het ontruimen van de kamer van onze dochter en ik hoefde die nooit meer te zien. Sophie had altijd gezegd dat ze liever ergens anders, minder plechtstatig, had willen wonen, zodat ze het 'echte Florence' zou leren kennen. Soms vroeg ik me af of ze, als we het haar op haar eigen manier hadden laten doen, nu nog in leven zou zijn. Wij waren overbezorgde ouders, maar haar moeder... nee, wij allebei, dachten dat ze hier veilig zou zijn, op deze plek van rust en rijkdom.

Tijdens dat bezoek vertelde Laura me dat ze gedroomd had dat ze door de ontvangstkamers van de villa liep (allemaal met visgraatparket op de grond en vergulde stoelen langs de muren), dat ze de ene dubbele deur na de andere open zwiepte, dat ze Sophies naam riep, dat ze haar zocht. Nu houdt ze vol dat ze die droom al weken voor de moord had gehad. Ik betwijfel of haar geheugen betrouwbaar is. In ieder geval heeft ze het met mij nooit over een voorgevoel gehad... maar ja, ook ik vertelde haar niet alles.

Ze wist dat ik hier vanavond naartoe zou gaan. Ik was hier graag samen met Laura geweest, maar zelfs een kudde wilde paarden zou haar niet naar de plek hebben kunnen slepen waar onze oogappel van ons was weggenomen. De moordplek, zo noemde de politie het.

Een rij klassieke beelden, verweerde allegorische figuren op marmeren sokkels, doemde op in het licht van mijn zaklamp en verdween weer in het donker zodra ik erlangs was gelopen over het middenpad. Het grind knarste onder mijn schoenen. Het is onbekend of Sophie die avond ook dit pad nam. Het labyrint van paden, laurierhagen en ovaalvormige borders gaf geen enkele aanwijzing over welke route ze had genomen of hoe haar moordenaar binnen was gekomen en was weggegaan.

De laatste keer dat ik hier was, mocht ik van de politie niet de grot in, de plaats delict, omdat die nog steeds door het forensisch team werd onderzocht. Ik had net daarvoor Sophies lichaam in het mortuarium geïdentificeerd en herinner me nog goed dat ik voor de *limonaia* stond, de kas met zuilen, waar de citroenbomen overwinterden, en naar die vochtige, afgezette opening keek, naar de figuren in witte pakken die zich daarbinnen als maden voortbewogen, en dat ik werd overspoeld door een volslagen radeloosheid en niet kon begrijpen waarom dit gebeurd was.

Ik was niet teruggekomen om Sophies geest te bezweren of vrede te vinden met haar verlies (ik wist dat ik geen rust zou vinden of het kon 'afsluiten', een zó verkeerd woord dat ik iedere keer weer boos word als ik het hoor), maar het beeld van de grot stond op mijn netvlies gebrand. Het was een soort zwart gat, een gevallen ster in het centrum van mijn bestaan, waardoor ik af en toe het gevoel had dat al het andere verdwenen was.

Ik moest op de een of andere manier getuigenis doen van het absolute kwaad dat hier mijn eigen vlees en bloed was overkomen... ik vond dat het nog niet gebeurd was.

Ja, ik nam het persoonlijk op.

Voor de *limonaia* stond ik stil en keek ik achterom, naar het licht achter de donkere plekken in de tuin. Die was aangelegd lang voor de villa zelf was gebouwd met een symboliek die tegenwoordig verloren is gegaan – de verborgen betekenis, vertelde Sophie me ooit, had waarschijnlijk iets te maken met 'een geheim spoor dat leidde van de duisternis der onverschilligheid naar het licht der wijsheid'. Ik had niets met renaissancetuinen of het occulte, maar misschien de moordenaar wel.

Ik nam het pad dat in mijn herinnering naar de boscos leidde, de woeste plek helemaal achter in de tuin, en ik was al snel bij de ingang van de grot. Die was zo gemaakt dat die zou lijken op een natuurlijke grot, met rustieke keien rond de ingang. Een paar doorgeschoten cipressen stonden ernaast.

Ik stak een sigaret op om wat kalmer te worden. Nu ik hier was, voelde ik een tegenzin – afkeer is beter – om naar binnen te gaan. Ik moest mezelf dwingen om over de drempel te stappen van wat ik ineens als de poort van de hel zag. Ik was bang voor háár.

Het licht van de zaklamp viel op mijn schaduw voor me en verlichtte de uit steen gehouwen bankjes aan beide kanten van de verweerde doorgang. Daarachter lag de ronde kamer met het koepeldak en de stenen vloer waar de honden van Nardini, een keffende posse van jackrussellterriërs, Sophie hadden gevonden.

Binnen, links van de ingang, was de krijtomtrek van haar lichaam nog duidelijk te zien. Iemand was vergeten het weg te schrobben. Ik begreep waarom er niet veel mensen meer kwamen na wat er gebeurd was. Maar ik was niet voorbereid op die levensechte tekening, op de stilte, waardoor het leek alsof het pas gisteren was gebeurd.

Ze leek te slapen.

De muren van de grot waren glad, op een stenen rozet boven in de koepel na. Er was een ijzeren rooster in verwerkt, waarachter een luchtschacht zat die, zo vermoedde ik, overdag ook licht doorliet.

Ik zakte door mijn knieën, terwijl ik naar het midden liep en daar langzaam de zaklamp 360 graden ronddraaide, zodat de vloer en de uithoeken van de kamer zichtbaar werden; er was niets en niemand, zelfs geen verdord blaadje of een spinnenweb. Alsof de hele ruimte was schoongemaakt, behalve het silhouet van krijt.

Ik legde de zaklamp zo op de grond dat het silhouet werd verlicht.

Na de requiemmis had Bailey me op de hoogte gebracht van het mythische verhaal achter de eerste tekening, over een jong meisje dat haar geliefde, een soldaat, bij het vuur ziet slapen en zijn schoonheid wil vereeuwigen. Met houtskool tekent ze zijn schaduw op de muur van de grot in het licht van het vuur en zo werd zijn aanwezigheid op aarde eeuwig.

'Een simpele liefdesdaad,' had Bailey gezegd, 'maar haar instinctieve drang om een teken achter te laten, om dit vluchtige moment vast te leggen, is een tegengif voor het menselijke tekort.'

Ik knielde en legde mijn hand binnen de krijtomtrek. Ik voelde de stenen... die zouden 's nachts kouder zijn. Een van de theorieën, die werd ondersteund door haar kneuzingen, was dat de moordenaar haar ergens in de tuin van achteren had aangevallen, toen naar de grot had gedragen en haar daar had gewurgd. Hij moest dan behoorlijk sterk geweest zijn.

In zijn afscheidsrede had Bailey erop gewezen dat we dankbaar zouden moeten zijn voor het leven van een jonge kunstenares die 'tekende als een jonge godin' en iets van zichzelf naliet in haar werk. Daar was ik het niet mee eens, maar ik vond het wel aardig dat hij het zei. Na de mis stonden we op de trappen van de San Miniato en keken we uit over Florence. Laura huilde, had zichzelf amper in de hand en ik had mijn arm om haar heen geslagen. Bailey liep naar ons toe en ik was al bang dat hij wat wilde gaan zeggen, maar hij gaf ons het schetsboek van Sophie en ging toen weg.

Op de terugweg was er zo weinig tijd dat ik alleen maar door de tekeningen kon bladeren. Maar dat was genoeg om mijn vermoeden te bevestigen: dat ze gingen over het withouten huis op de website die Sam Metcalf in haar computer had gevonden. Voor in het schetsboek was een pagina uitgescheurd. Bailey wist niet of dat recent was gebeurd, maar wel dat er geen tekeningen misten.

Ik klikte de zaklamp uit.

In het donker werd mijn ademhaling versterkt door de akoestiek in de grafkelder, wat me deed denken aan een slapend dier of aan iets zwaars wat hortend en stotend met grote moeite over de vloer gesleept werd. In de crypte rook het naar aarde, geen vervelende geur.

De waarheid is dat ik nooit de realiteit van Sophies moord onder ogen heb willen zien – mede daarom was ik hiernaartoe gegaan. Ik wilde de grot weer zien en de geluiden weer horen van wat mijn kind op deze akelige plek was aangedaan. Ik wilde een confrontatie met de demon. Ik probeerde me in haar in te leven... maar het lukte me niet. O, Jezus Christus, u moet hebben geweten hoe bang ze was.

Ik begon te beven, maar niet van de kou.

Ik dacht aan de laatste keer dat ik Sophie zag, we stonden op de Via del Moro voor het restaurant waar Laura en ik gisteren hadden gegeten. We hadden ruzie, een beetje, en ze leek wat depressief. Ik wilde al vragen of alles goed ging, maar toen werd ze vrolijker en was het moment voorbij. Dat was maar een week voor het gebeurde, toen het al vrijwel zeker was dat ze gestalkt werd.

Waarom had ze niets tegen me gezegd? Waarom was ik niet begonnen over het feit dat ik zag dat ze bang was? Dat heb ik me zo vaak afgevraagd. Destijds had ik het heel druk met mijn werk, stond ik onder druk, zette ik de puntjes op de i van de deal die me zo rijk zou maken dat ik nooit meer geldzorgen zou hebben. Ze kan aangevoeld hebben dat ik het veel te druk had om me met haar problemen te bemoeien – ik vind dat een afgrijselijk idee.

Toen nam ik een beslissing, hier in die hellegrot waar haar dat af-schuwelijke is overkomen, die zo bindend was als een gezworen eed. Na veertien maanden hoefde ik die niet meer te analyseren of me af te vragen of het goed was. De politie, die in al die tijd niets bereikt had, had zich er bijna bij neergelegd, had in feite de zaak gesloten. De woede over de onrechtvaardigheid die ik zo lang had onderdrukt, was veran-derd in vastbeslotenheid. Ik had altijd die drang gehad, dat stemmetje binnen in me dat zei dat je nooit, nooit moest opgeven, maar vanaf dit moment, besloot ik, zou ik al mijn energie en mogelijkheden gebruiken om Sophie te wreken.

Al zou het de rest van mijn leven gaan duren, ik zou hem vinden.

Ik hoorde iets: een zacht, droog, gonzend geluid dat van boven mijn hoofd leek te komen. Ik weerstond de aanvechting om de zaklamp aan te knippen, hield mijn adem in en luisterde. Het gonzende geluid stopte, maar als het langer had geduurd, had ik gedacht dat ik een ademhaling had gehoord die niet de mijne was.

Inmiddels waren mijn ogen aan het donker gewend. Ik zag een zwakke gloed rond het gat boven in de koepel. Dat kwam door een stukje nachtelijke hemel dat daarvoor verduisterd was geweest. Er was daar een schaduw geweest, alsof iemand zijn hoofd door het gat had gestoken en door de verroeste tralies naar me had gekeken.

Voorzichtig, zonder geluid te maken, tastte ik op de grond rondom me naar de zaklamp en sloot mijn vingers om het handvat. Toen, in een vloeiende beweging, richtte ik die naar boven naar het midden van de koepel en drukte op het aan-en-uitknopje.

De lichtstraal schoot naar het doel. Knipperend tegen het felle licht probeerde ik langs de straal te kijken. Ik weet niet precies wat ik zag glinsteren achter de tralies. Iets als een cameralens, of een bril, of een elektronisch oog... het had in ieder geval een metallic blauwe kleur.

En toen was het verdwenen.

Het kostte me hoogstens een halve minuut om vanuit de grot naar boven te komen. Daar was helemaal niets. Mijn hart bonkte nog toen ik met de zaklamp in het rond scheen, de straal richtte op het struikgewas, op de bomen – het licht onthulde niets raars, geen enkele beweging aan deze kant van de tuin.

Toen ik de struiken rond de ingang doorzocht, had ik het traliewerk van de luchtschacht zo gevonden. Die was afgedekt met een zware stenen kap. De grond eromheen zag er onbetreden uit.

Toch was ik ervan overtuigd dat ik me niets inbeeldde, ik wist gewoon dat er iets was geweest.

Op dat moment hoorde ik het geluid van een motor die aan de andere kant van de buitenmuur gestart werd, op de Via della Scala. Ik draaide me snel om en richtte het licht op de bovenkant van de muur toen mijn mobiel in mijn zak afging, als een wekker.

Laura! Ik had beloofd om haar voor zeven uur te bellen en dat was ik straal vergeten. Ik begon meteen te praten, zonder haar de kans te geven om wat te zeggen.

'Lieverd, sorry... ik kom er nu aan. Alles goed?'

Het bleef stil.

'Hier is alles goed. En hoe is het met jou?'

Het was een mannenstem, hees en zangerig.

'Wie is dit?' Mijn eerste gedachte was dat er iemand bij Laura was, maar dat was niet logisch. Ineens klonk er een dof geluid aan de andere kant van de lijn en vervolgens een onsamenhangend gemompel.

Ik keek naar het display van mijn mobiel, dat was leeg.

'Weet je wat?' De zangerige stem klonk gespannen, alsof de beller zichzelf inspande. Zijn ademhaling ging snel. 'Dit is geen... echt goed moment... niet nu.'

'Ik denk dat u een verkeerd nummer hebt gedraaid,' zei ik.

'Rustig aan, Ed.'

'Nee, wacht, wie is dit?'

Maar de lijn was al dood.

10

Ward proefde een mondvol pappardelle en knikte.

'*Molto buono*... prima,' zei hij tegen de ober die het bord naar zijn tafel had gebracht en beleefd op het oordeel wachtte, '*mille grazie, signore.*'

Hij wilde alleen van zijn eten genieten.

De zelfgemaakte pasta en de *sugo di cinghiale* vulden elkaar perfect aan. Hij dronk wat wijn en proefde de volle, muskusachtige smaak van wild zwijn achter in zijn keel. Hij was opgelucht dat het niet overging in een kleurenexplosie, wat soms gebeurde als hij zich 'goed' voelde. Het eten hier was spectaculair en hij wilde dit avontuur niet laten verpesten door een kleurig vuurwerk.

Hij zat op de plek waar zij die avond met haar vader had gezeten.

Zou hij de maître d' vragen naar het rijzige, rustige Engelse stel dat hier gisteren gedineerd had. Zelfde tafel? Ward was nieuwsgierig, maar kon het risico niet nemen om de aandacht te trekken. Stel dat Ed en Laura nu op dit moment langs zouden lopen – hij had gecheckt of er geen reservering op de naam Lister was – wat zou er dan gebeuren? Zouden ze hem herkennen, of zijn aanwezigheid voelen? Zou hij zichzelf op de een of andere manier verraden? Het idee om hen van dichtbij te observeren wond hem op.

Het zou dan zijn alsof Sophie hem mee naar huis had genomen om haar ouders te ontmoeten. De enige reden dat hij hier zat – in een van de weinige authentieke Toscaanse restaurants waar de kaart uitgebreider was dan alleen witte bonen, slachtafval en steak – was omdat hij dicht bij haar wilde zijn.

Met een stuk brood wreef hij de laatste donkere saus van zijn bord, hij stopte het in zijn mond en likte een druppeltje van zijn duim af. Hij wist dat hij gevaarlijk spel speelde door terug te komen naar Florence.

Gisteravond had hij het bijna ontruimde appartement van Sam Metcalf kamer voor kamer doorzocht zonder de opgestapelde dozen en koffers aan te raken – een laptop was niet iets wat iemand in een doos of koffer zou stoppen.

Hij was er niet zeker van of het slim was geweest om haar te waarschuwen. Hij had Sam vanuit het vliegtuig gebeld, nog op de landingsbaan, meteen nadat de *'fasten your seatbelt'*-lampjes waren uitgegaan. Toen ze zich realiseerde wie hij was – dat was een moment om te koesteren – had hij een angstige toon in haar stem gehoord. Dat had hem een van zijn aanvallen bezorgd, waardoor hij veel langer dan de andere passagiers in zijn stoel was blijven zitten. Tot dusver had dit het beoogde effect opgeleverd. Ze had afgezien van een ontmoeting met Ed Lister. Maar ze bleef een lastpost... bracht hem in een positie die makkelijk uit de hand kon lopen.

Hij had Sam Metcalf maar één keer gezien, vanuit de verte. Ward vergat nooit een gezicht. De foto's van haar die hij in de badkamer had gezien (haar arm om een of andere kwijlebabbel boven op de klokkentoren van Giotto) klopten met het beeld van haar in zijn hoofd.

Hoe goed, vroeg hij zich af, kon zij zich hem herinneren?

Hij had het verprutst door aan te nemen dat de laptop in de tas zat die Sam op het station aan haar vriend had gegeven. Hij had moeten zien aan de manier waarop hij hem vasthield dat het gewicht niet klopte; maar hij stond te ver weg. En Jimmy liep raar.

Hij was hem gevolgd over de Via Tornabuoni, langs de etalages van de designwinkels, en was alleen maar dichterbij gekomen als het absoluut nodig was. Ward wist alles over mensen schaduwen. Toen hij zijn slachtoffer Ferragamo in zag duiken, wist hij gewoon zeker dat hij daar Ed Lister zou ontmoeten en dat hij hem de laptop zou geven, maar een snelle blik door het raam toonde Jimbo gehuld in een zijden ochtendjas in Hugh Heffner-stijl, terwijl hij zichzelf bewonderde in een grote passpiegel.

De canvastas stond naast zijn voeten.

Zijn hoofdgerecht arriveerde – kalfsvlees *al limone*, geserveerd met jonge spinazie. Hij moest straks de halve nacht in de trein zitten en wilde zich niet vol eten. Hij keek op zijn horloge: vijf over acht. Hij vroeg of de koffie en de rekening tegelijkertijd konden komen. Toen de ober zich omdraaide en weg wilde gaan, hield hij hem tegen.

'En, signore, een stuk van jullie chocoladetaart...' Hij haalde met een verheerlijkt lachje zijn schouders op. 'Kan mij het schelen!'

Op een leeg pleintje in een van de achterafstraatjes achter het Piazza Antinori haalde hij Jimmy Macchado in. Hij was al bijna in zijn appartement verdwenen toen Ward riep: 'Hé, je kent me niet...' Hij stapte uit de schaduw met zijn handen omhoog en een brede, vriendelijke lach. 'Maar toen ik je net zag lopen, dacht ik: hé, dat gezicht ken ik. Ben jij niet een vriend van Sam Metcalf...?'

Vanaf dat moment was het makkelijk geweest. Kleine wereld, beiden Amerikanen in het buitenland, het mooie, oude Florence, iedereen kent iedereen... enzovoort. Hij vond het niet moeilijk om de flirtgrage hetero te spelen – aarzelend, oprecht, een rokkenjager – bijna onweerstaanbaar voor types als Jimmy.

Een aardig type, dat wel, zijn enige fout was dat hij maar doordramde over dat hij hem zo graag mee naar binnen had genomen, maar dat het niet zijn woning was... dat hij alleen de kat van een vriend verzorgde. En dat hij de planten water moest geven, om de dag, een maand lang.

Tegen die tijd had Ward al gezien dat alleen maar die walgelijke playboyochtendjas in die tas zat, maar toen was het te laat om hem te laten gaan.

De stem, gifgroen tegen de blauwe ruiten die langzaam tussen zijn oren draaiden, bleef maar dezelfde vraag stellen: waarom?

Jimmy vroeg erom, daarom.

Kom op, zeg, je kunt beter dan dat.

Wil je het echt weten?

Je staat te popelen om het me te vertellen... waarom moest je hem vermoorden, Ward?

Hij zag nu gifgroene naalden. Hij pakte een lepel en begon systematisch zijn stuk chocoladetaart op te eten.

Hij had hem niet kunnen laten lopen omdat die klootzak zijn gezicht had gezien. En twee: het was duidelijk dat Sam Jimmy alles had verteld. En drie, de bonus: hij had hem haar adres in Venetië gegeven – een hotelletje op het eiland Burano.

Hij wilde er verder niet meer over praten.

Ward sloeg zijn rugzak over een schouder en liep de Via del Moro op. Het was warm en stoffig geweest in het restaurant en hij was blij dat hij de wat frissere lucht op straat kon inademen. Hij liep naar de stoep aan de overkant en stopte even in een onverlichte portiek. Van hieruit had hij gezien, het leek wel gisteren, hoe Sophie en haar oudeheer voor de laatste keer afscheid namen van elkaar.

Het woord afscheid had smaak en gewicht... alsof er iets olieachtigs tussen zijn vingers door glipte. Ooit hoopte hij aan Ed te kunnen vertellen hoeveel hij van zijn dochter had gehouden. Aan hem duidelijk te maken dat hij en Sophie voor elkaar geschapen waren.

Op de hoek bij de Via del Sole keek hij weer achterom en zag dat die zwarte Mercedes cabrio nu voor Garga stond. Hij wachtte om te zien wie er uitstapten.

Niet de Listers. Hij ging verder met zijn nostalgische ronde, die hem ook bij Badia bracht, de kerk waarvan gezegd werd dat Dante daar voor het eerst Beatrice zag. Hij had nog zeeën van tijd om naar het treinstation te lopen en de nachttrein naar Venetië te halen.

Venetië

11

'Zie je iets bijzonders in deze tekening?' vroeg ik aan Will.

Het schetsboek lag op de tafel tussen ons in, opengeslagen bij een tekening van de buitenkant van het huis. Ik wees op een zolderraam met geopende luiken en een halfopenstaand schuifraam.

Het zolderraam dat ik op de homebeforedark-website tot leven had zien komen.

'Misschien heb je een vergrootglas nodig,' zei ik.

Will keek me misprijzend over zijn bril heen aan, zette die toen op zijn voorhoofd en boog zich diep over de tekening.

'Staat daar niet iemand?' vroeg hij. 'Een gestalte, daar achter het raam?'

Ik knikte. 'Hoe was Sophies geestesgesteldheid toen ze dit tekende?'

Hij leunde nadenkend achterover in zijn stoel. 'Dus jij zegt dat deze tekeningen gebaseerd zijn op een website waarvan die vriendin van haar beweert dat Sophie die op haar laptop heeft achtergelaten?'

'Een virtueel huis. Ik heb de binnenkant niet gezien, maar de buitenkant is precies hetzelfde.' Ik had Will verteld van Sam Metcalf en onze mislukte afspraak in Florence. Ik had niets meer van haar gehoord.

'Dit is niet echt mijn terrein, Ed.'

'Ik vraag niet naar je mening als psychiater.'

Behalve Laura's broer en een van mijn oudste vrienden is dr. Will Calloway senior consultant in de psychiatrie in het Maudsley-ziekenhuis. Hij legde zijn handen tegen elkaar alsof hij wilde gaan bidden. 'Ja hoor, dat doe je wel.' Kleine glimlach. 'Ik zie sterk ingehouden gevoelens, vluchtige of geheime, misschien ook angstige gevoelens – dat komt heel sterk over. Maar dat hoeft natuurlijk niet te betekenen dat de tekeningen het product zijn van Sophies eigen verbeelding.'

Hij duwde een schaal met boterhammen naar me toe. Laura en ik waren die morgen vroeg uit Florence vertrokken, en op weg naar Heathrow had ik Will gebeld met de vraag of hij met me wilde lunchen. Dat deden we uiteindelijk in de cafetaria van het ziekenhuis.

'En als het nou eens een echt huis is,' zei ik, 'een bestaande plek?'

Will bekeek een andere tekening, een interieur met twee lege stoelen die naar een oud televisiemeubel in de hoek van een grote kamer gedraaid stonden. Op het miniatuurscherm stond de beroemde scène uit *Breakfast at Tiffany's* waar George Peppard Audrey Hepburn in de regen zoent. Ik denk dat Sophie dit als persoonlijke noot heeft toegevoegd. Die film was een van haar favorieten.

Hij sloeg het schetsboek dicht. 'Ik wil dit graag even lenen, als je het goed vindt. Ik wil de tekeningen aan een collega laten zien. We hebben een objectieve mening nodig.'

Will viel even stil. Hij was erg op zijn nichtje gesteld geweest. Toen zei hij met een zucht: 'Persoonlijk denk ik dat ze wist dat ze vermoord zou worden.'

'Nou, waar moest je zo dringend met me over praten?'

De vraag, die ik half en half verwacht had, bracht me toch van mijn stuk.

'Will, in hemelsnaam...' Ik had hem verteld wat er gisteravond in de grot bij de Villa Nardini gebeurd was. Ik wuifde zijn bewering weg dat ik toen verward was, ontzettend kwaad, en dat ik misschien gehallucineerd had. Nee, er wás daar iemand bij het gat geweest die door de luchtschacht naar me gekeken had. Ik had me dat niet ingebeeld. Ook dat telefoontje naar mijn mobiel niet. 'Volgens mij had ik de moordenaar van Sophie aan de lijn.'

Hij glimlachte. 'Ik ken jou, normaal gesproken zou je direct naar het politiebureau zijn gegaan.'

'Je luistert niet. Ik weet bijna zeker dat hij het was.'

'Heb je de politie gebeld? Je vriend Morelli?'

'Waarom?' Ik had Will al eerder verteld over mijn teleurstellende bezoek aan de questura en dat ik me daar eindelijk realiseerde dat het op mij aankwam om gerechtigheid voor Sophie te zoeken. 'Maak je niet druk, ik ga dit helemaal uitzoeken. Ik zal hem vinden.'

Hij knikte bedachtzaam. 'Hoe gaat het trouwens met Laura?'

'Goed, echt goed, ik denk dat Florence haar goed heeft gedaan. Dat requiem heeft geholpen.'

'En met jou? Los van je... missie.'

Ik nam een hap van mijn broodje tonijn met maïs. Het gesprek nam een voorspelbare wending. Voor we weggingen, had ik tegen Will gezegd dat ik hoopte dat onze reis Laura en mij dichter bij elkaar zou brengen.

'We overleven het wel,' zei ik, meteen zijn volgende vraag beantwoordend voor hij die had kunnen stellen. 'Ik zal niet beweren dat het meer is dan dat.' Ik nam een slok koffie. Ik wilde roken. Will, de onverstoorbaarheid zelve, wachtte.

'Er is niemand anders... als je dat soms denkt.'

Hij wist dat we problemen hadden en dat Sophies dood die had verergerd. Ik weet niet of Laura ooit met hem over ons huwelijk sprak (ergens denk ik van niet), maar ik deed het wel van tijd tot tijd. Will deed altijd erg zijn best om nergens bij betrokken te raken en om geen partij te trekken. 'Dat is nooit in me opgekomen.'

Hij had me in het voorjaar van 1983 aan zijn zus voorgesteld, toen we toevallig alle drie in New York waren. Laura logeerde bij vrienden en ik was teruggekomen voor een nieuwe hap uit de Big Apple, nadat ik een paar jaar daarvoor, na een desastreus debuut, haastig de aftocht had moeten blazen. Will, die op Colombia aan het promoveren was, hielp me met mijn rehabilitatie, gaf me onderdak tot ik op eigen benen kon staan en bracht me met de juiste mensen in contact, onder wie mijn toekomstige vrouw.

Zoals hij ooit eens zelf had gezegd: hij had een heleboel te verantwoorden.

Ik keek door zijn keurige, kraakheldere kantoor, de ziekenhuisgroene muren waren opgevrolijkt door kunstuitingen van zijn patiënten. Misschien kwam het door de therapeutische omgeving, of door een onrustig geweten, maar tot nu toe had ik nooit de behoefte gehad om het gesprek op Jelena te brengen.

'Ik heb je advies nodig, Will, en dan bedoel ik geen professioneel advies.'

'Jij kunt gewoon geen afstand van je geld doen.' Hij keek me onbewogen aan vanachter zijn uilachtige hoornen bril. 'Laat maar horen.'

'Ik heb iemand ontmoet... in een chatroom op internet.'

Stilte. Toen begon hij hartelijk te lachen. 'In godsnaam, Ed.'

'Ik hoopte al dat je zo zou reageren,' zei ik effen.

'Ik kan er niets aan doen... het is zo absurd. De laatste persoon ter wereld van wie ik zou verwachten dat-ie zou vallen voor een online chick ben jij. Is ze legaal?'

'Misschien is dit gesprek niet zo'n goed idee.'

Gewoonlijk hield ik de dingen voor me. Maar had ik de behoefte om te praten, dan was Will altijd de klos. Wat geen slechte regeling is, als je de neiging hebt (die ik schijn te hebben) om jezelf te serieus te nemen. Na

Sophies dood had ik hem nodig – als vriend, niet als psychiater, hoewel zijn kennis over de psychologische effecten van een verlies zeker geen kwaad konden. Dat was anders.

'Waarom heb ik het idee dat je heel defensief bent?'

Hij bedoelde het als een grapje, maar ik vond het geen leuk grapje.

'Tot een jaar geleden,' ging ik verder, 'wist ik amper iets van internet. Ik heb zelfs Sophie nog gewaarschuwd voor de gevaren, zonder zelf precies te weten wat die gevaren waren.'

Will zakte weg in zijn stoel. 'Sorry, Eddie.'

'Toen de politie toegaf dat ze geen mogelijkheden hadden om haar moordenaar in cyberspace achterna te zitten... nou, ja, inmiddels weet ik veel meer.'

'Ik herinner me nog dat je me dat vertelde. Geen steen bleef op de andere.'

'Ik zei toen dat ik berichten naar bulletinboards stuurde en in nieuws-groepen naar informatie vroeg. Wat ik je toen níét vertelde was dat ik het net opging met Sophies oude ID, deed alsof ik haar was, hoopte dat de stalker zou reageren.

Uiteindelijk vond ik het te pijnlijk, maar ik ging door met die chatrooms, op zoek naar iemand die toevallig op zoek was naar 'stormypetrel' – Sophies chatnaam. Ik chatte met iedereen, benaderde volkomen vreemden en vertelde hun haar verhaal – ik weet het, het klinkt pathetisch, maar het hielp. Eindelijk had ik het idee dat ik wat deed.

Maar goed, zo raakte ik in gesprek met deze vrouw. Het was geen scharrel, Will. Ze woont in Brooklyn, is vijfentwintig, single, geeft les op een kleuterschool... o, en ze speelt piano – verbazend goed. Ze verwacht niet dat het zal gebeuren, maar haar droom is om muziek te gaan studeren op het Conservatoire in Parijs.'

Will keek me aan, maar zei niets.

Even was het net alsof zijn zus daar zat. Ze lijken erg op elkaar. Hij heeft haar open, lichtblauwe ogen, een Calloway-kenmerk, hoewel Will donkerharig is en stevig gebouwd, in tegenstelling tot de slanke blondine. Ze heffen op dezelfde manier hun hoofd op, ze hebben dezelfde taxerende glimlach – emotionele objectiviteit, een zekere afstandelijkheid, is een ander familietrekje.

'We konden het vanaf het begin goed met elkaar vinden. Ze is slim, maakt me aan het lachen.'

'Heb je haar ontmoet? Op de webcam gezien? Met haar gesproken?'

Ik schudde mijn hoofd.

'Maar ik neem aan dat je wel weet hoe ze eruitziet?'

'Ze stuurde een foto... behoorlijk aantrekkelijk.'

'En hoe weet je dat zij het is?' Hij zuchtte. 'Weet ze dat je getrouwd bent? Hoe oud je bent? Wíé je bent? Je hebt haar toch niet je echte naam gegeven, hè?'

'Luister eens, volgens mij zit ze echt niet achter mijn geld aan.'

'Dan weet ze niet hoeveel je waard bent,' merkte hij droog op. 'Nou, wat maakt het zo aantrekkelijk? Seks, neem ik aan. Maar voor haar?'

Het was niet erg om door Wills mangel te worden gehaald. Misschien wilde ik dat wel: iemand die de lastige, voor de hand liggende vragen stelde. Maar hij moest toch wel één ding zeer duidelijk weten.

'Het gaat níét om seks.'

Will trok een wenkbrauw op.

'We kunnen het gewoon op een mysterieuze manier goed met elkaar vinden.'

Hij kreunde. 'Ed, ik krijg hier veel patiënten die onlinerelaties hebben. En allemaal "kunnen ze het op een mysterieuze manier goed met elkaar vinden". Vreemden projecteren hun dagdromen en fantasieën op elkaar. Dat heet affectieve overdracht. Maar onderschat de verleidingskracht van een verlangende e-mail niet. Cyberaffaires kunnen een verwoestende werking hebben.'

'Het is helemaal geen affaire. Ik kan op ieder moment als ik dat wil op de deleteknop drukken... en zij ook.'

Hij keek sceptisch. 'Weet Laura ervan?'

'Waarom? Ik speel niet buiten de deur. Je weet dat ik nooit iets zou doen wat Laura zou kwetsen. Ik zei al dat er niemand anders was en dat meen ik.'

'Waarom vertel je me dit dan?'

'Haar leven is zo anders dan het mijne, de helft van de tijd is het alsof ik met iemand van een andere planeet praat. En toch voelt het... ik weet het niet, ik voel dat ik bij haar mezelf kan zijn.' Ik ging anders zitten. 'Ze helpt me vergeten.'

'Het is vergelijkbaar met een gesprek met een vreemde in de trein, iemand van wie je weet dat je die nooit meer zult zien.' Dit was de arts die sprak. 'Je hebt een veelbewogen jaar achter de rug, Ed. Het is niet zo moeilijk om te begrijpen waarom dit is gebeurd. Alleen heb je het mis als je denkt dat er intimiteit zonder voorwaarden bestaat. Ik wil geen preek afsteken, maar de persoon die jij zou...'

Ik onderbrak hem. 'Doe het dan niet.'

'Je vroeg mijn advies.' Will zette zijn bril af en wreef in zijn ogen. Ik had me voorbereid op zijn preek over de midlifecrisis, maar ik kreeg slechts een waarschuwing. 'Ze zou je erin kunnen luizen om je af te persen, een soort oplichting. Bedenk wat er zou gebeuren als dit uitkomt.'

'Als wat uitkomt? Er is niets aan de hand,' zei ik rustig.

'Je bent naïef, Ed. Mensen vinden op het web niet wat ze willen, maar wat ze wensen; daarom kan het zo gevaarlijk zijn. Bedenk alsjeblieft dat jij haar gezicht niet kunt zien als ze een bericht aan jou typt.'

Will keek op zijn horloge, ging toen achterover in zijn stoel hangen met zijn handen achter zijn hoofd. 'Je vijftig minuten zijn voorbij. Ik heb nog andere patiënten.'

'Heel grappig.' En ik stak mijn middelvinger omhoog.

'Maar wat ga je nu doen?' vroeg hij terwijl we naar de deur liepen. 'Hoe wil je die persoon vinden?'

Heel even dacht ik dat we het nog over het meisje hadden.

In de auto, van Maudsley naar mijn kantoor, zette ik mijn laptop aan en keek nog een keer in mijn mailbox. Ik had Jelena al een boodschap gestuurd om te vragen of ze goed in DC was aangekomen. Haar antwoord was kort en vriendelijk – je hoefde echt haar gezicht niet te zien om te weten dat die vriendelijkheid gemeend was.

Will had het helemaal mis.

> **adorablejoker:** wel, daar ben ik dan weer! Het gaat prima. Heb de hele treinreis geslapen – had best wat gezelschap kunnen gebruiken. Het is hier gruwelijk heet. Waarschijnlijk zal ik maar een week weg zijn, geen twee. Moet nu gaan. Rustig aan, Ed. JELLY

Rustig aan, Ed? Ik glimlachte.

De halve nacht lag ik wakker; ik speelde steeds opnieuw de woorden van het telefoongesprek af in mijn hoofd. Ik probeerde me een situatie voor te stellen die paste bij dat sinistere gebons en het gemompelde gesprek dat ik had afgeluisterd.

Ik schreef een memo naar mezelf: Phil vragen of hij zijn diagnostische mensen bij Secure Solutions wil vragen of het mogelijk is om een telefoontje naar een mobiel te traceren als het nummer niet weergegeven is. En als dat mogelijk is, wanneer kan ik dan een antwoord verwachten?

De enige persoon in Florence die ik mijn nummer had gegeven (behalve Bailey) was Sam Metcalf. Ik wist niet zeker of er een verband was, het telefoontje kon overal vandaan komen, maar ik snapte nu waarom Sam bang was geworden en had gevraagd geen contact meer met haar op te nemen: ze was bang dat een van ons in de gaten werd gehouden.

'Rustig aan, Ed.' Had ik echt dat gefluisterde 'Ed' gehoord, of was die laatste, hoger uitgesproken lettergreep 'eh' geweest? 'Rustig aan, eh?' Ik had tegen de beller gezegd dat hij een verkeerd nummer ingetoetst had. Maar toch had ik het gevoel dat het niet zo was.

Ik leunde achterover, stak een Gauloise zonder filter op, keek uit over de natte straten van Olympia en zette Bob Marleys 'One Love' harder. Ik dacht aan Jelly, die smolt in de verzengende hitte in Washington DC. Het was een gevaarlijk contrast en de muziek hielp daar niet bij. Ik ontdekte dat ik wenste dat ik bij haar was.

Rustig aan, Ed... het moest toeval zijn.

12

Over de brug geleund richtte Sam haar camera op het vuile kielzog achter de *vaporetto*. Hopend ermee weg te komen, bewoog en trilde de citroenkleurige hemel op de oppervlakte van het kanaal; de gevels van de huizen kabbelden langs de oevers tot ze in de schaduw verdwenen. Je moest een artiest als Turner zijn, bedacht ze, om de lichtnuances, de gebroken weerkaatsingen vast te kunnen leggen... het tijdloze van Venetië.

Bij de steiger verscheen iemand met een zwarte sjaal, wat het beeld precies gaf wat het nodig had. Sam aarzelde en nam pas een foto toen de volgende groep toeristen haar lens kwam binnenlopen.

Toen ze weer naar de steiger keek, was die leeg en was het licht op het water... nou ja, lieflijk. Ze vertrok voor iemand haar kon vragen waar het San Marco was of uit welk deel van Amerika ze kwam. Dat was het voordeel van digitaal – je kon de vreemdelingen er later op de computer uit halen.

Aan de andere kant van de brug stak ze een schaduwrijk pleintje over en dook een kerkje in dat aan de buitenkant leek op een gewoon woonhuis met gesloten luiken. Het was aangenaam koel in de donkere, naar stenen ruikende ruimte. Ze zakte neer op een lege kerkbank voor het altaarstuk, een smakeloze hemelvaart van Veronesi; je kon geld in een apparaat doen, zodat het verlicht werd.

Sam wilde alleen even tot rust komen.

Ze logeerde op Burano, vijftig minuten met de vaporetto van het centrum van Venetië – een ramp als je je creditcard in je hotel had laten liggen of terug moest (zoals zij net) om te douchen en schone kleren aan te trekken. Niet dat ze klaagde: het afgelegen eilandje was een toevluchtsoord en haar kamer in het Albergo Zulian – een keurig hotel in een rijtje vrolijk gekleurde vissershuisjes, dat Jimmy Macchado had aanbevolen – keek uit over de lagune.

Ze had Jimmy gisteren gebeld om hem te laten weten dat ze veilig was aangekomen. En vanochtend weer. Hij had nog niet teruggebeld, wat zwaar klote was – de hufter had toch minstens kunnen bedanken voor de ochtendjas – maar het was typisch iets voor hem. Soms trok hij zich terug in zijn huis in Fiesole en was dan een paar dagen achter elkaar 'onbereikbaar'. En hij had iets gezegd over een stapel scripts die hij dit weekend moest lezen.

Ze keek op haar horloge: iets na zevenen, nog ruim de tijd om naar het restaurant te gaan.

In tegenstelling tot Jimmy, een echte Venetiëkenner, kende Sam de stad niet goed. De afgelopen twee dagen had ze de toerist uitgehangen, genoten van de vergane glorie van de stad: het had haar afgeleid van andere dingen. Opgekikkerd door de zoute lucht en het felle, heldere licht van de Adriatische Zee, begon ze zich te ontspannen.

Wat er in Florence gebeurd was – het enge telefoontje, het idee dat er iemand in haar appartement was geweest en haar eigen, bijna hysterische reactie – dat alles leek nu ver weg en onwezenlijk, een droom die ze zich nog maar met moeite voor de geest kon halen. Hoe vervelend het ook was geweest, hierdoor kon ze weer een deur naar het verleden sluiten. De drang om constant over haar schouder te kijken, was bijna verdwenen.

En gisteravond had een toevallige ontmoeting Sams breekbare gevoel van veiligheid een behoorlijke opkikker gegeven. Tijdens een kamerconcert in de Chiesa San Bartolomeo zat ze naast een echtpaar uit Princeton dat haar ouders bleek te kennen. Balfe en Fern Rivers 'deden nog een keer Europa', en toen ze hoorden dat Sam van plan was naar Parijs te gaan, stonden ze erop dat ze met hen naar Wenen zou reizen. Ze vond hun gezelschap akelig saai en Balfe had een louche uitstraling, wat tot problemen zou kunnen leiden, maar ze zag meer voordelen en aarzelde geen moment.

Bij het diner vanavond zouden zij en een paar Italianen die ze kenden aanwezig zijn.

Ze zette haar bril af en poetste de glazen schoon met haar zijden shirt. Toen stond ze op en liep na een buiginkje, nog steeds haar glazen poetsend, langzaam over het middenpad. Achter in de kerk, die volliep voor de avondmis, zag ze een vrouw met een zwarte sjaal, waardoor ze aan de persoon op de steiger moest denken.

Terwijl ze dichterbij kwam en haar bril opzette, zag Sam dat de vrouw meer een jonge vrouw was – en er bleek en ziekelijk uitzag. Op de bank naast haar lag een lege, zwarte rugzak die ze door haar bijziendheid had aangezien voor een sjaal.

In de wirwar van kronkelende steegjes en vervallen pleintjes achter de palazzo's aan het Grand Canal kon je gemakkelijk verdwalen – Sam stond op het punt het labyrint te betreden, haar mp3-speler stond op een plaatselijke rockzender afgestemd en ze zou zich door haar instinct laten leiden. Er liepen genoeg mensen op straat om niet te verdwalen. Zolang ze de zon achter zich hield, dacht ze dat ze in de goede richting liep.

De *osteria* lag in Cannaregio, aan de noordelijke kade, vlak bij Campo Mori. Voor ze het hotel had verlaten, had ze het op de kaart opgezocht, maar in de haast om de vaporetto te halen, was ze de kaart vergeten.

Terwijl ze dieper in het *sestiere* doordrong, zag ze de grote, witte dom Salute steeds minder vaak boven de daken uitpiepen; die kon ze niet meer als oriëntatiepunt gebruiken. Ze vroeg aan een elegant gekleed stel de weg. De man glimlachte en maakte met een platte hand het mm-lekker-gebaar: '*Avanti dritto, sempre dritto.*'

Een straat verder was 'rechtdoor' een relatief begrip.

Ze wilde het restaurant gaan bellen, maar ze had de naam en het telefoonnummer op de plattegrond geschreven.

Jimmy wist natuurlijk hoe je dit moest aanpakken. 'Als je uitgaat,' had hij in de taxi tegen haar gezegd, 'dan maakt het niet uit welke weg je neemt. In Venetië staan er langs elke weg geweldige dingen. Maak geen toestand over welke weg je moet nemen naar een bestemming. Die bestemming zal jou vinden.'

Tuurlijk. Tuurlijk zal die haar vinden..

Ze stak een volgende brug over naar een pleintje met ingelegde stenen; ze herkende de kerk met de zeventiende-eeuwse façade uit de barok en de apotheek op de hoek. Er waren twee uitgangen en Sam koos de *calle* die het drukst was.

Op dat moment speelde haar mp3-speler 'All my life' van de Foo Fighters af.

Dat was een van de favoriete liedjes van Sophie geweest. Gisteren had Sam een boodschap van de vader van de vermoorde jonge vrouw op haar mobiel gevonden, of ze hem terug wilde bellen. Ze voelde zich afschuwelijk toen ze het bericht wiste, maar er was geen sprake van dat ze contact zou opnemen.

Eén ding zat haar nog wel dwars: hoe had 'Ward' geweten dat ze contact had opgenomen met Ed Lister en dat ze een afspraak hadden gemaakt? Hij moest op de een of andere manier in haar e-mail kunnen komen; of, als hij in Florence woonde, kon hij haar telefoon afluisteren – en haar in de gaten houden.

Sam liep op Prada-sandalen in een witte capribroek en een goudkleurig zijden shirt met een riempje rond haar middel. In Florence had ze afgeleerd zich opvallend te kleden; hier was het niet erg als er een paar hoofden haar richting uit draaiden – het was een tijd geleden dat ze zelf vond dat ze er leuk uitzag. Ze voelde zweet prikken onder haar armen.

Toen ze ongeveer halverwege het pad was, zag ze verderop glinsterend water, wat er volgens haar niet hoorde te zijn. En toen, pal na de volgende bocht, liep de calle over in een terras met afgebrokkelde klassieke pilaren met een schitterend uitzicht op de eilanden in de lagune. Alsof je op een podium stapte. Ze voelde zich bekeken en het duizelde haar. Sam haalde de oortjes van haar koptelefoon uit haar oren zodat ze kon genieten van het serene uitzicht. Ergens huilde een kind.

De zon ging net onder, ze keek naar het licht, naar hoe dat over de zee en de lucht speelde, en ze vroeg zich af of haar beslissing om Italië te verlaten goed was geweest. Ze was het normaal gaan vinden om tussen mooie dingen te lopen. Ze huiverde bij de gedachte aan Pittsburg, waar ze gesolliciteerd had op een baan als conservator bij het Sands Taylor-museum. Met haar hand schermde ze haar ogen af.

Eerder die dag had ze met haar moeder gesproken die bijna uitzinnig van blijdschap was omdat haar kind eindelijk thuiskwam.

'O, Federico,' mompelde ze. Dit was thuis.

Hij was meer dan een uur in het huis achter de Piazza Antinori geweest voor hij de koelkastdeur opentrok in de hoop dat hij een koud biertje of wat te eten zou vinden.

Het klusje had maar vijf minuten geduurd. Hij was direct naar de slaapkamer gelopen en had het schilderijtje in de ebbenhouten lijst van de muur achter het bed gehaald. Dat had hij in een krant gewikkeld en in de plastic zak gestopt die hij had meegenomen. Slechte feng shui, hoorde hij het oude kreng nog zeggen, om een schilderij boven een bed te hangen.

Er was nog meer spul, horloges, gouden manchetknopen, een prachtige Marokkaanse dolk, maar Guido had gezegd dat hij nergens aan mocht komen.

Hij kende het huis goed genoeg om geen lampen aan te hoeven doen. Hij zat in het donker te dromen van het nieuwe leven dat hij zou gaan leiden.

Tot een paar weken geleden was hij ober geweest in een restaurant vlak bij Santa Croce, waar een Engelsman, die hij als Daniël kende en die de eigenaar van dit huis was, zijn oog op hem had laten vallen. Hij was hier naar twee feesten geweest en na de laatste had zijn gastheer hem uitgenodigd te blijven slapen. Hij had de driehonderd euro aangenomen die Daniël hem voor zijn diensten had betaald, en terwijl de oude man sliep had hij afdrukken van de sleutels gemaakt.

Voor ze seks hadden gehad, had Daniël gezegd dat hij hem vaker wilde zien na zijn zakenreis naar Phuket. Hij had het financieel aantrekkelijke aanbod van een affaire met die dikke, oude nicht afgewogen tegen het stelen van het schilderij, waarvan Guido hem verzekerd had dat het minstens een miljoen waard was.

Gianni Arcangeli was zeventien en wilde een Porsche.

Hij was rond half zeven bij het huis, ongeveer het tijdstip waarop Daniëls Amerikaanse vriend Jimmy om de dag de planten water en de kat eten kwam geven. Hij wist dat hij gisteren geweest was – hij had vanuit het steegje gezien hoe hij met die andere man naar binnen was gegaan, maar had niet gewacht tot ze weer naar buiten kwamen. Er was maar een kleine kans dat hij vandaag ook zou komen.

Als iemand iets zou vragen, dan deed hij het voor Jimmy. Hij had zelfs wat eten voor 'Cesar' neergezet voor hij naar boven liep en daar in de weelderige witte salon, die naar gedroogde bloemen rook, ging zitten wachten. Hij had instructies om daar te blijven tot het donker was, als het rustiger werd op het plein. Hij begon zich al snel te vervelen, daarna kreeg hij honger.

De keuken was beneden. De kale stenen muren en het hoge balkenplafond deden Gianni denken aan de boerderij van zijn oom in de Val d'Elsa, alleen was deze ruimte door een designer ingericht. De koelkast was uit Amerika geïmporteerd, een dubbeldeurs, roestvrijstalen Subzero 600-serie, het beste wat je met geld kon kopen. Het ding was bijna twee meter hoog. Hij wist nog dat-ie altijd goed gevuld was.

Met een theedoek om zijn hand gewikkeld om geen vingerafdrukken achter te laten, wilde hij de knop vastpakken toen hij zag dat de rekken en planken uit de koelkast op het aanrecht lagen opgestapeld. Even schoot het door zijn hoofd dat hem een teleurstelling stond te wachten.

Hij trok de deur van de Subzero open. Er spoot schel licht de keuken in en instinctief stapte hij achteruit. In de ruimte die normaal gevuld was met etenswaren, zat nu een volledig aangeklede man gepropt, met een knie hoog opgetrokken tegen zijn luchtpijp, als een danser. Hij had amper tijd om Jimmy's blonde krullen in zich op te nemen, het gestreepte shirt dat helemaal scheef zat, toen het lijk dat door de koelkastdeur op zijn plaats gehouden werd, naar buiten viel, tegen zijn schouder aan.

De jongen gilde toen het ijskoude, oranje en blauw gevlekte gezicht langs zijn wang gleed in een groteske parodie op een luchtzoen. Hij ademde paniekerig terwijl hij Jimmy weer terug in de koelkast probeerde te duwen. Toen hij de stakerige ledematen erin had gekregen, ramde hij de deur van het prachtige apparaat dicht en ging ertegenaan staan alsof hij een koude windvlaag wilde tegenhouden.

Een paar minuten lang kon hij zich niet bewegen. Tranen stroomden over zijn wangen. Het enige wat hij voor zich zag waren Jimmy's uitpuilende ogen en obsceen uitstekende tong. Toen voelde hij iets onder zijn voet en huilend raapte hij Jimmy's kapotte, ijskoude zonnebril op. Het was vast nog een aardige man geweest ook.

Hij wist dat hij in de problemen zat – dat hij het schilderij nu niet mee kon nemen. Hij moest hier à la minute vandaan. En niemand, ook Guido niet, vertellen dat hij hier was geweest.

Pas buiten, toen hij zijn motor wilde starten, ontdekte hij dat hij zich gesneden had aan een stukje glas van de zonnebril.

Het schemert niet lang in Venetië. Tegen de tijd dat Sam Metcalf vanaf het water naar de Rio della Sensa was gelopen, was het helemaal donker. Toen ze een steil bruggetje overstak naar een pleintje dat door lantaarnpalen werd verlicht, dacht ze heel even dat ze bij de *campo* naast het restaurant was. Maar toen herkende ze de ingelegde stenen, het barokke kerkje, de apotheek op de hoek...

Ze had een rondje gelopen.

Bijna in tranen wilde Sam het opgeven en naar huis gaan, maar ineens bedacht ze dat ze Jimmy Macchado kon bellen. Die kende elke bar, elk café en restaurant in Venetië. Ze probeerde eerst zijn nummer in Fiesole, vervolgens zijn mobiel. Hij beantwoordde geen van beide.

Boos liep ze door de andere calle van het pleintje vandaan tot ze bij een kruispunt kwam. Onder een lantaarnpaal stond ze stil om het nummer te controleren voor ze Jimmy's mobiel nog een keer probeerde.

Ze hoorde hem overgaan, nog een keer overgaan... met gefronste wenkbrauwen liet ze haar mobiel zakken, verrast door een kort, elektronisch vogeldeuntje dat uit een van de straatjes voor haar leek te komen.

Sam stond doodstil, luisterde. Ze zou zweren dat ze heel dichtbij de beginnoten hoorde van 'O Sole Mio', Jimmy's kitscherige, idioot tsjilpende ringtone.

Haar hart bonkte. Ze zag niemand op straat. Stel dat die hufter hier was... in Venetië? Ze wist hoe heerlijk hij het vond om grapjes uit te halen, mensen te verrassen.

'Jimmy?' Ze keek langs de huizen en riep de naam harder en harder.

Er kwam geen antwoord, geen beweging achter de ramen, helemaal niets.

Ze hield haar mobiel weer tegen haar oor en begreep meteen haar vergissing: Jimmy's voicemail was aan de lijn – wat ze had gehoord was het muzikale intro van zijn ingesproken bericht. Ze was even vergeten dat het dezelfde idiote jingle was.

Ze ademde diep uit en voelde zich een idioot.

'Hoi, met mij,' zei ze vermoeid. 'Ik weet dat je er bent, dus neem alsjeblieft op... kom op, man.' Ze wachtte even om hem die kans te geven.

'Hoor eens, ik ben verdwaald. Helemaal totaal verdwaald, verdomme. Ik had dat weggetje genomen zoals jij had gezegd, naar dat zengedoe... je moet me hieruit loodsen.' Ze noemde haar vage bestemming en waar ze nu was – de calle waar ze begonnen was heette 'het blindensteegje', wat een toeval – en zei vervolgens: 'Als je dit snel afluistert, bel me dan terug, met een plattegrond.'

Ze klapte haar mobiel dicht. Tenzij ze iets van hem hoorde, en daar durfde ze niet op te hopen, wilde Sam terug naar de Fondamente Nuove en daar de boot naar Burano nemen. Dan zou ze vanuit haar hotel de Rivers bellen en alles uitleggen.

De steegjes en straten van Venetië, het geheimzinnige van de stad, spelen spelletjes met geluid. Ze hoorde iemand haar richting uit komen, dat dacht ze tenminste, en ze wachtte tot ze iemand zag. En moest zich ineens tegen de muur drukken toen een dikke vrouw bepakt met boodschappentassen van achteren tegen haar opbotste en 'Buona sera, signora' mompelde.

Ze twijfelde welke van de twee straatjes ze zou nemen, maar toen ze de vrouw de linker zag nemen, besloot ze dat ook te doen. Na de volgende bocht zag Sam haar gids zo'n twintig meter verderop een deuropening binnengaan onder een balkon dat door gebeeldhouwde stenen engelen gedragen werd. Tegen de tijd dat zij daar was, was de oude deur allang dicht; door het kijkgat viel een lichtstraal precies op de boodschappentassen die opgestapeld buiten stonden.

Sam stond zich net af te vragen waarom – misschien had de vrouw ze daar even gedumpt omdat ze de telefoon hoorde, of omdat een kind haar riep – toen ze haar mobiel tegen haar heup voelde trillen omdat ze een sms'je kreeg.

Jezusmina... Jimmy.

'KAN NU NIET PRATEN... VERGADERING, MAAR DIT MOET JE DOEN: DRAAI JE OM, GA TERUG NAAR DE LAATSTE Y EN NEEM DAAR DE ANDERE WEG. DAN KOM JE BIJ EEN STEEGJE DAT NAAR DE RIO DELLE GATTE GAAT. VOLGEN TOT ARCADE...SMS ALS JE DAAR BENT. IS NIET ZO VER ALS JE DENKT. CIN CIN! J.'

Ze lachte hard en opgelucht en sms'te toen terug: 'BEDANKT, JEEEZUS!' en begon terug te lopen.

Zijn aanwijzingen waren eenvoudig. Het voetpad langs het stilstaande, stinkende riviertje zag er bijzonder onuitnodigend uit. Er stonden verkrotte huisjes langs het water, achter de ramen was het donker of de luiken waren al dicht, en die leken dichter bij elkaar te kruipen toen ze over het pad liep en een steeds smaller stukje van de sterreloze donkere lucht zag. Het pad werd zo smal dat twee mensen elkaar niet meer konden passeren. Maar Sam had het volste vertrouwen in haar gids.

Ze herinnerde zich dat iemand, misschien wel Jimmy, eens had gezegd: als je je eigen voetstappen kunt horen, dan loop je in een doodlopende straat.

Ze kon haar eigen ademhaling horen, en die was rustig.

Haar mobiel trilde weer. Sam pakte hem, maar liet het kolereding bijna vallen toen ze hem wilde openklappen.

'BEN JE ER?'

Ze antwoordde: 'JA, JA.'

'LOOP NAAR HET EIND>DAN EEN SCHERPE BOCHT LINKS>JE ZIET HET NOG NIET, EEN STEEG TUSSEN TWEE HUIZEN... HEEL SMAL!'

Sam fronste haar wenkbrauwen. Dit voelde niet goed. Tien, vijftien meter voor haar stroomde het water onder de arcade door en het pad waar ze op stond stopte daar. Hoe kon hij weten hoe ver ze precies was of wat ze wel en niet kon zien? Als Jimmy een geintje dacht uit te halen...

Ze aarzelde en tikte toen: KAN NIET VERDER.

Roerloos wachtte ze.

Het duurde even voor hij antwoordde: ZIE JE DE OPENING?

Ze had zich nog steeds niet bewogen. Haar ogen gleden langs het laatste huis aan haar linkerkant en bereikten langzaam een schutting van een sloperij. Waar de arcade en de schutting elkaar in een rechte hoek raakten zag ze een streep schaduw die een doorgang zou kunnen zijn.

'OSTERIA AL BACCO ZIT AAN DE ANDERE KANT ERVAN.'

Dát was het, natuurlijk, dát was de naam van het restaurant!

'JE MAAKT EEN GRAPJE... ZWEER DAT DIT GEEN GRAP IS.'

Jimmy wist van haar avonturen in Florence. Het was absurd om te denken dat hij haar expres zo zou pesten of geintjes met haar zou uithalen.

'HAND OP MIJN HART, MEID... O, EN DE OCHTENDJAS IS GROOTS!'

Daar stond ze, in de schaduw, en keek naar het water van het riviertje dat glinsterde alsof het een verborgen rif raakte voor het in de tunnel verdween. Ze liep een paar stappen naar voren en wist ineens zeker dat iemand zich daar verborgen hield. Ze voelde een golf van angst langs haar ruggengraat naar haar nek trekken.

Ze bevroor, concentreerde zich op de ingang van de passage en vroeg zich af of degene die daar stond haar al kon zien. Dit was Jimmy helemaal niet. Die kon dat helemaal niet weten... maar er was nu geen tijd om het uit te leggen. Alles in haar zei dat ze terug moest, hier vandaan, omdraaien en rennen, nu!

Sam bewoog niet. Ze durfde nergens anders naar te kijken.

Ze dacht dat ze iets zag bewegen in de donkere ingang van de passage. Overvallen door een hulpeloos, bijna sensueel gevoel van onmacht, wachtte ze lang genoeg om met bevende vingers in te toetsen:

'BEN ONDERWEG. BEDANKT VOOR HULP. BEL LATER, S.'

Ze wachtte nog even, wilde er zeker van zijn. Als daar iemand was en ze wilden haar wat aandoen, dan moest het nu gebeuren.

Ze draaide zich om, met het beeld van die donkere opening nog op haar netvlies, liep langzaam terug over het pad tot ze weer bij de hoek was. Toen stond ze stil en keek achterom. Niets te zien. Achter een van de ramen brandde licht.

Van opluchting barstte ze bijna in lachen uit.

Ineens zag ze in het licht iets glinsteren op de grond, tien, vijftien meter terug van de plek waar zij stond. Automatisch ging haar hand naar haar gezicht – ze was een oorbel verloren.

Ze knielde op de grond om haar sandalen uit te trekken en bedacht ondertussen of ze hem zou gaan halen. Terwijl ze met de schoenen in haar hand overeind kwam, kwam er een schaduw los van de zwarte opening bij de passage.

Ze draaide zich om en rende, alsof de duivel haar op de hielen zat.

Het restaurant vond haar. Want ze had geen flauw idee hoe ze er gekomen was. De lange, bochtige calle liep uit op een breed, goed verlicht plein en Sam zag haar nieuwe vrienden zitten aan een tafeltje op het terras, onder een blauw-wit zonnescherm. Buiten adem en met een bonkend hart probeerde ze uit hun zicht te blijven tot ze zichzelf een beetje in de hand had.

Maar Balfe Rivers was al gaan staan en zwaaide en lachte naar haar. 'Hierzo, Sam! Mensen, kijk eens wie we daar hebben!'

Sam voelde het bloed van een door een kiezel veroorzaakt sneetje tussen haar tenen toen ze naar hen toe liep. Balfe pakte haar arm en leidde haar naar de enige lege stoel aan tafel. 'We werden al ongerust.'

'Sorry, ik... was helemaal de tijd vergeten.'

'Je ziet eruit alsof je wel iets sterks kunt gebruiken, lieverd,' zei Fern droog.

13

Het was het eerste feest dat we na Sophies dood gaven op Greenside en we waren alle drie een beetje van slag. Laura had de zestiende verjaardag van George aangegrepen om het huis weer open te stellen door een paar buren en vrienden van hem uit te nodigen, om weer terug te keren naar de normale wereld, of zoiets.

We stonden met z'n drieën op de trap naar de voordeur en begroetten de eerste gasten. Het was een warme juni-avond en het huis, een keurig vroegnegentiende-eeuws huis van licht graniet dat al eeuwen in het bezit van de familie van mijn vrouw is, stak prachtig verlicht af tegen de donker wordende lucht. Laura had de Calloway-feesttraditie (overgenomen van haar grootmoeder uit Virginia) in ere gehouden door in ieder raam van het huis een stormlamp te zetten. Op het terras speelde een strijkkwartet Bach.

Tot dat moment hadden we amper wat tegen elkaar gezegd.

Eerder die avond, toen we ons omkleedden, hadden we ruzie gekregen over het cadeau dat ik George voor zijn verjaardag had gegeven – een knalrode Yamaha 'Warrior' crossfiets.

'Heb je gehoord wat er gebeurd is?' Ze zat voor haar kaptafel en legde de laatste hand aan haar make-up. 'Hij ging bijna over de kop met dat kolereding.'

'Hij week uit om de hond te ontwijken,' verbeterde ik haar, terwijl ik worstelde met mijn manchetknopen. Ik was net tien minuten eerder uit Londen aangekomen en had minder dan twintig minuten om me te douchen en te kleden voor het feest. 'Iedereen zegt dat er geen moment gevaar is geweest.'

'Het is het noodlot tarten, dat weet je verrekte goed. Je had belóófd hier te zijn.'

Ik probeerde Laura te laten inzien dat het verlies van Sophie en het feit dat onze zoon alles is wat we nog hebben, geen goede redenen waren om te denken dat hij meer risico liep dan andere jongens van zijn leeftijd. Ik ben niet zo overbezorgd. Maar zij was zijn moeder.

'Als er ooit iets met hem gebeurt...' Ze maakte haar zin niet af, maar staarde me in de spiegel aan met haar fonkelende blauwe ogen, rechter en jury tegelijk.

'Je weet waarom ik naar de stad moest,' zei ik rustig. 'Het was belangrijk.'

Ik had een afspraak met Phil op Secure Solutions en had hem persoonlijk de simkaart van mijn mobiel overhandigd. Ik had heel duidelijk gemaakt dat voor mij het traceren van het telefoontje op de heuvel bij de Villa Nardini de hoogste prioriteit had.

'Alles wat jij doet, Ed, is altijd heel "belangrijk". Maar George dan? Je gezin? Hoe zit het met ons?'

'Jullie zijn echt belangrijk voor me,' zei ik en ik meende elk woord.

De Yamaha was de aanleiding voor de uitbarsting, maar ik voelde dat er meer achter zat. Ik haat ruzies. In mijn jeugd hoorde ik mijn ouders dagelijks ruziemaken en ik had mezelf gezworen die akelige, emotioneel uitputtende gewoonte nooit in mijn eigen huwelijk toe te laten. Hoewel Laura en ik best wel eens ruzie hadden, slaagden we er meestal in om beschaafd te blijven en grote ruzies te vermijden. Er waren natuurlijk uitzonderingen, maar deze avond was er meer aan de hand. Ze beschuldigde me van verwaarlozing van ons 'enige' kind, dat ik nooit thuis was, dat ik werk als een excuus gebruikte om me aan mijn verantwoordelijkheden te onttrekken – ik schrok van de felheid van haar boosheid en de bitterheid. Ik denk dat ze alleen uit een soort zelfbeschermend instinct of misschien uit angst voor het onherroepelijke niet durfde te zeggen wat ze werkelijk dacht. Wat ze wel durfde te zeggen toen ze zich naar me omdraaide was: 'Jij zít niet in dit huwelijk, Ed!'

Verbluft door haar aanval en de beroerde timing voelde ik dat er meer dan een beetje waarheid zat in wat ze had gezegd.

Mijn verdediging was heel simpel: veranderen van onderwerp. Maar toen we het niet langer konden uitstellen om naar onze gasten te gaan, zei ik: 'Kunnen we hier op een ander moment over doorpraten? Het is niet eerlijk tegenover George en niet aardig tegenover de nagedachtenis van Sophie. Als we het voor hén een leuke avond willen laten zijn, moeten we één front vormen.'

'Jij bent goed in dat soort dingen, ik niet,' was haar antwoord.

Volgens mij heeft niemand die avond de spanning tussen ons gevoeld. De vrienden, vooral degenen die Sophie hadden gekend en van haar hadden gehouden, behandelden ons behoedzaam en lief. We bewogen ons het grootste deel van de avond apart tussen de gasten, tot ik Laura door de eetkamer zag lopen, even alleen, elegant maar ellendig in haar nieuwe zilvergrijze Nina Ricci-creatie, die ze had gekocht toen we voor de laatste keer in Parijs waren.

Ze draaide zich om en liep door de openslaande deuren naar het terras. Ik pakte twee glazen champagne van een dienblad, ademde diep in en volgde haar. Vlak voor het muurtje haalde ik haar in en gaf haar een glas.

'Het is een succes, Laura,' mompelde ik. Aan tafels die over het meer uitkeken zaten anderen die ook van de avondlucht genoten. Voor de gelegenheid was de tempel verlicht en stonden er fakkels langs het pad ernaartoe.

Ze haalde haar schouders op. 'Behalve dan dat George de muziek afgrijselijk vindt.'

Alsof het afgesproken was kwam er een muziekgolf uit de grote tent onze richting uit toen de band de klassieker 'How sweet is it' speelde. Drums en bas rolden als een donderbui over ons heen. Ik had de muziek geregeld.

'Ik geloof dat hij desondanks een leuke avond heeft. Heb je zin om te dansen?'

'Op het moment niet, dank je.'

We bleven nog even staan. Mensen kwamen naar ons toe en complimenteerden ons met de gezellige avond. Ik zag dat Laura haar rol als charmante gastvrouw moeiteloos speelde, ondanks wat ze eerder gezegd had.

'Dan ga ik naar binnen,' zei ik. 'Ik moet Phil nog bellen... die werkt over vanavond,' beantwoordde ik snel haar volgende vraag. 'Ik pak de telefoon in de bibliotheek wel. Twintig minuten.'

'Ik denk niet dat ze je zullen missen.' Het licht op het water trilde op de stevige beat van een liedje van Christina Aguilera. Ik deed net alsof ik haar niet gehoord had.

'Maak je geen zorgen, ik zal het fort bewaken.' Ze glimlachte en ging toen op een andere toon verder: 'Weet je wat fijn zou zijn, Ed? Als je op dit soort gelegenheden niet de hele tijd keek alsof je liever overal ter wereld zou willen zijn, behalve hier.'

Ik haalde mijn schouders op en liep weg. Dat constante gehakketak vrat aan me. Het punt was dat ik de laatste tijd juist had geprobeerd om meer thuis te zijn, bij mijn vrouw en gezin. Ik werd ineens boos, niet op Laura, maar op al die mensen die in ons huis rondliepen. De oprijlaan leek een glinsterende rivier van dure auto's en ik zag privéchauffeurs tegen hun chique wagens leunen en roddelen, hun sigaretten gloeiden als vuurvliegjes in het donker.

Toen ik naar ons huis keek, zag ik dat er inderdaad achter elk raam een stormlamp stond, maar dat er één niet brandde – alleen Sophies oude slaapkamer was donker. Ik dacht niet dat het een ongelukkige vergissing was.

Ze had gelijk, ik wilde hier helemaal niet zijn.

Vier minuten voor middernacht.

Er was geen dringende reden. In Washington DC was het bijna zeven uur en zouden de lichten nog uit zijn... alsof dat verschil maakte. Ik had de irrationele gedachte dat ik, als ik opschoot, op tijd zou zijn.

Ik baande me een weg tussen de mensen door, maakte een pad vrij. De lange gang met plavuizen veranderde in een vage massa rode, grijnzende gezichten. Een blondine in een veel te korte, goudkleurige jurk, een van onze officemanagers die de avond had helpen organiseren, pakte me bij mijn arm.

'Hé, laat dat!' Ik duwde haar weg, bleef in beweging.

Ik was bijna bij de trap toen ik voelde dat ik me moest omdraaien.

Laura was achter me aan mee naar binnen gelopen en keek vanaf de deur naar mijn vorderingen. Ze zond me haar geamuseerde lachje en het vingergebaar dat ze altijd maakte en ik kon niet anders dan teruglachen en zwaaien.

Eenmaal in de bibliotheek deed ik direct de deur dicht. Ik liep naar mijn bureau, pakte de telefoon, toetste het nummer in dat Phil me had gegeven en ging achter de computer zitten.

Terwijl ik wachtte tot hij opnam – ik wilde weten of hij al vooruitgang had geboekt met het telefoontje – logde ik in op internet.

De kans dat Jelly online zou zijn was heel klein. Toch riep ik mijn vriendenlijst op om haar een berichtje te sturen. Toen ik die zag, stokte mijn adem.

adorablejoker: hé... alles goed?
templedog: niet te gelóven

Ik sprak op Phils antwoordapparaat in of hij me terug wilde bellen en hing toen op.

td: ik ben... dit is zo raar, ik bedoel, ik had het gevoel... waar zit jij?

aj: nog steeds in DC

td: in dat huis van je vriend?

aj: bibliotheek, in de computerzaal

td: de Library of Congress?

aj: uiteraard, waar anders kan een vrouw haar voeten laten rusten na een lange dag winkelen?

td: weet je, het is zo idioot dat we elkaar nu tegenkomen...

Ik weet niet of ik zo opgewonden was door het gelukkige toeval of door de vreugde die ik voelde toen ik haar zag. Ik stak een Gauloise op.

aj: ben je niet boos op me?

td: hoezo? wat is je adres in Brooklyn?

aj: hmmmm... waarom vraag je dat nou

td: hoezo? ben je bang dat ik een keer voor je deur sta?

aj: zo'n vrouw ben ik gewoon niet

td: ik wil je wat sturen

aj: hou dat geld maar in je portemonnee, meneer... hé, heb je zin in een trip?

td: oké, en deze keer naar... Marrakesh, Samarkand, Venetië?

aj: wat wilde je me sturen?

td: dat zul je nooit weten

aj: boe... dus, in jouw verbeelding, waar zijn we?

td: Venetië, in een van mijn meest favoriete hotels van de hele wereld, het Cipriani...

aj: ik weet niet... straten vol water. ik heb je toch al verteld dat ik bang ben voor water

td: momentje... telefoon

Op het moment dat ik de hoorn pakte, hoorde ik hard gefluister in de gang voor de bibliotheek. Een meisje dat ik vaag herkende als iemands dochter stak haar hoofd om de deur en begon te giechelen toen ze me achter mijn bureau zag zitten.

'Sst... d'r zit daar iemand.'

'Fijn dat je me terugbelt, Phil,' zei ik en ik zag mijn zoon George achter het meisje in de deuropening verschijnen, allebei zagen ze er wat verlopen uit. Onwillekeurig vroeg ik me af of Laura ze had gestuurd om me te controleren.

'Sorry, sorry,' mompelde hij grinnikend. 'Pa, dit is... Clarissa.'

'Dit is de stand van zaken,' Phil hield niet van inleidingen. 'Ik had je al eens verteld dat we een contactpersoon bij jouw telefoonmaatschappij hadden, hè? Hij heeft het netwerk kunnen traceren waar het telefoontje vandaan kwam, maar meer kan hij niet doen.'

'Prettig kennis te maken,' mompelde ik met mijn hand over de hoorn, 'hoop dat jullie het gezellig vinden,' en zwaaide vriendelijk naar George, die met zijn arm om de nek van het meisje verdween.

'Jouw beller gebruikt Uno. Nu moeten we nog iemand vinden die ons kan vertellen wie van hun leden gebeld heeft. Dat is veel moeilijker, maar er wordt aan gewerkt. Dit is allemaal illegaal, dus het gaat je wat kosten.'

'Het maakt me niet uit hoeveel, ik wil zijn naam.'

Nadat ik had opgehangen, nam ik een slok champagne, stond op en liep naar de deur die George wijd open had laten staan, en deed hem dicht.

aj: ben je daar nog?
td: sorry… ik moet nu weg
aj: weet ik, naar je feestje, meneer
td: wacht, *wacht heel even…* volgens mij heb ik het nooit over een feestje gehad
aj: jawel. je zei… dat het de verjaardag van je zoon was
td: nee, even serieus, er zijn hier zo'n 150 mensen. hoe wist jíj het?
aj: ik 'voel' je soms aan, waar je bent, waar je aan denkt. net als nu, jij denkt… je vrouw zal zich wel afvragen waar je blijft
td: eigenlijk probeer ik me je gezicht voor te stellen terwijl je aan het tikken bent. Dit is belangrijk, Jelly. Hóé wist je van dit feestje?
aj: kun jij wel luisteren? DAT HEB JIJ ME VERTELD

Ik besloot later te controleren of ze gelijk had. Ik had de meeste van onze gesprekken opgeslagen. Er was een pauze, een langere pauze dan normaal, voor ze verderging.

aj: maar goed, ik ben donderdag weer in New York
td: mooi, dan praten we dan wel verder. Pas goed op jezelf
aj: ik zit in de bibliotheek van ons verdomde Congres… wat kan hier nou gebeuren?
td: ik bedenk net, zullen we samen eens wat gaan drinken?
aj: nou, ik denk van niet, Ed… en waag het niet nog iets te zeggen

Ik bleef naar de monitor staren en probeerde me haar voor te stellen achter een monitor in het Thomas Jeffersongebouw op Capitol Hill. Er was iets spannends aan het feit dat Jelly op een plek zat die ik redelijk goed kende: het verbond onze bewegingen in de echte wereld, bracht ons dichter bij elkaar. Ik meende wat ik had gezegd over elkaar zien. Ik wilde haar nu ontmoeten.

Voor ik naar de drukte terugging, schonk ik nog een glas champagne in, opende de muziekbestanden die ze me gestuurd had, hing met gesloten ogen achterover in mijn stoel en luisterde via mijn koptelefoon naar haar pianospel.

Ik ben geen kenner van muzikaal talent (ik zat in de financiële kant van de business), maar Jelly had duidelijk aanleg en ik hoopte dat ik haar kon steunen. Ze had mijn hulp botweg geweigerd, wat begrijpelijk was. Maar ik vond dat het geen kwaad kon om haar spel te laten horen aan iemand die er echt wat vanaf wist. Ik had zelfs al een paar discrete telefoontjes gepleegd en daarom had ik overmorgen een afspraak op het Conservatoire. Ik moest toch in Parijs zijn.

Wat ik Will had verteld over onze relatie was waar: Jelly en ik waren vrienden, verder niets. Maar in de afgelopen paar dagen, ik weet niet precies wanneer en hoe het gebeurd is, was er iets veranderd. Niemand kon terughoudender zijn dan ik wat betreft verliefd worden. Mijn leven was al ingewikkeld genoeg, het laatste waar ik behoefte aan had was een halfbakken internetrelatie – volgens mij kon je niet eens vallen voor iemand op een computerscherm. Maar ik moest voortdurend aan haar denken. En terugkijkend zie ik nu een langzame, bijna onmerkbare escalatie, een andere toon – en zie ik dat ik op een bepaald moment, hoe gek het ook mag klinken, voor haar was gevallen.

14

Nadat hij zich had afgemeld, klikte Jelly de plattegrond en beelden weg van de website van de Library of Congress die ze had opgeroepen terwijl ze aan het chatten waren. Om zich de plek voor te stellen. Ze bleef hangen bij een uitzicht vanuit een bovenraam in het Jeffersongebouw. Een winters uitzicht op het plein met de Neptunusfontein voor het Capitool en verderop de met sneeuw bedekte Mall, mooi genoeg om zich voor te nemen ooit een keer echt naar Washington te gaan.

Ze klikte op 'afsluiten' en sloot met een zucht af. Wat als Ed erachter kwam dat de bibliotheek op zaterdag nooit zo laat open was? Dan moest ze zich eruit zien te bluffen. Ze liep naar de balie om te betalen. Ze hoorde iemand praten in het kantoortje achterin, een mannenstem die Arabisch praatte aan de telefoon.

Ze probeerde te bedenken wat Ed nu aan het doen was. Ze had een beeld van het landhuis, van de verlichte lanen, van het dansen... maar hem zag ze niet.

'Dat wordt dan vijftien.'

De echte wereld kwam weer in beeld. Het was de Marokkaanse knul, Hassan, die ze niet kon uitstaan, hij wapperde met zijn hand voor haar ogen alsof hij haar uit een trance moest halen. 'Hallo?'

'Ik viel bijna in slaap, omdat ik zo lang moest wachten.'

'Het is vijftien dollar.'

'Wát?'

'Je hebt een koffie gehad, een Deens broodje. En je bent twee uur online geweest...'

'Hoe bedoel je? Ik was tot na vijven op mijn werk.'

'Vijftien, moppie.'

'Sodemieter op met je moppie.'

Ze gooide tien dollar op de balie, maar toen ze zag dat hij haar strak aankeek, legde ze er woedend vijf bij. Hassan blafte vrouwen altijd af, maar wat haar betreft was dit de laatste keer geweest.

Ze stak lief glimlachend haar middelvinger naar hem op, draaide zich om en stapte de hitte en het drukke verkeer op Flatbush Avenue in.

Op de hoek was een kleine supermarkt en daar wilde ze een blikje fris halen, ze verging van de dorst. Ze was van plan geweest om na haar werk naar haar moeder te gaan om dat pianostuk van Schubert in te studeren voor haar les maandag. Maar dat was tien blokken verderop en ze had om zeven uur een afspraak met Tachel – verdomme het was bijna zeven uur.

Dat zou tot morgen moeten wachten.

Ze studeerde bijna elke dag bij haar moeder en bleef dan meestal eten – de verlokkingen van haar moeders kookkunst gaven haar soms de extra motivatie die ze voor haar muziek hard nodig had. Jelly droomde ervan om op een dag haar eigen piano te hebben en dan niet zo'n goedkope doorsneepiano, maar een echt oud instrument als de handzame Chas M. Stieff waarmee ze was opgegroeid en die een klank had waar geen enkele moderne piano tegenop kon.

Ze liep langzaam verder, luisterend naar het andante op haar mp3-speler, ze volgde de ingewikkelde partituur in haar hoofd, wist precies wanneer ze de denkbeeldige pagina's moest omslaan. Het waren haar vingers die oefening nodig hadden – oefeningen, toonladders... niet een beetje rondfladderen boven een computer, verdomme. Ze was nog steeds kwaad op zichzelf omdat ze vijftien dollar had verspeeld – de helft van het geld dat ze gespaard had voor haar pianolerares mevrouw Cato.

Jelly voelde zich licht in haar hoofd, alsof ze in een achtbaan zat. Ze was dat internetcafé binnengegaan om haar e-mail te checken, maar toen was hij verschenen, er volgde een gesprek en ze was compleet de tijd vergeten. Shit, ze had juist net gedaan alsof ze in DC zat om een beetje afstand te kunnen nemen van de Ed-toestand, die niet gezond was, dat zou iedereen beamen.

Ze trok haar oortjes uit haar oren en glimlachte. Ze zag een paar straten verderop bij de ingang van de metro Tachel staan, die op afstand probeerde te blijven van een stel Jamaicaanse kinderen die hard dub-mixten op de stereo van een geparkeerde oude TransAm. 'T' was een lange, donkerkleurige vrouw, wat mollig (waar ze best trots op was) en ze droeg een strakke witte spijkerbroek en een fuchsiakleurige haltertop die een boezem omhulde die het best omschreven kon worden als: zie-wat-er-gebeurt-als-je-voor-tieten-bidt. Ze zag er superhot uit.

Toen ze bij haar vriendin was, maakte Jelly hard lachend een paar gekke Caribische danspassen op de stoep. Ze wist niet waarom, maar ze vond het een grappig en mooi tafereel.

'Wat heb jij in jezusnaam?'

'Ik denk dat ik gewoon blij ben om je te zien.'

Tachel rolde met haar ogen. 'Waarom ben je zo laat? Straks missen we de show nog.'

'Ik speelde piano bij mamma, was de tijd vergeten.'

Het verbaasde Jelly hoe gemakkelijk de leugen uit haar mond kwam. Tachel en zij waren al vriendinnen vanaf de middelbare school en ze vertelden elkaar praktisch alles. Ze had nog niet toegegeven dat ze nog steeds chatte met die Engelse vent over wie ze in het begin wel had verteld, die haar niet met rust liet, die steeds vasthoudender werd, die haar nu in het echt wilde zien – ze was bang dat T haar zou uitlachen – maar geen van beiden had lang geheimen kunnen bewaren.

Ze wist heel goed wat de beste oplossing was: Ed Lister deleten, hem van haar vriendenlijst schrappen. Alleen kon ze zichzelf daar niet toe zetten. Ze had medelijden met hem, met zijn tragische verlies en, hoewel ze echt niets van hem wilde hebben – Ed had Parijs weer ter sprake gebracht, gehint dat hij haar kon helpen met haar muzikale carrière – vond ze het leuk om van alles te horen over zijn betoverende miljonairsleven.

Ze had tegen hem gezegd dat ze het op eigen kracht zou halen, of niet.

Terwijl ze nog online waren, had ze hotel Cipriani in Venetië gegoogeld. Ze vond de suites mooi, ook al waren ze niet groot en stonden er geen badkamers op de site.

Tachel keek eens goed naar haar. 'Als ik niet beter wist, zou ik zeggen dat je verkikkerd op iemand was.'

Jelly schudde slechts haar hoofd, ze was bang dat een uitgesproken ontkenning, ook al was het waar, ongeloofwaardig haar mond uit zou komen. T kon haar lezen als een boek.

'Tja, als het geen liefde is,' merkte haar vriendin op terwijl ze afdaalden naar de verstikkende walm in de metro, 'dan wordt het hoog tijd dat je een beurt krijgt.'

Ze hoorden het gerommel van een naderende metro.

'Ach, hou toch op, jij.' Jelly, met haar handen op de heupen, keek nog even om zich heen op straat. 'Het is makkelijk te verhelpen met een paar batterijen, hoor.'

De Jamaicaanse jongens en hun roestige TransAm waren verdwenen in de zonsondergang die als een kleurrijke carnavalsoptocht over Ocean Boulevard trok.

'O, trouwens,' begon Tachel toen de deuren van de D-trein richting Manhattan sissend opengingen, 'raad eens wie er weer in de stad is? En jou zoekt?'

Parijs

15

Sam Metcalf had zichzelf in een hokje in de wc-ruimte van het station opgesloten om even alleen te kunnen zijn. Volledig gekleed zat ze op het toilet met de laptop op haar knieën en staarde naar het beeld dat op het scherm verscheen. Het was een klassiek vakantiekiekje dat twee uur geleden in het Stadtpark in Wenen was genomen. Fern en Balfe Rivers stonden er opgewekt in walshouding op voor het monument van Johann Strauss.

Het was een opmerkelijk stel, Balfe: lang, knap op een havikachtige manier, à la Sam Shepard; Fern: klein en sierlijk met een kreukelig gezicht als een pekinees. Maar Sam keek niet naar haar reisgenoten of naar het goudgeverfde standbeeld van de componist die een viool onder zijn kin hield en onder een boog van dansende nimfen stond.

Sam gleed met haar cursor over een groep toeristen die in de schaduw van het monument stond en zoomde in op een vage menselijke vorm die leek te willen wegduiken in de groep. Het was die heimelijke houding die haar aandacht had getrokken. Op tweehonderd procent viel het beeld in grote, vage pixels uiteen; ze ging terug naar honderdvijftig en bereikte een pointillistisch effect. Een mannelijke vorm, half verborgen achter de sokkel van het monument, zijn hoofd buiten beeld gedraaid... Ze kon zijn gezicht niet zien.

Er was iets heel bekends aan hem.

Tijdens hun reis door Noord-Italië en Oostenrijk had Sam massa's foto's gemaakt die ze 's avonds in mappen had opgeslagen die ze 'Treviso', 'Padua', 'Asolo', en 'Graz' noemde – de plaatsen die ze onderweg bezichtigd hadden.

Ze duwde haar haren uit haar gezicht, klikte op het eerste album en koos voor de carrouselweergave. Ze had niet veel tijd. De nachttrein naar Parijs vertrok over vijfendertig minuten en de Rivers wilden altijd ruim op tijd zijn. Maar als iemand haar volgde, zich verborg voor de camera – ze voelde haar maag ineenkrimpen terwijl de beelden langs-flitsten – dan was er een kansje dat ze hem al eerder voor haar camera had gehad.

Als hij echt nog geen twee uur geleden in het Stadtpark was, dan kwam er een vraag op waar ze eigenlijk geen antwoord op wilde: waar was hij nu?

Er was geen directe aanleiding geweest, niets aantoonbaars, maar sinds ze gisteren in Wenen waren aangekomen, voelde Sam zich niet op haar gemak. Wenen was de plek waar zij en de Rivers uit elkaar zouden gaan – de Rivers reden door naar het noorden, naar de Alpen, en zij ging met de trein naar Parijs.

Ze was eraan gewend geraakt om door het oprechte, vriendelijke Amerikaanse echtpaar op sleeptouw genomen te worden. Het waren academici op leeftijd en ze deden haar aan haar eigen ouders denken. Balfe had de irritante gewoonte om haar 'kid' of 'kiddo' te noemen, maar dat zei hij tegen alle vrouwen en ze had het mis gehad over zijn louche uitstraling. Hij was ongevaarlijk.

Gisteren hadden ze haar, als afscheidscadeautje, meegenomen naar *Don Giovanni* van Mozart in de Staatsopera. En terwijl ze werd meegesleept door de zang, de decors en de prachtige uitvoering was het Sam ineens duidelijk geworden dat ze helemaal niet naar huis, naar Amerika, wilde. Ze was naar Europa gekomen om kunst te bestuderen, maar had ontdekt wat ze in Amerika miste: hier wisten ze hoe je moest léven – maar het was nu te laat om van gedachten te veranderen.

Het souper na de opera was in Landtmann, en Balfe had haar verteld dat het een favoriete stek van Sigmund Freud was geweest. Buiten het café had Sam nog rondgekeken om er zeker van te zijn dat niemand hen vanuit een geparkeerde auto in de gaten hield of zich verborg in de schaduw van een steegje. In haar opgefokte staat vond ze de aardige, joviale gezichten van de Weners eerder sluw en sinister en voelde ze overal hun ogen prikken.

Ze had de Toshiba weggeborgen in de kluis van het hotel.

'Wat een perfecte plek om onze laatste avond te vieren,' zei Balfe terwijl hij galant de deur voor haar openhield, 'met de dochter van H.L. Metcalf!'

Het lukte haar een glimlach op haar gezicht te toveren. Haar vader was psychiater.

De trage, nauwgezette ceremonie van dineren bij Landtmann, met zijn marmeren tafels, fluwelen banken en Weners die onder de muurhoge ramen hun kranten lazen, verhoogde alleen maar de spanning. Toen Fern vroeg of er iets was, barstte ze bijna in tranen uit. Ze wilde hun vertellen over de moordenaar in Florence en haar angst dat ze achtervolgd werd, maar ze deed het niet. Ze voelde zich al schuldig genoeg omdat ze de Rivers als schild gebruikte, omdat ze misbruik maakte van hun vriendelijkheid.

Toen Fern boven de *schlagtorte* en de *mélanges* voorstelde dat zij en Balfe hun plannen zouden wijzigen en met haar met de trein naar Parijs zouden gaan, leek dat uit de lucht te komen vallen en was het een uitgekomen gebed.

's Ochtends liet ze hen dankbaar haar couchetteticket veranderen in een ticket voor een eersteklas slaapwagon, zodat ze samen konden reizen.

Sam keek op de klok van haar computer. Acht uur twintig. Ze zouden inmiddels wel in de trein zitten en zich bezorgd over haar maken. De zoektocht door haar foto's had een paar mogelijkheden opgeleverd, maar niets zekers.

En toen zag ze hem. De foto's waren genomen op het marktplein in Asolo. Nog steeds geen gezicht. Maar ze wist bijna zeker dat het dezelfde kerel was. Ze tuurde nog even naar de schimmige figuur op het scherm voor ze haar laptop begon af te sluiten.

Vanuit haar ooghoek zag ze dat de deurkruk van haar hokje van buitenaf langzaam werd omgedraaid en ze voelde zich ineens misselijk.

Ze hoestte.

Een vrouwenstem aan de andere kant van de deur mompelde: '*Entschuldigung*'. Sam hoorde voetstappen weglopen – ze had ze niet horen komen – en de deur van een ander hokje dichtslaan, twee, misschien drie deuren verderop. Niets aan de hand, zei ze tegen zichzelf, gewoon een samenloop van omstandigheden.

Van schrik moest ze plassen. Ze klapte de Toshiba dicht en trok haar broek naar beneden. Maar haar opluchting was van korte duur. Ze kon haar gevoel niet negeren: ze wist nu zeker dat ze gevolgd werd.

Haar eerste gedachte was om naar de politie te gaan. Ze had een bord met *Polizei* zien hangen in de stationshal. Maar ze had geen zin om alles aan botte Oostenrijkse ambtenaren duidelijk te moeten maken. Wat voor bewijs had ze dat iemand haar stalkte en, zelfs als ze hen duidelijk kon maken dat een paar wazige schimmen een bedreiging voor haar waren, wat kon de politie doen zonder een signalement?

En misschien verbeeldde ze het zich toch. Ze wist nog hoe ze in paniek raakte toen ze verdwaald was in de *calli* van Venetië. Misschien zat ze nu weer te flippen over niets. Ze besloot Jimmy te bellen. Hij had haar later in dat restaurant ge-sms't dat hij een paar dagen naar de Amalfikust ging en weer contact zou opnemen als hij terug was. Intussen had ze een wederzijdse vriend in Florence gesproken, die hem nog niet zo lang geleden gezien had. Die vertelde dat Jimmy het volgens hem goed maakte, misschien een beetje dronken, maar ach... op de achtergrond was keihard 'You never can tell' van Chuck Berry te horen geweest.

Oude rock-'n-roll? Jimmy? Ze had moeten lachen.

Ze toetste zijn mobiele nummer in. Geen bereik.

Met de roltrap ging Sam naar de bovenste verdieping van het station, haar laptop zat in een winkeltas stevig tussen haar enkels geklemd. Vanaf de trap bekeek ze de mensen in het atrium onder haar en voelde zich bekeken alsof ze naakt uit de badkamer kwam. Het Westbahnhof was een modern gevaarte van beton en glas, met drie verdiepingen hoge ramen die een panoramisch uitzicht over de stad boden. Ze realiseerde zich dat ze ook vanaf de straat zichtbaar was.

Hij is hier ergens, dacht ze terwijl ze rondkeek.

Tien minuten voor de trein zou vertrekken ging ze terug naar spoor 14, waar ze de Rivers had achtergelaten bij een kruier die hen met de bagage en hun plaatsen zou helpen.

De blauw-witte locomotief van de 'EuroNight'-express stond klaar voor vertrek. Hij siste en bromde toen Sam over het perron aan kwam lopen. Het slaaptreingedeelte stond in het donker, buiten de bescherming van het overdekte perron. Aan de vage lichtbanen die van tijd tot tijd uit hoge lampen het perron bereikten, kon ze haar vorderingen afmeten.

Kleine groepjes mensen hingen rond de laatste open deuren van de gewone rijtuigen; het perron voor haar was, op een of twee Wagon-Lits-mensen na, praktisch verlaten. Ze hoorde iemand snel achter zich aan komen en moest zichzelf bedwingen om niet over haar schouder te kijken.

De snelle voetstappen werden minder snel en stopten. Een deur van een andere trein sloeg dicht.

Haar hart bonkte tegen haar ribben. Als hij toestond dat ze Wenen verliet, zei ze tegen zichzelf, dan was ze veilig. Ze dacht aan Sophie en aan hoe ze zich gevoeld moest hebben, en begreep dat er geen ontkomen meer aan was.

Ze wilde... had ze verdomme maar nooit contact gehad met de vader van die vrouw, was ze er maar nooit bij betrokken geraakt. Toen ze een eindje verderop een telefooncel op het perron zag staan, aarzelde Sam – haar gevoel zei haar niet Ed Lister te bellen, haar mobiel niet te vertrouwen – maar ze was al op zoek naar haar adressenlijst.

Waarom ze van gedachten veranderd was, wist ze niet.

Ze wist wel dat ze het verhaal aan iemand moest vertellen en dat Ed de enige ter wereld was die haar zou geloven.

16

De hoge eerste tonen van 'Träumend' uit *Kinderszenen* van Robert Schumann stroomden de witte auditieruimte binnen. Ik stond met mijn handen achter mijn rug voor het raam en keek uit over de futuristische, wat verlopen campus van Cité de la Musique.

'*Trop fort, trop fort, pardon.*' Lucas Norbert zocht de knoppen van het stereosysteem en zette het volume zachter.

'Ze heeft nooit echt les gehad,' begon ik en ik vond mezelf bijna verontschuldigend klinken. 'Je zou kunnen zeggen... ze heeft geen zelfvertrouwen. Zenuwen. Daar houdt u toch wel rekening mee, hè?'

'Maar de openingsnoten móéten langzaam, monsieur Lister... *lentissimo!*'

Hij keek me bemoedigend aan en krabbelde iets in een agenda. Achter in de vijftig, met zijn blauwe ovale ogen, perfecte babyhuidje en zijn handelsmerk, een bos sneeuwwit haar, zag hij er precies uit zoals een muziekprofessor eruit hoorde te zien. Terwijl Schumann verder stroomde, leunde hij achterover in zijn stoel en bekeek het plafond.

Het volgende halfuur luisterde Lucas naar het repertoire dat ik van een onwillige Jelena had mogen downloaden. Als ik haar had verteld dat ik het wilde laten horen aan de toelatingsdocent van het Conservatoire National Supérieur de Musique in Parijs had ze het vast en zeker nooit goed gevonden. Maar het was haar ambitie, haar droom om hier te studeren. En ik wilde haar helpen.

In de hoek stond een zwarte vleugel en ik stelde me voor dat Jelena daarachter zat, haar hoofd afhangend naar een kant en haar lange, slanke vingers bewegend over de toetsen. Toen we naar haar vertolking van 'Fig Leaf Rag' van Scott Joplin luisterden, verscheen er een brede grijns op Lucas' gezicht. Haar horen spelen in het gezelschap van een ander bracht haar op de een of andere manier tot leven en ik voelde mijn hart sneller kloppen bij het zien van zijn duidelijke plezier.

Het laatste stuk op de cd was Beethovens bagatelle in a-mineur, 'Für Elise', en op Lucas' gezicht was duidelijk te zien dat hij deze 'gouwe ouwe' iets te vaak had gehoord. Na een paar maten zette hij de cd uit.

'Mag ik vragen hoe oud uw peetdochter is, monsieur Lister?'

'In september wordt ze zesentwintig.'

'Ah, daar was ik al bang voor.' Hij zuchtte theatraal. 'Wij nemen voor piano niemand aan die aan het begin van het schooljaar ouder is dan tweeëntwintig. Voor de minder populaire instrumenten wel, maar voor piano hebben we een permanente wachtlijst.'

'Ik dacht dat ik had uitgelegd,' zei ik rustig, 'dat ze... volwassen was.'

Lucas schudde zijn hoofd. Ik wist niet of dit een serieuze kink in de kabel was of een tactische zet. De stemmen en instrumenten vanuit de practicumkamers, een soort muzikale toren van Babel, leken luider en meer virtuoso te worden.

'Als ze nou haar DFS of een soortgelijk diploma had, dan kon ze een "gevorderde" cursus voor oudere studenten tot dertig jaar volgen.'

'Ze heeft geen diploma's.'

Hij fronste zijn wenkbrauwen. 'Weet je wat ik raar vind? In New York hebben jullie het Juilliard, de Brooklyn Academy of Music, en andere zeer goede opleidingen. Ze zou een beurs kunnen krijgen. Waarom wil ze dan naar Parijs?'

Ik wist het antwoord niet, maar ik wist wel het een en ander van Jelly's jeugd – een arme jeugd op Martinique, vader nooit aanwezig, pianoles van haar oma die ze adoreerde, die haar droom steunde om te gaan studeren aan de beste school van de wereld... enzovoort.

'En u zei dat ze muzieklerares wilde worden?'

'Ze is jong genoeg om nog idealen te hebben.'

'*On sait jamais,*' zei hij terwijl hij me aankeek. 'Ik hoorde net wat, vooral bij Scott Joplin. Ze zou verder kunnen komen.'

'Ik wil daar graag bij helpen.'

Lucas stond op en haalde de cd uit de stereo; langzaam stopte hij die in het doosje en legde het op het bureau dat tussen ons stond.

'Soms,' zei hij eindelijk, 'laten we een begaafd student toe, ook als die niet aan de toelatingscriteria voldoet. Meestal krijgen die een beurs van een instituut.'

Hij bleef me strak aankijken, terwijl hij praatte. Ik had Lucas verteld over het fonds dat Laura en ik hadden opgericht ter nagedachtenis aan Sophie, om talentvolle, maar arme kunstenaars en musici de kans te geven zich verder te ontwikkelen. Ik had hem ook verteld dat er geen verband bestond tussen deze liefdadigheid en mijn wens om Jelena te helpen – hij begreep dat het een privéaangelegenheid was.

'In het geval van uw peetdochter...'

Ik weet niet meer precies hoe hij het formuleerde. Fransen zijn meesters in delicate manoeuvres. Ik kreeg te horen dat een donatie aan het schoolfonds mijn 'peetdochter' zou verzekeren van een gesprek en een formele auditie, misschien zelfs een automatische plaats. We hadden een deal, hoewel ik niet dacht dat het me gelukt zou zijn als ze geen duidelijk talent had gehad.

'De instrumentale test voor een jury kan een beproeving zijn,' zei hij, ik vermoedde om zichzelf in te dekken.

Ik schreef een cheque uit (met aardig wat nullen), gaf die aan hem en benadrukte nogmaals het belang van anonimiteit – ik vertelde Lucas dat niemand mocht weten, zeker de vrouw in kwestie niet, dat ze een begunstiger had. Ik vroeg, misschien onverstandig, of ik op zijn discretie kon vertrouwen.

Hij keek omlaag en ik zag zijn ogen groter worden.

'Nog een klein detail, monsieur Lister.' Lucas tikte even op mijn schouder toen we op de lift stonden te wachten. 'Hoe leggen wij contact met uw peetdochter?' Hij keek me wat verlegen aan. 'Ik weet niet eens... hoe ze heet.'

Dan was hij niet de enige.

'Ze zal met jullie contact opnemen,' was mijn antwoord en de liftdeuren gleden open.

Nadat ik de Cité de la Musique achter me had gelaten en in een taxi over de Avenue Jean-Jaures reed, belde ik naar huis, maar ik kreeg geen gehoor. Ik was vergeten dat het daar een uur vroeger was en dat Laura, die een vaste dagindeling had, waarschijnlijk Jura, Sophies oude, zwarte labrador, aan het uitlaten was. Ik zag ze in mijn verbeelding als altijd over het pad naar de heuvels achter Greenside lopen.

Het was vandaag dinsdag, drie dagen na George' feest.

Ik moest voor zaken naar Parijs – Beauly-Lister had een kantoor in St. Germain waar ik elke week een dag of twee moest zijn – en was die morgen overgevlogen om een leegstaand pakhuis te bekijken ten oosten van de Marais, ooit een achterbuurt van de stad. De bovenste verdiepingen van het pakhuis waren ronduit teleurstellend. De makelaar probeerde me ervan te overtuigen dat uitzicht op de achterkant van het spoorcomplex van Bercy en het kunnen lezen van de nummerborden van de auto's op de Boulevard Peripherique grote pre's waren. Ik bedankte haar en ging weg.

De taxi zette me rond zeven uur af op Montmartre. Omdat ik nog wat tijd over had, liep ik wat rond door de rustige straatjes ten noorden van de Sacré Coeur. De hemel was na de regen opgeklaard en de lucht was fris en rook naar lavendel en hout.

Ik voelde me goed, was tevreden over mijn afspraak met Lucas. Over een paar uur zou Jelly weer in New York zijn en ik verheugde me erop haar weer te 'zien' – zo erg dat ik aan niets anders kon denken. Er was geen sprake van dat ik haar het goede nieuws kon vertellen. Maar eerlijk gezegd wilde ik dat ook niet. Het feit dat ik de raderen in werking had gezet was al genoeg.

Terwijl ik over de treden van de Rue Utrillo naar beneden liep en genoot van het uitzicht van de stad onder me, herinnerde ik me ineens een cafeetje met een typisch Frans sfeertje en ik besloot daar wat te gaan eten. Ik ging buiten aan een tafeltje zitten en bestelde een *pression* en de *assiette de charcuterie* met een witlofsalade. Ik wilde iets lichts en eenvoudigs.

Toen ik klaar was, stak ik een sigaret op en probeerde Greenside nog een keer te bellen. Ik liet de telefoon zo'n zes keer overgaan – het was nu half negen, of Laura lag in bad, of ze at buiten de deur. Ik wilde net ophangen toen ik een gespreksignaal kreeg.

'Ed hier.'

'Er is iets wat je moet weten.'

'Wie is dit?'

'Ik heb niet veel tijd.'

Ik voelde me verstijven.

'Moment.' Ik had nog nooit de stem van Sam Metcalf gehoord. Ze had nooit mijn boodschap op haar mobiel en mijn laatste e-mail beantwoord. Eerlijk gezegd had ik de hoop opgegeven om ooit nog iets van haar te horen, maar ik wist meteen dat ze het was.

'Alsjeblieft, zet me niet in de wacht.'

'Heel even maar,' zei ik rustig, 'ik zit ook op de andere lijn. Laat me dat gesprek even afmaken.'

'Nee, geen tijd... luister.'

Met zijn rugzak over zijn schouder stapte Ward in de nachtexpress en liep met gebogen hoofd door de gangpaden van de wagons en keek door de ramen naar het perron.

Hij moest zeker weten dat Sam aan boord was voor de trein ging rijden.

Hij vond zijn couchette in de vierde wagon, keek even rond, hoewel hij niet van plan was deze te gebruiken, en liep vervolgens verder tot hij bijna bij het slaapgedeelte van de trein was. Hij zag haar een gesprek voeren in een telefooncel. In de gang ging hij vlak bij een open treindeur staan, zodat hij eruit kon springen als ze op het laatste moment besloot om niet in te stappen.

Hij zag aan haar lichaamshouding dat ze nog geen beslissing had genomen.

Sam keek naar de stationsklok. Ze had precies drieënhalve minuut voor Ed Lister. Ze sprak zachtjes en vlug.

'Het spijt me van Florence. Het was niet veilig om elkaar te zien. Ik had een telefoontje gekregen dat ik met niemand mocht praten... hij hield me in de gaten.'

'Wie?'

'De man die uw dochter heeft vermoord.'

'Juist, ja. En waarom praat je dan nu wel met me?' Ed klonk voorzichtig, bijna achterdochtig. 'Waarom ben je van mening veranderd?'

'Ik weet dat ik gevolgd word.'

Het viel even stil. 'Waar ben je nu?'

'Nog twee minuten in Wenen. Daarna zit ik in de nachttrein naar Parijs. Weet u nog dat ik vertelde dat Sophie graag bij me langskwam en dan mijn laptop gebruikte? Volgens mij zit er nog ander spul op de harddisk dat de politie kan gebruiken om haar moordenaar te vinden... u mag het hebben.'

'Hoe weet je dat ik in Parijs ben?'

'Dat weet ik niet...' Sam was verbaasd, maar het feit dat hij daar al was, beschouwde ze als een teken dat haar kansen keerden. 'Het is toeval, oké? Mijn geluksdag, Ed. Wat maakt dat nou uit, goddomme?'

'Oké, laten we wat afspreken. Morgenochtend, hoe laat?'

'Negen uur achtenveertig, Gare de l'Est. Ik zal proberen u vanuit de trein te e-mailen... voor het geval dat. Ik heb foto's die iemand moet zien. Volgens mij staat hij op een paar foto's. Zo heb ik ontdekt dat hij me volgt.'

'Als je bang bent,' zei Ed, 'ga dan naar de conducteur. Heb je een slaapcoupé of een couchette geboekt?'

'Slaapcoupé, eerste klas,' zei ze vlug, want ze zag dat het bijna vertrektijd was.

'Doe de deur op slot. Probeer onder de mensen te blijven.'

'Ik reis met vrienden. Het lukt wel. Mijn trein vertrekt.'

'Sam, wacht! Je stuurde het adres van een website. Maar ik kom er zonder gebruikersnaam en wachtwoord niet op.'

'Morgen,' zei ze. 'Alsjeblieft, alsjeblieft, zorg dat je er bent.'

'Als jíj er maar bent...' Ze had opgehangen.

Ze had nog een minuut. Sam pakte haar boodschappentas en begon over het perron te lopen, maar aarzelde ineens. Als ze gelijk had, was hij al aan boord. En als ze nou eens de trein zou missen? Ze kon de laptop in de telefooncel laten staan en gewoon weglopen, als de sodemieter weg van hier. Misschien keek hij niet. En als hij wel keek, dan was het de Toshiba die hij wilde.

Wat verderop zag ze Fern Rivers uit de laatste open treindeur naar haar wuiven. Ze riep iets, maar haar stem kwam niet boven het geluid van de trein uit.

Sam keek naar de conducteur die met een langzaam gebaar, alsof hij zich onder water bewoog, het fluitje naar zijn lippen bracht.

Ze voelde een hand op haar schouder en draaide zich als door een wesp gestoken om.

'Tijd om te gaan.' Het was Balfe, die glimlachte.

17

Het was bijna half negen toen ik weer op de Place Vendôme was. Ik liep door de lobby van het Ritz met een gezicht waarmee ik hoopte onzichtbaar te zijn. De receptionist probeerde mijn aandacht te trekken, maar ik liep door en nam de lift naar de derde verdieping. Ik wilde naar mijn laptop. Door het telefoontje van Sam Metcalf wenste ik dat ik meer moeite had gedaan om haar te vinden.

Ik logeer altijd in het Ritz als ik in Parijs ben. Een flat huren in de buurt van mijn kantoor in St. Germain zou veel goedkoper zijn, maar ik heb een regeling met het hotel getroffen die me veel beter uitkomt. Hemingway schreef eens dat de enige reden om níét in het Ritz in Parijs te logeren is dat je het niet kunt betalen. Nu het was overgenomen door Al Fayed betwijfel ik of hij er hetzelfde over zou denken. De overdadige, vulgaire aankleding van de stille gangen met spiegels is overweldigend, maar mij valt het niet meer op. Ik hou van chique hotels. Het is een ondeugd, maar wel een die wat oplevert.

Ik schonk mezelf een dubbele whisky in en ging aan tafel zitten.

De e-mail van Sam Metcalf zat in mijn inbox – met één klik kwam ik op haar webpagina. Onder een foto van een knappe, mollige vrouw met een bril met een gouden montuur, blauwe ogen en een bos donker krullend haar, stonden de gewoonlijke, expres vaag gehouden biografische gegevens en een link naar een fotomap met de titel 'Mijn Vakantie'.

Ik telde elf foto's, meestal afbeeldingen van drukke straten in verschillende plaatsen. De foto's waren gerangschikt op datum en tijd onder plaatsnamen. Op sommige stond een bedaagd echtpaar van middelbare leeftijd (Amerikaans, gezien hun kleding). Op twee foto's had Sam met een stift een vaag figuur op de achtergrond omcirkeld. Op een derde, een foto van een voetgangersstraatje met kinderhoofdjes, had ze een vraagteken gezet boven een vage schaduw bij een steeg.

Om ze wat scherper te krijgen, opende ik de gemarkeerde foto's in

Adobe Photoshop en speelde er wat mee. Maar veel kon ik er niet aan verbeteren: niets leek op een gezicht (het hoofd was altijd weggedraaid), geen identificeerbare kenmerken – het was een man, maar lengte, huidskleur, haar, kleding; het was allemaal niet te bepalen. Het enige mogelijke verband dat ik zag was dat de schim op één, misschíen twee foto's, iets leek te dragen, een zwarte rugzak of schoudertas.

Ik nam een slok whisky, leunde achterover en bedacht hoe weinig ik eigenlijk wist over Sam Metcalf. Aan de telefoon had haar stem zo'n ingehouden trilling die ik persoonlijk nogal zorgwekkend vond – ze klonk alsof ze ieder moment hysterisch kon worden. Ik twijfelde niet aan haar verklaring voor het feit dat ze in Florence geen contact meer met me had opgenomen. Als ze door Sophies moordenaar was gewaarschuwd om niet te praten, dan was dat een heel goede reden om bang te zijn. Maar paranoia voedt zichzelf. Als deze foto's het bewijs moesten leveren dat hij haar door heel Italië achtervolgde, dan was het bepaald geen overtuigend bewijs.

Ik pakte de muis en klikte op Sams foto om die te vergroten, zodat ik haar gezicht beter kon zien. Geen goede graadmeter, maar wel de enige die ik had. Ik zag een serieus persoon, gevoelig, levendig, knap... ze leek níét gek.

Toch zou Sam Metcalf best een aanstelster kunnen zijn, een van die verloren zielen die smachten naar aandacht... drama gebruiken voor hun eigen doel.

Na een snelle douche trok ik een schoon shirt, een oude spijkerbroek en instapschoenen aan. Rond kwart over negen checkte ik mijn computer voor het geval Jelly eerder uit DC was teruggekomen. Er was nog niets van haar, maar nu ik online was, fladderde er een envelop in mijn bakje – weer een e-mail uit de trein.

Ed, hopelijk zijn de foto's oké... Er zijn er meer, maar ik heb nog geen tijd gehad om die te uploaden. Eerste indruk?

Ik kwam deze tegen toen ik mijn bestanden aan het opschonen was. De gebruikersnaam voor homebeforedark.net is Boundary7. Het wachtwoord is Levelwhite. Zijn er problemen, probeer ze dan omgekeerd en/of met een andere spelling.

De trein is een droom. Nadat ik aan boord was gegaan (seconden voor het vertrek) kreeg ik gekoelde champagne! Nu naar het diner in de restauratie. Geen zorgen, paniek is over, alles goed. Ik zie je morgenochtend – Gare de l'Est, 9.48 uur.

Succes, Samantha

De luchtige, veel te vertrouwelijke toon, bevestigde mijn vermoeden dat Sam een neuroot was, maar ze klonk nu in ieder geval veel rustiger. Ik antwoordde kort en ging toen direct door naar de homebeforedark-website. Succes? Ze had vast bedoeld succes met op de website komen, maar ik vond het, gezien de omstandigheden, toch een aparte afscheids-groet.

Terwijl ik op de grafische afbeelding wachtte, voelde ik me opgewon-den. Het virtuele huis stond nog niet geheel op het scherm (bomen, lanen en omheining als eerste) toen ik de muis al over het tuinpad bewoog en op de voordeur 'klopte'.

Het venster onder aan het scherm vroeg om gebruikersnaam en wachtwoord. Ik tikte de combinatie die Sam me gegeven had in en onmiddellijk, met een zacht klokgelui – het was bijna te gemakkelijk – ging de groene deur open.

Toen ik binnen was, zag ik meteen dat het interieur heel anders was dan de elegante koloniale voorkant. Achter de ruime, door witte pilaren gedragen portiek, lag een geheel andere, duistere wereld. Terwijl ik door de schemerige, weinig uitnodigende hal wandelde (als ik de cursor bewoog hoorde ik voetstappen, de mijne) naar een nog schemeriger gang vol zwaar victoriaans meubilair, realiseerde ik me dat het geheel, het decor, me bekend voorkwam. Waar ik ook keek zag ik bekende details uit het schetsboek van Sophie.

Dus ze wás hier geweest, hier in dit huis. De bewijzen waren overal om me heen. Ik dacht aan Sophie die door de website had gemanoeuvreerd, misschien bang... maar bang voor wat?

Ergens sloeg een deur dicht.

Onwillekeurig keek ik op. In de spiegel voor mijn tafel zag ik achter me de deur van mijn hotelkamer. Die zat op slot, maar het geluid was zo realistisch dat ik ging twijfelen. Ik scrolde langzaam met de cursor over het scherm en zag dat de voordeur van het virtuele huis achter me dichtgeslagen was.

Ik stond nu in een lange, donkere gang met aan weerskanten gesloten deuren, en een gang die deze kruiste. Voor me, aan de andere kant van een halfronde, mahoniehouten gangtafel, hing een kroonluchter boven een met houtsnijwerk versierde trap naar de eerste verdieping. Ik klikte op de deuren, maar die gingen niet open. Ik probeerde de gang in te komen en de trap op te gaan, maar er gebeurde niets. Met een lichtknop deed ik het licht in de kroonluchter aan en uit, maar dat was het enige interactieve mechanisme dat ik vond.

Ik had geen idee waar ik naar zocht of wat ik kon verwachten. Het zorgvuldig ingerichte huis, de aandacht voor details, de realistische grafische weergave en het geluid waren van een hogere kwaliteit dan menig videogame. Maar wat was het doel van dit alles?

Ik schonk mezelf nog eens in, stak een Gauloise op en wachtte.

Nu pas realiseerde ik me dat ik muziek hoorde. Heel zacht en aarzelend, alsof iemand in een kamer aan de andere kant van het huis aan het studeren was, iedere keer weer dezelfde noten. Ik probeerde de melodie te herkennen, maar dat lukte me niet.

En toen, ineens, hield het omfloerste geluid op en verscheen er vanuit het niets een vrouwensilhouet boven aan de trap. In het zwart gekleed en met haar haren opgestoken in een knot leek ze precies op de verschijning van de huishoudster in Hitchcocks *Rebecca*. Terwijl ik keek, daalde de virtuele 'mevrouw Danvers' de trap af en schreed naar de gangtafel. Ze legde iets op een zilveren blad en liep verder.

Ze had een kaartje neergelegd en toen ik erop klikte, verscheen er een pop-upvenster in de vorm van een gekalligrafeerde uitnodiging.

> *uw aanwezigheid is gewenst*
> *op een receptie*
> *live webcast*
> *12 uur middernacht*

Ik had amper de tijd gehad om de boodschap te lezen toen het venster alweer sloot, de donkere gang verdween en ik weer in de zonnige portiek voor het huis stond. Ik 'klopte' weer met mijn cursor, maar de donkergroene deur met glimmende spijkers bleef potdicht.

Wat voor receptie, vroeg ik me af? En wie zou ik daar ontmoeten?

De formele uitnodiging klonk heel onschuldig, maar ik wist dat 'live webcast' vaak een duistere connotatie had. In de onderste regionen van het web wemelde het van de sites die zich richtten op ongebruikelijke of extreme seksuele voorkeuren. Een paar zijn er eng, de meeste zijn gek en ze zijn allemaal afgrijselijk voorspelbaar. Het idee dat Sophie geïnteresseerd was in bondage en sm-kelders vond ik vergezocht en onsmakelijk. En te oordelen naar wat ik er gezien had, was homebeforedark iets heel anders.

In haar tekeningen, zeker die van het interieur, riep Sophie een dreigende sfeer op die ik niet op de website terug had gevonden. Er hing angst in het huis uit het schetsboek en die voelde heel echt. De virtuele versie leek op de omgeving van een stokoude horrorfilm. Maar dat vlakte niet uit dat er iets gebeurd was waardoor ze doodsbang was.

Ik staarde naar het witte huis. Het was inmiddels bijna tien uur. Nog ruim twee uur wachten – aangenomen dat de uitnodiging geen grapje was – voor ik weer naar binnen kon in wat ik was gaan beschouwen als het domein van de man die mijn dochter had vermoord.

Ik stond op en liep naar de bar voor een nieuw drankje. Ik dacht aan Jelly, probeerde te bedenken waarom ze zo laat was – ze had inmiddels allang in haar appartement moeten zijn – toen de telefoon rinkelde.

De receptioniste (ik had de receptie gevraagd om mijn telefoontjes te onderscheppen) vertelde me dat ze ene Phil van Secure Solutions aan de lijn had. Hij had al eerder gebeld toen ik weg was.

'Je zult vast wel blij zijn dat ik je te pakken heb gekregen, mr. L. We hebben iets gevonden.'

'Momentje.'

Er kwam muziek uit het witte huis op mijn scherm.

Ik liet de hoorn zakken. Net als eerder oefende er iemand op de piano, speelde telkens weer dezelfde noten. Ik draaide aan de volumeknop van mijn laptopspeakers en hoorde het deze keer. Een tinkelend melodietje, treurig, zoetig, met een donkere ondertoon – direct te herkennen als de openingsmaten van Beethovens 'Für Elise'.

Ik schrok ervan. 'Geloof je in toeval, Phil?'

Eerder die middag, op het Conservatoire, had ik naar hetzelfde bekende deinende deuntje geluisterd op Jelly's cd en het had de hele middag in mijn hoofd gezeten.

18

Andrea Morelli stond met een handdoek om zijn middel geslagen op het balkon van zijn hotelkamer en staarde somber over de maanverlichte baai van Sorrento. Het beroemde romantische uitzicht leek te spotten met zijn stemming, een belediging toe te voegen aan het ergste wat een man kan overkomen en die verder moet leven, maar niet langer als man. Hij zette zijn ellebogen op de reling en kreunde luid, met zijn vuisten tegen zijn slapen.

'Kom naar bed, *liebchen*,' riep het meisje vanuit de kamer. Hij was haar naam even kwijt. 'Ik heb een idee.'

'Ik kom eraan.' Hij schraapte zijn keel en zei: 'Nog heel even.'

Zijn vernedering, bedacht hij, was zo diep als de Middellandse Zee... nee, dieper, hij was bodemloos. Hij was nog nooit tekortgeschoten bij een vrouw, zelfs niet bij zijn eigen vrouw.

'Oké, geen probleem.' Het was Gretchen.

Hij had haar in de hotelbar ontmoet toen hij terugkwam van de conferentie in Napels. De zeer knappe en jonge Tsjechische fysiotherapeute uit Mariënbad was precies Morelli's idee van perfectie – lang, blond, goed gekleed, het sportievemeisjestype. En dan ook nog aardig.

Ze had alleen maar geglimlacht en gezegd dat het helemaal niet erg was, dat zoiets kon gebeuren... waardoor hij zich nog ellendiger ging voelen. Mooi, warm, gewillig – het lag niet aan haar.

'Je moet je leren ontspannen,' zei ze.

Ze lagen weer op bed, probeerden het nog een keer, Gretchens idee leek te werken, maar toen ging zijn mobiel. Nummer van thuis. Hij haastte zich uit bed, liet haar achter met een verbaasde uitdrukking op haar gezicht, en met een vinger tegen zijn lippen liep hij met zijn mobiel het balkon op. Zonder handdoek deze keer.

Hij had het grappig kunnen vinden. Morelli vond zelf dat hij een goed gevoel voor humor had en hij wist dat dat een zeldzame eigenschap was bij Italiaanse mannen. Maar nu schoot zijn humor net zo jammerlijk tekort als zijn lul die hij daarnet niet overeind had kunnen krijgen.

Uitgerekend op dit moment moest Maria hem er zo nodig aan herinneren dat hij een verjaardagscadeau voor hun jongste dochter moest kopen. Hij stelde haar gerust, zei dat hij van haar hield en hing op. Bijna meteen ging de telefoon weer. Hij overwoog of hij het gesprek zou aannemen of niet. Hij had de rechercheur die zijn functie waarnam speciale instructies gegeven om hem niet te storen tenzij het belangrijk was.

'Ja, Luca?' vroeg hij vermoeid.

Hij luisterde naar wat Luca Francobaldi te vertellen had en zijn stemming daalde nu helemaal tot onder het vriespunt. Hij had zijn nacht niet.

'Misschien wilde hij hem opeten,' zei hij toen hij hoorde waar het lichaam was gevonden. De jongere rechercheur lachte. 'Nee, ik meen het. Heb je de eigenaar al gesproken?'

'Die proberen we nog steeds te bereiken. Hij is op vakantie in Thailand.'

'Perfect. Hoe lang lag het lichaam in de koelkast?'

'Sinds het weekend. De forensisch onderzoekers zeggen dat het door de lage temperatuur moeilijk is om de exacte tijd van overlijden te bepalen. Ze hebben bloed op de keukenvloer gevonden.'

'En die informant van jou? Verwacht je nog wat van hem te horen?'

'Die knul klonk behoorlijk bang. Ik vermoed dat hij iets wist van die roofpoging, dus ik betwijfel het.'

Morelli krabde over zijn borst. 'Je zei dat er geen identiteitsbewijs bij het lichaam gevonden is?'

'Niets, maar ik moet nog praten met de buren en de schoonmaakster. En er is een Amerikaan die blijkbaar de kat eten geeft. Het beest was bijna dood. Ik bel je wel weer als ik meer weet.'

Hij dacht hier even over na en keek toen door de deuropening naar Gretchen. Ze zat naakt op bed in een dubbele lotushouding, jezus christus... ze vingerde zichzelf.

'Luca, ik... heb het nu even druk.'

'Je zei dat ik moest bellen als er een crisis was.'

'En dit vind je een crisis?' Hij keek naar beneden en zag dat de zijne voorbij was. 'Een bevroren ijsje in de koelkast van een Engelsman die van *cullatoni* houdt, Luca, zal nooit een crisis worden.'

'Oké, oké, sorry voor het storen. Welterusten.'

Morelli klapte zijn mobiel dicht en haalde diep adem.

'*Liebchen!*' Gretchens ogen gingen wijd open toen hij binnenkwam.
'Zegt de naam Jimmy Macchado jou iets?' vroeg Phil.
'Niet direct.' Ik probeerde na te denken.
De naam, elke naam, leek me een belangrijke ontwikkeling.
'Hij is de eigenaar. Woont op Via Belvedère 16, Fiesole. Het telefoontje dat hij naar jouw mobiel pleegde afgelopen vrijdag, kwam uit Florence. Vanaf dat moment is Jimmy onvindbaar. Wil je een lijst van zijn telefoongesprekken?'
'Ik wil alles wat je hebt.'
'Dat dacht ik al. We hebben onbeperkte toegang tot het telefoonnetwerk, maar er is niet veel. Zaterdag was hij in Venetië. Hij pleegde die avond drie telefoontjes naar dezelfde mobiel. Zondag belde hij hotel Marini bij Asolo, ergens vanuit Noord-Italië. En maandag, gisteren dus, duikt hij in Wenen op...'
'Het treinstation.'
Het bleef even stil. 'Jij bent me een stap voor, mr. L. Slaapwagon, reserveringskantoor op het Westbahnhof. Het telefoontje werd gepleegd om 6.39 uur, plaatselijke tijd.'
'Shit.' Ik sloot mijn ogen. 'Nog meer?'
'Dat was zijn laatste teken van leven. Sindsdien is Jimmy's telefoon niet meer in de lucht geweest. We proberen hem te traceren. De simkaart wordt niet meer gebruikt.'
'Wat was het mobiele nummer dat hij in Venetië belde?'
'Momentje...' Hij dreunde een nummer op dat ik halverwege al herkende als dat van Sam Metcalf. 'Wil je de naam van de eigenaar?'
'Laat maar,' zei ik grimmig. 'Die heb ik al.'
Ik voelde een stekende koppijn opkomen. Ik moest direct Sam waarschuwen, haar vertellen dat ze inderdaad gevolgd werd en dat er een zeer grote kans was dat de man in Wenen geboekt had voor de Euro-Night-expres.
Terwijl ik Phil nog aan de lijn had, toetste ik het nummer van Sam Metcalf op mijn mobiel in. Een computerstem zei dat haar telefoon 'momenteel uit stond'. Ik opende Sams laatste e-mail. Die was om 8.46 uur verzonden, wat betekende dat ze de afgelopen twintig minuten in de restauratiewagon had gezeten. Daar zou ze veilig zijn. Ik hoopte alleen maar dat ze daar met anderen was en dat ze heel lang zouden dineren.
'Phil, ik moet hangen. Misschien heb ik je later nog nodig.'
'Je weet waar je me kunt vinden.'
Ik hing de hoteltelefoon op, en drukte op de herhaaltoets van mijn mobiel. Deze keer kreeg ik een 'geen bereik'-boodschap. De expres zou

inmiddels de bergen wel bereikt hebben.

Ik betwijfelde of ze daar een internetverbinding had, maar toch mailde ik Sam dat de mogelijke moordenaar – die misschien de naam Jimmy Macchado gebruikte – in de trein zat. Ik drong erop aan dat ze onmiddellijk contact opnam met de conducteur en ervoor zorgde dat ze geen moment alleen was.

Toen belde ik naar de receptie en vroeg of ze me met de Sûreté door wilden verbinden.

19

Ward wachtte tot de gang leeg was voor hij zachtjes op de deur van coupé 21/22 klopte. Hij had gezien hoe Sam vijf minuten eerder het compartiment had verlaten toen een oud echtpaar, helemaal opgedirkt, haar voor het diner kwam halen. Maar hij nam het zekere voor het onzekere: ze kon iets vergeten zijn of om een andere reden terugkomen.

Hij klopte weer, deze keer legde hij zijn oor tegen de deur.

'Ja? Wie is daar?' hoorde hij een vrouwenstem vragen. *'Que voulez vous?'*

Snel trok hij zijn hoofd terug. Wel verdomme. Er was iemand... en niet Sam. Hij zou gezworen hebben dat hij de Rivers had horen beloven dat ze bij elkaar zouden blijven. Hij hoorde de vrouw in het compartiment stommelen.

'Moment.' Ze kwam naar de deur.

Hij moest snel beslissen. Dit hoorde niet bij zijn plan. Het zou zelfs complicaties kunnen opleveren. Hij keek links en rechts de gang door. Nog steeds niemand. Hij kon makkelijk de hoek om gaan zonder dat iemand hem zag. Hij aarzelde een halve seconde.

Wat doen we nu, Ward? Het is tijd om knopen door te hakken, kerel.

'Ma'am, het spijt me dat ik u stoor...' De woorden rolden vlotjes uit zijn mond. 'Ik ben Balfe Rivers.' Hij wachtte even, probeerde niet gehaast te klinken. Aan de andere kant van de wagon verscheen een man van Wagon-Lits. Ward bleef met zijn rug naar hem toe staan. 'Mijn vrouw en ik reizen met Sam Metcalf. We dineren samen in het... restaurant.'

Hij hoorde een klik en de deur ging een paar centimeter open – een lichtbruin oog keek hem recht aan – toen ging de deur verder open en zag hij een grote blonde vrouw die de voorpanden van haar zwarte kimono tegen haar borst drukte.

'Oké.' Ze keek wazig, alsof ze geslapen had, maar zag zijn ernstige blik. 'Is er wat?'

'Fern, mijn vrouw, ze... voelt zich niet goed.' Hij probeerde Balfe's kakkerige Ivy League-geteem te imiteren: 'Niets ergs, Sam is bij haar... ze vroeg of ik de paracetamol uit haar koffer wilde halen. Ze heeft meestal een strip in haar tas zitten, maar... die was op.'

De vrouw knikte bedachtzaam, accepteerde toen zijn verhaal en glimlachte vriendelijk. Ze was wat mollig, maar niet onaantrekkelijk.

'Geen punt. Kom binnen.' Ze klonk Australisch of Nieuw-Zeelands of zoiets. 'Ik ben trouwens Linda.'

Ze ging bij het raam staan om hem binnen te laten in de kleine ruimte. Onder de kimono droeg ze een T-shirt, maar verder had ze niet veel aan, te zien aan haar blote benen. Hij sloot de deur achter zich en keek even vlug rond, zag de twee couchettes, het trapje, de bagagerekken en de spiegel op de deur naar het toilet. Hij hield zijn handen in zijn zakken, zijn rugzak hing over één schouder.

Nergens de Toshiba.

Het was natuurlijk mogelijk dat Sam die had meegenomen naar het restaurant. Hij had haar maar even gezien toen ze wegging. Maar anders moest het ding hier ergens zijn. De gordijnen waren niet dicht, want hij zag de lichtjes van een dorp waar ze voorbij raasden achter de spiegelbeelden van Linda en zichzelf in het donkere glas. Waar zou ze het ding gelaten hebben? Hij moest weten welke couchette van Sam was.

Linda stond daar maar, zei niets, haar kont wiegde heen en weer in het raam.

'Sam zei dat de pillen in de tas van haar laptop zaten.'

'Bedoel je die plastic zak?' Linda keek verbaasd. 'Die had ze bij zich toen ze wegging.'

'Weet je dat zeker?'

'Heel zeker.' Ze fronste haar wenkbrauwen. Hij zag twijfel over haar blijmoedige gezicht flitsen. 'Hoor jij niet wat... ouder te zijn?'

'Weet ik niet. Moet dat?' Hij probeerde het charmant op te lossen. *Wat heb jij? We moeten dit afronden, man.*

'Nou, ja, ze zei dat ze met vrienden van haar ouders had afgesproken...' Linda lachte even. 'En dat ben jij dus?' Maar haar stem verraadde haar.

Ze probeerde stiekem langs hem heen te kijken, alsof hij niet in gaten zou krijgen dat ze naar een ontsnappingsmogelijkheid zocht. Hij had echt geen andere keus.

Het zou niet lang duren. 'Mag ik even naar het toilet?'

'Wat? Hoor eens, je kunt maar beter gaan, maat.' Ze bewoog naar de deur, maar hij barricadeerde de weg. 'Nú. Eruit of ik...'

'Misschien moest ik dat maar doen,' zei Ward begrijpend, terwijl hij zijn handen uit zijn zakken haalde. Je kon amper zien dat hij latexhandschoenen droeg, zo dun waren ze. Hij trok een douchemuts over zijn haar, keek in de spiegel en duwde er nog een paar haren onder.

'Wat doe jij in godsnaam? Ga alsjeblieft weg... o, god!'

'Het spijt me.' Zijn arm schoot opzij.

Hij hield van die zachte zucht die uit zo'n stevige vrouw kwam: turquoise en blauw, zwembadkleuren. Eén hand zat over haar mond, de andere om haar keel. Haar kimono viel open.

'Ik kan je zo niet achterlaten, Linda.'

20

Tien voor half tien en nog steeds reageerde Sams mobiel niet.

Tot op heden was de Sûreté niet echt behulpzaam en ik werd steeds bezorgder dat ik de politie niet duidelijk kon maken dat ze haar verhaal serieus moesten nemen. Als de moordenaar al in de trein zat, dan was het een kwestie van tijd voor hij een manier had gevonden om alleen met haar te zijn. Op de een of andere manier moest ik haar eerder zien te bereiken.

Ik belde Andrea Morelli in Florence.

Een verveeld klinkende rechercheur van Criminal Investigations vertelde me dat hij tot morgen niet in de stad was. Ik vertelde dat ik de vader van Sophie Lister was, waarop ik zo ongeveer door de telefoon zijn nietszeggende blik kon zien. Inspecteur Morelli, meldde hij, was naar een politieconferentie in Napels. Hij stelde voor dat ik de volgende dag terug zou bellen.

'Maar ik moet hem dringend spreken.'

'Ik ben bang dat dat onmogelijk is. Degene die de naam van het hotel weet waar hij logeert... is net naar huis.'

'Bel dan iemand anders. Zijn vrouw moet het toch ook weten?'

'Ah, nee, nee... op dit uur, onmogelijk.'

'En zijn mobiel?' Ik probeerde kalm te blijven.

'Ik mag dat nummer niet doorgeven...' Hij aarzelde en even dacht ik dat hij zou gaan voorstellen om zelf Morelli te bellen. 'Heel misschien belt de *ispettore* zelf nog hiernaartoe. In dat geval zal ik het aan hem doorgeven.'

Hetzelfde verhaal met de Oostenrijkse Bundespolizei. De balieagent van het hoofdbureau in Wienerneustadt luisterde beleefd naar mijn zorgen over de veiligheid van een passagier in de Wenen-Parijsexpres, maar had meer belangstelling voor de relatie tussen mij en de jonge vrouw – wat was mijn relatie met haar, wat voor soort bedreiging had ze ontvangen, dat soort vragen. Ik had weinig hoop dat ik de juiste mensen op tijd zou kunnen bereiken.

En de hele tijd bleef ik Sams mobiel bellen. Bang dat ik misschien al te laat zou zijn.

Als laatste poging probeerde ik de trein zelf te bereiken. Een automatische helpdesk verbond me eindelijk door met iemand van de Oostenrijkse Federale Spoorwegen, die het heel jammer vond dat hij niets voor me kon doen, maar zei dat de slaapwagons onder contract stonden bij de Compagnie Internationale des Wagons-Lits. Hij gaf me hun alarmnummer in Parijs. Ik begon het 24-uur-bereikbare nummer in te toetsen, maar stopte – bij het laatste cijfer brak ik af.

Om de een of andere reden voelde dit niet goed.

Sams eigen verhaal en de bewijzen van de telefoonmaatschappij hadden me ervan overtuigd dat ze gevolgd werd en toch had ik een gevoel van twijfel dat ik weg probeerde te drukken. Mijn probleem was heel eenvoudig: toen Sam vanaf het station belde, had ze niets over Venetië gezegd. Waarom had ze niet gezegd dat de moordenaar haar bedreigd had nadat hij contact had gezocht?

Ik belde Phil terug. Hij zat nog steeds op kantoor.

'Ik wilde net weggaan. Kan het morgen niet?'

'Nog één dingetje. Die telefoontjes van Jimmy naar de mobiel van Sam Metcalf in Venetië...'

'Dat waren sms'jes.'

'Hoeveel tijd zat daartussen?'

'Allemaal binnen het uur.'

'Heeft ze er één beantwoord?'

'Alle drie.'

Ik haalde diep adem en ademde langzaam uit. Ze had sms'jes uitgewisseld met de man die ze ervan verdacht haar te stalken door heel Europa.

'Kun je nakijken of hij haar afgelopen week gesproken heeft?'

'Heb ik al gedaan. Ik heb de lijst voor me liggen. Tot het weekend belde hij haar iedere dag.'

'Wát?' Hier moest ik even over nadenken.

'Ze belden elkaar... soms drie, vier keer per dag.'

Ik moest lachen, vooral van opluchting. 'Dan ben ik er ingestonken.'

Het was me nu duidelijk dat Sam Metcalf en Jimmy Macchado vrienden waren, misschien meer dan vrienden. Wat een reden kon zijn voor haar rare gedrag.

'Oké,' zei ik afgemeten. 'Dat verandert de hele zaak...'

'Meneer Lister?' Phil onderbrak me. 'Weet u? Ik was hier al voor mijn ontbijt. Ik ga naar de kroeg. Proost.'

Ik hing op, liep naar mijn computer en keek of er mails waren binnengekomen, stak een sigaret op en ijsbeerde door de kamer. Het leek erop dat mijn eerste indruk van Sam, dat ze onbetrouwbaar was, klopte. Hoogstwaarschijnlijk was ze gevlucht voor een of ander vervelend huiselijk probleempje, achtervolgd door een geliefde die haar niet los kon laten, maar die niet de moordenaar van mijn dochter was.

Ik besloot dat ik – voordat ik groot alarm sloeg – eerst nog een keer met Sam wilde praten. Wat mij betreft was de druk van de ketel.

En precies op dat moment begon er een oranje pictogram in de taakbalk van mijn laptop te knipperen. Toen ik zag wie me probeerde te bereiken, vergat ik verder alles.

21

templedog: ik was al bang dat je het niet zou redden
adorablejoker: ik ben alleen maar wat later... de trein had vertraging
td: maar je bent er, daar gaat het om

Ik zei de woorden 'je bent er' hardop terwijl ik ze typte. Ik was nog steeds wat opgefokt over dat Samgedoe, maar voelde me al wel een stuk beter. Ik voelde me opgelucht, wat licht in mijn hoofd, en ik was zo blij om Jelly te zien. Het voelde alsof ze net de kamer binnen was komen lopen en het hele kolere-Ritz verlichtte.

We hadden elkaar niet meer gesproken sinds die keer in de bibliotheek in DC en ik had haar gemist. Ik had naar dit moment uitgekeken – de dagen en uren geteld.

td: weet je, ik heb gisteren gedroomd dat we elkaar ontmoetten
aj: hmm... en?
td: wat denk je? De kamer tolde rond, de muren en het plafond verdwenen, de vloer smolt... we kusten
aj: hou op... je weet best dat ik niet aan dat soort onzin doe
td: maar nu wel
aj: oké... dus we doen alsof we kusten
td: zo intens dat we helemaal buiten adem waren
aj: okééé... laten we dan maar doen alsof ik je heel goed vast moest houden
td: of ik val... verdomme

Ik keek weg van het scherm van mijn laptop die op een imitatie van een Lodewijk xvi-kaptafel stond en heel even zag ik niet mijn eigen gezicht in de vergulde spiegel, maar dat van Jelly. Ik moest mezelf ervan weerhouden mijn armen naar haar uit te strekken.

De spontaniteit, de spanning vooraf over de woorden die op het scherm gaan verschijnen, kun je niet opnieuw beleven. Als ik nu het bovenstaande lees, de uitwisseling van wat op dat moment sprankelend, vol humor, zelfs gevoelige magie leek, schrik ik toch een beetje van de banaliteit. De verleidelijke spanning van webgesprekken overleeft de vertaling naar het kille gedrukte woord niet. Boodschappen direct op je scherm uitwisselen, zonder degene te zien met wie je praat (we hadden geen van beiden een webcam) is geheimzinnig – en er is een zeer grote kans op misverstanden. Dat is, waar Will me al voor waarschuwde, het grote gevaar van gesprekken op het net: wat je mist vul je zelf in met wat jij graag wilt geloven.

aj: dit is niet echt, ed
td: toen je naar Washington ging, was ik bang dat ik je kwijt was
aj: zo hoor je helemaal niet te denken

Maar ik dacht zo wel, en ineens begreep ik dat de regels van het spel veranderd waren. Misschien hield ik mezelf voor de gek, vulde ik de gaten in met wat ik wilde geloven, maar er was iets veranderd door die virtuele kus, iets waar ik niet op gerekend had. Ik had het moeten zien aankomen, had moeten weten dat die obsessie in mijn hoofd groeide, dat er een grens was overschreden.

td: wat is er verdomme met me aan de hand
aj: daar moet je achter zien te komen
td: net... wist ik niet meer of ik nou in mijn eigen hoofd of in jouw hoofd zat... alsof we even één waren. Klinkt dat logisch?

Ze gaf geen antwoord. Ik wachtte, dwong mezelf om niet meer te tikken. Ik wilde haar horen zeggen: ja, ik voelde het ook. De pauze was inmiddels overgegaan in een gespannen stilte. Alsof de afstand tussen ons ineens immens was geworden.
Ik moet voorvoeld hebben wat ze zou gaan zeggen.

aj: eddie... ik moet je iets vertellen wat je niet leuk zult vinden
aj: ik moet gaan
td: je moet GAAN? Je bent er net
aj: had ik maar wat meer tijd om te praten. Maar ik moet echt gaan... ik bedoel nu meteen

td: nee, wacht... wacht, ik moet jóú wat vertellen
td: je kunt best nog even blijven... heel even... hé, kom terug!

Ze was verdwenen. Verbijsterd stak ik een hand uit en raakte met mijn vingertoppen het scherm aan. Dat ze zomaar weg kon gaan. Hoe kon ze? Een golf van verontwaardiging ging door me heen. Had ze dan helemaal niet in de gaten gehad dat er iets geweldigs was gebeurd? Dat er vanaf dit punt geen weg terug was?

Wat is er verdomme met jou aan de hand, riep ik, zoals je naar iemand roept die net de kamer uit is gelopen en de deur achter zich heeft dichtgeslagen... maar eigenlijk stelde ik die vraag aan mezelf. Wat was er met me aan de hand? Waarom vond ik de online vragen en antwoorden van iemand die ik zelfs nog nooit gezien gehad zo belangrijk dat ik naar een computer schreeuwde? Hoe was het mogelijk dat het mij iets kon schelen of ik Jelly ooit weer zou 'zien' of niet?

Ik plofte in de stoel neer en staarde naar het niets. Door de doffe pijn in mijn maag kwam ik niet op de gedachte dat er wellicht een onschuldige verklaring was voor haar plotselinge vertrek. Ik was razend op haar, woedend door haar vertrek, en tegelijkertijd schaamde ik me voor mijn reactie.

Dit is je kans, zei een stemmetje in mijn hoofd, om een eind aan deze onzin te maken: druk op de deleteknop, vergeet haar, loop gewoon weg... nu het nog kan.

Ik herinner me Wills waarschuwing dat internetobsessies net zo verslavend kunnen zijn als cocaïne of gokken. Maar ik wist dat dat het niet was.

Ik had frisse lucht nodig.

Ik zwierf doelloos over de Quai des Tuilleries en liep een paar traptreden af naar een tunnel, totdat ik uitkwam op de Seine-oever tegenover het Musée d'Orsay. Het is altijd kouder bij de rivier en ik vond de oude klinkerkades, groen verlicht door lampen die aan de kademuur waren bevestigd, een heerlijke plek om 's nachts te lopen.

Ik stopte vlak bij de Pont des Arts om een sigaret op te steken. Stroomopwaarts, waar de Seine zich splitst om de punt van het Île de la Cité, zag ik onder een boog van de brug door de twee torens van de Notre Dame. Het toeristische doorkijkje was vanavond nieuw en anders voor me. Flarden muziek dreven naar me toe vanaf de linkeroever en ineens leek de stad veel levendiger, veel mooier en veel interessanter dan daarvoor. Terwijl ik verder liep, fantaseerde ik dat ik arm in arm liep met Jelly en dat ik haar voor de eerste keer Parijs liet zien.

De symptomen waren onmiskenbaar, maar toch ontsnapte de vertoning van een Engelsman van middelbare leeftijd die langs de oevers van de Seine drentelde, geobsedeerd door een jong meisje dat hij nooit had gezien, dat eigenlijk niet eens echt bestónd, aan mijn gewoonlijk zo scherpe waarneming van het absurde.

Ik probeerde de hele toestand af te doen als een teken van innerlijke onrust. Misschien had het iets te maken met het verlies van Sophie, of mijn beslissing om achter de moordenaar aan te gaan. Maar het was waarschijnlijker dat ik op zoek was naar wat er aan mijn huwelijk mankeerde. Ik moest mezelf aan de gevolgen herinneren, voor Laura en onze familie, voor alles waar ik voor had gewerkt, als ik deze belachelijke bevlieging zou doorzetten. De schade die dat bij iedereen in mijn buurt zou kunnen aanrichten. In mijn hoofd klonk ik nu net als mijn wijze zwager met zijn vooruitziende blik. Alleen was ik lang niet zo overtuigd als dr. Calloway.

Op weg naar mijn hotel, door de Jardin du Carrousel, pal langs het Louvre, stond ik even stil onder een lantaarn en belde Sam Metcalf.

Hoewel ik tevreden was omdat ze niet meer in direct gevaar was, maar door Europa rende en met haar vriendje dolde, wilde ik er toch wel zeker van zijn dat onze afspraak morgen op het Gare de l'Est doorging. Ik mocht Sam dan hebben afgedaan als een aanstelster, haar computer bleef een potentiële, belangrijke informatiebron.

Nog steeds gaf haar mobiel geen reactie. Misschien had Jimmy haar eindelijk te pakken gekregen en zaten ze nu samen in de Wenen-Parijs-expres boven een glas champagne alles uit te praten. Ik liep verder en probeerde tien minuten later haar nummer weer.

Deze keer hoorde ik de telefoon overgaan.

22

'*Luister naar me!*' Hij sprak zacht, sprak de woorden duidelijk uit in de microfoon van de headset die vlak naast zijn mond hing. Hij zag het groene lichtje langs de menubalk gaan. De microfoon had het commando opgepikt dat het systeem in werking zette.

Tot zover ging het goed. Nu het geluid.

'*Nieuwe paragraaf.*'

'Gegroet.' Ward zei het eerste wat in zijn hoofd opkwam. '*In hoofdletters*, Jimmy, *uitroepteken, nieuwe regel, in hoofdletters*, hoop dat je met ons ijs en taart kunt komen eten ter gelegenheid van Linda's, *in hoofdletters*, verjaardag, *wis dat*, begrafenis op, *hoofdletters*, vrijdag om 11 uur, *punt.*'

Hij volgde de knipperende cursor op het scherm van zijn laptop, waarop na korte tijd elk woord verscheen. Hij had het nu door, sprak heel natuurlijk, in lopende zinnen zonder pauze tussen de woorden. Een trein was niet echt de ideale akoestische ruimte voor het spraakherkenningsprogramma, maar het kon erger, de slaapwagon had zich ook recht boven de wielen kunnen bevinden.

Hij glimlachte om 'begrafenis', dat hij ineens een grappig woord vond.

Je zag hoe de lei werd schoongeveegd, hoe de onschuld op haar gezicht terugkwam – een flits van hoe ze er als kind uit moet hebben gezien – je hoorde haar vragen, net zoals Sophie deed, vragen naar haar moeder...

Ja, hij voelde een steek van spijt, tuurlijk, maar het was... onvermijdelijk. Hij strekte zijn vingers in de latexhandschoenen, open, dicht.

Eigenlijk nog een kind, in haar onderbroek met koalabeertjes, Ward.

Door een onverwachte bocht van de trein botste een van de benen van de dode vrouw tegen zijn voet. Hij trok die gauw terug, alsof hij zich gebrand had. Hij vond het verschrikkelijk om in deze piepkleine badkamer met haar opgesloten te zitten; en het voelde alsof de airco op koud stond.

Hij had iedere millimeter van de coupé doorzocht en niets gevonden. Sam moest de Toshiba hebben meegenomen. En stel dat ze hem aan de Rivers had gegeven om erop te passen? Ward wist dat hij een groot risico nam door hier op haar te wachten. De situatie liep helemaal uit de hand. Veel onvoorspelbare factoren, een heleboel wat mis kon gaan.

Hij zat op de wc-bril met zijn laptop op zijn knieën en dacht na over de beste plek om Sam op te wachten. Hij had haar vriendin in de kleine douchecabine weten de proppen en het gordijn dichtgeschoven, zodat hij haar niet hoefde te zien, maar die lange blote benen staken eronder uit. En er stonk iets.

Hij zag allang geen zwembadkleuren meer.

'*Niet meer luisteren!*' commandeerde hij en hij zette het handsfreesysteem uit. Hij controleerde de tekst, corrigeerde een paar spelfouten, niets ernstigs, geen verkeerd verstane woorden, geen vakjargon.

Timing was het echte probleem.

Wat als ze te lang aan tafel bleven? Wat als Sam niet meteen naar haar coupé kwam? Hij keek op de klok op zijn scherm: 21.43 uur. Over vijfendertig minuten zou de trein in Linz zijn. Als Sam niet binnen vijftien minuten de deur opendeed, kon hij het vergeten, dan moest hij de missie afblazen.

Dan zou Linda's offer voor niets zijn geweest.

23

'Stel dat alles volgens plan gaat,' zei Balfe Rivers terwijl hij de ober om de rekening wenkte, 'waar ben jij dan over vijf jaar?'

'Op een strand?' Sam keek hem onschuldig aan, maar grijnsde toen. 'Vijf jaar... daar moet ik even over nadenken, hoor.'

'Wat is dat nou voor vraag, liefje?' vroeg Fern. 'Getrouwd en een huis vol koters, bedoel je dat? Sam komt er wel, die wordt vast curator bij een van onze mooiste musea, wacht maar.'

'Laat haar eens antwoord geven.'

Sam dacht dat ze al antwoord had gegeven. Maar nu keken ze haar allebei verwachtingsvol aan. 'Ik wil ooit terug naar Italië. Om er te wonen.'

'Terug naar Florence? Waanzinnig...' Fern was een beetje dronken.

'Ja, Florence.' Sam aarzelde. Na morgen zou ze deze twee nooit meer zien. Ze zei rustig: 'Ik heb mijn hart daar verloren.'

Fern trok een wenkbrauw op, maar geen van beiden zei iets. De ober bracht de rekening en haar toekomst was geen gespreksonderwerp meer.

'Wel, hoe vond je het diner?' Balfe hing achterover in zijn stoel en wreef in zijn handen.

Sam had honger gehad. Ze had *pâté de campagne* besteld, daarna *poulet à l'estragon*, gevolgd door *tarte tatin*. Standaard Parijs' bistro-eten, maar door de sfeer in de eersteklas restauratiewagon smaakte alles lekker.

'Heerlijk, bedankt.' Ze zuchtte en schudde vervolgens haar hoofd. 'Hoor eens, ik wil jullie... allebei bedanken voor alles.'

'Nou, het was nou niet bepaald,' mompelde Fern, 'de Oriënt-Express.'

'Meer dan graag gedaan, Sam.' Balfe glimlachte naar haar en negeerde de onaardige opmerking van zijn vrouw. 'Het was een voorrecht om je bij ons te hebben.'

'Hij zal je nog missen,' zei Fern met een scherpe blik en ze voegde er na een iets te lange pauze aan toe: 'En ik ook.'

'We zitten eigenlijk ín de Oriënt-Express,' vertelde Balfe, 'dit is een directe opvolger van de originele trein die in 1883 uit Parijs vertrok. Hij heeft een echte stamboom, in tegenstelling tot de Venetië-Simplon, dat is een opgeknapte oldtimer voor de chique toeristenmarkt. Dit hier is het echte werk.'

'Nou, is dat nou niet interessant?' zei Fern. 'Maar kunnen we nu weg? Sam heeft inmiddels meer dan genoeg gehoord over die verdomde trein.'

'Zal ik nog een fles rode wijn bestellen?' stelde Balfe voor. 'Dan kunnen we blijven zitten tot Linz.'

'Ik weet niet...' Sam keek even naar Fern.

'Hé, mensen, dit is onze laatste avond, hoor, kom op.'

'Jullie doen maar wat jullie willen.' Fern duwde zichzelf van de bank omhoog, de lijntjes rond haar mond trok ze in de lachstand. 'Ik ga naar bed.'

Sam voelde zich niet op haar gemak. Ze wilde eigenlijk het liefst in de restauratiewagon blijven. Zolang ze bij de Rivers was, had ze het idee dat er niets kon gebeuren, maar het laatste waar ze zin in had was het middelpunt van een echtelijke ruzie worden.

'Ik denk dat ik misschien ook...' Ze stond op.

'Weet je het zeker?' Balfe keek naar Sam op. Hij had een arm op de leuning van de bank gelegd. 'Weet je dat Linz de geboorteplaats van Adolf Hitler was?' Hij draaide zijn handpalm naar boven en glimlachte.

'Niet echt een aanbeveling.'

Andrea Morelli was in dubio: moest hij de vrouw wakker maken en haar naar haar kamer brengen of zou hij haar laten slapen. Ze lag opgekruld naast hem, ze snurkte zachtjes en had een gebruinde arm over zijn borst geslagen.

Hij was slaperig geworden van de wijn. Als hij geen besluit nam, zou hij zelf in slaap vallen en hij had eigenlijk geen zin om morgenochtend in haar buurt te zijn als hij wakker werd. Aan de andere kant... zijn ogen volgden de streep glanzende witblonde haren op haar zachte buik. De inspecteur zuchtte.

Waarom propte iemand in vredesnaam een lichaam in een koelkast?

Waarschijnlijk zodat het niet zo snel gevonden zou worden... met warm weer, geen stank. Of om het vers te houden. Ging het om een homokannibaalspel, vroeg hij zich af, of had Macchado een misdaad in voorbereiding verstoord? Hij moest weer aan Luca's nervositeit denken toen die nog een keer gebeld had (nadat hem gezegd was hem niet te storen) met een naam die hem niets zei. Hij mocht blij zijn, de kleine *figlio di puttana*, dat het geen kritiek moment was geweest. Maar het was misschien niet helemaal zijn fout. Ed Lister kon zeer overtuigend zijn.

Hij was nu te moe om Lister terug te bellen. Wat kon er zo dringend zijn dat hij hem per se zo laat nog had willen spreken? Het kon vast wel tot morgen wachten.

'Ik ben hard aan wat slaap toe, schatje,' mompelde hij en hij wilde Gretchen zachtjes wakker schudden. Maar toen hij haar parfum rook, een mengeling van pas gemaaid gras en appels, bedacht hij ineens een overtuigende reden om haar te laten blijven.

Van de ene gedachteverandering kwam de andere.

Hij zat rechtop tegen de kussens, pakte de hoteltelefoon en toetste het nummer van het Ritz in Parijs in. Toen hij in zijn amper begrijpelijke Frans naar Edward Lister vroeg, had hij het idee dat hij spijt zou krijgen van allebei zijn beslissingen.

'*Merci, monsieur... ne quittez pas.*'

De receptionist meldde zich weer om te vertellen dat de lijn bezet was.

Voor de deur van coupé 21/22 stonden ze in de wiebelende gang en praatten nog wat. Sam had geen haast om naar binnen te gaan. De vrouw met wie ze de couchette deelde was vriendelijk, maar een kwebbel, iemand die erop stond om haar levensverhaal te vertellen.

'Ik vroeg me af... zouden Fern en jij dit voor me willen bewaren?' Ze hield de boodschappentas met haar laptop omhoog. 'Alleen vanavond.'

'Met plezier, Sam.' Balfe keek haar stralend aan. 'Ik vind dat dit een hoop zegt over onze vriendschap... ik bedoel het feit dat je ons zoiets kostbaars toevertrouwt.'

Ze waren eraan gewend dat ze haar computer overal mee naartoe sjouwde, hem nooit uit het oog verloor. Ze had ze verteld dat het ding tien jaar van haar kunsthistorisch onderzoek bevatte en dat ze geen back-ups had gemaakt. Wat niet zo heel ver bezijden de waarheid was.

'Ach, het komt door die verhalen, je weet wel, over diefstallen in treinen.'

Balfe keek haar strak aan en knikte. Omdat Fern erop stond, had ze geaccepteerd dat Balfe haar naar haar coupé bracht. Maar nu voelde ze dat het tijd werd om afscheid te nemen.

Sam wilde hem net de tas geven, toen ze boven het treingeraas uit het bekende geluid van haar mobiel hoorde. Ze zette de tas neer, pakte haar mobiel en klapte die open.

Ze stak een hand omhoog om Balfe de mond te snoeren.

'Ed?' Ze herkende Ed Listers nummer op het schermpje.

'Ik probeer je al de hele tijd te bereiken sinds je in de trein zit...'

Het was geen goede verbinding. Ze dacht dat hij vroeg of het goed met haar ging. 'Het gaat prima,' antwoordde ze, 'heel goed.'

'Zoiets verwachtte ik wel. Hoor eens, ik weet niet wat er met je is, Sam, maar ik hou er niet van voor de gek te worden gehouden.'

'Waar heb je het over?'

'Diegene die jou in Florence belde en je bedreigde... tenminste, als je echt zo'n telefoontje hebt gehad. Dat is niet degene die...'

'Denk je dat ik hem verzonnen heb?'

'... op de foto's staat. Kun je me verstaan? Het is niet dezelfde persoon.'

'Hoe weet je dat zo zeker?'

'Je had me moeten vertellen van je vriend, Jimmy Macchado.'

'Ken jij Jimmy? Wacht, is er iets met hem?'

'Iemand hééft je gevolgd, Sam... en misschien doet hij dat nog. Hij kan zelfs in de trein zitten. Als ik zeg dat het Jimmy is, wat zeg jij dan?'

'Jímmy?' Ze lachte kort en hard. 'Dat is absurd. Waarom zou Jimmy me in vredesnaam achtervolgen? Maar buiten dat, het laatste wat ik over hem hoorde was dat hij op het strand lag in Porto Ercolo.'

'En wanneer was dat?'

'Even denken... eergisteren.'

'Zondag. Nou, volgens mijn informatie heeft jouw vriend op zondag...'

Maar de rest van de zin zou ze nooit horen. Zonder waarschuwing dook de trein met een zuigend geluid een tunnel in. Het lawaai in de gang werd opeens veel harder.

'Ik heb dat laatste niet verstaan... Hallo?' Ze legde een hand over haar vrije oor en draaide van Balfe weg naar het raam. 'Hallo?'

De verbinding was verbroken.

Ze keek naar de veiligheidslampen die in de tunnel als een lange witte streep voorbij raasden. Ze dacht aan Venetië en vroeg zich af of Jimmy misschien... nee, onmogelijk. Hij zou haar eerst gebeld hebben.

Sam voelde een hand op haar schouder en merkte dat Balfe pal achter haar stond, zo dichtbij dat ze zijn adem in haar nek voelde. Ze sloot haar ogen en dacht: shit, ook dat nog. Maar ze zei niets, om hem de kans te geven zijn hand weg te halen.

Toen hij dat niet deed, wist ze dat ze een probleem had.

'De tunnel is twaalfenhalve kilometer lang,' zei hij.

'Wát?' Ze draaide zich om.

'Ik ben gek op je, Sam.' Hij probeerde haar onhandig bij haar middel te pakken, maar ze stapte achteruit, weg van zijn grijpgrage handen.

'Jezus, Balfe.' Sam moest lachen. 'Je maakt een grapje, hè? Je weet dat dit geen goed idee is.'

'Is dat zo?' Hij keek haar met glanzende, hongerige ogen aan.

'Je weet heel goed dat het geen goed idee is. En dat er helemaal niets gaat gebeuren. Dus doe normaal en laten we dit vergeten, oké?'

'Ik ben gek op je. Vanaf het eerste moment dat ik je zag.'

'Nee, dat ben je niet,' zei ze vastberaden. 'Je bent gewoon een beetje opgewonden.'

Ze pakte de tas en liep naar de deur van coupé 21/22. Terwijl ze met haar rug naar Balfe met de sleutelkaart bezig was, bedacht ze dat hij haar zou kunnen vastgrijpen om zijn zin door te drijven.

Maar ze hoefde niet bang te zijn.

'En de laptop, Sam?' vroeg hij. 'Wil je nog dat ik die meeneem?'

De verslagenheid die in zijn stem lag, kalmeerde haar. Hij zag er zo berouwvol uit met zijn keurige vlinderdas en blazer. Ze kreeg bijna medelijden met hem.

'Ach, laat maar. Ik hou hem wel bij me. Maar toch bedankt.'

'We kunnen nog naar de bar teruggaan en nog een glas wijn...'

Hij was aardig, echt, gewoon een ongevaarlijke oude man.

'Trusten, Balfe.' Ze glimlachte naar hem.

Het was toch gek, dacht Sam toen ze de deur openduwde en het vervelend vond dat ze onaardig en kattig had gedaan, als hij haar gekust had, zou ze dat helemaal niet zo erg hebben gevonden.

Ze aarzelde, maar stapte toen de donkere coupé in.

24

Ik dacht niet helder na toen ik eindelijk Sam Metcalf aan de lijn had in de Jardin du Carrousel. Het was een opluchting om haar stem te horen – ze klonk oké, een beetje aangeschoten misschien – maar in plaats van kostbare tijd te verspillen aan beschuldigingen dat ze een spelletje speelde, had ik haar beter naar Jimmy Macchado kunnen vragen.

Achteraf gezien vond ik het jammer dat ik niet geprobeerd had om erachter te komen wanneer ze hem nou precies voor het laatst gespróken had. Dan zou duidelijk zijn geworden dat er iets niet klopte en had ik Sam kunnen vragen of het mogelijk was dat Jimmy's mobiel gestolen was en dat haar achtervolger deed alsof hij Jimmy was.

Dat wilde ik gaan vragen toen het gesprek afgebroken werd.

Soms vraag ik me af of, als ik het eerder had begrepen, als ik alerter was geweest en niet als een dwaas door Parijs had gelopen, of dat een verschil zou hebben gemaakt. Het zou wat tijd hebben bespaard, zeg ik dan tegen mezelf, maar meer niet. Volgens mij was wat er stond te gebeuren onvermijdelijk.

Toen Sam niet terugbelde, dacht ik dat ze geen zin had om ons gesprek voort te zetten. Ik liep over de Place Vendôme en bleef haar mobiel bellen tot ik voor het Ritz stond, maar toen gaf ik het op. Het was inmiddels een paar minuten voor tien. Binnen een halfuur zou de Wenen-Parijs-expres zijn eerste halte bereiken: Linz, bij de Duitse grens. Ik besloot het dan nog een keer te proberen.

Zodra ik in mijn kamer was, checkte ik mijn e-mail. Wellicht had Sam de e-mail beantwoord die ik haar eerder had gestuurd, toen ik haar zo dringend had willen bereiken, toen ik er zo zeker van was dat die schimmige figuur op de foto's haar tot in de trein was gevolgd. Toen zag ik het bericht in mijn inbox en van wie dat was.

Ik wilde je dit al eerder vertellen, maar kon het niet... het ziet ernaar uit dat ik voorlopig niet online zal zijn. Pas goed op jezelf,
oké? Jelena

Haar status was: 'momenteel offline'. De boodschap was om 21.35
uur verzonden, tien minuten nadat Jelly ons gesprek had afgekapt en
misschien vijf nadat ik het hotel had verlaten. Het was een deprimerend
kort vaarwel, maar het verklaarde wel waarom ze eerder zo abrupt had
afgebroken en het bevestigde wat ik begon te vermoeden over Jelly's
reactie op de nieuwe situatie waarin we beland waren.

Als ze nu wilde stoppen, dan was dat waarschijnlijk omdat ze bang
was om haar ware gevoelens onder ogen te zien. Ik voelde met haar
mee, vocht nog steeds tegen mijn eigen gevoelens. Maar ik wist ook dat
ze er niet eeuwig voor kon blijven vluchten.

Ik probeerde een oppervlakkig 'zie je nog wel'-antwoord te typen,
maar kreeg de goede toon niet te pakken. Een tweede poging klonk
kwaad en beledigd. Ik besloot er een nachtje over te slapen en het dan
weer te proberen. Goed plan, maar niet uitvoerbaar.

Ik mailde terug dat we moesten praten.

O, dus de muziek staat te hard voor je, hè?

Ze hoorde Lazlo Kaloz, haar buurman van 4B, op de tussenmuur
bonken. Jelly draaide de muziek zachter en gilde dat hij zich met zijn
eigen zaken moest bemoeien. Achterlijke klootzak!

Ze draaide het volume weer helemaal open. Beyonce's 'Irreplaceable'.

Na een korte blik op het scherm om te kijken of Ed nog wat gestuurd
had, liep ze naar het raam, zette dat open en liet het verkeerslawaai van
Lexington Avenue binnen. Ze stak een Marlboro op, nam zenuwachtig
een paar trekjes en drukte de sigaret toen uit in de bloembak.

Ze schaamde zich omdat ze naar Lazlo had gegild. Hij was een eigenhei-
mer, praatte altijd in zichzelf, hield lange gesprekken met verschillende
stemmen, maar deed niemand kwaad. Lazlo was de prijs die ze moest betalen in ruil voor een eigen appartement in het centrum van Manhattan,
een betaalbare studio die ze van een vriend had kunnen overnemen.

Ze had voor de veiligheid tegen Eddy gezegd dat ze in Brooklyn woonde.

Dit is hopeloos... Hoofdschuddend liep Jelly de kamer weer in, naakt
onder de openvallende badjas. Haar haar was een grote puinhoop, ze
had nog niet gedoucht en ze had verdomme geen idee wat ze met die
toestand met Ed aan moest.

Ze wist alleen dat die uit de hand begon te lopen. Waarom moesten ze praten?

God, het enige wat ze deden was praten. PRATEN!

Al zolang ze elkaar kenden, had Jelly nooit precies begrepen wat hij in hun vriendschap zag. Het was haar een raadsel waarom iemand als Ed, die iedereen en alles kon krijgen wat hij wilde, ervoor koos om te chatten met een nietszeggend persoon als zij... op een computer. Ze begon bang voor hem te worden.

Wat was verdomme zijn probleem?

Ze haalde diep adem, ging aan tafel zitten en begon te typen.

Sam Metcalf deed zacht de deur van de coupé dicht. Ze kon vaag het silhouet van haar reisgenote op de bovenste slaapbank onderscheiden. Gelukkig leek de vrouw te slapen. Het laatste waar ze behoefte aan had, was de hele nacht te moeten luisteren naar haar gerebbel.

Toen haar ogen aan het donker gewend waren – de grote lamp en de leeslampjes waren uit, alleen het blauwe nachtlicht zorgde voor wat zicht – zag Sam dat de bult onder de dekens Linda niet was. Het was haar gigantische rugzak.

Een smalle streep wit licht scheen plotseling onder de badkamerdeur door. Of was het licht de hele tijd aan geweest en had zij het alleen nog niet gezien? Ze hoorde zachte geluiden en het stromen van water.

De vrouw was daar, nam een douche.

Jezus... Sam trok haar neus op. Wat een lucht... Ze bedacht dat Linda wel eens de hele avond die ladder op en af zou kunnen klimmen.

Ze gooide de boodschappentas op het onderste bed. Het beddengoed lag niet precies hetzelfde als toen ze wegging. Haar eerste gedachte was dat de vrouw in háár bed had geslapen, wat niet alleen een beetje raar, maar ook volslagen onacceptabel zou zijn. Toen, terwijl ze de deur van de coupé op slot draaide en het grote licht aan wilde doen, zag ze iets waardoor ze bijna een vreugdekreet slaakte.

Op een hangertje dat aan de achterkant van de deur bevestigd was, hing de zijden Ferragamo-kimono die ze voor haar ex-vriend had gekocht en aan Jimmy had gegeven om hem te bedanken voor zijn hulp bij haar ontsnapping uit Florence.

Haar hart klopte in haar keel en even schoot de gedachte door haar hoofd, hoewel ze wist dat het nergens op sloeg, dat het Federico kon zijn die haar door Europa achtervolgde.

'Jimmy?' vroeg Sam hoopvol.

25

De tekst van ons laatste gesprek stond nog op het scherm, samen met Jelly's foto, en ik probeerde onder haar scherpe, geamuseerde blik te vatten wat ze zojuist gezegd had. Het was een openbaring.

Ik beeldde me in dat ze thuis was, aan de tafel tussen de ramen, met de ingelijste poster die ze in een goedkope winkel had gekocht, een stilleven van Braque van muziekinstrumenten (ze had me haar appartement in Brooklyn tot in detail beschreven), aan de muur boven haar hoofd. Ik keek naar haar gezicht op het scherm en glimlachte. Nee, dit veranderde álles.

Mijn hele wereld stond op zijn kop.

Ik scrolde terug tot het moment, zo kort en zo onverwacht als een vallende ster, waar Jelena toegaf dat ik meer was voor haar dan gewoon een vriend.

templedog: wat je net... dat houden-van-mij-deel. Meende je dat?
adorablejoker: nee, dat zei ik alleen maar

Ik moest hard lachen toen ik die woorden weer zag.

Ik probeerde mijn ware gevoelens te verbergen, was het met haar eens toen ze voorstelde dat we allebei 'afstand' nodig hadden, een breuk, misschien moesten we het zelfs 'wat kalmer aan doen' (weer die zin) – Jelly wist niet hoe ze het nog duidelijker moest zeggen – maar dat maakte niet uit. Ik voelde me euforisch.

td: ik weet dat het idioot is... mensen horen niet op deze manier verliefd te worden
aj: je luistert niet, Ed... ik zei dat ik NIET verliefd op je ben
td: het is goed, prima... ik begrijp het

aj: hoor eens, laat me dit heel duidelijk tegen je zeggen, zodat er geen misverstanden over zijn. Ik hou van je, maar ben niet verliefd op je... en dat zal ik ook niet worden

td: ik kan niet uitleggen wat er met me gebeurd is. Ik heb dit nog nooit voor iemand gevoeld

aj: moet ik je even helpen... weet je nog dat je een vrouw en zoon hebt?

td: het lijkt wel alsof ik mijn hele leven op jou gewacht heb

aj: hou toch op met die shitzooi! Mijn vader liep weg toen ik tien was... ik wil er niet de reden van zijn dat jij je gezin hetzelfde gaat aandoen

td: jij bent een goed, lief mens, Jelly... hoe zou ik niet verliefd op je kunnen worden?

aj: ooooo... hou op, alsjeblíéft hou op

Het zou misschien wat tijd kosten voor ze de dingen zou zien zoals ik ze zag. Maar ik had geen haast, we hadden alle tijd van de wereld. Ik was bereid om akkoord te gaan met haar voorstel om een stap terug te doen en elkaar een week of twee niet te spreken, omdat ik wist dat ze diep vanbinnen hetzelfde voelde als ik.

Ik was niet volslagen blind. Hoteldebotel misschien, maar ik was me volledig bewust van de risico's die ik nam. Ik begreep dat iemand die van buitenaf naar mijn gedrag keek, mij onethisch vond, vond dat ik mezelf voor de gek hield en een gevaarlijk pad bewandelde, maar echt, zo voelde het helemaal niet – ik was niet gek, ik was gewoon verliefd.

Ik zat te overwegen wanneer ik Jelly weer zou e-mailen – alleen om haar te laten weten dat ik nog steeds aan haar dacht, iedere seconde sinds we afscheid hadden genomen – toen een elektronisch muziekje aangaf dat ik een bericht had ontvangen.

'Wegens onvoorziene(!) omstandigheden is het begin van de receptie naar voren geschoven. De show gaat nu direct beginnen. Komt u alstublieft.'

De chique, quasiformele uitnodiging was ondertekend met 'Ward'.

Ik was het huis op de homebeforedark-website, of de uitnodiging voor de live webcast daar om middernacht, niet vergeten. Ik was misschien wat afgeleid door de commotie over Sam Metcalf en mijn eigen besognes, maar de gave die ik heb om me af te sluiten, om makkelijk van het ene onderwerp naar het andere te springen, is me in mijn werk en leven goed van pas gekomen. Volgens mij is het geheim dat je grenzen tussen de zaken zuiver moet houden: ik hou er niet van als dingen in elkaar overlopen.

Ik had niet meer aan de 'receptie' gedacht, maar hoopte nog steeds dat het zou leiden tot contact met de moordenaar van Sophie. Er waren geen hárde bewijzen van het feit dat er een link bestond tussen de website en degene die mijn dochter had vermoord. Ik wist dat Sophie schetsen van het witte huis had gemaakt, geïnspireerd door een vage of misschien reële angst, en toen het webadres op Sams computer had achtergelaten. Tot zover was het duidelijk. Maar toen ik erover nadacht, kon ik geen duidelijk verband vinden tussen Sams eerste poging om contact met me te leggen en haar daarop volgende bewering dat ze bedreigd en mogelijk gevolgd werd. Of het toeval dat ik in Parijs was toen ze opnieuw contact met me zocht. De lijnen liepen in elkaar over, de grenzen tussen wat reëel was en wat niet waren vervaagd, en daar voelde ik me ongemakkelijk bij.

Toch kon ik het niet helpen dat ik dacht – en zoals de uitnodiging voor de 'receptie' ook suggereerde – dat het op de een of andere manier allemaal samen móést komen en dat de antwoorden die ik zocht op me wachtten in dat witte huis. Sinds ik het sombere interieur had gezien – los van de ontdekking dat een van de bewoners een amateurmusicus, een sappelende pianist was – was ik niets meer te weten gekomen.

Het verschil was dat de website nu van mijn bestaan wist. Het drong pas later tot me door dat het raar was dat de afzender van de boodschap mijn e-mailadres wist.

Wie of wat die 'Ward' ook was, we hadden contact.

Ik logde in op homebeforedark.net.

Het duurde langer dan anders om de webpagina te openen; of misschien leek het langer te duren omdat het er nacht was geworden. Het huis rees op tussen donkere bomen, de houten schutting en de lange veranda met de zuilen verrezen wit in de enig zichtbare lichtbron: een groep sterren die eerder twinkelden dan straalden boven het leien dak.

Het was een vredig tafereel en misschien had ik het verkeerd wat betreft de omgeving van het virtuele huis: in de nacht zag het er veel plattelandser uit, niet stedelijk. De stilte werd af en toe verbroken door het geroep van een uil.

Ik typte het wachtwoord, *levelwhite*, in, 'liep' vervolgens over het tuinpad naar de voordeur en klopte aan. Die ging niet open.

Terwijl ik wachtte tot er iets ging gebeuren, vroeg ik me af hoe laat het daar was. De luiken waren allemaal dicht en de ramen erachter donker, het wekte de indruk dat de bewoners naar bed waren. Het kon er niet minder welkom uitzien.

Ik was uitgenodigd voor een receptie, een feest. Waar was iedereen dan?

Toen hoorde ik de muziek. Net als eerder: zacht en aarzelend. Ik moest me inspannen om de bekende noten te kunnen horen, maar iemand in dat huis speelde 'Für Elise' op de piano. Ik wist dat het nep was, maar mijn nekharen stonden recht overeind.

De telefoon rinkelde. Even wist ik niet welke.

In een bovenraam scheen licht achter de luiken. Ik zag een silhouet langs het geblindeerde kantelraam lopen, alsof er iemand naar een telefoon liep, maar vervolgens liet degene die het silhouet bestuurde het omdraaien en ijsberen door de kamer.

Ik pakte de hoorn op. Het was de hotelreceptie die vroeg of ik doorverbonden wilde worden met Andrea Morelli.

26

Sam stond in de coupé en luisterde of het zachte gespetter van de douche zou stoppen. Er kwamen ook andere geluiden uit de badkamer die ze niet wenste te herkennen. Toen draaide wie daar ook was de kraan dicht. Voor het geval dat ze de eerste keer niet goed te horen was geweest, riep ze hard: 'Jimmy?'

Weer geen antwoord.

Voorzichtiger vroeg ze: 'Linda? Alles goed?'

Stilte. Het was helemaal niet goed.

Sam stapte langzaam naar achteren, naar de deur van de coupé, met haar ogen gericht op de badkamerdeur. Toen ze achter zich tastte, zoekend naar de deurklink onder de zijden kimono, zag ze haar neergegooide Toshiba op de bank liggen en aarzelde.

Ze had geen tijd meer.

Haar hand vond een schakelaar en ze knipte het grote licht aan. Een seconde later zag ze de streep licht onder de badkamerdeur verdwijnen. Met een bonkend hart duwde ze de klink naar beneden en trok. De deur ging niet open, ze had hem op slot gedaan.

'O, Jezus, Maria, God,' hijgde Sam. Ze trok nog steeds vertwijfeld aan de deurklink toen de badkamerdeur naar binnen toe openging.

Op de drempel stond het silhouet van een in het blauw geklede man. Door zijn natte kleding leek het alsof hij in die kleur was geverfd; maar het blauw kwam van de nachtlamp aan het plafond en het verlichte scherm van een laptop die open op de wasbak achter hem stond en een bleek schijnsel verspreidde.

'Wat doe jij hier?' Sam sprak hem dapper toe, probeerde niet te laten merken hoe bang ze was. Ze zag geen gezicht. Hij had een donkere, montuurloze bril op en een douchemuts laag over zijn voorhoofd en oren getrokken, die door een koptelefoon met een miniantenne bleef zitten. Zijn wenkbrauwen waren afgeplakt. Hij leek op een insect in een trainingspak.

Ze wist meteen dat dit Ward moest zijn.

Haar stem trilde. 'Waar is Linda?'

Door de poepgeur keek ze naar de natte vloer van de badkamer achter hem. Hij gaf geen antwoord, maar kwam een stap dichterbij en ze zag in een flits een bloot been van de Australische vrouw uit de douchecabine steken.

Sam wilde gaan gillen, maar er kwam geen geluid uit haar keel.

Terwijl ze van hem wegdraaide, schoot hij naar voren, sloeg van achteren een arm om haar nek en deed een hand voor haar mond. De snelheid en kracht van zijn aanval was overweldigend en verzet was nutteloos. Hij verslapte zijn nekklem net lang genoeg om een reep zilverkleurige tape van een rol te trekken, die hij als een band om zijn pols had hangen, haar mond dicht te tapen en het plakband een paar keer om haar hoofd te wikkelen. Zijn gezicht bevond zich maar een paar centimeter van het hare, en ze voelde zijn warme adem in haar oor.

'*Luister naar me!*' commandeerde hij. Even dacht Sam dat hij het tegen haar had, maar toen zag ze dat hij in de microfoon sprak die vlak bij zijn lippen hing.

'*Aanhalingsteken openen, hoofdletter,* fijn dat je op tijd bent, *komma,* VRIEND, *groot uitroepteken, aanhalingsteken sluiten.*'

'Waar kan ik u mee van dienst zijn, signor Lister?'

Hij klonk overdreven kalm, liet me duidelijk merken dat het feit dat hij terugbelde om deze tijd een gunst van zijn kant was.

'Bedankt voor het terugbellen, Andrea. Ik weet dat het laat is, maar ik heb nieuws. Herinner je je Sam Metcalf nog?'

'Die vrouw uit Boston die jouw dochter haar laptop liet gebruiken? Je zou haar ontmoeten en me op de hoogte houden.'

'Die is nooit komen opdagen.'

'Enig idee waarom?'

'Ze beweert dat ze een waarschuwing heeft gekregen. Dat vertelde ze me vanavond.'

Hij zuchtte. 'Ga door.'

Ik vertelde Morelli kort over het telefoontje dat ik van Sam uit Wenen had gekregen voor ze in de nachttrein naar Parijs stapte; ik vertelde dat ze ervan overtuigd was dat ze gevolgd werd door de moordenaar van Sophie. Ik noemde de foto's en bracht hem op de hoogte van de oproepen naar haar mobiel die ik had kunnen traceren als zijnde van een vriend van haar, Jimmy Macchado.

'Misschien is ze paranoïde geworden. In dat geval spijt het me dat ik je gestoord heb. Maar ik vond dat je dit moest weten.'

Het was stil aan de andere kant van de lijn.

Toen zei Morelli: 'Moment graag.' Ik hoorde een vrouw lachen op de achtergrond, toen een gemompel en een geluid dat op een kus leek. Hij had zijn hand over het mondstuk gelegd, maar het hielp niet.

Hij kwam weer terug. 'Signor Lister?'

'Ik ben er nog.'

Hij schraapte zijn keel en zei: 'Jimmy Macchado is vanmiddag gevonden, vermoord in een huis vlak bij de Piazza Antinori.'

'Jezus christus.' Ik hapte naar adem. 'Wanneer is dat gebeurd?'

'Ergens in het weekend. Er zijn aanwijzingen dat hij al drie dagen dood is. Ik ben nu niet in Florence, zoals u weet, dus ik heb het dossier nog niet gelezen. Het lijkt erop dat hij vermoord is toen hij een kunstroof verstoorde.'

'Je begrijpt wat dit betekent?'

'Ik weet wat u denkt. Maar het wil niet zeggen dat degene die hem vermoord heeft ook zijn mobiel heeft gestolen.'

'Misschien niet, maar het punt is dat er iemand belt vanaf zijn nummer. En dat het meer dan waarschijnlijk is dat die persoon Sam Metcalf volgt en bij haar in de trein zit.'

'Dat kan, maar vanuit hier... kan ik niet veel doen.'

'Luister eens,' zei ik zo kalm als ik kon. 'Deze vrouw heeft informatie over degene die mijn dochter heeft vermoord. Als hij in die trein zit, zal hij haar ook vermoorden. De Wenen-Parijsexpres stopt over elf minuten in Linz. Wat jij kunt doen, is contact opnemen met de Oostenrijkse politie, nu meteen, en ze naar die koleretrein sturen.'

'Ik ben bang, signor Lister, dat het niet zo eenvoudig ligt.'

'Dan maak je het verdomme maar eenvoudig,' riep ik.

'Er zijn protocollen... er is veel te weinig tijd.'

'Als jij niets doet, Andrea, zal er een onschuldige jonge vrouw sterven die haar hele leven nog voor zich had. Het is toch nog steeds jouw zaak?'

Vlak voor ik ophing, toetste ik al het nummer van Sam op mijn mobiel. Ik hoorde haar telefoon overgaan, maar er werd niet opgenomen. Ik bleef het proberen, drukte om de dertig seconden op de herhaaltoets. Met trillende, zweterige handen.

Ik was zo zenuwachtig dat ik niet in de gaten had dat er op het scherm iets gebeurde. Tot ik muziek hoorde; de tonen van 'Für Elise' klonken steeds harder, steeds nadrukkelijker, alsof er een dramatische ontwikkeling aangekondigd werd.

Ik keek naar het huis. De luiken met het licht erachter gingen open en onthulden als een adventskalender een man en een vrouw achter het bovenraam in een innige omhelzing.

De silhouetten van het stel draaiden langzaam. Ik zag niet veel details. Vanuit bepaalde hoeken leek het alsof ze aan het zoenen waren; vanuit andere alsof de vrouw zich verzette, probeerde los te komen.

In de linker benedenhoek van het scherm verscheen een gespreksvenster dat meldde dat 'Ward' een boodschap typte.

m: fijn dat je op tijd kon zijn, VREND
m: presies op tijd vor de show… helemaal live, helemaal aktie
m: blijf erbij en proef de echtheit…

'Wie ben je?' Ik probeerde iets terug te typen, maar er was geen ruimte voor een antwoord. Het was een eenrichtingsgesprek.

27

In de spiegel boven de wasbak, innig omstrengeld, leken ze één persoon. Ward stond stevig met zijn voeten uit elkaar en zijn schouders tegen het bovenste bed om geen last te hebben van de schommelingen van de trein. Sam kon zich alleen bewegen als hij dat ook deed. Hij was bijna dertig centimeter langer dan zij en hij hield haar dicht tegen zich aan tussen zijn dijen met een arm om haar nek en de andere om haar borst, zodat haar armen tegen haar lichaam gedrukt waren. Als hij wat zei (met die hese fluisterstem die ze voor het eerst in Florence had gehoord) voelde ze zijn middenrif tegen haar rug bewegen. Ward sprak in de microfoon en vervolgde zijn verhaal dat na een korte pauze op het scherm van de laptop verscheen.

Hij leek er volkomen in op te gaan, hij was zich totaal niet bewust van haar.

In haar angst, amper in staat tot denken, wist Sam dat ze een manier moest vinden om de aandacht te trekken. De steward had de paspoorten van Linda en haar meegenomen, zodat ze midden in de nacht niet gestoord hoefden te worden – die zou voorlopig niet terugkomen, maar als ze nou bij de knop kon komen, waarvan hij gezegd had dat ze erop moesten drukken als ze iets nodig hadden...

Ze probeerde zich te herinneren waar het ding precies zat op de muur boven het bed; hij zat naast de lichtknop. Maar ze moest er zeker van zijn. Ze herinnerde zich dat ze naar de deurkruk zocht, de zijden kimono die ze Jimmy gegeven had voor... o, god, nee!

Een gesmoorde wanhopige snik vulde haar mond met braaksel. Ze besefte dat Ward hem ook moest hebben vermoord. Het braaksel liep langs de achterkant van haar tanden naar de zilveren tape. Omdat ze bang was dat ze moest kokhalzen, slikte ze het weer door en hapte paniekerig door haar neus naar adem.

Ze voelde hoe Wards greep op haar nek losser werd en daarna weer verstrakte.

Haar ademhaling werd weer normaal, nou ja, bijna. Ze wilde huilen, maar dan zou haar neus gaan lopen en haar holtes zouden verstopt raken. Jimmy had geen kans gehad natuurlijk. Hij zag alleen maar het goede in de mens. Ze vocht tegen haar tranen en werd kwaad, ze wist dat ze hem er nooit bij had mogen betrekken. Ze zou het niet laten gebeuren dat deze zieke klootzak hetzelfde met haar zou doen. Ze zou hier uitkomen, deze idioot verslaan, en het overleven.

De trein kon ieder moment in Linz stoppen. Ze moest het nog even volhouden.

'*Aanhalingsteken openen* ik wil dat je je voorstelt *komma aanhalingsteken sluiten*' zei Ward in de microfoon met een vlakke, emotieloze, monotone stem. '*Aanhalingsteken openen* dat jouw handen mijn handen zijn *komma* terwijl ik haar uitkleed *komma* haar beha losmaak en *nieuwe regel* die grote, speelse jongens vrij laat *komma nieuwe regel* haar slip naar beneden trek *puntje puntje puntje* verdomme *komma* wat is ze heet *uitroepteken aanhalingsteken sluiten*.'

Hij wachtte even en likte langs zijn lippen.

Door de worsteling hing Sams bril nog maar aan één oor; als ze haar hoofd optilde, zo ontdekte ze, kon ze de tekst op het scherm van Wards laptop lezen. Ze zag dat hij spraakherkenningssoftware gebruikte – met beperkt succes, gezien de onsamenhangende zinnen die er stonden – maar ze had geen idee waarom, of voor wie hij deze onzin opnam, of waar hij naartoe werkte.

Hij schraapte zijn keel en ging op dezelfde monotone toon verder:

'*Aanhalingsteken openen* breng mijn mond naar haar tieten *komma* speel met haar tepels *nieuwe regel* mmmmm ja *komma* kniel voor haar *komma nieuwe regel* duw mijn gezicht in haar natte kutje *nieuwe regel* adem die muskusgeur in *nieuwe regel* o god *puntje puntje puntje* ik weet niet hoe lang ik hem nog *nieuwe paragraaf aanhalingsteken openen*.

Hoofdletter hard kan houden *komma* mijn goede vriend *vraagteken aanhalingsteken sluiten*.'

Zou dit het voorspel van een verkrachting zijn, dacht Sam? Dat zou haar in ieder geval wat tijd geven. Maar terwijl ze luisterde en keek en wachtte op de beproeving, realiseerde ze zich dat die niet zou komen. De geile beschrijvingen die haar aanvaller aan zijn laptop dicteerde, klopten totaal niet met wat hij deed. Ward raakte haar helemaal niet op een seksuele manier aan. Hij was helemaal niet opgewonden. Het waren alleen maar woorden.

Ze wist niet of ze mocht hopen, of zich op het ergste moest voorbereiden.

'Ophouden met luisteren, jij!' zei hij.

Toen hij pal naast haar oor iets zei, toen hij voor het eerst iets tegen haar zei, verschenen die woorden niet op het scherm.

'Jij wilde niet luisteren, Sam,' zei hij zacht. 'Ik waardeer het dat je Sophie wilde helpen, dat je rechtvaardiging zoekt. Maar het is niet wat het lijkt. Ik heb je gewaarschuwd niet in het verleden te gaan wroeten. Maar je wilde niet luisteren.'

Sam maakte een gedempt geluid, rolde met haar ogen en knikte met haar hoofd naar opzij, in de richting van de slaapplek waar de boodschappentas met haar Toshiba lag.

Hij hield haar via de spiegel in de gaten.

'Ik weet het, liefje,' zei hij, 'ik weet wat je wil zeggen. We zijn de afgelopen paar dagen close geworden, hè? Bijna vrienden. Geloof me als ik zeg dat ik het liefst dat kolereding zou pakken en weg zou gaan, maar daarvoor zijn we al veel te ver gegaan.'

Hij eindigde de zin op een vragende toon.

Sam schudde heftig haar hoofd, maakte ongecontroleerde smekende geluiden naar hem in een poging om hem de tape weg te laten halen en haar te laten praten. Hij reageerde niet. Ze voelde haar mobiel trillen tegen haar heup en vroeg zich af of Ward het ook door haar botten heen gevoeld had.

'Sam, ik zal je een geheimpje verklappen... ik hield echt van haar. Vind je dat gek? Heb je er enig idee van hoe het is om van iemand te houden? Haar vader komt de eer toe ons aan elkaar te hebben voorgesteld. Maar, weet je, ik geloof dat we altijd al voor elkaar waren voorbestemd.'

De trein begon aan een bocht en daarom remde de machinist plotseling en maakte daarna weer vaart, waardoor ze uit balans raakten. Ward stak een arm uit voor extra steun en moest even haar armen loslaten. Lang genoeg voor Sam om haar mobiel van haar riem te rukken en op Spreken te drukken.

Ze hield net haar mobiel voor haar dichtgetapete mond toen hij haar pols greep en het ding uit haar vingers sloeg, waardoor haar laatste link met de wereld op de grond belandde.

Ze gilde. In haar hoofd klonk het meer als een hoog gekerm. Alsjeblieft God, bad ze, laat iemand me horen.

Hij sloeg met een vuist in een latexhandschoen recht in haar gezicht.

Sam viel zijdelings op de slaapbank. Haar bril vloog af en warm bloed stroomde uit haar neus. Ward greep een pluk van haar dikke haar vast en trok haar schokkerig omhoog. Ze vocht, probeerde haar knie in zijn kruis te krijgen, stampte met een gehakte schoen op zijn voet en krabde naar zijn handen die zich weer om haar nek sloten. Hij gaf geen krimp, maar duwde zijn duimen steeds dieper in het zachte holletje van haar luchtpijp. Ze keek Ward recht aan met smekende, vertwijfelde ogen, maar ze zag alleen maar twee blauwe vierkanten gereflecteerd in zijn brillenglazen. De kleine cursors knipperden.

Hij stond weer voor het scherm van zijn laptop.

'Luister naar me...'

Ik liep van en naar mijn bureau, kon niet stilstaan, mijn hart bonkte in mijn borstkas. Sams mobiel ging wel over, maar werd niet beantwoord. De enige hoop was dat ze terug was gegaan naar de restauratiewagon, of naar de bar voor een slaapmutsje en haar mobiel in de slaapwagon had laten liggen.

En al die tijd hield ik het witte huis in de gaten.

Van de receptie waarvoor ik was uitgenodigd was niets te zien. Niet dat ik wist wat ik moest verwachten. Er was niets 'live' op de webcast. Ik wist dat Ward als een controlerende aanwezigheid aan de andere kant van de terminal zat, maar alle tekens wezen erop dat de show van tevoren was opgenomen. Inmiddels maakte ik me zo bezorgd om Sam dat het me niets meer kon schelen.

De slecht gespelde obsceniteiten lazen als gesprekken uit een volwassenenchatroom en konden me niet boeien. Maar de familiaire, insinuerende toon waarop Ward tegen ons sprak (ik nam tenminste aan dat er nog meer kijkers waren), dat 'mijn handen zijn jullie handen'-gedoe, gaf me een onplezierig gevoel.

Het kwam niet in me op dat hij tegen een computer sprak, anders had ik wel eerder begrepen wat er echt aan de hand was. Ik dacht dat die onhandige fouten expres gemaakt waren, alsof hij de ondertiteling van het schaduwspel achter het bovenraam authentiek en dringend wilde laten lijken.

De avatarsilhouetten waren nu aan het liefkozen, duidelijk genoeg om de kijkers het idee te geven van virtueel voyeurisme. Toen het gesprek in een dialoog veranderde, bekroop me door de gebeurtenissen op het scherm het onvermijdelijke gevoel dat er iets verschrikkelijks stond te gebeuren.

k: o god, help me
k: ik ben er bijna

m: doe die kap naar achteren en tik snel en hard met die pink zodat
het lijkt op...
het geruis van wapperende vleugels

k: o mijn god

k: ik ben er BIJNA... begin te klemmen

m: ik rol je om zodat ik nu boven lig

k: alsjeblieft... DOE HET

m: fuckkkkkkkkkkinggg bitch ik ga nu en ik fuck je met alles wat ik
heb... pomp het in je... bijt in je tieten, nek, oor... heet als een vos

k: o god, nog meer, nog meer

m: sla mijn handen om je nek

m: jij... vind je dit lekker, gore slet?

k: o god... o god ja

m: ze is nu lekker GEIL... ogen dicht, haar rode mond hangt open,
neusvleugels
wijd open...heeft geen idee wat er gaat gebeuren

m: voel hoe mijn handen om je nek gaan klemmen...

Ik sprong op en liep van de tafel weg met mijn mobiel tegen mijn oor –
Sams telefoon ging over. Ik maande haar op te nemen, maar terwijl ik
me op het zwakke en gesmoorde geluid concentreerde, bleef ik naar het
scherm kijken.

Ik had geen verbinding meer en drukte op herhaal.

Ik liep terug, ging moedeloos op mijn stoel zitten en stak een sigaret
aan. Ik probeerde mezelf ervan te overtuigen dat wat ik zag fantasie was,
een verzonnen spel – dat het niet echt was. Maar de dialoog was inmiddels heel anders geworden dan de relatief onschuldige acties van het
stel achter het raam. Ik las de ondertiteling eerst met groeiende afkeer,
daarna met afschuw omdat ik ineens begreep dat de woorden weerga-
ven wat er nu, live, op dit moment pal voor mijn ogen gebeurde.

Het was alsof lezen een onderdeel van de actie was geworden.

Sams telefoon ging weer over.

Kom op, neem op, zei ik hardop, je moet opnemen.

m: ik wil je gezicht zien, kijk naar me

m: hoe durf je je weg te draaien... kijk me aan, bitch

k: wat doe je... nee, niet doen... je doet me pijn!

m: haar zachte witte nek, mmm, o man, as van een swaan... ik kan je
vertelle dat ze geweeeldig is... ruik je de angst in haar? je ken het
beina proeve...

141

m: druk nu mijn duimen in je strot... kijk in mijn ogen

k: stop alsjeblieft... nee, ik kan niet ademhalen

m: de poorten van de hemel... openen... proef... woorden van een ijzeren vorm

k: NEE, ALSJEBLIEFT... JEZUS! WAT DOE JE NOU... **NIET DOEN!**

Sams mobiel werd opgenomen.

Ondanks het gestamp en geratel van de trein hoorde ik op de achtergrond de duidelijk herkenbare geluiden van een worsteling, versterkt door een zacht, klagend gejank dat me rillingen bezorgde. Ik was te laat.

Ik hoorde een harde plof, gestommel en toen een verschrikkelijk, zuigend, gorgelend geluid, zoals het speekselzuigertje van de tandarts, en toen werd het stil.

Hij was haar aan het wurgen, aan het verstikken.

Ik schreeuwde in de telefoon... ik weet niet meer wat ik zei en of iemand me hoorde. Het was net alsof iets dierbaars me ontglipte en dat ik niet kon voorkomen dat het op de vloer in duizend stukjes uiteenviel.

Ik schreeuwde nog steeds toen er werd opgehangen. Ik weet nog dat ik dacht: zo moet het ook voor Sophie zijn geweest.

De hoteltelefoon rinkelde. Morelli zei zijn naam niet, maar begon meteen te vertellen dat de Oostenrijkse politie over twee minuten in Linz de trein in zou stappen. Ik wist bijna zeker wat ze daar zouden vinden, maar ik kon het hem niet vertellen.

Ik bleef hopen dat ze daar nog op tijd kwamen.

Haar zicht werd steeds bleker tot ze uiteindelijk flauwviel. Sam dacht dat ze voelde dat de trein vaart minderde. Zag steeds meer lantaarnverlichting van een stad achter de gesloten gordijnen. Zouden ze gaan stoppen, bij een station aangekomen zijn?

Toen merkte ze dat het steeds donkerder werd.

In de laatste momenten van bewustzijn zag ze beelden uit haar jeugd, een kleurenfoto van zichzelf, Samantha, zeven jaar oud, tussen haar ouders op de veranda van hun vakantiehuis bij Lake Michigan... mister Bluebird op haar schouder... allemaal heel genoeglijk.

Vrijer had ze zich nooit gevoeld, dat was zo zeker als wat.

Ik keek naar het scherm en zag dat de vrouw haar geliefde een kus gaf voor ze bij het raam wegliep. De man bleef nog even staan, boog zich vervolgens over de bloembak en keek omhoog naar de donkere lucht, alsof hij de sterren bewonderde. En toen sloot hij met een bijna natuurlijke geeuw de luiken. Het feest was afgelopen.

Even later gingen ook de lampen in de slaapkamer uit.

Zachtjes was de piano (die hiervoor was weggevallen) weer te horen, deze keer speelde hij de begeleiding van Brahms 'Slaapliedje', en een vrouwenstem zong in het Duits: '*Guten abend, gute nacht...*'

De voordeur van het donkere huis ging open.

Ik bewoog de cursor naar de ingang, dubbelklikte en stond meteen in de salon met twee stoelen voor een tv-meubel dat Sophie in haar schetsboek had getekend. Alleen was het hier live en, in tegenstelling tot de liefdesscène uit *Breakfast at Tiffany's*, ging het om het interieur van een slaapwagon.

Ik keek gruwend van afschuw hoe het wiebelige, korrelige beeld afwisselend scherp en onscherp werd, terwijl de videocamera van boven naar het onderste bed draaide. Toen, terwijl de tweede helft van een eng wiegeliedje te horen was, draaide de camera langzaam terug, naar het lichaam van Sam dat uitgestrekt op de vloer van de coupé lag.

Ze was geheel gekleed, net als Sophie, haar hoofd hing op haar schouder en een blote arm lag uitgestrekt naar het raam. Alsof ze haar mobiel wilde pakken, die onder de ladder naar de bovenste couchette lag, slechts een paar centimeter van haar gestrekte vingers.

'*Morgen früh, wenn Gott will, wirst du wieder geweckt.*'

De ironie van deze poëzie was ongetwijfeld opzet. 'Morgenochtend, zo God het wil, zul je weer gewekt worden...' De engelachtige stem rees en daalde terwijl de camera inzoomde op een verstard oog, de naar buitenhangende tong, een donkere vlek op de jurk van Sam. Ik draaide weg.

En toen zag ik dat er iemand in de kamer tv-keek.

Het enige licht kwam van het flikkerende scherm, maar dat was genoeg om te onthullen dat er iemand in een stoel zat. Het enige wat ik kon zien was de achterkant van het hoofd van de kijker en zijn hand op de armleuning. Ik realiseerde me met verbijstering en een ziekmakend gevoel dat ik die persoon voorstelde – tv-kijkend, genietend van de show.

Ik probeerde naar voren te bewegen, maar de cursor reageerde niet. Maar, alsof hij genoeg had gezien, richtte 'Ed Lister' de afstandsbediening op het toestel en drukte de tv uit.

Het scherm van mijn laptop werd zwart.

28

Ward keek nog een keer door de coupé terwijl de nachtexpres met een lange zucht van de remmen het station van Linz binnenreed. Hij had alles al opgeruimd, Sams mobiel gevonden, haar schoenen (een ervan had zijn scheenbeen geschampt), zijn laptop en headset in zijn rugzak gepropt en haar lichaam in de badkamer getrokken. Hij had het op het lichaam van Linda moeten leggen om de deur weer dicht te kunnen doen.

Hij pakte de Toshiba. Hij had maar een paar seconden om een plan te bedenken.

Hij kon de gang in lopen, terug naar de couchettes en zich daar onder de mensen mengen. Het risico was dat iemand hem zou betrappen als hij het compartiment verliet, en de bewakingscamera's op het perron...

Of anders: uit het raam. Het ging van bovenaf naar binnen toe open en maakte een opening van zo'n vijfentwintig centimeter. Smal, maar niet onmogelijk. Hij had de situatie al bekeken. De expres kwam aan de rechterkant van het perron binnen; hij kon zien dat de slaapwagons niet zichtbaar waren vanaf het hoofdperron. Hij riskeerde een verzwikking of een breuk... de sprong was ruim vier meter.

En hij had het touw. Als hij nou nog dat verdomde deuntje uit zijn kop kon krijgen.

Hij koos het raam.

Ward had nooit begrepen wat mensen in muziek zagen. Het wiegeliedje had hem een rauw, primitief gevoel gegeven... bleekgroene naalden die lijndansten op de rand van een blauw glas dat langzaam binnen in zijn hoofd draaide. Muziek deed iets met hem, zelfs de mooiste melodieën konden zijn hoofd vullen met puntige scherven, verblindend wit, soms rood. Hij moest kotsen van dat soort liefdesuitingen.

Maar hij wist hoe... kut, hij kon zich de impact voorstellen die de soundtrack op zijn publiek zou hebben. Hij glimlachte terwijl hij leren handschoenen over de latex aantrok. Maar dit was niet het moment om daaraan te denken.

Ward liet eerst zijn rugzak en toen de boodschappentas met de Toshiba zakken. Eén kant van het nylontouw had hij vastgebonden aan de middelste sport van de aluminium ladder die hij onder het raam had vastgezet. Hij klom op de tafel en met de lenigheid van een acrobaat wrong hij zichzelf met zijn hoofd naar voren door de opening.

De nachtelijke lucht proefde geel.

Buiten de trein daalde hij ruggelings en met zijn hoofd naar beneden beetje bij beetje langs het touw de ladder af tot ook zijn voeten uit het raam waren, toen wipte hij zijn voeten met een keurige salto over zijn hoofd. Maar hij maakte die niet af.

In plaats van naar de grond door te draaien, trok Ward zichzelf op aan het touw. Hij klom terug naar het raam en maakte het touw los van de ladder; het glipte tussen zijn knieën door en de ladder viel weer in de slaapwagon. Terwijl hij daar buiten het raam hing en met zijn vrije hand het raam probeerde dicht te trekken, hoorde hij dat er op de deur van het compartiment werd geklopt.

Een vrouwenstem zei: '*Polizei. Machen Sie bitte auf!*'

Ward liet zich onmiddellijk op de rails vallen. Ed Lister moest iets via de telefoon geregeld hebben, zijn geld zou overtuigend genoeg zijn geweest. Hij was net op tijd weg.

Hij landde ongelukkig met zijn enkel op een spoorbiels. Een pijnscheut schoot door zijn linkerbeen, maar toen hij ging staan en voorzichtig op zijn enkel steunde, zwikte die niet. Voor zover hij wist had hij niets gebroken of verstuikt. Hij rolde het touw niet netjes op en maakte het niet los van de tassen. Hij propte alles onder een arm en begon met gebogen hoofd snel langs de trein te lopen.

Pal achter het brede zilveren spoor en overdekte perron zag hij links en rechts gebouwen. Hij had zich niet gerealiseerd dat het station zo dicht bij het centrum van de stad lag. Een donker gebied strekte zich uit achter de voorste wagons.

Veel te riskant zonder dekking.

Bij het eerste gat tussen de rijtuigen dook Ward naar beneden en hij kroop onder het onderstel naar voren, zodat hij naar de andere kant van de trein kon kijken. Het perron eindigde zo'n veertig of vijftig meter terug, maar pal voor hem zag hij een paar goederenwagons op een wisselspoor staan.

Hij hoorde de commotie in het rijtuig achter zich, een zware mannenstem schreeuwde orders in het Duits – ze zouden de lichamen wel gevonden hebben. Dan zou het niet lang meer duren of ze zouden op het spoor met honden naar hem gaan zoeken. Terwijl hij zijn kansen afwoog of hij het wisselspoor ongezien zou kunnen bereiken, kondigde een storm sirenes en blauwe zwaailichten de komst van de hulptroepen aan.

Ward keek op zijn horloge. Vanuit de trein had hij 'Willy's Reisen' gebeld, een taxibedrijf dat hij op internet gevonden had en hij had een taxi geregeld voor een kwartier later op de Klosterstrasse. Als zijn enkel het hield, kon hij dat halen.

Toen zag hij een zoeklicht op hem afkomen. Verblind door het licht duurde het even voor Ward begreep dat het niet bij de politie hoorde. Het licht zat op de voorkant van een doorgaande trein die over het spoor aan de zuidkant van het station denderde.

Hij krabbelde onder het onderstel vandaan en stond op. De pijn in zijn enkel steeg naar een hoger niveau, maar de adrenaline ving het op. Vertrouwend op zijn instinct om afstand en snelheid in te schatten en te weten op welk spoor de trein reed, schoot Ward weg uit de schaduw van de stilstaande expres.

Hij hoorde geroep toen hij naar het licht rende. Hij wierp zichzelf in de warme luchtstroom een paar meter voor de motor, voelde de rail onder zijn voeten trillen en werd bevangen door het oorverdovende lawaai van de trein.

Hij viel in de armen van de nacht, rolde door en door tot hij op zijn rug stillag en naar de donkerblauwe lucht keek, veilig aan de andere kant. De lange goederentrein zou hem dekking geven. Hij zag een paar sterren, hun kleine dikke gezichten, angstaanjagend plomp, zagen hem opkrabbelen en naar het verlaten perron strompelen.

Hij moest een rustig plekje vinden waar hij met de Toshiba aan de gang kon. Nu hij de laptop had, zou niemand hem ooit te pakken kunnen krijgen. Hij dacht aan Ed Lister in Parijs en kon een glimlach niet onderdrukken, hij schudde zijn hoofd om de moed van die kerel... *ik heb mijn hele leven op jou gewacht.* Klonk bekend, Ed. Het was aan hem om ervoor te zorgen dat 'Templedog' er deze keer niet mee wegkwam.

Ward had de naam en het adres al van die vrouw in New York.

DEEL 2

Londen

29

Vroeger kende ik haar mobiele nummer uit mijn hoofd, maar een paar maanden geleden veranderde dat. Toch kan ik het nog niet over mijn hart verkrijgen om haar uit mijn voorkeurnummers of adressenboek te verwijderen. Ik heb ergens gelezen dat het niet gezond is om dergelijke lege herinneringen te bewaren, maar ik vind het prettig om iedere keer dat ik de contactenlijst op mijn computer oproep, haar naam tegen te komen.

Het geeft me een goed gevoel, net zoals je een kaars brandend houdt.

De hele ochtend zat mijn hoofd vol met gedachten over Sophie. Niet alleen omdat ik zeker wist dat ik later de politie zou spreken over de moordenaar van Sam en dat Sophies zaak daar nauw aan was verbonden; een heleboel kleine dingetjes herinnerden nog aan haar. Ik bleef maar een beeld zien van haar als kind – ik weet niet eens of het wel een echte herinnering is – in het donker steentjes gooiend tegen mijn raam om mijn aandacht te trekken.

Soms 'voel' ik Sophie zoals een gehandicapte de vertrouwde vorm en het gewicht van een geamputeerde ledemaat voelt, maar deze keer was het anders – alsof ze haar aanwezigheid opzettelijk liet merken, op een kritiek moment.

'U zei dat ze was gewurgd.'

'Hoe wist u dat?' vroeg de ander.

'Dat wist ik niet... zo klonk het door de telefoon. Ik hoorde haar kokhalzen.'

'Ik wil dit graag heel duidelijk hebben. U hoorde kokhalzen, daarna werd ze stil. Weet u nog hoe laat het toen was?'

Ik nam een slok koffie. Mijn hand trilde een beetje, erg genoeg om het kopje rinkelend op het schoteltje te zetten. 'Kwart over tien. En dat weet ik omdat ik de minuten aftelde tot het moment waarop de trein op het station aan zou komen.'

Ze waren met z'n drieën – hoofdinspecteur Edith Cowper, Andrea Morelli en rechercheur Daniël Ince van de National High Tech Crime Unit. We zaten in de vergaderzaal van mijn kantoor op Tite Street. Ze zaten als een tribunaal aan één kant van de mahoniehouten tafel, ik in mijn eentje aan de andere kant.

'Inspecteur?' Cowper wendde zich tot Morelli, verkreukeld, ongeschoren, dikke ogen door het slaaptekort; de drukte van de afgelopen zesendertig uur eiste zijn tol op een ongebruikelijk beheerste manier. Hij was die ochtend uit Linz overgevlogen.

'Beide vrouwen waren gewurgd.' Morelli schraapte zijn keel, keek op een papier op tafel en las hardop voor: "'... grote bloeduitstortingen aan beide kanten van de stembanden, duidelijke tekens van verstikking in longen en hart. Schrammen in de nek, misschien gemaakt door het slachtoffer zelf toen ze probeerde de handen van de aanvaller los te wringen."

De aantekeningen van de autopsie van Linda Jack, passagier van de bovenste kooi in 21/22, zijn bijna identiek aan die van Sam Metcalf. Geen bewijs voor seksueel misbruik... in beide gevallen.'

Ik ging rechtop zitten. Door de overduidelijke tekst van de webcast was ik ervan uitgegaan dat Sam verkracht was. Ik wilde Morelli daarnaar vragen, maar dit was niet het moment. We wisselden een blik en hij ging verder: 'Volgens de patholoog van de schouwdienst stierf Sam tussen tien uur en twintig over tien.'

'Wat in overeenstemming is met de verklaring van meneer Lister.' Cowper glimlachte even.

Zij had de leiding hier, nam het grootste gedeelte van het gesprek voor haar rekening. Een mager vrouwtje, asblond, van mijn leeftijd: Edith Cowper van bureau Wiltshire was de enige senior politieagente in Engeland die constant aandacht voor de moord op mijn dochter had. Ze leidde geen nieuw onderzoek, Cowper had instructies om mijn beweringen te toetsen over de nalatigheid van de Londense politie – een roep om rechtvaardigheid die me niet veel vrienden had opgeleverd bij Scotland Yard.

'Denkt u dat u de geluiden die u hebt gehoord verkeerd kunt hebben geïnterpreteerd?'

Ik wist niet waar dit naartoe ging, maar er zat een vijandige toon in Cowpers vragen, die ik probeerde te negeren. 'Ik kan alleen maar vertellen wat ik hoorde.'

'Het geluid van een worsteling? Verstikking?'

Ik knikte. Er viel een stilte.

'Heeft hij deze keer sporen achtergelaten?' vroeg ik; ik wilde het hebben over waar het over hoorde te gaan: de moordenaar.

'Ze zoeken er nog naar.' Morelli zette zijn handen met gespreide vingers tegen elkaar. 'Het is niet waarschijnlijk dat hij geen sporen heeft achtergelaten. Iedere crimineel, meneer Lister, laat iets van zichzelf achter en neemt soms iets mee van de plaats delict.'

'Waar heb ik dat eerder gehoord?' mompelde ik.

'Als u het niet erg vindt, meneer,' zei Cowper ijzig, 'dan stellen wij de vragen. Waar kende u Jimmy Macchado van?'

'Die ken ik niet. Dat heb ik al gezegd. Iemand heeft mij met zijn mobiel gebeld in Florence. Ik ontdekte dat het zijn mobiel was, omdat ik het nummer heb laten traceren.'

'En is dat iets wat u vaker doet, meneer Lister? Nummers laten traceren?'

'Ik kreeg een anoniem telefoontje. Ik dacht dat er een link kon zijn met Sophie.'

'U hebt nooit contact met Jimmy Macchado gehad toen u in Florence was?'

'Nee. De beller zei dat hij een verkeerd nummer had. Ik ben er nu vrij zeker van dat het de moordenaar van mijn dochter was.'

'Enig idee hoe die persoon uw nummer kende?'

'Geen enkel.'

'U gaf uw mobiele nummer aan Sam Metcalf.'

'Dat klopt.'

'Niet uw e-mailadres?'

Ik schudde mijn hoofd. Nee.

Dit begon op een ondervraging te lijken.

In Parijs, toen ik nog niet zeker wist of Sam dood was, had ik het grootste deel van de nacht met een fles whisky naast de telefoon gewacht tot die zou gaan rinkelen. Ik bleef maar nadenken over ons laatste gesprek. Ik hoorde haar stem, buiten adem, geforceerd omdat ze boven het treinlawaai uit probeerde te komen, haar lach toen ik suggereerde dat Jimmy haar volgde – ze klonk zeer levend en relaxed, zelfs gelukkig. Als we toen niet waren onderbroken, zei ik tegen mezelf, zou alles heel anders gelopen zijn.

Rond half vier kreeg ik van Morelli de bevestiging dat de dingen die ik op afstand had zien gebeuren werkelijk gebeurd waren. Ik kon de hoop laten varen dat het een spel was geweest, een zieke fantasie. Het was bijna een opluchting.

Later, op weg naar het vliegveld, murw en uitgeput, maakte ik een omweg langs het Gare de l'Est. Ik vroeg de chauffeur te wachten voor de noordelijke ingang, terwijl ik door de tickethal naar de centrale hal liep. Sams trein stond nog steeds op het aankomstenbord – eronder stond een speciale mededeling.

Information voyageurs: suite à une présomption d'accident de personne à Linz le train 262, Orient Express Rapide 1er, Arrivée: 9h48, Venant de: WIEN MUNCHEN STRASBOURG, Voie: 24 est annoncé avec du retard indéfini.

Het waren de naam Linz en de vage omschrijving 'onbepaalde tijd vertraging' die de doorslag gaven. Ik ging naar spoor 24 en keek naar het lege perron, de betonnen stootblokken, het onkruid tussen de glimmende rails... ik boog mijn hoofd.

Het beeld van haar lichaam op de vloer van de slaapwagon kwam terug. Sam was gestorven terwijl ze me informatie probeerde te geven over de man die mijn dochter had vermoord, en ik had aan haar getwijfeld. Ik had kostbare tijd verloren door te denken dat ze loog of spelletjes speelde.

Ik wist diep vanbinnen dat ik veel meer had kunnen doen om haar te redden.

Het verhaal van een dubbele moord in de EuroNight-expres was al te zien op CNN en Fox toen ik Parijs verliet.

Twee uur later, terwijl ik vastzat in de file bij Heathrow, belde ik naar kantoor en ontdekte dat de politie contact met me zocht. Ik belde Edith Cowper vanuit de auto terug. Toen we klaar waren had ik het een en ander om over na te denken. Vervolgens belde ik Phil op Secure Solutions.

'U moet heel voorzichtig zijn, meneer Lister,' zei Phil, nadat hij mijn beschrijving van de gebeurtenissen van die avond had gehoord. 'Ze zouden het u nog wel eens heel moeilijk kunnen maken. Ik zou niet te veel over live webcasts vertellen, als ik u was.'

'Cowper neemt een computer en een expert op het gebied van internetmisdaden mee, ene Ince.'

'Dat moet een grap zijn. Ik ken Dan Ince. Een roodharige wauwelaar uit Dulwich, die kan nog geen viagra vinden op het net. Uit uw beschrijving van degene die achter de website van dat *snuff*-huis zit, blijkt dat die zeer moderne hack- en programmeringskennis heeft. U hebt iemand nodig die het spel op zijn niveau kan spelen, een tegenstander.'

'Je denkt dat de politie dit niet aankan?'

'Na de puinhoop die de Londense politie van uw dochters zaak gemaakt heeft? Moet u dat nog vragen?'

Ik had geen commentaar.

'U krijgt nu een nieuwe kans, die moet u goed gebruiken.'

'En als ze nou naar mijn laptop vragen?'

Ik vertelde Phil dat het me gelukt was de tekst van de webcast op te slaan en dat ik dacht dat er misschien nog meer informatie op mijn laptop stond waarmee Ward getraceerd kon worden.

'We moeten snel reageren, anders is hij weer verdwenen. Hoe eerder dat apparaat in kundige handen is, hoe beter. Niet dat ik adviseer om informatie achter te houden, meneer L.'

'Tuurlijk niet. Weet jij iemand?' Ik verwachtte dat hij zijn eigen bedrijf zou aanraden, wat heel begrijpelijk zou zijn. We werkten al veel samen.

'Iemand die ik kan vertrouwen.'

Hij aarzelde geen moment. 'Campbell Armour. Werkt niet bij ons, maar is heel slim, eerlijk en waarschijnlijk de snelste die op dit gebied te krijgen is.'

'En waarom werkt hij dan niet voor jou?'

'Ik heb geprobeerd hem te strikken nadat hij een veiligheidsverslag en een ander intern klusje voor ons had gedaan, allebei zeer gevoelig. Had hij geen zin in. Hij is een jong, zeer apart typetje, maar als er iemand is die deze hufter kan uitroken, is hij het.'

'Waar zit hij?'

'Dat is het enige nadeel. In Tampa, Florida.'

Ik dacht dat zoiets een voordeel kon zijn. 'Nog meer?'

'Ik stuur zijn cv. Hij is een genaturaliseerde Amerikaan, oorspronkelijk uit Hongkong, Schots-Chinese achtergrond – zijn opa werkte voor Jardine en Mathieson, trouwde met de huishoudster en bleef. Zijn ouders kwamen in 1989 naar Londen, na het Plein van de Hemelse Vrede, openden een restaurant in Wapping en emigreerden naar San Bernardino in Zuid-Californië. Campbell won een beurs voor Stanford toen hij zestien was en vanaf dat moment gaat alles summa cum laude.

Eén minpuntje: hij gokt, of gokte. Dat beperkte zijn mogelijkheden een tijdlang, maar hij schijnt het probleem inmiddels de baas te zijn. Hij kiest zijn cliënten trouwens, niet andersom. Hij kan een arrogante klootzak zijn.'

'Wat moet ik doen om in aanmerking te komen?'

'Rustig maar. Ik heb hem al gesproken. Heb verteld wat er met uw dochter is gebeurd. Hij is zeer geïnteresseerd en heeft een paar ideetjes...'

'Je hebt hem al gesproken? Allemachtig, wanneer dan?'

'Op het moment dat ik hoorde dat de vrouw in de trein het niet zou halen. Ik wist dat u klem zat, meneer L., dus ben ik zo vrij geweest. Hoe laat hebt u dat gesprek met de smerissen? Dan zorg ik dat u eerst met Campbell kunt praten.'

'Waarom ging u naar Parijs?' vroeg Edith Cowper.

'Werk. Ik heb daar een kantoor.'

'Dus u was daar toevallig toen Sam belde?'

Ik knikte. 'Logeert u meestal in het Ritz?'

'Ik zie niet waarom dit relevant zou zijn, maar ja.'

'Toen ze uit Wenen belde, was u toen verbaasd weer wat van het slachtoffer te horen? Na de manier waarop ze zich gedragen had?'

'Ik accepteerde haar uitleg van wat er was gebeurd... ze was bang.'

'Was het niet zo dat ze vertelde dat ze nog steeds bang was?'

'Ze dacht dat ze gevolgd werd. Ik dacht dat het mogelijk was dat ze dingen fantaseerde. Later maakte ik me bezorgd...'

'U dacht dat er een verband met uw dochters dood bestond.'

'Ik zei,' zei ik heel rustig, 'dat ik was benaderd door Sam Metcalf. Ze beweerde dat Sophie dingen op haar laptop had achtergelaten die haar moordenaar konden identificeren. Die wilde ze me in Parijs geven. Nu er geen computer in de couchette is gevonden, gaat er dan geen belletje bij u rinkelen?'

'Aangenomen dat ze die laptop bij zich had.'

Ik zuchtte diep. 'Ik weet dat ze die bij zich had...' Ik onderbrak mezelf net op tijd. 'Waarom denkt u dat haar vriend Jimmy Macchado is vermoord?'

Ik keek naar Andrea, die de vermoorde onschuld speelde, fronsend naar het meubilair keek en niets zei. 'Andrea?'

Hij keek naar zijn handen en haalde zijn schouders op.

Cowper zei: 'We hebben alleen maar uw verhaal hierover. Heeft Sam Metcalf ooit met u via e-mail gecommuniceerd?'

'Dat hebt u me al gevraagd.'

'Het is een iets andere vraag.'

'We hebben gebeld... verder niet.'

Daniël Ince leunde naar voren. Hij was de enige in uniform, had een veel te klein hoofd voor zijn lichaam, rood haar en een onprettige, directe blik. Hij had aantekeningen gemaakt op een geel schrijfblok.

'Is het bezwaarlijk, meneer Lister, als onze forensische onderzoeksafdeling uw laptop bekijkt? Dat is een routinemaatregel.'

Ik aarzelde, hoewel ik de vraag had verwacht. 'Aangezien de moordenaar van mijn dochter opnieuw heeft toegeslagen,' zei ik, 'neem ik aan dat jullie haar zaak heropenen.'

Cowper gaf antwoord. 'Ik kan hier geen commentaar op geven, niet midden in een intern onderzoek.'

'Als hij een jaar geleden gepakt zou zijn,' ging ik verder en ik keek naar Cowper en Morelli, 'dan zouden Sam Metcalf en twee andere onschuldige mensen nog leven.'

'Meneer, de vraag die rechercheur Ince stelde,' zei ze onverstoorbaar, 'was of we in uw computer mogen.' Ze keek me over de tafel heen aan. 'Of moeten we een huiszoekingsbevel gaan halen?'

Ik twijfelde niet aan Edith Cowpers toewijding en integriteit, maar als een burger de dienst gaat uitmaken bij de politie in dit land – en ik had in het openbaar de politie van incompetentie beschuldigd – dan sluiten de rijen sneller en nauwer dan de tanden van een rits.

Ik hield haar blik vast en zei: 'Dat is niet nodig.'

Ik maak er geen gewoonte van om te liegen tegen de politie. Ik vind mezelf een redelijk eerlijke, de wet respecterende burger. Maar ik kon niet werkeloos toezien hoe ze de boel weer verprutsten. Sams moord had me geschokt en boos gemaakt (zowel op mezelf als op anderen) en ik vond dat ik het aan haar verplicht was haar aanwijzingen goed te gebruiken. Om niet te accepteren dat ze voor niets was gestorven.

'Ik wil graag op elke mogelijke manier helpen,' mompelde ik, en ik liet rechercheur Ince de verkeerde laptop innemen en een keurig ontvangstbewijs tekenen voor een laptop die ik alleen voor mijn werk gebruik.

Misschien was ik schuldig aan het belemmeren van de rechtsgang, of nam ik het recht in eigen hand, maar zo zag ik het niet. Ik zag mijn bedrog als een manier om tijd te winnen; en daar kwam bij dat ik niet wilde dat Ince Jelena ontdekte – zowel voor haar als voor mijn eigen bescherming.

Ik geloofde Phil dat we onafhankelijk veel sneller en flexibeler konden reageren dan de politie – ik had de financiële middelen en was gedrevener dan zij ooit konden zijn. Ik had gezworen om Sophies moordenaar op te sporen en ik was niet bereid om deze laatste kans, tenminste dat zag ik zo, door mijn vingers te laten glippen.

30

Nadat ze vertrokken waren, staarde ik uit het raam van de vergaderkamer naar de rivier en vroeg me af of ik de juiste beslissing had genomen. Tenslotte had de politie de autoriteit, de mankracht, de lange arm. Maar ik was nog steeds zo kwaad over de manier waarop ze Sophies moord behandeld hadden dat ik vond dat ik een beetje met de waarheid mocht sjoemelen. Het was trouwens te laat voor bedenkingen.

Ik dacht aan de informatie die ik achterhield. Beelden van Sams lichaam op de vloer van de slaapwagon kwamen in me op en ik vroeg me af of Sophies laatste momenten ook gefilmd, op muziek gezet en live uitgezonden waren vanuit de grot bij de Villa Nardini, ter vermaak van god mag weten wat voor publiek. Terwijl ik keek hoe het water tegen de stenen beren onder de Albertbrug klotste, stelde ik me voor hoe ze in haar eentje op die duivelse plek had gelegen en huiverde.

Dat bracht me op een andere herinnering uit de tijd dat ik voor het eerst in New York woonde, ver genoeg in het verleden om het incident als een droom te zien, niet als iets wat echt gebeurd was. In die New Yorkse droom keek ik neer op het lichaam van een vrouw dat uitgestrekt lag op de bodem van een zwarte put – een beeld dat me door Sophie altijd zal blijven achtervolgen – ik wist niet wat ik moest doen en of ik de politie kon vertrouwen. Ik sloot mijn ogen en de deur sloeg dicht.

De ondervraging had langer dan een uur geduurd.

'Geen vragen,' zei ik bruusk.

'Ik wil me nergens mee bemoeien.' Audrey, mijn assistente, had ze uitgelaten en kwam nu terug met haar waar-ging-dat-allemaal-over-gezicht. 'Je hielp de politie toch met hun onderzoek?'

'Zoiets, ja.'

'Ze hebben je oude laptop meegenomen.'

'Ik heb ze mijn énige laptop meegegeven.' Ik keek haar betekenisvol aan. 'Voor het geval iemand daarnaar vraagt.'

'Je kunt eigenlijk niet zonder.'

Ik glimlachte. 'Hebben ze jou nog wat gevraagd?'

Ze schudde haar hoofd. Audrey had me loyaal gesteund toen ik een formele klacht tegen de politie had ingediend. Ik wilde haar er liever niet bij betrekken. Ik probeerde mijn werk en privéleven gescheiden te houden, maar met Audrey was dat niet zo makkelijk. We werken al zo lang samen, we kennen elkaar te goed. Wat zij het afgelopen jaar heeft meegemaakt toen Sophie werd vermoord ging veel verder dan haar werkomschrijving. Maar ja, Audrey had Sophie zien opgroeien. Ze was gek op haar... iedereen trouwens die haar kende.

'Je hebt over vijf minuten die afspraak met Campbell Armour.'

Ik wachtte even voor ik zei: 'Ik wil dan niet gestoord worden.'

Ze bracht een videoverbinding tot stand met zijn kantoor in Ybor City, Tampa, en trok de zonwering naar beneden. De zon scheen namelijk recht op het grote plasmascherm, op de enige ononderbroken muur in de vergaderkamer. Daar was een rommelig bureau op te zien met een kleine Amerikaanse vlag op een plastic blok.

Met haar handen op haar heupen en een wenkbrauw opgetrokken vroeg ze: 'Kopje thee?'

Ik bedankte en draaide mijn stoel naar het scherm. Terwijl ze naar buiten liep zei ze: 'Ach, ze hebben je in ieder geval niet geboeid afgevoerd.'

'Deze keer niet.' Ik hoorde iemand naderen.

Campbell Armour liep aan de linkerkant het scherm binnen en ging vlug naar de voorkant van zijn bureau. Met zijn rug naar de camera veegde hij stapels papieren aan de kant om ruimte te maken, draaide zich toen om, hees zichzelf op de rand en wiebelde met zijn korte, blote, gespierde benen terwijl hij een blikje Mountain Dew opentrok.

Ik keek naar hem in zijn blauwe oversized Dolphins-shirt, wijde witte broek en zweetband met 'Search Engine' erop, waardoor zijn dikke zwarte haar op een puntige kroon leek. Hij was mager, gedrongen, had een breed, plat gezicht en van achter een montuurloze bril keken opmerkelijke, geelbruine ogen me aan. Hij leek vijftien jaar oud.

Hij gooide zijn hoofd naar achteren, nam een lange slok, hield het gekoelde blikje tegen zijn wang en zei: 'Hoi.'

Ik realiseerde me ineens dat ik wel heel erg vertrouwde op het oordeel van Phil. 'Jij moet Campbell zijn.'

Ter begroeting stak hij het blikje omhoog. Ironisch lachje. 'Ontbijt.'

'Heb je al naar het materiaal gekeken?' Ik wilde zo snel mogelijk ter

157

zake komen. Gisteravond aan de telefoon had Campbell gevraagd naar de informatie die ik had: namen, webadressen, wachtwoorden, e-mails, documenten. Ik had niet veel.

'Alles, behalve de foto's...' Hij aarzelde. 'Die zijn verdwenen, Ed.'

Ik fronste mijn wenkbrauwen. 'Verdwenen? Zeker weten?'

Campbell nam nog een slok Mountain Dew. 'Ik kom net van Sams webpagina.'

Hij veegde over zijn mond. 'Heb je er toevallig niet een paar gedown-load?'

'Ik heb er een paar van het net gehaald om ze beter te bekijken met Photoshop.'

'Die wil ik dan graag zien – nu, als dat mogelijk is.'

Ik pakte mijn laptop – de laptop die ik niet aan de politie had gege-ven – en met een aantal klikken zat ik in de relevante submap.

Ze waren er niet. Ik voelde Campbells geelbruine ogen op me rusten.

'Momentje.' Ik ging naar de prullenmand. Niets.

Shit, zei ik zacht. Ik keek naar het scherm en zag dat hij nu in de stoel achter het bureau zat. Hij schommelde van voor naar achteren met zijn handen in zijn nek gevouwen.

'Ik moet ze per ongeluk hebben verwijderd.'

'Man, heb jij wel eens van een Trojaans Paard gehoord?' vroeg Camp-bell.

Hij had het over de elektronische versie van de originele houten krijgslist van de oude Grieken om Troje in bezit te nemen – ik had het gevoel dat Campbell die zin vaker gebruikte.

Ik produceerde een glimlach. Hij had een irritante stem, een zacht Dixie-accent dat niet helemaal lekker liep met het vage zangerige van Zuid-China.

'Dat is een programma met een verborgen agenda,' ging hij verder. 'Eenmaal in je computer draait het als een gewone server, maar het opent stiekem een achterdeur in je systeem...'

'In grote lijnen snap ik hoe het werkt,' onderbrak ik hem en ik klapte mijn laptop dicht. 'Jij denkt dat iemand dit apparaat heeft gehackt en de foto's heeft verwijderd? Dat zou betekenen dat Sam de moordenaar er inderdaad op heeft staan.'

'Ik moet je hele systeem bekijken om dat zeker te weten.'

'Als het Ward was, hoe is hij dan binnengekomen?'

'Er zijn twee manieren. Of via je diskettestation of cd-speler, of via een internetverbinding.'

'Ik kan me niet voorstellen dat iemand hiermee heeft kunnen knoeien.' Ik tikte op de bovenkant van de laptop. 'Ik verlies hem zelden uit het oog.'

'Dan kwam de aanval waarschijnlijk van buiten.'

'Als die er was...'

'Tuurlijk, Ed, we speculeren. Jij vroeg me hoe. Oké, hij kan een Trojaans Paard op je computer hebben geïnstalleerd met informatie die jij van een website hebt gehaald – een website die hij controleert. Ik heb dat huis nog niet kunnen onderzoeken, maar dat is de meest waarschijnlijke link.'

'Ik heb de gewone voorzorgsmaatregelen genomen,' zei ik op verdedigende toon. 'Vraag maar aan Phil.'

'Je bedoelt een stel antivirusscanners? Je hebt een firewall geïnstalleerd, de laatste spyware? Dat helpt allemaal niet tegen een speler als Ward. Die leeft in een wereld waarin dingen niet zijn wat ze lijken. Het kan een gevaarlijke wereld zijn.'

'Volgens mij ken ik de gevaren.'

Ik had geen cyberneut ingehuurd om me te vertellen dat internet een duistere oude spiegelzaal was. Ik herinnerde me Wills uilige gezicht toen hij me waarschuwde dat ik 'blind vloog' wat betreft Jelly. Ik had niets meer van haar gehoord sinds die avond van de moorden, toen ik haar vertelde dat ik verliefd op haar was. Maar dat hadden we ook afgesproken.

Campbell keek me doordringend aan.

'Je moet je laptop laten schoonvegen, Ed. Als die geïnfecteerd blijkt te zijn, dan kun je in grotere problemen zitten dan je beseft.'

'Ben ik daarom niet nu met jou aan het praten?'

Hij werkte me nu al op mijn zenuwen. Ik wilde hem absoluut niet de indruk geven dat ik iets achterhield, maar ik vond het een vervelend idee dat Campbell mijn persoonlijke gesprekken zou lezen (ook al kon ik op zijn discretie rekenen) en natuurlijk vragen over Jelena zou gaan stellen. Maar hier had zij niets mee te maken en dat wilde ik zo houden.

'Laten we ervan uitgaan dat Ward een Trojaans Paard op je laptop geïnstalleerd heeft.' Hij leunde naar voren en formuleerde zijn boodschap langzaam en duidelijk, alsof hij het tegen een kleuter had. 'Iedere keer als jij online gaat, zendt die hem jouw tijdelijke IP-adressen, waardoor hij in jouw computer kan komen. Hij kan poorten openen en software installeren waar hij maar wil. Hij kan jouw databanken lezen, je contactlijsten, dagboek, e-mail en documenten. Hij kan een 'blind copy'-geadresseerde worden bij elke e-mail die je verstuurt en op alle internetsites rondsnuffelen die je bezoekt. Hij kan ook alle antwoorden bekijken die je ontvangt. En alles ongemerkt. Virtueel kan hij letterlijk alles doen wat hij wil met jouw systeem, Ed, inclusief bestanden maken en wissen.'

Ik knikte langzaam terwijl ik deze informatie liet bezinken.

'Hij controleert je leven.' Campbell keek me indringend aan alsof hij er zeker van wilde zijn dat ik het begreep. 'Hij wordt jou.'

'Ik zie het voor me. Bedankt.'

'Zeker weten.' Hij trok een scheve grijns die ik niet bepaald bemoedigend vond. 'Je kunt of je laptop met een koerier naar mij sturen of hem naar Phil brengen en het zijn onderzoeksteam van Secure Solutions laten doen.'

Het was geen wedstrijd. Ik had Phil al vaker kunnen vertrouwen wat betreft vertrouwelijke onderwerpen. En hij wist wat er in zijn wereld te koop was. 'Ik zal hem vanmiddag nog naar hem toe laten brengen.'

'Prima. Nog één ding, Ed. Heb je gezien hoe de tekst van de moordwebcast vol fouten zat en hoe vervormd hij was? Is het in je opgekomen dat de moordenaar spraakherkenningssoftware kan hebben gebruikt?'

'Ik was bang dat wat ik op het scherm las ook echt gebeurde. Hij zei dat de "show" live was. Ik weet alleen zeker dat toen ik Sam eindelijk aan de lijn kreeg, ze voor haar leven vocht.'

'Hij wurgt haar, levert er commentaar bij via een microfoon... deelt zijn ervaring. Allemaal live actie. Dat is een heel zieke vent.'

Ik schudde mijn hoofd. 'Ik gebruik zelf ook een dicteerprogramma.'

'Je had geen enkele kans om haar te redden, Ed.'

Het viel stil. Ik gebaarde naar een aantal trofeeën in een kast met een glazen deur achter zijn hoofd. 'Waar zijn die van?'

'Tennis,' zei hij. 'Speel jij ook?'

'Vroeger, tot mijn zoon me ging verslaan.'

'We moeten eens een balletje slaan. Misschien laat ik je dan nog wel een punt scoren.'

We lachten allebei, een beetje te hard. 'Mag ik je wat vragen, Campbell? Ik weet dat je goed bent in IT – Phil zei dat je de beste bent – maar heb je ook ervaring met cyberstalkers vangen in de echte wereld?'

'Ik heb aan een aantal onderzoeken meegewerkt.'

'Je hebt geen licentie als privédetective. Je hebt geen wapen.'

Hij schraapte zijn keel. 'Nee. Meestal help ik justitie en advocatenfirma's om mensen op te sporen. Ik doe geen arrestaties. Ik zorg voor de informatie.'

'Je bent nu ingehuurd om een... moordenaar, een monster op te sporen.'

'Misschien, maar zo ziet hij er niet uit, Ed. Hij zal niet makkelijk te herkennen zijn. Hij zal er net zo gewoon uitzien als jij en ik.'

'We hebben het nog niet over geld gehad.'

'Ik reken vijfhonderd per dag plus onkosten.'

'Klinkt redelijk. Ik wil je het dubbele geven en een bonus... afhankelijk van het resultaat.'

Campbell grinnikte en dook toen achter zijn bureau uit beeld. Hij verscheen weer met een arm- en beenloze barbie. 'Van mijn dochter Amy. Raast als een tornado overal doorheen en laat overal haar spullen slingeren. Over wat voor bonus hebben we het?'

'Een miljoen dollar. Als je de man opspoort die Sophie heeft vermoord.' Ik had al eerder beloningen aangekondigd, maar die hadden geen resultaat gehad, alleen maar valse hoop gewekt.

'Een miljoen.' De detective keek met gefronst voorhoofd naar de barbie. 'Trouwens, weet jij of Wimbledon al begonnen is?'

'Maandag.'

'Kun jij centre-courtkaarten regelen voor de herenfinale?'

Er brak een lach door op zijn gezicht. 'Grapje. Later, man.'

31

Ik had afgesproken met Will Calloway in een kroeg in de buurt van Lancaster Gate. Een van die anonieme drinkgelegenheden die vooral worden bezocht door toeristen die in derderangs hotels verblijven met uitzicht op het park – met airco, luchthavenmuziek, menu's in vijf talen – typisch Wills favoriete plek. Hij heeft altijd al een voorkeur gehad voor het sombere, het nietszeggende.

Ik was er rond zevenen en hij zat achterin in een nis met een gin-tonic voor zijn neus het sportkatern van de *Evening Standard* te lezen. Naast hem op het velours van de bank lag een grote luchtkussenenvelop.

'Ik neem aan dat je dit gezien hebt,' zei hij toen ik naast hem ging zitten en hij schoof de krant naar me toe. Op de voorpagina stond een foto van de 'moordwagon' op een wisselspoor in Linz. Ik vloog door het artikel, inclusief een interview met de reisgenoten van Sam, het Amerikaanse echtpaar Rivers. Niets over Sophie.

'De politie wil niet eens toegeven dat er een verband kan bestaan.'

Will haalde zijn schouders op. 'Ze zullen hun redenen wel hebben.'

'Ik wil alleen maar dat ze Sophies zaak heropenen.'

'Je kunt altijd nog de druk opvoeren.'

'En dan de media weer over ons heen krijgen?'

De enige die ik verteld had wat er in Parijs was gebeurd, was Laura. Ze was geschrokken, bang en vooral kwaad geweest omdat ik daar Sam Metcalf had willen ontmoeten zonder het haar te vertellen. Ze ging ervan uit dat Sam de reden voor mijn reis was geweest en dat liet ik maar zo. Ik zei alleen: 'Ik was bang dat je zou proberen me tegen te houden.'

Will keek me aan. 'Ik snap waarom je het stil wilt houden, Ed, maar je zult toch moeten kiezen.'

Ik schraapte mijn keel. 'Dat is... nou, dat is niet meer aan de orde.'

'Hoezo?' Hij keek me blanco aan, maar begreep donders goed waar ik het over had.

'De persoon die ik online ontmoette, over wie ik je heb verteld... We hebben besloten elkaar een tijdje niet te zien.'

'O, je bedoelt de Eilandvrouw.' Will grinnikte. 'Heeft ze je gedumpt?'

Dat had ik natuurlijk niet gehoord. 'Je had gelijk, het was een bevlieging.'

'Nou, ik ben in ieder geval blij dat je weer met beide benen op de grond staat – voor iedereen.'

En hiermee was het onderwerp Jelly afgehandeld. Aan de ene kant was ik opgelucht, maar ik was ook wat teleurgesteld omdat Will niet meer vragen over haar stelde.

'En, wat zei dr. Wass van Sophies tekeningen?'

'Wil je nog wat drinken?'

Ik keek op mijn horloge. Ik hoefde nergens naartoe, ik wilde alleen dat hij ter zake kwam. 'Nee, bedankt.'

'Bezwaar als ik er wel nog een neem?' Hij stond op, liep naar de bar en kwam terug met een nieuwe gin-tonic en een dubbele whisky die ik had geweigerd.

'Will?' Ik werd ongeduldig.

Hij nam de tijd. Aan de telefoon had hij me al verteld dat zijn collega gekeken had naar het schetsboek en wat opmerkingen had.

'Je zult teleurgesteld zijn,' begon hij. 'Elna Wass is van mening dat de tekeningen niets met Sophies moord van doen hebben, of met gebeurtenissen die ertoe geleid kunnen hebben. Tenminste, zo interpreteer ik haar observaties. Ik heb haar niet het verhaal achter het schetsboek verteld, wie de tekenaar was of wat er gebeurd is. Ik wilde een spontane reactie.'

'Heb je over de website verteld?'

'Volgens mij zou dat alles alleen maar ingewikkelder maken.'

Hij was even stil.

'Nou? Wat vond ze nou?' Ik moest het echt uit hem trekken. 'Dacht ze dat de tekeningen van een echt of een denkbeeldig huis waren?'

'Ze had het idee dat dit de ouderlijke woning was.'

'Greenside? Dat zal Laura geweldig vinden.'

'Maar dat is niet belangrijk... vanuit diagnostisch oogpunt.'

'Ze is een zielknijper. Ik neem aan dat ze jouw idee heeft overgenomen dat Sophie via kunst probeerde uit te drukken wat ze in het echte leven niet kon vertellen.'

'Zoiets, ja.' Hij keek ongemakkelijk. 'Elna zag ook het sterke, zeer sombere gevoel van onderdrukking in het interieur, wat we allemaal zagen. Ze zei dat het van de pagina's afspatte. En de angst.'

'Angst waarvoor? Ik dacht dat je zei dat Wass niet het idee had dat de tekeningen een bedreiging van buitenaf uitbeeldden.'

'Zij vindt dat de bedreiging van binnenuit komt.'

'Van binnen uit het huis?'

'Ed, hoor eens, ik wil geen jargon gebruiken.' Hij keek me over zijn glas aan. 'Je gaat dit in geen enkele taal leuk vinden. Elna gelooft dat de prikkelende oorzaak, de inspiratie voor de tekeningen, de moeilijke relatie is tussen de kunstenares en haar vader. Hij is haar onderdrukker, degene voor wie ze bang is... ben jij.'

Ik haalde diep adem en keek hem alleen maar aan. Toen barstte ik in lachen uit. 'O, in hemelsnaam.'

'Ik weet het, ik weet wat je nu wilt gaan zeggen...'

'Nee, dat weet je niet.' Ik lachte nog steeds. 'Ik kan niet geloven dat je die onzin serieus neemt.' Ik schudde mijn hoofd. 'Denk jij nou echt dat ik Sophie onderdrúkte? In godsnaam, Will, mijn dochter, jouw nichtje, is door een halvegare gewurgd en neergeknuppeld tot ze dood was en deze vrouw heeft het over vadercomplexen?'

'Ik zeg niet dat ik het met haar eens ben. Maar ik moet haar mening als deskundige respecteren. Misschien moet je er eens rustig over denken.'

'Waarover? Je weet hoe close Soph en ik waren... jij wéét hoeveel ik van haar hield. Oké, ik was geen perfecte vader. Ik was vaak weg, gaf haar waarschijnlijk te weinig aandacht, maar we hadden een gezonde, liefhebbende relatie. Het idee dat ze bang voor me zou zijn geweest is geen discussie waard.'

Ik nam een grote slok Glenlivet, was er nu blij mee.

Will stak zijn handen omhoog. 'Hoor eens, ik ben er zeker van dat je gelijk hebt en dat de feiten Elna's theorie niet onderschrijven. Maar je zou kunnen kijken hoe ze op dat idee is gekomen. De schaduwen in het huis, de Alice-in-Wonderlandtrucs van waarneming en schaal, die figuur die in de stoel naar de tv kijkt.'

'Ik herinner me helemaal geen figuur in een stoel.'

Will haalde het moleskin schetsboek uit de envelop, legde het op tafel en bladerde door de tekeningen tot hij de tekening vond van de donkere lounge met de tv in de hoek, *Breakfast af Tiffany's* op het scherm en twee lege stoelen... *Alleen zat er nu iemand in een ervan.*

Net als op de avond van de live webcast.

'Wat is dit, verdomme?' Ik draaide het schetsboek om. Ik kon de achterkant van het hoofd van de kijker zien en zijn hand op de leuning. Bijna hetzelfde als in het virtuele huis, alleen was ik hier veel herkenbaarder – een magere en wat sinistere figuur die keek hoe Peppard en Hepburn hun ding deden in de regen.

Sophies favoriete film. Ik voelde Will zwijgend naar me kijken.

Even dacht ik dat ik de realiteit kwijt was. Ik strekte een hand uit en ging met mijn vingers over de tekening, bekeek aandachtig de lijnen, de fijne arceerlijnen in inkt die soms zo dicht naast elkaar stonden dat het graveerwerk leek. Ik wilde zeker weten dat de tekening niet later bewerkt was, dat er niet mee geknoeid was.

Ik begreep niet – en begrijp nog steeds niet – hoe het kon dat ik allebei die stoelen leeg had gezien.

Het is zo'n driehonderdvijfenzeventig meter van de Pizza Express in het zuiden van Notting Hill Gate naar de voordeur van ons huis in een cul-de-sac bij Holland Park Avenue. Ik weet dat, omdat ik daar vroeger Sophie en George mee naartoe nam, toen ze nog jong waren, en als we naar huis wandelden, telden we als spelletje onze voetstappen. Het nutteloze aantal is in mijn hoofd blijven hangen.

Iets na elf uur verlieten Will en ik het restaurant. We gingen nog naar een andere kroeg, aten daar ook nog iets kleins en dronken te veel. Ik zette hem in een taxi en besloot zelf de korte afstand naar huis te lopen om weer helder te worden. Het was een warme avond voor juni, een broeierige, bijna tropische hitte waar Londen niet tegen kan. Ik trok mijn jasje uit en sloeg het over mijn schouder.

Ongeveer halverwege moest ik stoppen voor verkeer op de hoek van Campden Hill Road, waar de rij winkels en restaurants overgaat in de woonwijk van Holland Park. Daar wordt het verkeer rustiger en is er minder straatverlichting. Terwijl ik liep, hoorde ik voetstappen achter me. Ik lette er verder niet op.

Er waren nog een paar mensen op straat en ik maakte me zorgen over de theorie van Campbell Armour dat een kwaadwillend iemand toegang tot mijn laptop had. Die zorgen breidden zich uit tot andere zorgen – over de politie, over Jelly, Laura, de idiote interpretatie van Sophies schetsboek van dr. Wass, die figuur in de stoel.

Ik stond stil om een sigaret op te steken en gebruikte mijn jasje om de vlam van mijn aansteker af te schermen voor de wind die over Holland Park Avenue blies. Toen ik weer verder liep, hoorde ik die andere voetstappen ook weer, tegelijk met de mijne. Ik stond weer stil, zij stopten ook. Ik keek over mijn schouder, de heuvel op, maar zag helemaal niemand. Ik had de straat voor mezelf.

Ik ging harder lopen, bleef dicht langs de hoge muur aan mijn linkerkant die de voortuinen van een rij imponerend hoge huizen afschermde van de straat. Ik hoorde de echo van snellere stappen achter me, die onverwacht verdween in het niets. Ik dook een portiek in en wachtte terwijl er van beide kanten een stroom verkeer langsreed die alle andere geluiden overstemde.

Toen het weer rustig was liep ik verder. Een jong stel dook op uit het niets en liep me in stilte voorbij. Ik zag dat ze dezelfde schoenen aanhadden en zonder enige reden glimlachte ik toen ze langs me liepen. Ik neem aan dat ik behoorlijk wat op had. Maar ik wist zeker dat ik me die voetstappen niet verbeeldde.

De slagboom met het 'Privéweg Geen Doorgang'-bord stond zoals altijd omhoog. Ik ging de hoek om, kwam op Campden Hill Place en beklom de eenrichtingsweg naar de enclave van drie vrijstaande huizen. Een witgepleisterd huis met vier slaapkamers en een veranda met pilaren, het onze, stond boven in de bocht. Toen ik het huis naderde, ging de buitenverlichting aan. Laura was vanochtend naar het platteland gegaan, er was niemand thuis.

In het volle licht zocht ik in mijn zakken naar de sleutel van de voordeur en voelde dat er naar me werd gekeken. Ik hoorde iets bewegen, aan de rechterkant bij de houten schutting die ons huis scheidt van het ernaast gelegen flatgebouw. Ik draaide mijn hoofd om en zag dat de takken van een liguster voor het hek bewogen: ik zou zweren dat een donkere schaduw net vervangen was door iets nog donkerders. Ineens wist ik zeker dat ik niet alleen was in deze cul-de-sac.

Mijn hart bonkte in mijn borstkas en ik kreeg amper de sleutel in het sleutelgat. Toen hoorde ik zachte voetstappen. In mijn huis. Voor ik de sleutel kon omdraaien, zwaaide de deur open.

'Wat ver... wat doe jíj hier?' Ik schreeuwde bijna.

Voor me in een katoenen badjas, blootsvoets en met een glas wijn in haar hand, stond mijn vrouw Laura.

Ybor City

32

'Wat is er nu weer, Luca?' zei Morelli zonder op te kijken van het papier op zijn bureau. Hij wreef over zijn slapen, probeerde een hardnekkige hoofdpijn weg te masseren. Hij was niet in de stemming voor Franco-baldi.

'Dit kwam voor jou.' De assistent-rechercheur klonk aarzelend. 'Een fax van de Sûreté in Parijs. Misschien moet je even kijken.'

Hij las verder. 'Oké, oké, leg maar neer.'

'Als je nog iets wilt weten wat niet in het rapport staat... ik zit hiernaast. We zijn goed opgeschoten toen je weg was.'

'Noem jij dat zo? Goed opgeschoten?'

Hij voelde zich zo belabberd, deels omdat hij te weinig geslapen had – hij was gisteravond uit Londen teruggekomen, maar daarna had hij een verschrikkelijke ruzie met Maria gehad die beweerde dat ze een vrouwenlucht in zijn kleren rook. Ze had hem naar de bank in de woonkamer verbannen.

'Met alle respect, *ispettore*, ja. We hebben de Arcangeli Kid opgepakt. We hebben met de gsm-providers gesproken, de buren van de Engelsman ondervraagd. Het bewakingsfilmpje laat zien hoe Jimmy Macchado de vrouw naar het station brengt en terugkomt met de canvastas die we in het huis hebben gevonden.'

'Godallemachtig.' Morelli verborg zijn hoofd in zijn handen.

Luca ging verder: 'Het Ferragamo-inpakpapier hoort overduidelijk bij de badjas die in de trein gevonden is. Gekocht door Sam Metcalf, maar diezelfde avond geruild door Macchado voor een kleinere maat...'

'Hou alsjeblieft op. Hij is niet om een protserige badjas of om zijn mobiel vermoord.'

De jonge rechercheur haalde zijn schouders op. 'Tenzij het de bedoeling was dat het daarop leek. U begon zelf over kannibalisme.'

Morelli kreunde. Eerder die ochtend had hij een bijeenkomst gehad met de Amerikaanse consul, een humorloze vrouw, Avis Chance genaamd, die had willen weten wat de questura deed om de moordenaars van Sam Metcalf en Jimmy Macchado op te sporen. Hij had haar uitgelegd dat het topprioriteit had, maar dat het onderzoek nog in een vroeg stadium was en ze nog wachtten op resultaten van de technische recherche van Zware Misdrijven, de Oostenrijkse politie enzovoort, enzovoort. Dr. Chance had overduidelijk gemaakt dat zij niet onder de indruk was.

Vanaf dat moment waren de dag en zijn hoofdpijn alleen maar erger geworden.

Hij had net hiervoor commissaris Pisani aan de lijn gehad. Pisani werd op zijn nek werd gezeten door zíjn meerderen op het ministerie van Binnenlandse Zaken en had hun bezorgdheid doorgegeven. 'Jachtseizoen op Amerikanen geopend in Florence, *mio caro*, niet goed voor het toerisme.' Ze leken de Engelse vrouw Sophie Lister helemaal vergeten te zijn.

Morelli had willen zeggen dat er veel te veel toeristen in Florence waren, dat er best wat uitgedund mocht worden. Maar hij had het toch maar voor zich gehouden. Ze hadden hem gevraagd of dit het werk zou kunnen zijn van een seriemoordenaar. Niemand had het gezegd, maar hun eigen 'monster van Florence', dat de stad in de jaren zeventig en tachtig terroriseerde, spookte nog steeds door de hoofden van de politie en politici. Een fictieve Hannibal Lecter zou een winstgevende toeristische attractie kunnen zijn, maar de terugkomst van het echte monster niet, dat zou echte angst opwekken, als een giftige nevel uit de Arno. Morelli had nee geantwoord, hij verwachtte niet nog meer doden, niet in Florence.

'Volgens mij kunnen we het idee laten varen dat een paar nichten elkaar willen opvreten, Luca. Wat heb je nog meer?'

'Ons diefje-te-huur, Gianni Arcangeli, kan de moordenaar hebben gezien toen hij rond dat huis zwierf die zaterdagavond. Hij herkende Jimmy Macchado die met iemand in de tuin stond te praten, maar was te druk bezig met uit het zicht blijven om een goede beschrijving te kunnen geven. Gianni spreekt geen Engels. Hij zei dat beide stemmen Amerikaans klonken.'

'Dat staat hier allemaal al in.' Morelli zuchtte. 'Vertel me nou eens iets wat ik nog niet weet.'

'U denkt dat de moordenaar dacht dat de laptop van Sam Metcalf in de canvastas zat?'

Morelli knikte. 'Blijkbaar.'

'En toen hij ontdekte dat het niet zo was?'

'Hij had hoe dan ook besloten om Macchado koud te maken.'

'Een van uw grapjes zeker?' Luca grijnsde. 'Maar waarom nam hij dan die badjas mee en liet hij die in de trein hangen?'

'Wat heb jij toch met die kolerebadjas?' Hij lachte.

Morelli had nooit begrepen waarom zijn meisjesachtige, jonge assistent met zijn lange haar, trendy bril en elegante manieren (hij kwam uit een oude aristocratische Florentijnse familie) bij de politie was gegaan. Maar de waarheid was dat hij Luca Francobaldi veel intelligenter en prettiger gezelschap vond dan de meesten van zijn collega's. Als hij soms onaardig tegen hem deed, dan was dat gedeeltelijk ter bescherming van de jongere rechercheur.

'Nou, u zegt altijd dat iedere moordenaar iets van zichzelf op de plaats delict achterlaat... hier.' Luca schoof de fax van de Sûreté in Parijs naar hem toe en stond op. '*Ispettore*.'

'Als je weggaat, doe mij dan een lol en vraag aan Theresa of ze me koffie wil brengen.'

Hij bekeek vluchtig de fax. 'Waarom heb ik dit niet meteen gekregen?'

'Geen idee.' Luca haalde zijn schouders op en deed de deur achter zich dicht.

De fax kwam van een zekere inspecteur Touchanges van de Sûreté en ging over het bezoek van Ed Lister aan Parijs een week eerder. Waar zijn oog op gevallen was, was een bezoek aan het Conservatoire Nationale Supérieur de Musique, waar Lister woensdagmiddag een uur was geweest, blijkbaar om te bespreken of zijn peetdochter in aanmerking kon komen om daar piano te studeren. Morelli vond het vreemd dat Lister dit uitstapje niet vermeld had in zijn opgave van zijn doen en laten op de dag van de treinmoorden.

Misschien was hij het gewoon vergeten, misschien was het opzet. Die bijeenkomst in het kantoor van Lister in Londen: hij herinnerde zich nog hoe de man gereageerd had toen hij zei dat er geen bewijzen van seksueel misbruik waren aangetroffen, alsof het hem verbaasde.

Hij had toen wat in die ogen gezien, iets stiekems.

Morelli dacht even na, pakte toen de telefoon en belde professor Lucas Norbet – het nummer stond op de fax – de toelatingstutor van het Conservatoire.

33

Jelly keek opzij naar mevrouw Cato, die in haar goudkleurige rieten stoel naast de pianokruk zat, en zag 'die blik' op het gezicht van haar lerares. Ze wist hoe slecht ze aan het spelen was; ze sloeg noten over, haperde in de snelle toonladders, trapte veel te hard op het rechterpedaal, ze was niet expressief. Het was een waardeloze voorstelling, haar aanslag was veel te zwaar. Het ging verdomme totaal niet vloeiend.

Toen ze vastliep in een terts, hield ze op met spelen, maar de klanken weerkaatsten nog tegen de muren van de studio in de kelder. Wat was er verdomme aan de hand?

'Ik weet het, ik weet het, ik weet het...' Jelly liet haar hoofd hangen.

Mevrouw Cato had geen woord gezegd. Een kleine, breekbare oude dame, nog steeds aantrekkelijk in haar lange satijnen gewaad, met wit haar dat in een soort zeeschelp boven op haar hoofd was vastgezet, maar ze hóéfde ook niets te zeggen – die blik zei al genoeg.

'Dit kunnen we veel beter, Jelena, liefje', zei die blik. Ze kon wel janken.

Ze had veel te weinig geoefend, dat was het.

Ze betreurde het nu dat ze dit stuk had gekozen om te spelen in het Performing Arts Center, volgende week donderdag. Een nocturne van Chopin, technisch gezien een uitdaging voor haar. Want ze had een uitdaging gewild zodat, als het haar zou lukken, zijzelf en haar lerares een goede indruk zouden maken.

Mevrouw Cato een plezier doen was haar grootste motivatie. De oude dame had haar al vanaf de middelbare school verteld dat ze een briljante muzikale toekomst voor haar zag en dat ze auditie moest doen voor Juilliard of de Brooklyn Academy. Dat had ze niet gedaan, omdat ze zelf minder vertrouwen had in haar talent dan mevrouw C en omdat ze bang was dat haar zelfvertrouwen nooit zou herstellen als ze werd afgewezen. Er waren dagen dat ze zelfs niet zeker wist of ze haar leven wilde wijden aan een discipline die zoveel van haar eiste dat ze bijna geen tijd had voor andere dingen.

Muziek, zo zei haar lerares altijd, zit in alles wat je denkt, voelt en doet. Als je regelmatig oefent, Jelena, dan zul je de regelmaat en harmonie vinden die je nodig hebt in je spel en in je leven. Dan word je sterk genoeg om alle beproevingen en moeilijkheden te overwinnen. Maar het moet je héle leven zijn, of niets.

De laatste tijd zag Jelena muziek als een schuilplek. Ze hoefde maar achter de piano te gaan zitten en meteen vergat ze alle dagelijkse shit-zooi. Verdiept in de noten en omhuld door klanken voelde ze zich beschermd, verrijkt en veilig voor het kwaad.

Maar er was nog steeds Parijs. Dat leek een onmogelijke droom.

'Speel het nog maar een keer, lieverd,' zei mevrouw Cato vriendelijk. 'Maar probeer je deze keer voor te stellen dat je een gesprek voert... dat je praat met iemand van wie je houdt, via de muziek in plaats van met woorden.' Ze maakte een klein gebaar in de lucht met een hand vol glinsterende juwelen. 'Doe alsof je gepassioneerd met die persoon wilt praten. Laat hem je hart horen en laat je ziel doorschijnen in de muziek.'

Waar had ze het verdomme over?

Ze vond mevrouw Cato aardig omdat ze niet kwaad werd, omdat ze de beste lerares in de hele wereld was, maar om het advies te krijgen dat ze op de emotionele toer moest gaan, meer gas moest geven, meer 'soul' in haar muziek moest leggen, daar zat ze nou niet echt op te wachten.

'Er is iemand in jouw leven, jongedame, heb ik gelijk of niet?'

Jelly lachte en schudde haar hoofd. 'Hoe komt u daarbij?'

Ze kon het toch niet op hém gooien? Ed telde helemaal niet mee. Trouwens, na hun laatste gesprek had ze zijn naam uit haar vriendenlijst verwijderd, haar archieven geschoond van hun gesprekken, zijn foto en alle associaties van hun virtuele relatie verwijderd uit haar computer. Alsof er een rotsblok van haar schouders was gevallen. De afgelopen twee dagen had ze nog wel aan hem gedacht, maar dat begon al minder te worden.

'Ik heb niemand,' zei ze naar waarheid.

De oude dame keek haar alleen maar aan met haar grijze heksenogen. Als ze geen muziekles gaf, was mevrouw Cato het medium van Church Street en omgeving. Ze las psalmen op donderdag en de tarot (alleen op afspraak) op vrijdag in haar voorkamer.

Met haar antenne moest ze iets hebben opgevangen.

Shit, was het al zo laat... Jelly had met Tachel en de anderen afgesproken om kwart over acht. En het was nu al na zevenen.

Ze haalde diep adem. 'Het spijt me, mevrouw C, maar ik moet er echt vandoor.'

Morelli had geen zin om naar huis te gaan. Hij had zijn vrouw een tijdje geleden gebeld, om te zeggen dat hij wat achterstallig papierwerk moest wegwerken en dat ze niet voor hem moest opblijven. Hij wist dat dit inhield dat hij weer op de bank moest slapen. Zijn rug deed nog zeer van afgelopen nacht. Maar de inspecteur had een andere reden om nog zo laat in zijn kantoor te zijn.

Hij staarde naar de telefoon op zijn bureau en vroeg zich af of hij haar wel of niet zou bellen, Gretchen, zijn fantastische Tsjechische fysiotherapeut. Voor hem, gekrabbeld op een servet van hotel Sorrento, lag haar nummer in Mariënbad. Met de rozerode lippenstiftafdruk van een kus eromheen.

Hij had de hele dag met regelmaat aan haar gedacht. Midden in het gesprek met de Amerikaanse consul, dr. Chance, was hij weggegleden in een wellustige dagdroom. Hij herinnerde zich het enthousiasme van de blondine, haar tact, de kleine witgouden haartjes die over haar strakke buik leiden... *het spoor naar de schat.* Hij zuchtte. Gretchen was gewoon een onenightstand geweest, maar ze was aardig – dat was het verschil.

Ooit, heel vroeger, was Maria ook aardig geweest. Wat was er gebeurd?

Hij keek naar de muren van de kleine kamer. Francobaldi beweerde dat dit een gecapitonneerde cel was geweest in de tijd dat het questuragebouw nog een psychiatrische inrichting was. Zijn ogen stopten schuldbewust bij een aantal familiefoto's.

Morelli weerstond de verleiding en stopte het servet in zijn jaszak. Hij startte zijn computer op, typte 'ragtime' in de zoekbalk van Google en drukte op de enterknop. Uit de vele websites met composities van Scott Joplin koos hij er een en liep net zolang door diens oeuvre tot hij 'Fig Leaf Rag' gevonden had – het stuk in het repertoire van Ed Listers peetdochter waar professor Norbet zo van onder de indruk was geweest.

Morelli klikte de audio-optie aan, leunde achterover in zijn stoel, vouwde zijn handen achter zijn hoofd en luisterde naar de gesyncopeerde piano die hij associeerde met gangsterfilms uit de tijd van de drooglegging.

Het opmerkelijke was natuurlijk dat Lister de naam van zijn begaafde Amerikaanse protegee niet wilde vertellen. Peetdochter, m'n reet. Het was overduidelijk dat hij rommelde, maar was het zo erg als hij een geliefde had of er een maîtresse op na hield? Hij kon zich die luxe veroorloven, zelfs een met een duur muzikaal talent. Norbet had eindelijk toegegeven dat 'monsieur Lister' een genereuze donatie had gedaan aan het beurzenfonds van het Conservatoire.

Opeens voelde Morelli zich doodmoe en wilde hij naar huis. Hij gaapte, strekte zijn armen boven zijn hoofd en bewoog ze even mee op de maat van de muziek. De ragtime had zijn geest geïnspireerd. Hij mocht dan onder druk staan om met resultaten te komen, maar – zoals hij tegen zijn baas Pisani had gezegd – de meest veelbelovende plaats delict lag buiten hun jurisdictie. Hij hoopte maar dat de forensische resultaten uit de trein – als die eindelijk kwamen – een spoor, misschien zelfs een doorbraak zouden opleveren.

In Linz had hij een ouder Zwitsers echtpaar ondervraagd, dat in de couchette naast die van Sam en Linda had gezeten. De vrouw beweerde dat ze geluiden van 'amoreuze' aard aan de andere kant van de muur had gehoord en, toen de trein het station naderde, muziek, pianomuziek – iets klassieks, ze dacht van Mozart.

Haar man zei: welnee... Brahms.

Het was een gok, waarschijnlijk een heel verkeerde, maar in een zaak waarin zo weinig bewijzen waren hielp ieder brokje informatie – Morelli vroeg zich af of pianomuziek de link was. Hij pakte de telefoon en belde Mariënbad.

Gretchen nam op. 'Heb ik je wakker gebeld?' vroeg hij.

'Andrea? Nee, je hebt me niet wakker gebeld.' Ze loog, dat hoorde hij aan de zalige slaperigheid die in haar stem doorklonk.

'Ik wil je heel graag weer zien.'

Ze lachte en zei: 'Ik wachtte al op je telefoontje.'

Nadat hij had opgehangen zette Morelli het volume van zijn laptop harder en draaide nog een keer 'Fig Leaf Rag'. Hij moest lachen om de onweerstaanbare vrolijkheid van het deuntje en, met Gretchen in zijn gedachten, wilde dansen. Hij ging staan en zette met gesloten ogen een paar passen, leidde zijn denkbeeldige partner.

'Hoe laat is iets later?' wilde Tachel weten toen Jelly de deur van haar studioappartement opengooide. 'Vijftien minuten? Twintig? Een uur?'

'Wat heb jij toch? Ik kan er niets aan doen als de plaatselijke... laat maar.'

Met haar mobiel tegen haar oor deed Jelly de deur met haar hiel achter zich dicht. Ze trapte haar schoenen uit en begon zich meteen uit te kleden, zodat ze een spoor van kleren op de houten vloer naar de badkamer achterliet.

Zittend op rand van het bad keek ze naar haar teennagels, lachte om Tachels geklaag en zei: 'Rustig maar, ik sta om half negen buiten.'

Ze zette de douche aan, poetste haar tanden terwijl het water warm werd, ging onder de waterstraal staan, vroeg zich af wat ze in vredesnaam moest aantrekken, onderbrak haar gedachten even om zichzelf eraan te herinneren dat de katten nog moesten eten en dat ze nog moest opruimen voor ze wegging voor het geval... wélk geval?

Ze was nerveus omdat ze na lange tijd Frank Stavros weer zou zien en helemaal niet zeker wist wat ze daarvan vond, en of het wel verstandig was. Ze probeerde zich te herinneren, met haar gezicht in de waterstraal, hoe Frank er zonder kleren uitzag... heel veel lichaamshaar... o verdomme nee, dat kon hij wel vergeten.

Met z'n vieren, een dubbeldate. Een groep is veiliger. De anderen zouden haar komen oppikken en dan zouden ze in de auto van Bernardo naar Coney Island rijden om te gaan dineren in die geweldige Italiaanse tent, Gargano's op Surf Avenue. Hun mossellinguini was spectaculair. Het zou een wilde avond worden, had Tachel beloofd.

Jelly wist dat haar vriendin achter het plan zat om haar en Frank weer samen te krijgen. Maar hij had in ieder geval het fatsoen gehad om haar dinsdag te bellen en te vertellen dat hij weer in de stad was en dat hij haar wilde zien. Ze hadden dat afschuwelijke bijpraten al gehad, zodat de avond daar niet meer door verpest kon worden. Bovendien was het al heel lang geleden.

Hun tweejarige relatie had Franks overplaatsing naar LA niet overleefd. Hij had haar gevraagd om naar de kust te verhuizen, maar toen ze daar voor een weekend naartoe was gegaan, had ze ontdekt dat hij vreemdging. Frank, een narcistische producer van muziekvideo's bij Warner, beweerde dat hij alleen en eenzaam was, dat die andere meisjes niets betekenden, dat hij alleen van haar hield... wat een klootzak. Toen Jelly over de schok heen was, voornamelijk door haar trots, was ze alleen maar opgelucht. In de tijd na hun breuk had ze maar een paar dates gehad, maar nooit met iemand die ze vaker wilde zien, laat staan dat ze ermee naar bed wilde. Ze nam geen risico's op dit vlak, ze bleef liever alleen. Ze genoot van haar vrijheid, en tot nu toe had haar vriendschap met Ed daar niets aan veranderd. Waarom zou het ook? Jelly had niemand over hem verteld, behalve Tachel dan – maar expres geen details. Pas toen Ed raar begon te doen, zei dat hij verliefd op haar was en meer van dat soort onzin, had ze besloten haar vriendin het hele verhaal te vertellen.

Tachel had onverwacht gereageerd. Ze had niet gelachen, zelfs geen glimlach. Pas nadat ze alles had aangehoord over de oudere Engelse man met bakken geld, wiens dochter vermoord was door een stalker, had ze duidelijk gemaakt dat dit geen gezonde situatie was.

'Zelfs als hij de waarheid vertelt, wat ik betwijfel, dan weet je nog steeds niets van hem. Híj kan de stalker wel zijn... waarom doe je jezelf dit aan?'

Jelly ging in de verdediging. 'Hij wil alleen maar iemand om mee te praten, eigenlijk is hij... ongevaarlijk.'

Tachel had met haar ogen gerold en gezucht. 'Kom op zeg.'

Ze had haar advies opgevolgd, haar waarschuwing ter harte genomen, en Ed Lister uit haar leven getypt. Maar vanaf het allereerste moment dat ze elkaar ontmoet hadden, naar elkaar gezwaaid hadden door een drukke chatroom, had ze het gewéten. Ze had deze verwikkelingen aan zien komen, ze had al lang geleden moeten stoppen.

Toen de intercom zoemde was Jelly kant en klaar. Ze had haar favoriete donkerblauwe heupjeans aan, een zwart T-shirt met in grote witte hanenpoten 'The Mexican Airforce is Flying Tonight' op de voorkant en haar Old Navy-slippers. Geen make-up, haar in een paardenstaart, beetje lipgloss. Ze wilde haar ex niet het idee geven dat ze zich voor hem had opgedoft. Nog een snelle blik in de hoge spiegel aan de binnenkant van de deur. Ze zag eruit... nou, het kon ermee door.

Ze nam een laatste trek van haar Marlboro en drukte die uit. Frank had gevraagd of ze gestopt was. Alsof hem dat verdomme ook maar iets aanging.

Toen ze haar eerder die dag aan de telefoon sprak had Tachel haar aan hun missie herinnerd, wat voor Jelly betekende: 'Colin Firth' uit haar leven bannen en lekker seks hebben. Een zwoele nacht met haar oude Griekse lover, had Tachel haar bezworen, en ze zou zich als herboren voelen.

Jelly was daar niet zo zeker van, ze vond het een behoorlijk wanhopige remedie, maar ondanks haar bezwaren was ze toch een beetje opgewonden toen ze de trap af rende.

34

Zo'n duizend kilometer naar het zuiden sloeg Campbell Armour een mug dood die van zijn enkel had zitten smullen terwijl hij voor het winkeltje van de Cypress Lake Golf and Country Club zat te genieten van zijn overwinning.

Hij had zijn oude rivaal Touch Kendall zonder setverlies vernietigend verslagen.

Met een handdoek om zijn nek om het zweet op te vangen – de temperatuur schommelde nog rond de twintig graden – bekeek Campbell de hoogtepunten van de wedstrijd (hij had een toeschouwer gevraagd om het met zijn camcorder op te nemen) op de laptop die hij op zijn blote knieën had gezet.

Hij glimlachte om de manier – het leek echt een onmógelijke return – waarop hij door de service van TK gebroken was in de zevende game van de openingsset. Doorspoelend naar het matchpunt zag hij zichzelf een keiharde backhand terugslaan naar de verre rechterhoek van zijn tegenstander, waardoor de arme kerel alleen maar verbijsterd zijn hoofd kon schudden. Een dodelijk schot.

'Het was een echte strijd, man, zoals altijd,' had hij tegen Kendall gezegd terwijl ze het veld af liepen. 'Je hebt geen idee hoe hard ik daaraantoe was.'

Zijn euforie duurde niet lang. De hoge endorfineniveaus hadden zijn gedachten kort afgeleid van de frustrerende dag die hij achter zich had. Toen z'n endorfinespiegel weer op een normale waarde kwam, staarde Campbell somber naar de zwermen insecten rond de sterke lampen om het veld en daarna naar de verstikkende duisternis erachter.

Hij was nog geen steek verder met de zaak Lister.

Hij had de afgelopen twee dagen tevergeefs geprobeerd de website op te sporen die Ed hem had doorgegeven. Zijn pogingen om de domeinnaam homebeforedark.net te traceren, hadden geleid naar een obscure internetserviceprovider in Kirgizië, wat inhield dat hij weinig hoop had dat hij het IP-adres zou kunnen lokaliseren. Hij had een whois op de site losgelaten en zo waren er alternatieve contactdetails naar boven gekomen, helaas moeilijk te traceren en waarschijnlijk vals. Nadat hij de breed uitwaaierende sporen van nep-ID's, fictieve adressen en gestolen simkaarten en creditcards had gevolgd, was hij vastgelopen. Ward was in rook opgegaan.

Hij drukte op rewind om nog één keer te genieten van zijn historische backhand, maar zette toen het virtuele huis op het scherm. Hij begon ervan te balen dat het hem nog steeds niet gelukt was om één voet over de drempel te zetten.

Campbell vatte het zeer persoonlijk op als hij ergens buitengesloten werd.

Al eerder had hij het labrapport gekregen van Secure Solutions in Londen over Ed Listers laptop. Het ding had een prima onderzoeksrapport gekregen, wat hem verbaasde. Zoals gevraagd hadden ze de harddisk op virussen gescand, op internetwormen, spyware en malware, waarbij speciaal op Trojaanse Paarden was gelet. Ze hadden de *boot*-sector gecontroleerd om te zien of die niet gekaapt was, maar die was infectievrij. Zo te zien hadden ze bijzonder grondig gewerkt.

Maar hoe waren dan de foto's die Ed beweerde van Sams webpagina te hebben gehaald, verdwenen van zijn laptop? Op de *deep scan* waren geen aanwijzingen dat hij ze ooit gedownload had, misschien dacht hij alleen maar dat hij het gedaan had.

Hij dacht na over zijn cliënt. Ergens had hij het gevoel dat Ed hem niet alles had verteld wat hij wist. Campbell dacht dat vertrouwen een deel van het probleem was, wat gezien de omstandigheden zeer begrijpelijk was. Ed Lister was een zeer rijk man.

De bonus van een miljoen was niet de enige reden dat hij de opdracht had aangenomen, maar hij wist dat hij een reddingslijn toegeworpen had gekregen en dat had zijn beslissing zeker beïnvloed. Hij zag geen andere mogelijkheid om uit de diepe put te komen die hij voor zichzelf gegraven had.

Campbell had schulden, en dit keer bij mensen voor wie het menens was. Ze hadden hem een week gegeven om het hele bedrag op te hoesten, de hoofdsom en de rente, anders zou hij bezoek krijgen van 'Cholly', die de schuld zou komen innen. Cholly, een grijnzende kleerkast met een zonnebril en cowboylaarzen van hagedissenleer, was de meest gevreesde zware jongen aan de Golfkust.

Hij was al depressief omdat hij zo weinig succes had met dit onderzoek, maar als hij bedacht hoe belangrijk deze zaak voor hem persoonlijk was, zag hij het nog minder zitten.

Hij móést Ward vinden. Zeven dagen was niet zo lang.

Het virtuele huis zag er verlaten uit. Vergeleken met zijn laatste bezoek, een paar uur geleden, was het enige verschil dat de duisternis nu was ingevallen, wat zijn theorie ondersteunde dat de dag- en nachtmodus van de site overeenkwam met de Oostelijke Tijdzone. Dat betekende waarschijnlijk niets, maar er waren ook andere aanwijzingen dat Ward waarschijnlijk ergens aan de Amerikaanse oostkust opereerde. Bij een wereldwijde jacht was dat alvast een begin, hield hij zichzelf troostend voor.

Hij tikte het wachtwoord in dat Ed hem gegeven had.

De wind droeg rauw mannengelach over vanuit het hardhouten clubhuis, waar een paar van zijn tennismaten onderuitgezakt Coors-bier dronken en joelden als een stel boerenkinkels. Campbell, die zichzelf verbannen had naar zijn eigen privé-Siberië bij de frisdrankautomaat, vond hun platte verhalen en grappen (vaak seksueel of racistisch getint) niet zozeer aanstootgevend als wel onder zijn niveau.

'Hé, Campbell,' riep een van hen. Hij had zijn best gedaan om geen aandacht te schenken aan een suggestieve discussie over de zusjes Williams en het feit dat ze het vrouwentennis domineerden.

'Ken je die al over die twee lesbische kikkers?'

'Sorry?' Hij keek op van zijn laptop alsof hij de vraag niet gehoord had. Hij wist dat ze erop uit waren hem voor gek te zetten. Maar de anderen waren niet bereid te wachten op de clou van een grap die ze al duizend keer gehoord hadden.

Er klonk een collectief gegrinnik, gevolgd door een koor van mannenstemmen: 'HET SMAAKT INDERDAAD NAAR KIP.'

Campbell knikte en glimlachte geamuseerd, terwijl het gelach om zijn oren waaide. Wat had dit met hem te maken? Hij hield zijn handen omhoog, alsof hij zich overgaf, en boog zich weer over zijn laptop. Hij had de gebruikelijke toegangsmogelijkheden tot het huis al geprobeerd: deuren, ramen, garage, kattenluik. Niks. Het wachtwoord werkte nog altijd niet, hij kon alleen maar aannemen dat het opzettelijk veranderd was door Ward.

Het smaakt inderdaad naar kip... Hij kon niet begrijpen waarom iemand dat grappig vond. Hij beschouwde zichzelf niet als preuts, maar Campbell vond de vergelijking gemeen en denigrerend, en ook nog eens onwaar: hij had wel eens kikkerbilletjes gegeten... en toen kreeg hij uit

179

het niets, of liever gezegd vanuit deze onwaarschijnlijke bron, een idee. De botte grap had hem ergens aan doen denken.

Aan iets wat Ward gezegd had.

Hij riep de tekst van de moordwebcast op en scrolde snel naar beneden door de dialoog tussen 'm' en 'k', tot hij vond waar hij naar zocht.

Het moment waarop hij haar begint te wurgen.

m: ik wil je gezicht zien, kijk naar me

m: hoe durf je je weg te draaien... kijk me aan, bitch

k: wat *doe* je... nee, niet doen... je doet me pijn!

m: *haar zochte witte nek, mmm, o man, as die van een zwaan... ik moet echt zeggen dat ze heer lijk is... kun je haar* **angst** *roken? je ken het gewoon proeven...*

m: druk mijn duimen in je keel... kijk me in me ogen

k: hou asjeblieft op... nee, ik krijg geen adem

m: de poorten van de hemel... open... proef... woorden met een ijzeren vorm

k: NEE, ALSJEBLIEFT... JEZUS! WAT DOE JE... **NIET DOEN!**

Het was de ongebruikelijke formulering 'woorden met een ijzeren vorm' die hem was bijgebleven. Was het bedoeld om seksuele opwinding te omschrijven – de muskusachtige, metalige geur die oprijst uit... tja, de orale seks die de moordenaar beweerde met zijn slachtoffer te hebben gehad – of de scherpe geur van haar doodsangst? Of beide?

Het kon een vergissing zijn, dat er één of twee woorden waren weggevallen, waardoor een al verhaspelde tekst onzin werd. Maar zelfs in de transcriptie was de angst voelbaar.

Campbell moest zichzelf eraan herinneren dat de moordenaar Sam niet seksueel had misbruikt. Het was maar een fantasie, die wellicht weergaf wat hij met haar had willen doen, waardoor seks in ieder geval een deel van het motief werd. Of misschien had hij het er alleen maar in gezet voor het publiek, omdat hij wist dat dat geilde op dat soort dingen.

Hoe dan ook: die vent was goed ziek. Hij had al andere voorbeelden gevonden van de levendige maar onsamenhangende beeldspraak van de moordenaar in zijn webcast, die aangaven dat er op het gebied van de zintuigen iets vreemds aan Ward was, dat iets niet naar behoren werkte.

Zijn vrouw zou degene zijn die zijn geestelijke afwijking zou omschrijven.

Kira was nog steeds wakker toen Campbell thuiskwam. Er scheen een streep licht onder hun slaapkamerdeur door, hij kon nog net het zachte ratelen van laptoptoetsen horen.

Hij zette zijn sporttas zachtjes neer in de gang, hing zijn rackets aan een haak in de kast, ging toen meteen naar de keuken en haalde een ijskoud blikje Mountain Dew uit de koelkast. Toen hij zijn dorst gelest had, zuchtte hij diep. Hij was er nog niet aan gewend in een blokkendoos te wonen.

Een jaar geleden waren ze verhuisd naar 'Wild Palms Manor', een omheinde, chique gemeenschap in de historische voorstad van Ybor City, de oude Latijns-Amerikaanse wijk van Tampa. Ze kochten een twee-onder-één-kap met een garage voor twee auto's, plus – en dat gaf de doorslag – een klein achtertuintje voor Amy om in te spelen. Campbell gaf nog altijd de voorkeur aan het minder chique deel van Tampa aan de overkant van de rivier. Waar ze een verloederd appartement hadden gehuurd in een oud art-decogebouw, totdat Kira in het ziekenhuis ging werken. Maar dit was het eerste huis dat ze zelf gekocht hadden, met financiële steun van de familie van zijn vrouw in San Francisco. Hij kon dus niet klagen, vooral nu niet, omdat hij niet wist hoe lang ze het zich nog konden veroorloven om hier te wonen.

Hij liep blootsvoets de trap op. Kira zat in bed met kussens in haar rug een rapport uit te tikken over iets moleculairs, waarvan hij wist dat ze het de volgende dag moest inleveren.

'Ha schat,' zei hij, bijna gedwee.

Ze keek even naar hem en zwaaide, maar zei niets.

Nadat hij gedoucht had, ging hij even bij Amy kijken. Ze lag diep te slapen in haar ledikant, met een arm om een teddybeer die bijna net zo groot was als zij. Campbell stond een tijdje te kijken naar dit beeld van vertrouwde onschuld, dat alleen maar bijdroeg aan zijn schuldgevoel over het feit dat hij zijn gezin in de steek had gelaten, hun veiligheid en misschien wel hun hele toekomst in het geding had gebracht, door zijn eigen stommiteit. Hij had veel geld verspeeld, al hun spaargeld, en meer.

Hij had nog niet het lef gehad dat aan Kira te vertellen.

Zachtjes maakte hij de speelgoedbeer los uit de omhelzing van zijn dochtertje, hij boog voorover om haar een kus op haar voorhoofd te geven en ging toen terug naar de grote slaapkamer.

Kira keek niet op. Een lok zwart haar hing als een gordijn voor haar ogen.

Campbell had bewondering voor haar discipline en haar onbegrensde werklust – zijn vrouw was aan de University of South Florida aan het afstuderen in biochemie en psychologie, terwijl ze vier dagen per week als onderzoeksassistente werkte in het klinisch-neurofysiologische laboratorium van het ziekenhuis Tampa General – en wist maar al te goed dat hij haar niet moest storen, zeker niet nadat hij een avond getennist had op de club. Soms vond hij dat Kira te veel van zichzelf eiste.

Hij stelde het op prijs dat ze af en toe psychologisch commentaar leverde bij zijn eigen werk en zag zichzelf en haar graag als een team. Nu wachtte hij tot ze het licht had uitgedaan voordat hij over Ward begon, over wie ze samen met hem een psychologisch profiel had samengesteld. Ze had ook haar mening gegeven over zijn seksuele beeldspraak. Hij had haar mening nodig.

Ze luisterde zonder een woord te zeggen, terwijl hij moeite deed om op een nette manier dingen te beschrijven die zich op geen enkele manier lieten afzwakken. Toen hij klaar was, dacht hij dat ze sliep, vanwege haar lange zwijgen en haar regelmatige ademhaling.

'Weet je waar dit me aan doet denken?' vroeg ze uiteindelijk. 'Aura's.'

'Je bedoelt die onzichtbare kleuren rond een mens?'

'Nee, ik heb het over de gevoelens die direct voorafgaan aan een aanval van epilepsie. Alle zintuigen kunnen worden aangetast en zicht, gehoor, reuk en tastzin worden dan soms door elkaar gehaald. De patiënt kan dan ook lijden aan emotionele stoornissen.'

'Wat bedoel je daarmee? Dat die vent wel eens een epilepticus zou kunnen zijn?'

'Het is maar een gedachte. Een andere mogelijkheid is synesthesie. Je weet toch hoe sommige mensen kleuren kunnen horen en geluiden kunnen zien... Vaak zijn dat kunstenaars of musici. De hersenen van een synesthesist hebben verkeerde verbindingen, waarschijnlijk door een gemuteerd gen, zodat de ene zintuiglijke ervaring de andere kan oproepen. De vreemde associaties, de lichtflitsen, het verwarren van de smaak van vaginale afscheiding met een visueel beeld, het inslikken van haar clitoris met het geluid van klapperende vleugels...

'Als je wilt, kan ik het aan de directeur van het onderzoeksteam voorleggen.'

Het was niet iets wat je onder controle had – hijzelf weet het aan Kira's ernstige gebruik van het woord 'inslikken' – maar Campbell was toch verbaasd toen hij merkte dat hij opgewonden raakte. Hij kuchte en zei toen: 'Zou dat niet wat vreemd overkomen, schat?'

Kira lachte in het donker. 'Waarom? Omdat ik een vrouw ben?'

'Dit is een moordonderzoek,' zei hij plechtig, alleen omdat hij de sterke verdenking koesterde dat zijn ernstige vrouw ook opgewonden was.

35

De volgende morgen, vrijdag, zat Campbell om een paar minuten over zes aan zijn bureau om Ed Lister via een videoverbinding met diens kantoor in Londen uit te leggen dat hij, hoewel hij tot dusver niet veel geluk had gehad bij het natrekken van de homebeforedark-website, in staat was geweest om een psychologisch profiel van Ward op te zetten.

Hij kon zien dat Ed niet onder de indruk was.

'Ik heb een drukke dag, meneer Armour,' zei hij op een afgemeten, zakelijke toon die de detective niet eerder had gehoord. 'Ik hoopte dat u inmiddels wat verder zou zijn dan het opstellen van een profiel. Waarom volgt u het elektronische spoor niet? Dat was uw expertise, dacht ik. Daar betaal ik u voor.'

Zijn cliënt stond bij het raam, met zijn rug naar de monitor. Met zijn donkere pak, gestreepte overhemd en stropdas zag hij er gelikt en belangrijk uit, met een zweempje elegantie waardoor Campbell zich geïntimideerd voelde.

'Daar werk ik nog aan,' zei hij en hij nam een slok koffie. 'De website is niet meer actief sinds wat er gebeurd is in de trein en het kan zijn dat hij niet na te trekken is. U wilde een update. Nou, zo staan we ervoor, gast.'

'Oké, oké.' Ed maakte een ongeduldig gebaar, een afkappende beweging met zijn linkerhand. 'En noem me alsjeblieft niet zo.'

Campbell haalde zijn schouders op. 'Wat we over Ward weten, lijkt te passen in het profiel van de geobsedeerde stalker. Een eenzame man, hoogstwaarschijnlijk ongetrouwd, weinig zelfvertrouwen, heeft weinig of in het geheel geen seksuele ervaringen gehad. Hij smacht naar intimiteit, maar voelt zich daar tegelijkertijd door bedreigd. Dus zoekt hij een slachtoffer uit dat op een bepaalde manier onbereikbaar is. Een mogelijke factor bij de keuze van uw dochter...'

'Hoor eens, ik wil niet onbeleefd zijn,' onderbrak Ed hem, terwijl hij zijn hoofd omdraaide om hem aan te kijken op de monitor. 'Maar dit heb ik allemaal al eerder gehoord.'

'Luister nu maar even, dan ziet u vanzelf waar ik heen wil.' Campbell weerstond Eds peilende blik. 'Zijn verleden wordt gekenmerkt door emotionele kaalslag, vaak met geweld en misbruik, en hij groeit geïsoleerd op, met een slecht besef van zijn eigen identiteit. Hij is niet gek, maar laten we zeggen dat hij geneigd is tot psychose. Met een geobsedeerde stalker valt per definitie niet redelijk te praten. In zijn geest heeft hij een "echte" relatie geschapen, met de kracht om zijn eigen eenzame leven te transformeren – hij weigert te accepteren dat zijn slachtoffer niet in hem geïnteresseerd is.

En daar ligt de sleutel, Ed. Die vent gelooft dat hij en zijn slachtoffer voor elkaar gemaakt zijn. Zijn overtuiging dat ze voorbestemd zijn voor elkaar overstijgt alle angst die hij zou kunnen hebben voor de gevolgen. Aanvankelijk ziet hij niet in dat hij bedreigend of beangstigend is. Hij begrijpt niet dat zijn daden anderen schaden, hij vindt niet dat er iets verkeerd is aan wat hij doet. Voor hem is dit "ware liefde", alleen beseft degene op wie zijn liefde gericht is dat nog niet. Maar hij gelooft dat hij haar uiteindelijk, met genoeg volharding van zijn kant, voor zich kan winnen.'

Campbell keek hoe zijn cliënt zich van het raam afwendde en op een stoel bij de tafel ging zitten. Hij kon zien dat hij nu zijn aandacht had.

'De stalker,' ging hij verder, 'die al moeite heeft om werkelijkheid en fantasie te scheiden, zal de minste reactie van zijn slachtoffer opblazen tot een waandenkbeeld van intimiteit. Wat hij niet kan bereiken in de werkelijkheid, compenseert hij in de fantasiewereld die hij gecreëerd heeft, en het is nou net dat fantasie-element dat het voor hem zo moeilijk maakt om haar te laten gaan. Hij begrijpt het woord "nee" niet. En waarom zou hij ook, want hij gelooft immers dat in de sterren geschreven staat dat ze samen horen te zijn? Als hij eindelijk beseft dat het niet zal gaan lukken, besluit hij misschien dat als hij haar niet kan hebben, niemand anders haar zal krijgen.'

'Hij vermoordt haar,' zei Ed vlak, terwijl hij hem strak aankeek.

'En krijgt wat hij wil: namelijk absolute macht over zijn slachtoffer.'

'Hoe zit het dan met Sam Metcalf en de anderen?'

'Vaak is het in gevallen van cyberstalkers, en dan met name de door liefde geobsedeerde cyberstalkers, zo dat niet alleen het doelwit in gevaar is, maar ook iedereen om haar heen, als de stalker vindt dat ze hem in de weg staan, of een bedreiging vormen voor zijn veiligheid.'

'Denk je dat mijn dochter zijn eerste slachtoffer was?'

'Seriestalkers zijn doorgaans gestoorde figuren die hun slachtoffers willekeurig uitkiezen. Ik denk niet dat zoiets hier het geval is. Ward is te slim en er is veel van hem wat niét in het profiel past. Hij is anders. Ik krijg het gevoel dat hij nog altijd iets wil... misschien van jou.'

Ed fronste zijn wenkbrauwen. 'Bedoel je geld?'

'Als het om geld ging, had hij al wel contact opgenomen. Het feit dat hij wat plagerige hints en aanwijzingen heeft achtergelaten, terwijl hij zorgvuldig zijn sporen heeft uitgewist, wijst op een veelvoorkomend sociopathisch trekje: hij voelt de behoefte om de autoriteiten te tergen en te laten zien dat hij veel slimmer is dan zijn achtervolgers. Op een bepaald niveau willen ze allemaal gepakt worden, maar in het geval van Ward... weet ik het niet.'

'Wat wil hij dan?'

'Toen je die webcast zat te bekijken, is het toen bij je opgekomen dat je misschien wel eens de enige kon zijn – die keek, bedoel ik.'

Ed schudde zijn hoofd. 'Ik nam aan dat ik deel uitmaakte van een publiek.'

'Kreeg je geen vermoeden toen je het huis binnenkwam en jouw evenbeeld voor de tv zag zitten? Dat je uitverkoren was? Dat de hele show – tot aan het lijk dat op de grond lag in die slaapcabine – alleen voor jouw ogen bedoeld was?'

'Op dat moment niet.' Hij keek even op zijn horloge. 'Dat heb ik me sindsdien wel afgevraagd.'

Campbell glimlachte flauwtjes. 'Hij heeft het allemaal gepland. De tweede e-mail die je van Sam Metcalf uit de trein kreeg, die waarin ze jou de gebruikersnaam en het wachtwoord gaf, was een vervalsing. Ik twijfel er niet aan dat Ward de afzender was. Dat bewijst allemaal niet dat hij die hele "show" alleen maar voor jou heeft opgevoerd, maar hij wilde wel dat jij er zou zijn.'

Ed leunde naar voren. 'Oké, maar waarom? Waarom ik?'

'Hij wil jou erbij betrekken. Dat hoort bij de mentaliteit van de stalker. Hij wil dat jij reageert. Ik denk dat je de mogelijkheid al overwogen hebt dat degene die jouw dochter vermoord heeft in werkelijkheid probeerde jou te treffen.'

'Dat was een van de eerste vragen die Morelli me stelde. Ik kan geen enkele reden bedenken waarom iemand mij of mijn gezin kwaad zou willen doen.'

'Maar toch, je kunt het over het hoofd gezien hebben. Je moet de afgelopen tien jaar terugkijken, misschien verder, en bedenken welke mensen misschien een wrok kunnen koesteren. Het kan een overeenkomst zijn die je hebt gesloten, een stuk land of een gebouw dat je gekocht hebt, waarmee je zonder het te weten iemands leven hebt verwoest... Dat soort dingen. Of dat je iemand in de steek hebt gelaten.'

'Ik laat geen mensen in de steek, meneer Armour.' Hij stond op en stak zijn hand uit naar het bedieningspaneel. 'Wanneer kan ik uw volgende rapport verwachten?'

'Geef me een paar dagen. Maar denk eraan: het kan zijn dat Ward ons iets voorspiegelt of dat hij zich verbergt achter het masker van een stalker om zijn ware motief te verhullen. Hoe dan ook, het betekent in ieder geval niet dat hij zijn missie heeft afgerond.'

'Ik zal eraan denken.' Het scherm werd zwart.

Campbell bleef even zitten. Hij probeerde te bedenken wat er niet klopte aan Ed Lister. De man was klaarblijkelijk oprecht, maar te gladjes – en er was nog iets anders aan de hand. Hij kon zich niet aan de indruk onttrekken dat zijn cliënt hem niet alles verteld had. Als hij daarin gelijk had, zou dat zijn werk moeilijker maken.

Hij liet zijn gedachten los, luisterde naar de geluiden van het Armour-huishouden dat op gang kwam. Hij kon Kira horen onder de douche en Amy die zachtjes lag te zingen in haar ledikant.

Hij kon het niet veel langer meer uitstellen om hen te vertellen hoe het zat.

Met een blote arm tastte Jelly naar de wekkerradio op het tafeltje naast haar bed, waarna ze een oog opendeed. Nog vijf minuten. Ze kreunde, trok het dekbed over haar hoofd en lag een tijdje te luisteren naar het verkeer dat onder haar raam met horten en stoten over Lexington Avenue richting binnenstad ging. Gisteravond was een totale, absolute ramp geweest.

Wat had ze dan verwacht? Dat Frank Stavros door een jaar in LA wonderbaarlijk veranderd was? Hij begon al aan haar te zitten, achter in de jeep, nog voordat ze halverwege de straat uit waren; en daarna gedroeg hij zich de hele avond luidruchtig en irritant, waardoor ze meteen weer wist waarom het niks geworden was tussen hen.

Ze had zich nog nooit zo opgelucht gevoeld dat ze thuis de deur van haar appartement achter zich dicht kon doen. Toen ze haar inbox nog even controleerde, ontdekte ze een e-mail van Ed, waarin hij zei dat het belangrijk was dat hij contact met haar opnam – er was iets gebeurd.

Dat was duidelijk een truc. Ze had er geen aandacht aan besteed en was naar bed gegaan.

De wekker ging af en radio Z-100 FM liet Missy Eliott als zonlicht door de kamer stromen. Aan de andere kant van de gang sloeg de deur van haar buurman dicht. Ze kon horen hoe Lazlo in zichzelf mompelde en met zijn sleutels rammelde.

'Denk je dat ik niet weet dat ze kijken?' zei hij. 'Ik heb gezien hoe ze op de hoek, recht tegenover de Cubaanse missie, naar mijn raam keken.'

Toen zette hij, terwijl hij langs haar deur sjokte en de trap af ging, een hoog piepstemmetje op om antwoord te geven: 'Waarom zou íémand een vat reuzel als jou willen bespioneren?'

'Het is een uitkijkpost. Dacht je dat ík dat niet wist...' De rest kon ze niet verstaan.

Ze hóórde de gekte altijd alleen maar. Als ze hem tegenkwam op de trap of op straat was Lazlo altijd beleefd en zag hij er net zo normaal uit als iedereen. Jelly gaapte en zette de muziek harder. Toen stapte ze uit bed en ging meteen naar de badkamer.

Tien minuten later zat ze, gedoucht en aangekleed, aan haar tafel tussen de ramen, met een van de katten, Mistigris, op haar schoot. Ze liet haar ontbijt (een halve getoaste bagel en een glas sinaasappelsap) onaangeroerd, maar stak een Marlboro op en opende Eds mail op haar computer. Ze wist dat ze voet bij stuk kon houden, maar het zou geen kwaad kunnen om haar positie te versterken en hem te laten weten dat ze niet van gedachten veranderde.

Ze typte als antwoord:

'UITGESLOTEN.'

Een korte aarzeling, toen drukte ze op 'Verzenden'. O, verdorie... ze nam een felle haal van haar sigaret. Wat ben je daar aan het doen? Wacht je op mij?

Ze had niet verwacht dat hij zou antwoorden – tenminste: niet meteen.

templedog: er is iets wat je moet weten

Hij antwoordde haar via Messenger, wat het alleen maar erger maakte. Ze wist even niet wat te doen en staarde naar het scherm, alsof ze betoverd werd door zijn woorden.

td: Jelly, ik zou geen contact met je opnemen als het niet belangrijk was
adorablejoker: wacht even... deurbel

Ze maakte de Marlboro uit die ze net had aangestoken en leunde achterover in haar stoel, waarbij ze met beide handen door haar haren harkte. Toen verstrengelde ze haar vingers achter haar nek, zodat haar gebogen armen uitstaken als vleugels, en wiegde van voor naar achter. Wat was hier verdomme aan de hand?

aj: terug

td: ben je op je werk?

aj: zo meteen... ben laat

td: oké, ik kom meteen ter zake. Wat er gebeurd is is dat een meisje dat mijn dochter kende in Florence vermoord is in een trein

aj: o, mijn god... *mijn gód!*

td: het ziet ernaar uit dat ze door dezelfde persoon gestalkt werd die Sophie heeft vermoord. Het is afschuwelijk nieuws, ik weet het. Maar het feit dat hij weer gedood heeft maakt het makkelijker om dit monster op te sporen. Dat lijkt de politie tenminste te denken. Jelly, luister, ik geloof geen moment dat jij enig gevaar loopt – ik wist zelfs niet zeker of ik het jou zou vertellen.

Dit kon hij onmogelijk verzinnen, toch?

aj: dit is zo erg... ik weet echt niet wat ik moet zeggen. Het spijt me, dit moet moeilijk voor je zijn... ik moet nu echt gaan

td: het kan zijn dat we weer moeten praten

aj: ik weet niet... ik meende wat ik zei over een poosje zonder elkaar

td: kijk, ik probeer je niet bang te maken, ik denk alleen dat we gezien de huidige situatie contact moeten houden

aj: laat me erover nadenken, oké...? moet nu weg

Het was haar zo duidelijk dat hij alleen maar een excuus wilde om door te praten, dat Jelly een ogenblik de omvang vergat van wat ze zojuist gehoord had, en ze glimlachte in zichzelf.

Pas later, in de LL-metro die het daglicht weer in reed op het verhoogde spoor bij Prospect Park, herinnerde ze zich het verhaal dat op Fox Report was geweest... twéé vrouwen waren het toch, die vermoord waren in een trein in Europa?

Wat had Ed precies bedoeld met 'ik geloof geen moment dat jij enig gevaar loopt'? Waarom had hij het tegendeel gedacht? Hij probeerde haar toch niet bang te maken?

Mij hou je niet voor de gek, mannetje.

36

Ik wist dat er iets mis was zodra ik Peter Jowett, onze tuinman en klusjesman, op Little Meadows Lane midden op straat zag staan. Net voordat we het hek van Greenside indraaiden, stapte hij naar voren en gebaarde hij dat de auto moest stoppen.

'Wacht even,' zei ik in de telefoon en ik gaf de chauffeur de opdracht om de auto langs de stoep te zetten.

'Andrea, ik vind het vreselijk om je dit aan te doen.' Ik had Morelli in Florence aan de lijn. 'Het ziet ernaar uit dat we hier een probleem hebben. Ik bel je terug.'

Hij zuchtte uitgeput. 'Signor Lister, ik probeer nu al twee dagen dit gesprek met u te voeren.'

'Het spijt me, maar ik kan nu niet praten.' Het was zaterdagmorgen en ik had het bericht voor hem achtergelaten dat hij me tussen tien en twaalf kon bereiken op mijn mobiele telefoon, omdat ik wist dat ik dan alleen naar het platteland zou rijden.

'Ik heb nog maar twee vragen. U zei over uw peetdochter...'

'Ik heb je al gezegd dat ze met deze hele zaak niets te maken heeft.'

'Misschien niet, signore, maar ze had invloed op uw activiteiten in Parijs. Een muziekstudente, geloof ik. Ze speelt piano?'

'Ja... Ik dacht dat we het daar al over gehad hadden.'

Morelli had blijkbaar met Lucas Norbet van het Conservatoire gesproken en nam aan, zoals iedere Italiaanse man zou doen, dat ik een verhouding had. Ik had zin om hem te zeggen dat hij moest ophouden zijn en mijn tijd te verspillen, zoals gewoonlijk, met iets wat niet relevant was.

'Wat is de naam van uw peetdochter, signor Lister?'

'Andrea, ik moet nu echt gaan,' kapte ik hem af.

Terwijl ik het raam naar beneden draaide dacht ik nog steeds na over wat hij gezegd had en over de mogelijke gevolgen als hij deze onderzoekslijn zou voortzetten. Peter Jowett riep dat Jura doodgereden was door een voertuig dat niet gestopt was.

Ik staarde hem aan, besefte niet echt wat hij zei.

De details volgden, niet altijd even samenhangend. Ik begreep eruit dat het ongeluk rond tien uur die morgen gebeurd was. Peters zoon Andrew, die als parttime staljongen voor ons werkt, had haar in een greppel gevonden. Niemand had iets gezien of gehoord – geen piepende remmen, geen geluid, geen klap. De oude zwarte labrador was wel eens vaker weggelopen. Het regende hard, vertelde Peter me. Ik rook de geur van nat hondenhaar, die nog altijd aan zijn handen en zijn waterdichte jas hing.

Het enige wat ik kon zeggen, was: 'Hoe is ze buiten op de straat gekomen?'

'Waarom heeft niemand eraan gedacht om mij mobiel te bellen?'

Nauwelijks hoorbaar mompelde Laura iets over dat ze me het nieuws niet over de telefoon wilde vertellen; ze wist dat ik dit weekend thuis zou zijn en het leek haar beter om te wachten. George stond daar maar.

De jongen had altijd een nauwere band gehad met zijn moeder. Hoewel we uiterlijk erg op elkaar lijken – lang, slungelige ledematen, hoekig, grijsblauwe ogen, donker haar – weet ik niet zeker hoeveel we verder nog gemeen hebben. We communiceren moeizaam.

Ik kreeg verder niks meer uit hen. Ze waren stil van verdriet, verdoofd, maar ik mocht niet delen in hun ellende. Ik voelde me een buitenstaander. Daardoor besefte ik dat ze mijn aanwezigheid bijna als irrelevant beschouwden.

Later die middag nam ik mijn zoon mee om te helpen bij het graven van Jura's graf. We kozen een plek op de Downs, achter het huis waar Sophie graag met haar hond had gewandeld als ze thuis was. Ze was gek geweest op dat beest. George reed het lichaam erheen in een aanhangwagentje dat hij aan zijn nieuwe quad bevestigd had, terwijl ik erachteraan liep met de spa en de pikhouweel in mijn handen. Het gat moest diep genoeg worden om geen vossen aan te trekken.

Jura was in een deken gewikkeld, maar ik wilde haar nog zien voordat we haar onder de grond stopten. Ik zei tegen George dat hij de andere kant op moest kijken. Haar verwondingen waren niet zo gruwelijk als ik gevreesd had. Er was een lap vel weggeslagen van de ronding van haar borst, waardoor een vuurrode rozet fel afstak tegen haar natte zwarte vacht; er was een deel van haar voorpoot afgerukt en haar wang was gescheurd, waardoor haar tandvlees en een bebloede hoektand te zien waren – het leek alsof ze glimlachte. Verder kon ik geen beschadigingen vinden. Ik nam aan dat de fatale verwondingen intern waren.

Toen ik haar halsband afdeed, merkte ik dat Jura's naamplaatje weg was, maar ik hechtte geen belang aan die verdwijning; ze kon het ding op elk moment verloren hebben. Ik vouwde de hoeken van de deken over haar heen alsof ze een pakketje was.

Het graven van het graf kostte ons bijna een halfuur. We waren allebei bezweet en modderig toen de klus geklaard was. We stapelden wat stenen op het bergje aarde om de plek aan te duiden en praatten over een grafzerk en wat daarop zou moeten staan. Ik stelde een zerk voor met een eenvoudige inscriptie. 'Het zou mooi zijn als het een gedenkteken was voor hen allebei, vind je ook niet?'

George' reactie was onverwacht heftig.

'Nee, dat zou ze vréselijk vinden,' barstte hij uit. 'Dat is zo totaal ón-Sophie! Ze had een hekel aan alle soorten sentiment... Alleen maar omdat het haar verdomde hond was... soms denk ik dat... je haar nooit echt gekend hebt.'

Hij begon onsamenhangend te praten. Toen vertrok zijn geteisterde gezicht met een kreun in een grimas en barstte hij in tranen uit. Hij liet zijn hoofd hangen en stond daar maar, schokkend van het snikken. Hartverscheurend om te zien, maar ik dacht dat het gezond voor George zou zijn om lucht te geven aan zijn gevoelens. Hij praatte nooit over wat er gebeurd was, over de dood van zijn zus.

Tenminste niet tegen mij. Ik liep naar hem toe en probeerde onhandig een arm om zijn schouders te slaan. Ik kon zijn gezicht niet zien, maar zijn harde, stakige lichaam verstijfde meteen, alsof het geprogrammeerd was om iedere poging tot aanhankelijkheid te weerstaan en af te stoten. Hij wilde zich niet laten omhelzen. Zo was ik ook tegen mijn eigen vader. Wij waren ook niet erg demonstratief.

'Het komt allemaal goed, George,' zei ik. 'Als je over haar wilt praten, als er ook maar iets is wat je me wilt vragen... ik ben er altijd.'

Hij draaide zich van me af. Ik dacht dat ik hem zachtjes hoorde zeggen: 'Nee, helemaal niet.' Maar daar kan ik me in vergist hebben.

Mijn vader had de hond aan Sophie gegeven, als cadeau voor haar negende verjaardag. Ik zal haar reactie nooit vergeten: ze was nog net jong genoeg om ongeveinsde vreugde te tonen. Ik zie nog altijd haar ogen groter worden, ik hoor haar nog altijd blij lachen, toen hij de dikke kleine puppy uit zijn uitpuilende jaszak haalde.

Alles heeft met elkaar te maken, als je er goed over nadenkt.

Mijn vader was een metselaar, een aannemer (hoewel hij een hekel had aan die term), die de familiezaak bestierde vanuit een tuintje rond de boerenwoning waar ik opgegroeid ben, bij Tisbury. Gedegen vakman als hij was, gespecialiseerd in het onderhoud en het behoud van oude gebouwen, had Charlie Lister nooit veel opgehad met wat ik voor de kost doe – vastgoedspeculatie is volgens zijn normen geen echt werk. Hij was niet onder de indruk van mijn materiële succes of van mijn huwelijk met een Calloway (wat binnen mijn familie voor meer opgetrokken wenkbrauwen zorgde dan binnen die van haar), maar hij was ontzettend trots op zijn kleindochter. Gelukkig stierf hij een jaar voor Sophie. Zijn laatste woorden die hij tegen me zei in het ziekenhuis, waar ze niets konden doen om de pancreaskanker af te remmen en weinig om de pijn ervan te verzachten, gingen over haar. Hij heeft altijd geloofd in haar talent en in haar toekomst als kunstenaar. Hij zei tegen me dat hij Sophie zag als degene die de vlam van ambachtelijkheid brandende zou houden in de familie Lister.   ,

De werkelijkheid is dat wij als familie slechts twee jaar later het gevoel van wie wij zijn en waar we heen gaan zagen versplinteren en vervagen.

Ik ben er zeker van dat George dit voelde, op een vreemde manier, en dat dit zijn uitbarsting veroorzaakte. Voor ons allemaal betekende Jura's dood dat een levende verbinding met Sophie was doorgesneden. Ik denk dat hij voelde dat hij de enige was die nog overbleef.

Ze zeggen dat we huilen als we ons kwetsbaar voelen.

Later die middag ging ik een eind lopen, waarbij ik een route nam waarvan ik weet dat die voert naar het Cranborne-jachtgebied en over de grens van Wiltshire Dorset. Het is een prachtig uitgestrekt landschap, een terrein met licht glooiende heuvels en steile afdalingen, die langzaam vlakker worden in de richting van de kust. Op Win Green Hill kun je vaak over vier graafschappen uitkijken en ik krijg er altijd dat opwindende gevoel dat je op de top van de wereld staat. Vandaag niet. De regen was opgehouden, maar het was nog altijd nevelig en bewolkt. Zonder verder op het landschap of het weer te letten, liep ik verder, met mijn hoofd gebogen, luisterend naar Elgars 'Variations' op mijn iPod, terwijl ik zo weinig mogelijk nadacht. Ik wilde mezelf alleen maar afmatten.

Na zessen kwam ik terug bij Greenside, nadat ik een omweg had gemaakt langs de weg waar het ongeluk gebeurd was. Ik voelde me verplicht tegenover Sophie om de plek zelf te bezoeken en te weten hoe

Jura daar aan haar einde was gekomen. Ik moest mezelf er ook van overtuigen dat het echt een ongeluk was geweest. Haar wonden hadden op de een of andere manier vreemd geleken.

Gehurkt onderzocht ik het wegdek. Bloed, haar of huid, zo besefte ik, zou al zijn weggespoeld door de regen. Maar ik dacht dat ik misschien een glassplinter zou kunnen vinden die van een koplamp was afgebroken of misschien een stukje verf van een bumper van de doorgereden auto. Er was niets, geen spoor van het ontbrekende naamplaatje, geen enkel bewijs dat er een ongeluk had plaatsgevonden. Pas toen ik de greppel doorzocht, ontdekte ik een flard van iets wat eruitzag als zwart verpakkingsmateriaal, dat was blijven hangen aan de stronk van een meidoorn. Ik haalde het eraf, vouwde het open en zag dat er bloed zat in de vouwen van het plastic.

Meteen veranderde mijn vage achterdocht in de vaste overtuiging dat de hond ergens anders vermoord was en vervolgens hierheen was gebracht en was gedumpt.

Degene die dit gedaan had, had het met opzet gedaan.

37

Laura had een uitgebreid diner bereid, dat we in de keuken opaten, zoals we dat altijd deden als we samen waren. Dat was haar manier geweest om met de dingen om te gaan na de dood van Sophie: bezig blijven, kleine familierituelen in acht nemen en een dapper gezicht trekken. Ik wist hoe erg ze echt van streek was om Jura. Niemand had veel trek. Zelfs na mijn lange wandeling voelde ik alleen een knagende pijn in mijn maag, die ik probeerde te doven met alcohol. We zaten in een ongemakkelijke stilte bij elkaar en waren allemaal opgelucht toen de beproeving tot een eind kwam en we alle drie onze eigen dingen konden gaan doen.

We praatten niet over het voorval. Ik kreeg het gevoel dat Laura wilde geloven dat ik op de een of andere manier verantwoordelijk was voor de dood van de hond – zoals ik er ook zeker van ben dat ze mij diep vanbinnen verantwoordelijk hield voor Sophies dood. Ze kwam er nooit mee naar buiten door te zeggen: 'Dit is allemaal jouw schuld'. Maar in haar ogen lag die beschuldigende blik, als ze me aankeek.

Ik besloot haar niets te vertellen over het bewijs dat ik in de greppel gevonden had, dat erop wees dat Jura opzettelijk gedood was. Dat zou alleen nog maar meer beroering hebben gewekt. Ik wilde Laura ook niet bezorgd maken, voor het geval dat ik ongelijk had en het ging om een toevallig, geïsoleerd voorval – dat helemaal niets te maken had met het ongemakkelijke gevoel dat ik de avond tevoren had gehad, het idee dat ik gevolgd werd op weg van Notting Hill Gate naar huis. Die ervaring had ik uiteindelijk toegeschreven aan paranoïde gevoelens of te veel drank.

Het ironische was dat deze miserabele crisis op een moment kwam dat het ijs tussen Laura en mij een beetje begon te smelten. Dat klinkt op een misleidende manier hoopvol. We droegen te veel bagage met ons mee om meer te kunnen bereiken dan een korte wapenstilstand. Maar dat ik haar tegenkwam in Campden Hill Place terwijl ik dacht dat ze op het platteland zou zijn, was – toen ik eenmaal het idee had laten varen dat ze me wilde controleren (ik vroeg me zelfs af of zij het was die me liet volgen) – toch wel een troost geweest.

Het is raar hoe iemand van wie je denkt dat je haar zo goed kent als je iemand maar kunt kennen, weer een mysterie kan worden. Als we nu praatten, leek het meer een conversatie tussen vreemden dan tussen man en vrouw. We bleven laat op om een oude Robert Altman-film te kijken op tv, *Short Cuts*, die we ooit samen gezien hadden in New York. De parallellen in sommige scènes met ons eigen, langzaam uit elkaar vallende huwelijk waren moeilijk te missen, maar geen van ons beiden leverde er commentaar op.

Later in bed, ook daar waren we vreemden voor elkaar, werd ik verrast door Laura's enthousiasme: ze leek roekeloos ongeremd, bijna wild. Dat was niets voor haar en het voelde niet goed, alsof iemand anders haar plaats had ingenomen, terwijl de echte Laura weg was. Op mijn beurt bedreef ik de liefde met mijn vrouw met het vuur van een schuldige en ontrouwe man. Tijdens het zweterige, onheuse worstelen had ik weer het gevoel alsof ik ons, de Listers, van een afstand observeerde.

Maar gisteravond leek nu een eeuwigheid ver weg te zijn.

Ik nam een karaf whisky mee naar de bibliotheek boven, keek naar *News at Ten*, ging toen online en handelde een paar e-mails af. Er was er een van Campbell Armour met een bijlage van zes bladzijden, getiteld 'Synesthesie'. Ik schreef hem terug wat er gebeurd was met Jura, beschreef haar verwondingen en suggereerde dat de hond met opzet gedood was, waarna ze overreden was om het een ongeluk te laten lijken.

Sinds ik de laatste keer met Campbell gesproken had, had ik zorgvuldig nagedacht over zijn theorie dat ik degene was die iemands doelwit was. Ik was er vrij zeker van dat hij de wrede, zinloze executie van Sophies oude labrador als een deel van die missie zou zien. Maar ik kon niemand bedenken die erachter zou kunnen zitten.

Het leek alsof er geen frisse lucht in de kamer was. Ik stond op van het bureau, liep langs de schuiframen die uitzicht bieden op de tuin en trok er een open. Het was buiten te donker om iets te kunnen zien. Ik stak een Gauloise op en stond nadenkend te kijken naar mijn weerspiegeling in de verweerde ruiten van antiek glas. Ik besloot het stuk over synesthesie dat Campbell me gestuurd had later te bekijken. Eigenlijk was het niet meer dan een excuus om mijn computer op standby te laten staan voor het geval dat Jelly misschien contact op zou willen nemen.

Ik dacht de hele tijd aan haar. Ik kon er niet mee ophouden.

Hoewel we overeen waren gekomen om een stapje terug te doen, elkaar een tijdje wat meer ruimte te geven, had ik erop gestaan dat we de verbinding tussen ons voor haar veiligheid open zouden houden. Maar het verlangen om met haar te praten en haar stem te 'horen' was sterker dan ooit. Terwijl ik me omdraaide om mijn sigaret uit te drukken, waarbij de as op de gepolijste houten vloer viel voordat ik een asbak kon vinden, voelde ik me plotseling overrompeld door een overweldigende behoefte om contact met haar te leggen.

Ik ging weer achter de computer zitten. Net toen ik haar naam wilde aanklikken, begon er een oranje berichtenlampje in de taakbalk te knipperen. Het leek zo'n buitengewoon toeval – of weer een voorbeeld van Jelly's helderziende gaven – dat ik hardop lachte.

Ze moest hebben gevoeld dat ik haar wilde spreken en ook online zijn gekomen. Ik ging ervan uit dat ze mij ook wilde spreken. Maar toen ik op het punt stond haar te antwoorden, merkte ik dat de naam die oplichtte niet die van Jelly was. Ik staarde vol ongeloof naar het scherm, wilde mijn fout niet toegeven, totdat ik wat beter keek en besefte dat wat ik zag vreemd was. Dit móést een vergissing zijn.

De letters 'ST' op het oranje knipperende icoontje stonden voor 'stormypetrel' – Sophies nickname. Alle lucht verdween met een korte, heftige kreun uit mijn longen.

Ik wist dat wat ik dacht onmogelijk was, maar ik kon mijn hart sneller horen slaan toen ik mijn lijst met contacten nakeek. Er stond een gele smiley achter de naam die ik nooit had willen verwijderen. Dat gaf aan dat mijn dochter online was.

Ik zat daar maar, bang om te antwoorden, bang dat de geest uit het apparaat zou verdwijnen als ik dat deed. Het was duidelijk een fout, of anders haalde iemand 'daarbuiten' een rottruc met me uit, en toch...

Ik nam de telefoon van de haak en probeerde Campbells nummer in Tampa, maar kreeg alleen zijn voicemail. Zijn dochtertje had het bandje ingesproken.

Toen ging het oranje knipperende lampje uit. Ik aarzelde nog even voordat ik de bewaarde berichten ophaalde.

Stormypetrel: PAPA?
Stormypetrel: BEN JE DAAR?

Dat was alles.

Die woorden kwamen hard aan. Mijn ademhaling versnelde. Het was alsof ik plotseling op zee was, staand op een wild schommelend dek. Ik wist natuurlijk dat dit Sophie niet was. Om te beginnen noemde ze me nooit 'Papa'.

En toch, en toch... je blijft hopen.

'Wie ben je?' typte ik terug. Het gevoel van ontreddering had snel plaatsgemaakt voor woede. 'Wat wil je verdomme?'

Er kwam geen antwoord.

Ik hoorde een schurend geluid buiten, toen een gekraak, alsof er een tak of een twijgje brak onder een voet. Snel deed ik de bureaulamp uit, het enige licht dat ik aan had in de bibliotheek, en liep naar de ramen.

Terwijl ik de tuin in tuurde, kon ik me er niet van weerhouden te denken, al was het maar één verwrongen, misselijkmakende seconde: ze is teruggekomen. Toen keek ik naar het beeldscherm achter me en zag ik dat wie-het-ook-was nog iets had geschreven.

Stormypetrel: WAAROM HEB JE HAAR VERMOORD?

38

Ik ging zachtjes het huis uit door de zijdeur die uitkomt op het terras en liep over het glooiende grasveld naar het meer. De hemel was bewolkt, maar ik kende de weg goed genoeg en mijn ogen waren gewend aan het donker. Ik volgde het pad langs de rand van het meer, een duister gebied dat al het licht scheen op te zuigen, bomen en bosjes struiken staken nauwelijks af tegen het water.

Zo ongeveer iedere tien meter stopte ik om te luisteren, ervan overtuigd dat Sophies moordenaar zich ergens op het terrein bevond. Maar niets bewoog. Het enige wat ik hoorde was het verre geluid van de tv in George' slaapkamer. Onder mijn arm droeg ik een geladen geweer.

Ik weet niet hoe lang ik daarbuiten ben gebleven, gespannen en oplettend, wachtend totdat de rondsluiper zich zou laten zien, of tot er iets zou gebeuren. Ik schrok één keer van het luide gekwaak van een kikvors dat uit de richting van het eiland kwam, maar de stilte van de zomernacht keerde al snel weer terug, dieper dan tevoren.

Na een poosje gaf ik het op en liep langzaam terug naar Greenside. Ik gaf toe dat ik waarschijnlijk overdreven gereageerd had. Het gevoel van dreiging zakte weg, maar verdween niet helemaal. Die berichten van Stormypetrel hadden me geschokt en geraakt. Degene die ze verstuurd had, wist hoe hij een maximaal effect kon bereiken. WAAROM HEB JE HAAR VERMOORD? Wie zou ik moeten hebben vermoord? Wat bedoelden ze met *waarom*?

Voordat ik naar binnen ging, nu met een zaklantaarn, controleerde ik de stallen en de buitenhuizen. In de garage trok ik de deken van George' quad; de aanblik van het chroom en het rode frame brachten me op de gedachte hoe makkelijk het was om ermee te knoeien. Ik besloot dat, zelfs al was dit vals alarm geweest, ik meer moest doen aan veiligheid.

Op het bordes voor het huis, waar ik een laatste controle uitvoerde, scheen ik met de zaklantaarn over de lange, slingerende oprijlaan. Ik kon nog net de stenen zuilen zien die de poort naar Greenside flankeren. Ongeveer vijftig meter verder, op de weg waar Jura gevonden was, zag ik de rode achterlichten van een auto tussen de heggen door flitsen. Ik wist meteen dat hij het was.

Ik wilde in de Mercedes springen en de achtervolging inzetten, maar die stond in de garage. De sleutels lagen in de hal. Ik zou geen schijn van kans hebben om hem in te halen. Binnen een paar seconden waren de achterlichten van de auto uit het zicht verdwenen.

Toen ik de deur openduwde, bedacht ik ineens dat, terwijl ik ons terrein aan het doorzoeken was en bij het meer op jacht was naar rondsluipers, hij het huis in gegaan kon zijn. Ik liet het geweer op de tafel in de hal liggen en sprintte naar boven.

De televisie in George' kamer stond uit, maar ik kon water horen stromen, het geluid van een vollopend bad. Ik sprak hem aan door de badkamerdeur, probeerde hem niet te laten horen dat ik buiten adem was. Ik moest mezelf inhouden om niet te vragen: 'Gaat het goed?'

Toen ging ik bij Laura kijken. Ze zat in bed te lezen. Ik kon niet bedenken hoe ik haar kon vragen of ze iets had gezien of gehoord, niet zonder paniek te veroorzaken.

Ze keek op van haar boek. 'Waar ben je geweest?'

'Ik moest even wat frisse lucht hebben,' zei ik. Vervolgens beloofde ik niet te lang weg te blijven en ging ik weer naar beneden. In de kamers was niets van zijn plek, nergens was een teken van een indringer. Meer dan eens pakte ik de telefoon om de politie te bellen, maar ik wist dat het weinig zin zou hebben. De waarheid was dat ik in feite niets gezien had. Er parkeerden op zaterdagavond wel vaker stelletjes op de oprijlaan.

In de bibliotheek schonk ik mezelf een flinke whisky in, waarna ik terugging naar mijn computer. Ik raakte het toetsenbord niet aan, zat alleen maar te staren naar het scherm.

Het oranje berichtenpictogram met ST knipperde. Ik had nog een bericht.

39

'Weet je waar ik me zorgen om maak?' zei Campbell, terwijl hij vanuit een ligstoel op het strand via zijn mobiele telefoon met Ed Lister sprak. Het was zondag.

'Ik luister.' Ed klonk een beetje gespannen.

'Wacht heel even.' Campbell stelde de parasol bij om Amy, die in het zand bij de koelbox aan het spelen was, uit de zon te houden. Na de kerkdienst had hij het gezin naar Sand Key Park gereden, hun favoriete plek aan de Golfkust, halverwege Clearwater en St. Pete. Zijn cliënt had hem om tien voor twaalf gebeld.

'Blijf hangen, Ed.' Hij legde zijn hand over de telefoon en zei tegen zijn vrouw: 'Schat, heb jij zin om Amy even mee te nemen naar het water?' Hij wilde niet dat zijn kleine meisje iets zou horen wat niet voor haar oren bestemd was.

Kira lag een paar meter verderop op haar rug op een matje. Ze droeg een zwarte bikini en een zwarte zonnebril. Haar ontzettend bleke huid was ingesmeerd met een zonnebrandcrème met hoge factor, waardoor ze glinsterde als albast. Geen antwoord. Hij richtte zich weer tot zijn cliënt.

'Luister, degene die jou gisteravond berichten heeft gestuurd, kan hebben geweten dat Sophies nickname nog altijd in jouw contactenlijst staat of niet. Waar ik me zorgen om maak, is het feit dat zij wisten dat je online was. Dat houdt ofwel in dat ze op afstand toegang hebben tot jouw computer, en we weten dat dat niet het geval is, of dat ze dicht in de buurt waren en jou in de gaten hielden.'

Het was stil aan de andere kant.

Campbell keek even naar zijn vrouw, die zich niet bewogen had. Hij bedekte de telefoon weer. 'Dish?' Dat was zijn koosnaampje voor haar, maar ze reageerde niet. Hij wist hoe moe ze was en voelde zich schuldig omdat hij het haar gevraagd had.

Amy was al opgestaan en zei: 'Ik kan wel zelf gaan zwemmen.'

Campbell schudde zijn hoofd en zei geluidloos 'nee' tegen haar.

'Ik had het gevoel dat er buiten iemand rondsloop. Ik hoorde een geluid, ben naar buiten gegaan en heb het terrein afgezocht. Er was niemand.'

Amy probeerde nu zijn aandacht te trekken door één teen in het zand te steken en daaromheen te hinkelen. Ze zag er schattig uit in haar gestippelde, roze met blauwe badpak, met bijpassende linten in haar vlechten. Hij gebaarde dat hij zo met haar mee zou gaan.

'Maar ik kan het mis gehad hebben en me alleen maar verbeeld hebben dat ik iets hoorde.'

'De zenuwen speelden je parten man, dat is begrijpelijk. "Waarom heb je haar vermoord?" Dat was het, niks meer? Denk je dat ze het had over de hond?'

'Ze? Verdomme, man, het was de nickname van mijn dochter. Ik nam aan dat de boodschap van Ward kwam en dat hij de hond vermoord heeft.'

'Een teefje, zeker?'

'Ja. Ze was van Sophie.'

'Tja, huisdieren en auto's zijn geen goede combinatie. Wij zijn ook een keer een hond kwijtgeraakt toen ik nog een jochie was in Hong-Kong. Een springerspaniël die Run-Run heette...' Campbell keek naar Amy en kwam weer ter zake. 'Waarom probeerde je me gisteravond te bellen?'

'Ik wilde dat je zou proberen de gebruiker na te trekken terwijl hij online was.'

'Als het Ward was, had hij zijn sporen uitgewist, maar je dacht in ieder geval in de goede richting. Vroeg of laat maakt hij een fout.'

'Ik wou dat ik daar net zoveel vertrouwen in had als jij.'

Hij glimlachte een beetje. 'Dus je pakt een geweer en rent het huis uit. Na een halfuur of zo hoor je een auto wegrijden. En toen je terugkwam?'

'Ging ik kijken of alles goed was met mijn vrouw en mijn zoon.'

Campbell fronste zijn wenkbrauwen. Instinctief keek hij naar Kira en Amy, en liet vervolgens zijn blik over het zand glijden naar een groep volwassenen en kinderen die bij het water bezig waren. In de Golf lagen twee tankers en een wit cruiseschip bewegingloos aan de horizon. Hij vroeg zich af hoeveel kilometer hiervandaan.

'Geen berichten van Stormypetrel?'

'Niets meer, nee.' Hij hoorde een lichte aarzeling in de stem van Ed. 'Ik zou echt graag willen weten welke kant je denkt dat dit onderzoek uit gaat.' Een beetje te snel van onderwerp veranderd. 'En o ja, ik heb nog nooit iemand vermoord.'

Campbell stond op en strekte zijn benen. Hij liep naar de plek waar Kira op haar matje lag te bakken. Hij kon aan het op- en neergaan van haar borstkas zien dat ze sliep. Terwijl hij doorging met praten in zijn mobiel, boog hij zich voorover en raakte haar verbrande schouder aan. 'Heb je kans gezien om te lezen wat ik je gestuurd heb over synesthesie?'

Ze bewoog niet.

'Ik heb het doorgekeken. Zelfs als je gelijk hebt en Ward heeft zo'n aandoening, dan vind ik niet dat het onderzoeksterrein daarmee kleiner wordt.'

'Wacht maar tot je dit gehoord hebt,' zei Campbell, terwijl hij Kira een porretje gaf. Hij zag een geërgerde frons op haar voorhoofd verschijnen. Wakker worden, Dish.

'Oké, gisteren sprak ik met Claudia Derwent op Yale – zij is dé autoriteit op het gebied van synesthesie in de VS. Zij vertelde me iets wat meteen mijn aandacht had. Het blijkt dat als synestheten een woord proeven of een geluid voelen of getallen als kleuren zien – dat voor hen heel echt is. Dat zijn waargenomen verschijnselen, geen analogieën of metaforen, oké? De theorie is dat deze mensen de extra neurale verbindingen hebben behouden waarmee we allemaal geboren worden, maar die de meesten van ons in de kindertijd verliezen. Maar let op: de interzintuiglijke gewaarwordingen van een synestheet blijven tijdens zijn hele leven constant. Met andere woorden: als het woord "oceaan" door iemand wordt opgeslagen als, laten we zeggen, een bos bloemen, zal hij of zij dat nooit op een andere manier zien. Voor een persoon met een gekleurd gehoor zal een bepaald geluid altijd blauw, groen of wat dan ook zijn. Het is net een handtekening man... die kun je niet namaken.'

Hij hurkte neer bij zijn vrouw, dacht na over een zwempartijtje voor de lunch. In de koelbox hadden ze koude garnalen, gemarineerde kip, gemengde salade en een fles chablis.

'Ik zie nog altijd niet in hoe daarmee de mogelijkheden worden ingeperkt.'

'Dat is ook niet zo... totdat je andere voorbeelden vindt van een bepaalde handtekening. Het zicht en het gehoor zijn meestal betrokken bij zintuiglijke waarnemingen. De meerderheid van de synestheten "ziet" woorden en getallen als kleuren en vormen. Maar er zijn verschillende combinaties in de verbindingen tussen de zintuigen, en een paar daarvan zijn vrijwel uniek te noemen. Derwent gelooft dat onze man wel eens tot die laatste categorie zou kunnen behoren.'

'Aha.' Ed klonk twijfelend. 'Heeft ze misschien ook uitgelegd hoe ze tot die conclusie is gekomen? Of was het een gok?'

Lister kon zo'n zelfingenomen klootzak zijn.

'Het is veel sterker dan giswerk. Ik heb professor Derwent de tekst van Wards webcast gestuurd. Ze belde me gisteravond vanuit haar huis terug om het materiaal te bespreken. Wat ze zei heeft me de halve nacht wakker gehouden.'

Het was even stil. 'Dan kun je me er maar beter over vertellen.'

De neurologe had zich aanvankelijk afstandelijk opgesteld, begrijpelijk gezien de walgelijke aard van de webcast. Campbell had haar verteld dat hij een geval van cybercriminaliteit onderzocht voor WHOA (Working to Halt Online Abuse, een instantie die onlinemisbruik tegen wil gaan) en dat alle informatie die ze kon geven in strikte vertrouwelijkheid zou worden behandeld.

'Er is niet genoeg bewijs,' begon ze aarzelend, 'om met zekerheid te stellen dat "M" een synestheet is. Echter, ik geloof niet dat de voorbeelden in de tekst gelezen kunnen worden als een toespeling of een metafoor – een zinsnede als "woorden met een ijzeren vorm" is geen retorische stijlfiguur – en dat wijst volgens mij op een neuropathische aandoening.'

Wat professor Derwent interessant vond was dat, als in M's hersenen inderdaad de ene perceptie werd opgewekt door de andere, hij behoorde tot een ongebruikelijke categorie synestheten. 'Onder de diverse synesthetische koppelingen,' ging ze verder, 'waar zicht bijvoorbeeld het gevoel van een aanraking veroorzaakt, of een geluid de gewaarwording van een kleur, komt het zelden voor dat smaak ofwel de aanleiding ofwel de reactie is.'

Het belang hiervan ontging Campbell niet.

Onderzoeken door het hele land toonden aan dat synesthesie bij de algemene bevolking ongeveer 1 op de 100.000 keer voorkwam – de kansen dat 'M' deel uitmaakte van een steekproef waren niet groter dan gemiddeld, maar het feit dat hij zo'n uitgesproken 'spoor' had achtergelaten in de webcast betekende, in ieder geval in theorie, een aanzienlijke inperking van de zoektocht. In de vijfentwintig jaar dat ze gegevens had verzameld, vertelde Derwent hem, was ze maar op een handvol gevallen gestuit waarbij smaak een secundaire zintuiglijke ervaring van kleur of vorm teweegbracht.

Claudia Derwent had in haar dossiers gegevens van slechts drie 'proevers': twee vrouwen en één man. De laatste was in de begindagen van haar onderzoek onder haar aandacht gebracht, toen ze gevallen van synesthesie verzamelde in het noordwesten van de Verenigde Staten. Haar berichtgever was een huisarts uit Norfolk, Connecticut, een dorpje in de Berkshireheuvels, dat ooit bij de jetset populair was als zomerverblijf.

De patiënt was, vreemd genoeg, een negenjarige jongen. Ze had het kind nooit ontmoet en kreeg zijn gegevens pas in 1990, tien jaar nadat de huisarts het contact met hem had verloren. Er waren geen verdere gegevens.

Met een droge mond van opwinding had Campbell gevraagd naar de naam van de jongen. Die kon professor Derwent hem niet geven, want het onderzoek was anoniem uitgevoerd. Maar ze zag geen reden om hem niet in contact te brengen met dokter Joel Stilwell in Norfolk.

Het was mogelijk dat hij nog altijd een dossier had van de 'proever'.

Ed was even stil.

'Wanneer ben je van plan te gaan?'

Campbell liep wat verder het strand op, zodat Kira zijn antwoord niet zou horen. Ze vond het niet zo prettig dat hij zo plotseling wegging en haar met Amy achterliet. Ze hadden een enorme ruzie gehad over het onderwerp kinderopvang, waardoor het nu onmogelijk was om met haar te praten voordat hij wegging. Hij had Kira nog altijd niks verteld over het geld.

Hij had nog maar vijf dagen om met het volle bedrag op de proppen te komen voordat 'Cholly' de klok stilzette. Hij zei zachtjes in zijn mobiel: 'Ik heb voor morgen een vlucht geboekt bij Southwest. Aan het eind van de middag moet ik in Norfolk kunnen zijn.'

Kira duwde zichzelf omhoog op haar ellebogen en vroeg: 'Waar is Amy?'

'Bel me als je daar bent.'

Campbell draaide zijn hoofd en keek naar het kleine kampement in de schaduw van de groen-witte parasol, waar even tevoren Amy nog had zitten spelen.

Een ogenblik welde de paniek in hem omhoog terwijl hij het strand afspeurde, maar die veranderde snel in opluchting, toen hij bij de waterkant een fluorescerend roze badpakje zag bewegen tussen de gebruinde lichamen.

'Ze zoekt schelpen.'

Hij sloot zijn ogen en haalde diep adem, en bedacht dat hij zich druk maakte om niks. Toen wierp hij een geruststellende 'ik heb alles onder controle'-grijns in de richting van Kira. Nog altijd pratend in zijn mobiel liep hij naar het water.

'Misschien hebben we niet veel tijd,' zei hij.

Ed had al opgehangen.

40

templedog: ik moet je spreken
adorablejoker: hoezo, wat is er gebeurd?
aj: en hou het kort, ik zit op mijn werk
td: er is niets gebeurd, ik vroeg me alleen af… of het goed met je gaat
aj: hoor eens, het gaat prima, oké?
td: duidelijk geen goed moment
aj: vind je dit moeilijk, Ed?
td: alleen omdat we voor het eerst sinds een week praten
aj: we zouden helemaal niet moeten praten… en het waren maar twee dagen
td: rustig maar, ik wil je niet pushen
aj: toch maak ik me zorgen

Ward fronste zijn wenkbrauwen en pakte zijn glas wijn. Het was zondag, hoezo zat ze op haar werk? Ze loog de hele tijd tegen hem, over bijna alles – dat was een manier om hem op afstand te houden. En die idioot is veel te verblind om het te merken.

Ze waren een apart stel, deze twee.

'Je vroeg je alleen af of het goed met haar gaat, Ed?' sneerde hij naar het scherm. 'Je "vroeg je alleen af"… Ja ja, dat zal wel.'

Die vent liet niet los. Hij heeft het zwaar te pakken en dat weet ze. 'Vind je dit moeilijk?'… ik bedoel maar, echt – ze houdt van de greep waarin ze hem heeft, dat stuk verdriet. Maar ze zou gek zijn als ze dat niet deed. Hij nam een slok wijn, een behoorlijke sancerre, en geeuwde.

Een golf van vermoeidheid overviel hem.

Hij vroeg zich af of hij zoveel honger had dat hij ergens zou gaan eten. Er lag niets meer in de koelkast. Een wandeling zou hem wakker kunnen houden; zijn lichaam was nog afgestemd op de Greenwichtijd. Als hij nu naar bed zou gaan, zou hij over een paar uur wakker worden en dan tot 's morgens vroeg blijven liggen luisteren naar politiesirenes en vuilniswagens die de stad in iedere kleur verfden, iedere kleur behalve rood.

Het was bijna niet te geloven dat hij gisteravond nog sliep onder een haag op het platteland van Wiltshire. Hij pakte de foto's die hij gemaakt had van Greenside, het mooie, lommerrijke park met het twee hectare grote meer en het prachtige oude huis waar zijn Sophie was opgegroeid. Jammer van haar zwarte labrador – daar sleepte hij zich voort over de oprijlaan – maar hij kon het risico niet nemen dat het beest hem zou verrassen en de hele boel bij elkaar zou blaffen terwijl hij het programma laadde. Hij had nog steeds die smaak in zijn mond. De laatste verbijsterde blik in Jura's wazige zeehondenogen hadden de smaak en structuur van suikerspin opgeroepen – het was minder erg geweest als hij een zoetekauw was.

Uit respect voor de eigenaar had hij het naamplaatje van de hond bewaard, en als amulet aan zijn sleutelhanger gehangen. En het werkte al. Toen Ed Lister zijn huis verliet, had hij met succes een ander Trojaans Paard op de laptop kunnen installeren. Dat verving het programma dat zichzelf na Parijs automatisch had vernietigd.

Hij hield van de bibliotheek van Greenside, de geur van whisky en tabak, de versleten, opgevulde stoelen, al die in leer gebonden boeken – het herinnerde hem aan het huis van zijn oma. Onder aan de trap stond hij stil en luisterde hoe de anderen in de slaapkamer boven rondstommelden, en dacht aan Sophie.

Binnen drie minuten was hij in en uit Greenside.

Het voelde goed weer in de stad te zijn. Het appartement was schoongemaakt in de tijd dat hij weg was; de badkamer en keuken waren smetteloos schoon, wat betekende dat mevrouw Karas minstens twee keer langs was geweest. De netheid in zijn drie sobere kamers, glazen scheidingswanden onder het bewerkte gipsen plafond van een bescheiden bovenverdieping, beviel hem. Alles op zijn plaats, zoals Grace vroeger zei, en een plaats voor alles.

Hij zat op zijn werkplek, het hoefijzervormige netwerk van computers, monitors en andere elektronica dat hij thuis noemde. De gebruiksvriendelijke opstelling, met mail- en fileservers, switches die zorgden dat de inkomende gegevens naar de juiste plek werden gesluisd, en een ondoordringbare firewall op zijn Linuxcomputer met filterprogramma's die hij zelf had geschreven, allemaal keurig vastgeschroefd, was Wards afluisterpost, zijn vliegdek, zijn cybernetische module – zijn poort naar het universum.

Hij ging terug naar de tekst en scrolde door een saai stuk dialoog waar Ed zich tegenover het meisje voordeed als een beschermheer van de kunsten – hij wilde haar helpen met haar pianostudie in Parijs, zonder verplichtingen, hij deed het omdat hij geloofde dat ze talent had enzovoort, alleen wond ze zich enorm op en vertelde hem recht voor zijn raap dat ze nóóit zijn liefdadigheid zou accepteren. Wat een kul! Hij heeft het geld, zij is niet meer dan een hoer... wat is het probleem?

Maar daarna kwam er een interessanter stukje.

Heel berekenend laat Jelena hem weten dat ze iemand anders heeft... en wat een verrassing: Ed neemt dat bepaald niet goed op.

adorablejoker: weet je nog dat ik je vertelde dat ik brak met mijn ex geliefde toen hij naar LA verhuisde? Nou, hij is terug in de stad en we zijn samen uit geweest

templedog: aha... en hoe was het?

aj: we hadden heel wat bij te praten

td: heb je met hem geslapen?

aj: daar is het nog veel te vroeg voor, maar wie weet... ik denk dat er een redelijke kans is dat we weer samenkomen...

td: je weet toch dat ik nog steeds hetzelfde voor je voel

aj: ed, alsjeblieft... het enige wat ik wil, is verdergaan met mijn leven

td: en jij voelt dat ook, je doet maar alsof

aj: nee, dat doe ik niet. Ik meende wat ik zei, het is niet écht... trouwens, jij zei dat ik niet echt in gevaar was. Hoezo was ik dat dan?

td: alleen als er iemand achter me aan zat en het ooit bekend zou worden dat jij en ik elkaar kenden

aj: ahhh, oké... dus je bent bezorgd over je eigen reputatie

td: nee, ik bedoelde dat ze jou dan konden gebruiken

Ward leunde achterover en sloot zijn ogen.

Hij wist wat Lister doormaakte. Hij kon zich nog het exacte moment herinneren dat Sophie, zijn prinses, hem online vertelde dat ze iemand in Engeland had waar ze gek op was. De schok en de pijn voelde hij nu weer, het lege gevoel, de nietigheid, de woede over het afgewezen worden... dat ging nooit weg. Hij ontdekte later dat die jongen feitelijk niet bestond, maar daar ging het niet om.

Het leek misschien vreemd dat iemand met Eds intelligentie, die met een aura van geld en macht overal zijn stank achterliet, zó gek kon worden op een onbekende uit Verweggistan en zó misleid kon worden. Een machtig man die flirt met zelfvernietiging is geen verheffend gezicht, zelfs niet tragisch. Maar Ward kon niet zeggen dat hij erg verbaasd was.

Iedereen kon zien dat ze hem voor de gek hield – iedereen, behalve Ed dan. Hij moest geloven dat zijn kleine cyberhoer diep vanbinnen verliefd op hem was en dat ze zich ooit zou realiseren dat zij tweeën voor elkaar bestemd waren. En dat kon maar tot één ding leiden. Hij zou niet accepteren dat de relatie voorbij was. Hij accepteerde geen nee.

Wat de vrouw niet wist was dat Ed Lister dit eerder had meegemaakt.

Het was een toevalstreffer, totaal onverwacht, dat hij ontdekte dat Ed een vrouw op internet had leren kennen die half zo oud was als hijzelf. Hij was geïntrigeerd door de manier waarop hun wegen samenkwamen. Maar dat was voor een deel ook zeker te danken aan Ward. Net als de buitenzintuiglijke connectie die Ed met Jelly dacht te hebben. De enige reden dat zij wist dat er een feest op Greenside was, was omdat híj haar dat verteld had. En de volgende keer dat Ed zijn archief raadpleegde, zou hij het gesprek vinden waaruit bleek dat zij gelijk had.

JIJ HAD HET ME VERTELD... tja, laten we het een gezamenlijke inspanning noemen.

Als Ward goed naar de situatie keek, zag hij symmetrie, een soort poëtische rechtvaardigheid in de mogelijkheden die werden geboden. Hij vroeg zich af of Ed enig idee had hoeveel ze deelden, hoe close ze aan het worden waren.

Over niet al te lange tijd, dacht hij, kan niemand ons meer uit elkaar houden.

Norfolk

41

'Meneer Armour?'

Een magere, gebochelde man die op het terras een boek las, stak ter begroeting een hand op toen Campbell over de oprijlaan van de uit natuursteen opgetrokken boerderij aan kwam rijden en de motor van zijn gehuurde Toyota uitzette. De oude man stond op en schuifelde langzaam in zijn richting.

'Je hebt het gevonden, mooi. Dat is fijn.' Of dr. Stilwell nu stond of zat, bijna dubbelgevouwen door de botontkalking had hij in beide gevallen dezelfde lengte.

Het had Campbell een uur gekost om van Bradley Airport hier te komen, waarbij hij de precieze aanwijzingen van de dokter had gevolgd die hem door lieflijke witte dorpjes, glooiende heuvels en de oneindige bossen van Litchfield County hadden gevoerd. In de buurt van Norfolk had hij een dode goudbruine beer opgerold in een greppel zien liggen, net een versleten bank die iemand had weggegooid, en ineens voelde hij hoe ver hij van Tampa was verwijderd. Dit was zijn eerste ontdekkingsreis naar de Yankeebinnenlanden.

'Mooie plek hier,' zei Campbell en hij keek om zich heen terwijl hij uitstapte. Het oude huis en de schuur lagen in de schaduw van hoge eikenbomen, die op een kwart hectare keurig onderhouden grond stonden.

'Op dagen als deze... nou, dan zou ik nergens anders willen zijn.' Stilwell sprak met een New England-accent en tuurde naar Campbell over zijn halve brilletje dat voor op zijn neus stond. Hij droeg ondanks de warmte een dik tweedpak en een strik. Ze gaven elkaar een hand en de dokter ging hem voor over het terras van ongelijke tegels naar een ronde ijzeren tafel met stoelen.

'Hebt u zin in een glas ijsthee?' Er stond een dienblad met een kan, zilveren lepels en twee glazen met ijs en munt. 'Het geheim van mijn vrouw was om een scheutje gingerale toe te voegen aan de thee. Ze kwam uit het zuiden... net als u.'

De dokter vulde de glazen en vertelde dat mevrouw Stilwell drie jaar geleden was overleden en dat hij al snel daarna zijn praktijk had opgegeven. Campbell bedacht dat hij dan tot ver na zijn pensioengerechtigde leeftijd had gewerkt. De man moest minstens tachtig zijn. Er viel een stilte. Hij vroeg zich net af hoe hij het onderwerp waarvoor hij kwam ter sprake kon brengen, toen Stilwell vroeg: 'Wat kan ik voor u doen, meneer Armour? Ik heb geen patiënten meer en u ziet er niet uit als een medicus.'

Aan de telefoon had hij erop gelet niet te veel te zeggen over het doel van zijn bezoek of wat zijn werk was. Hij vermoedde dat een privédetective die hier in de binnenlanden kwam neuzen niet erg welkom was.

'Ik ben computeranalist.' Campbell schraapte zijn keel. 'Ik kreeg uw naam van Claudia Derwent van Yale. Als ik het goed begrepen heb, hebt u haar gegevens gestuurd van een patiënt van u – lang geleden – een jongen die leed aan, als ik het woord goed onthouden heb, synesthesie.'

Stilwell knikte langzaam. 'Klopt. Derwent had een brief in de *New York Times* gezet waarin ze iedereen met deze aandoening uitnodigde om deel te nemen aan een onderzoek. Enerzijds schreef ik haar om mijn diagnose door haar te laten bevestigen, maar anderzijds ook omdat de zaak een paar bijzondere kenmerken had.'

'De jongen beweerde dat hij muziek kon "proeven". Klopt dat?'

De dokter keek hem open en vriendelijk recht in de ogen en hield zijn blik vast. 'Wat wilt u nu precies over dit onderwerp weten, meneer Armour?'

Campbell had zijn antwoord voorbereid. Het had geen zin om nu over een moordonderzoek te beginnen, als het niet aan de orde was.

'Eigenlijk is het mijn vrouw die geïnteresseerd is. Ze doet onderzoek in klinische neurofysiologie in het Tampa General. Daar hebben ze een epilepsieprogramma en zij bestudeert de parallellen tussen epileptische aanvallen en het synesthetische experiment.'

Het benaderde vrij aardig wat ze werkelijk deed.

'O.' De ogen van de dokter keken nog steeds vriendelijk, maar de lijnen rond zijn mond verstrakten. Campbell was bang dat de man dwars door hem heen keek.

'Ik ben eigenlijk haar boodschappenjongen.' Hij gniffelde even, iets wat Kira woedend zou hebben gemaakt. 'Ik dacht: als ik nou uw patiënt zou kunnen traceren...'

Hij probeerde het te laten klinken als iets heel gewoons. 'U weet zeker niet toevallig wat er van hem geworden is?'

'De laatste keer dat ik hem gezien heb, was hij nog een jongetje... dat zal zo'n vijfentwintig jaar geleden zijn geweest, of langer. Ik zou niet weten waar ik moest gaan zoeken.'

'In uw patiëntendossiers?'

Hij lachte. 'Geen enkele dokter bewaart die zo lang.'

'Weet u de naam van de jongen nog?'

'Natuurlijk. Ernest Seaton...' Stilwell viel stil en bestudeerde Campbell over zijn leesbril heen alsof hij een reactie verwachtte. Hij fronste zijn wenkbrauwen. 'Ik zie dat u zijn verhaal niet kent?'

Campbell schudde zijn hoofd.

'Ik zou denken dat professor Derwent u wel gewaarschuwd zou hebben.'

De dokter boog zich zonder veel haast naar voren en nam een slok thee.

'Ernest was de enige overlevende van een familiedrama, meneer Armour.' Hij zette het glas neer en ging verder: 'De Seatons woonden net buiten de stad in de richting van Colebrook, op een groot landgoed in de heuvels dat "Skylands" heette. Het gebeurde tijdens de hittegolf in de zomer van 1979. Op een avond, na veel drank en ruzie, sneed de vader de keel van de moeder door en schoot daarna zichzelf dood met een geweer. Een gruwelijke puinhoop. Hun lichamen werden de volgende ochtend door de huishoudster gevonden.'

'Jezus.' Campbell probeerde zijn opwinding te verbergen. 'Ik had geen idee.'

'Het geweld dat gebruikt werd was... extreem. Sommige mensen vonden dat het June Seatons verdiende loon was, maar hij had haar afgeslacht, de arme vrouw letterlijk in mootjes gehakt.'

'En de jongen? Waar was hij?'

'Hij werd in het huis gevonden. Alleen. Verstopt in de bezemkast, zijn gezicht onder de vegen van zijn moeders bloed. Het moordwapen was een keukenmes, zo'n halvemaanvormig hakmes met twee handvatten. Hoe noem je die ook al weer... een Italiaans woord... een *mezzaluna*. Het is niet bekend of de jongen de misdaad heeft zien gebeuren.'

'O, man,' zei Campbell en hij schudde zijn hoofd. Hij voelde het kloppen in zijn nek. 'Hij moet zich... jezus, ik weet het niet.'

Stilwell keek hem aan. 'Ernest was toen negen jaar. En enig kind. Hij heeft nooit gesproken over wat er gebeurd is; niet tegen de politie, niet tegen mij, niet tegen wie dan ook.'

'Kende u zijn ouders? Waren zij patiënten van u?'

'Dit is een dorp, meneer Armour, iedereen kent iedereen. Ik was niet hun eigen huisarts en we bewogen ons in andere kringen, maar we groetten elkaar. Gary Seaton was tandarts in Torrington. June, zijn vrouw, kwam uit een hoger sociaal milieu – ze had artistieke ambities. Ze had een tweedehandskledingwinkel hier in het dorp, wat ze een tijdje leuk vond. Skylands was van haar. Het landgoed was van de familie van haar moeder, oud geld, Norfolkadel.'

'Waarom zeiden sommige mensen dat ze het verdiend had?'

'Het gerucht ging dat ze hem ontrouw was. June was een schoonheid, lang, slank, met een mondaine uitstraling, u weet wel – ze viel op. Ze was van een ander niveau dan Gary. Zijn drankgebruik kan ook een factor zijn geweest. Vervelende dingen, maar niemand had last van hun problemen. Het onderzoek wees uit dat er geen derde partij bij betrokken was.'

'Behalve de jongen.'

'Ja, natuurlijk, Ernie.' Hij viel even stil. 'De reden dat u hier bent.'

Campbell zei: 'Wat voor iemand doet zijn eigen kind zoiets aan?'

'Ach, weet u, meneer Armour, de tragedie werd weliswaar niet in de doofpot gestopt, maar bleef wel binnen de regio. Je zou hebben verwacht dat het voorval één of twee journalisten uit New York zou trekken, maar dat is gelukkig niet gebeurd. Wij vinden het hier niet bepaald prettig om een slechte naam te krijgen.'

'Uiteraard, dat begrijp ik. Ik probeer hem alleen maar te vinden.'

Het was voor dr. Stilwell het makkelijkst om met gebogen hoofd te praten. Maar nu probeerde hij rechtop te gaan zitten, hij legde zijn kin op één hand, zodat hij oogcontact met zijn gast kon houden.

'Werd u erbij geroepen?' vroeg Campbell.

'Als arts bedoelt u? Nee, ik had er professioneel niets mee van doen. Tenminste, niet in het begin. De oma van de jongen – Nancy, mevrouw Calvert, June Seatons moeder – kwam een maand of twee later met de jongen naar me toe. Ik had haar man ooit eens voor een depressie behandeld en ze wilde mijn mening. Ze had Ernest voor een behandeling meegenomen naar een bekende kinderpsycholoog in Manhattan. Die suggereerde dat haar kleinzoon niet alleen heel erg getraumatiseerd, maar misschien ook wel schizofreen was.'

'Het is amper voor te stellen dat hij, na wat hij allemaal heeft meegemaakt, níét gek geworden is.'

'Kinderen hebben over het algemeen een opmerkelijk incasserings-vermogen,' zei Stilwell. 'Ik heb de jongen onderzocht. Hij was misschien wat teruggetrokken, maar verder vond ik hem behoorlijk goed aangepast, alles in aanmerking genomen. Ik heb hem drie of vier keer gezien.

We zaten daar, met z'n tweeën, in mijn zomerkantoor.'

Campbell keek naar de verbouwde schuur die de dokter hem eerder had gewezen, een gebouwtje van witte boordplaten met hoge ramen, die uitkeken over de vijver en de tuin. Hij wist dat hij voorbarig was, maar hij dacht nu bijna zeker te weten dat het hier allemaal was begonnen. De emotionele ravage waaruit 'Ward' was opgestaan.

'Ik weet nog het exacte moment dat ik me realiseerde dat Ernest niet ziek was, maar anders. Ik had iets van Mozart op de achtergrond op staan en hij vroeg of ik de muziek uit wilde zetten. Ik vroeg waarom. Hij zei dat de noten slecht smaakten. *"Net alsof je vliegen in je mond hebt."'*

'Ik ben ook geen fan van Mozart, maar man... dat is heftig.'

Stilwells mond vertrok in een glimlachje. 'Dat vond ik ook.'

'Maar u wist wat het betekende?'

'Er waren nog meer aanwijzingen. Ik liet hem tekeningen maken. Eén ervan, die ik niet kon ontcijferen, legde hij me uit als een tekening van het gelúíd dat een helikopter maakt. We bekeken de letters van het alfabet en hij gaf ze meteen allemaal een kleur.'

'Dus u was het niet met de psycholoog eens?'

'Ik zei tegen mevrouw Calvert dat ik dacht dat Ernest synesthetisch was en dat zijn toestand hoogstwaarschijnlijk was verergerd door het trauma, maar toen zei ze: Ach, die jongen was altijd al een dromer. Ze heeft nog een tijd voor hem gezorgd, maar uiteindelijk werd het haar te veel. Ze heeft toen geregeld dat hij door een nicht ergens in het westen, ik geloof in Wyoming, opgevangen werd. Hij is hier nooit meer geweest.'

'Leeft zijn oma nog?'

'Ze is twee jaar geleden in New York overleden.'

'En die nicht die hem verder heeft opgevoed? Zijn er nog andere familieleden of vrienden die zouden kunnen weten wat er van het kind geworden is?'

Stilwell schudde zijn hoofd. De detective, die voorovergebogen had gezeten om de zachte stem van de oude man beter te kunnen horen, ging achterover zitten.

Er hing een stilte tussen hen, maar niet onbehaaglijk dit keer, het paste bij het monotone gezoem in de tuin. Campbell zat net na te denken over een andere aanpak, toen Stilwell zachtjes zei: 'Maak geen plotselinge bewegingen, meneer Armour.'

De dokter staarde ingespannen naar iets achter hem.

'We hebben bezoek. Draait u zich heel langzaam om. Er staat een hortensiastruik aan uw linkerkant. Kijk naar de toppen, dan ziet u een van onze kolibries. Knalgroen met een zwarte keelvlek?'

Onwillig deed Campbell wat hem gevraagd was. 'Oké, ik zie hem.'

'Blijf naar die zwarte keelvlek kijken en zie wat er gebeurt als hij naar de zon vliegt. Nu!'

Er volgde een robijnrode flits. Campbell had nog nooit in zijn leven zo'n intens rode kleur gezien. En toen was het weg. De vogel liet een vaag beeld achter dat snel in de lucht verdween. Net als altijd als hij iets nieuws of moois meemaakte, dacht hij aan Kira – hij vond de ervaring incompleet als hij die niet met haar kon delen.

De dokter glunderde om zijn enthousiasme. 'Dat was een van de favorieten van mijn vrouw. Ze vond het maar niets dat alleen de mannetjes die geweldige kleuren hebben. Ze noemde hem "Beau".'

Campbell vreesde dat hij nu herinneringen zou gaan ophalen, maar de oude man viel stil. Hij snapte de hint en stond op. 'Ik ben blij dat u met me hebt willen praten.'

'Sorry dat ik u niet verder kan helpen.' Stilwell stak een hand uit om de zijne te schudden. 'Waar in de stad logeert u, meneer Armour?'

'Ik heb online een hotel geboekt. Het Mountain View.'

'Nooit van gehoord. U mag ook hier van de logeerkamer gebruik-maken.'

Campbell glimlachte. 'Ik heb al veel te lang misbruik gemaakt van uw gastvrijheid.'

De dokter stond erop om met hem naar zijn auto te lopen. Aan het eind van het terras stond hij stil en legde een benige hand op Campbells arm. 'U kunt nog proberen om met Grace Wilkes te praten. Zij was de huishoudster op Skylands. Misschien kan zij u meer vertellen.'

'Grace Wilkes,' herhaalde hij, terwijl hij zich afvroeg waarom hij van gedachten was veranderd.

'Zij had een goed contact met de jongen. Ze staat in het telefoonboek onder Winsted.'

Het Mountain View-hotel bestond uit een lange witte rij aaneengescha-kelde huisjes, verscholen tussen beboste heuvels. Het lag net over de staatsgrens in Massachusetts, twintig minuten met de auto van Nor-folk. Campbell parkeerde zijn zilverkleurige Toyota Camry naast huisje nummer 15 en bleef nog even naar de radio luisteren.

Hij herinnerde zich dat Ed Lister hem verteld had dat de moordwebcast klassieke muziek als achtergrond had... en dat iemand in het virtuele huis piano speelde. Hij nam zich voor Ed te vragen of Mozart ook tot het repertoire behoorde. Er zou dan altijd sprake zijn van de smaak van dode vliegen.

Zijn kamer was eenvoudig met een lambrisering van namaak-dennenhout, een olieverfschilderij van Alpenweiden boven het bed en aan de achterkant één raam, dat uitkeek op een andere parkeerplaats. Prima voor één nacht. Hij nam een douche, trok andere kleren aan en belde toen Grace Wilkes, maar hoorde dat die bij haar zus in Waterbury was. Campbell liet zijn nummer achter, zodat ze terug kon bellen.

Ze zou woensdag weer terug zijn. *Over drie dagen.* Hij plofte neer op het brede bed en dacht na over hoe hij dit nieuws aan Kira zou vertellen. Want vanochtend had ze niemand kunnen vinden om op Amy te passen nu hij weg was, en dat betekende dat ze de hele week niet naar haar werk in het ziekenhuis kon.

Op weg naar het vliegveld had hij Kira geprobeerd uit te leggen hoe belangrijk het was dat hij het synesthesiespoor kon volgen, waar zíj hem tenslotte op had gezet. Hij herinnerde haar aan de hoge bonus die Ed Lister hem had beloofd als hij Ward vond. Maar ze zei alleen maar dat ze een 'slecht gevoel' over deze zaak had en smeekte hem ermee op te houden.

Hij wist zeker dat ze de storm al voelde die eraan zat te komen.

Het was pure mazzel dat Kira er nog niet achter was gekomen hoeveel geld hij schuldig was. Het was hem gelukt om het laatste bankafschrift te onderscheppen, maar als ze een keer naar hun gezamenlijke bank-rekening keek, zou ze onmiddellijk zien dat ze blut waren. Hij besloot nog even te wachten met haar te bellen. Dit gesprek wilde hij niet op een lege maag voeren.

Een paar kilometer eerder op Route 44 had Campbell borden zien staan van een 'authentieke' *diner* in East Canaan. Moeiteloos vond hij de oude restauratiewagon op een ongebruikt spooremplacement. Aan de bar van zwart marmer en roestvrij staal (het interieur bestond grotendeels uit de originele inrichting van 1940) bestelde hij een cheeseburger de luxe met chili. Ze hadden geen Mountain Dew, dus nam hij een Seven-Up.

Toen het eten kwam, at hij langzaam en genoot van iedere hap. Hij nam een stuk kersentaart met koffie toe en pas toen – want hij wilde zijn eetlust niet laten bederven door het beeld van de bebloede mezzaluna – liet hij de Skylandstragedie en zijn gesprek met Joel Stilwell de revue passeren.

Hij was er bijna zeker van dat de oude dokter door zijn verhaal over het epilepsieonderzoek heen had geprikt. Misschien had hij te duidelijk laten merken dat zijn interesse voor Ernest Seaton verder ging dan diens medisch dossier. In een kleine, hechte gemeenschap zou zijn nieuwsgierigheid naar wat er van hem geworden was snel de ronde doen. Aan de andere kant hoefde dat niet erg te zijn.

Tegen de tijd dat hij weer in het Mountain View terug was, was het in Londen te laat om Ed Lister nog aan de telefoon te krijgen. Op de vloer in lotushouding, met de tv op het sportkanaal zodat hij de hoogtepunten van Wimbledon kon volgen, schreef Campbell zijn aantekeningen uit en e-mailde hij zijn cliënt een voorzichtig optimistisch rapport over zijn vorderingen. Hij beschreef kort de afgrijselijke gebeurtenissen op Skylands en suggereerde dat het verhaal van de negenjarige Ernest Seaton zeker paste in het profiel van een krankzinnige stalker – hij kon degene zijn die ze zochten.

Campbell wist dat er een grote kans was dat zijn e-mail onderschept en gelezen zou worden door Ward. Het recente contact dat de moordenaar met Ed gelegd had – met de nickname van zijn dochter had hij hem cryptische boodschappen gestuurd – was waarschijnlijk het lokaas geweest om toegang te krijgen tot zijn computer in Greenside. Hij vermoedde dat Ward op de een of andere manier continu elektronisch toezicht hield.

Het was een riskante strategie, die hij om tactische redenen niet aan zijn cliënt kon onthullen, maar als Ward ontdekte dat ze achter hem aan zaten, zou hij misschien een fout maken en zich verraden.

Hij pakte zijn mobiel om Kira te laten weten dat hij veilig was aangekomen. Hij wilde haar vertellen over de kolibrie en de felle rode flits bij de keel van het dier. Maar toen dacht hij ineens: wat zou er gebeuren als die woekeraars zijn verhaal niet hadden geloofd, dat hij voor werk een paar dagen de stad uit was? Wat als ze dachten dat hij gevlucht was en besloten om Cholly naar Wild Palms Manor te sturen? Die aardige oude kerel in hagedissenleren schoenen... die bij hen aanbelde? Hij zag al helemaal voor zich dat Amy hem binnenliet.

Eventjes voelde Campbell de verleiding. Tijdens het eten had hij een brochure over Foxwood gelezen, 'het grootste casino ter wereld', iets verderop in Zuidoost-Connecticut – hij kon in de auto springen en er binnen één, hooguit anderhalf, uur zijn. 'Maar met jouw credits? Ze laten je nog niet eens op de fruitmachine spelen,' spotte de gokker in hem. Dat idee kun je wel laten varen.'

Campbell kreunde en klapte zijn mobiel open.

Hij had nog tot vrijdag om de honderdduizend bij elkaar te sprokkelen.

42

Ward lag met wijd open ogen in het donker. Hij hoorde het scherpe gepiep van remmen in de verte en stelde zich voor hoe een auto richting stad keihard door rood reed. Hij wachtte op de knal van de botsing die nooit kwam en probeerde weer te gaan slapen.

Het was 4.45 uur en het begon al licht te worden; hij gaf het op. Hij stapte zijn bed uit, trok een badjas aan en liep blootsvoets naar het donkere deel van het huisje in de richting van de zwakke blauwe gloed van de mailserver, die hij dag en nacht aan liet staan. Hij ging aan zijn werkstation zitten, keek naar de monitor en volgde met zijn ogen de stoet zeemonsters die over het lcd-scherm gleden. Hij zag hoe de mantarog over zijn scherm zwom en in de donkere diepte dook, en verwijderde toen de beelden met een klik van zijn muis. Nadat hij snel de benodigde handelingen had uitgevoerd, met vinnige tikken op zijn toetsenbord, controleerde hij of er berichten waren binnengekomen.

Of eigenlijk: hij controleerde Eds mail. Kwart over tien in Londen, maandagochtend. Die zou nu wel op kantoor zitten, waarschijnlijk was hij wel online.

Vanaf een lijst met accounts, allemaal met een andere gebruikersnaam, riep Ward de mailbox pop3.homebeforedark.net op, die hij op dit moment gebruikte voor het opslaan van kopiën van al het inkomende en uitgaande dataverkeer van Ed Listers computer.

Hij onderschepte zes berichten – drie uitgaande mails die over werk leken te gaan, twee onbelangrijke websiteaanvragen en een inkomende mail van Campbell Armour, de privédetective die Ed ingehuurd had om de moordenaar van zijn dochter op te sporen.

Tot nu toe geen contact met 'Adorablejoker' – wat een verschrikkelijke nickname. Hij vroeg zich af of Ed wist dat ze er nog meer had.

Ward had een kopie van Armours 'voortgangsrapport' gelezen en dat had hem over het geheel genomen gerustgesteld. De poging om hem

als een cyberstalker te profileren, slechts aan de hand van 'kwalijk rie-
kende symptomen', was lachwekkend absurd en werkte alleen maar in
zijn voordeel – die diagnose was zo ver bezijden de waarheid dat het
betekende dat ze naar totaal iemand anders zochten. Hoewel, er was
één opmerking van Armour die hem wel raakte. Namelijk toen hij hem
beschreef als 'beschadigd'. Ward had die term altijd gehaat en het irriteerde hem mateloos dat een of ander nerdachtig wonderkind zonder
enige kwalificaties buiten de computerwetenschap met zo'n veronder-
stelling kon komen. Hij vermoedde de hand van Kira hierin.

Hij opende de boodschap van Armour, die gisteravond om 23.01
uur Amerikaanse tijd verzonden was, en downloadde het bijgevoegde
document 'Update'. Hij las de eerste paragraaf en voelde ineens een
druk op de borst. Het ging over de aankomst van de detective in Norfolk,
Connecticut.

Ward zat als verstijfd.

Hij had natuurlijk vroeg of laat een tik op zijn schouder verwacht.
Maar hoe kon Armour zo snel, bijna van de ene dag op de andere, zo
ver zijn gekomen? Eerst wist Armour niets van hem, nu kwam hij zo
dichtbij dat hij zijn adem in zijn nek voelde.

Die klootzak zat hem op de hielen... jezus, wat haatte hij dat.

Hij sprong uit zijn stoel, kromp ineen van de pijn vanwege de enkel
die hij in Linz verzwikt had, hinkte naar het raam en keek naar de bleke
lucht. Van de silhouetten van de daken kreeg hij de bijtende smaak van
batterijen in zijn mond.

Zonder waarschuwing was de onzichtbaarheidsmantel, die hem zijn
hele volwassen leven had beschermd, van hem af getrokken. Hoe had
hij in vredesnaam Joel Stilwell gevonden? Het rapport vermeldde niet
waarom de detective naar Norfolk, naar de oude man, was gegaan,
waardoor hij aannam dat hij dat al met Ed Lister had besproken. Toch
bleek uit zijn korte reactie op de e-mail dat het voor Ed een openbaring
was: 'Geweldig nieuws. Gefeliciteerd met deze opmerkelijke doorbraak.
Als we een naam (en binnenkort, hopelijk, een gezicht) aan het monster kunnen geven, verandert alles.' Ed zei dat hij zelfs nog nooit van
Skylands had gehoord.

Tja, natuurlijk zou die klootzak alles weer ontkennen.

Hij las de boodschap nog een keer en kreeg het weer benauwd toen
hij zich de omvang van zijn ontmaskering realiseerde. Dokter Stilwell,
Skylands, de Seatons, Grace Wilkes...

Rustig, maatje. Op geen enkele manier kunnen ze zo bij jou uitkomen.
Ed Lister is degene die hier spitsroeden loopt. Je moet de situatie rustig

bekijken en je volgende zet plannen. Ward? Luister je wel?

Hij strekte zijn vingers, opende ze, sloot ze.

Dit was de prijs die hij altijd zou moeten betalen om weer deel uit te maken van de wereld. Hij haalde een paar keer diep adem, liep weer terug en ging voor zijn computer zitten. Voor hij een beslissing kon nemen, moest hij controleren of de detective werkelijk zat waar hij beweerde te zijn toen hij de boodschap verstuurde.

Nadat hij het IP-adres uit de afzender van Campbell Armours e-mail had gekopieerd, voerde Ward de cijfers in in een *Traceroute*-programma, dat hem kon vertellen waar het bericht vandaan kwam. Binnen een seconde had hij de route, de stad en landenlocaties van de servers die de boodschap hadden doorgegeven van Armours computer naar de bestemming in Engeland. De kaart op zijn scherm gaf hem alle informatie die hij nodig had. Toen hij de e-mail verzond, had de detective een netwerkprovider in de stad Stockbridge, Mass gebruikt, niet ver van de grens in de noordwesthoek van Connecticut. Minder dan dertig kilometer van Norfolk.

Het programma gaf geen adres, maar het kostte Ward maar een paar seconden om in Google 'accomodaties in de omgeving van Norfolk en Stochbridge' in te tikken. Vervolgens kreeg hij een keurige lijst met plaatselijke motels, herbergen en pensions. Hij draaide met zijn stoel om en pakte de uitgeprinte e-mail van Armour. Het nummer dat hij Ed Lister had gegeven, kwam overeen met het derde motel op de lijst – het Mountain View in Great Barrington.

Er begon een spiertje te trekken in Wards linkeroog, hij drukte er een vinger op, alsof het een insect was, en wachtte tot de tic verdween. Dit gebeurde altijd als hij moe was.

Er zaten geen ramen in wat hij zijn hoofdkwartier noemde. Een gebogen muur van groen getinte glazen tegels scheidde het slaapgedeelte van de rest van het appartement en liet wat daglicht door. Het gaf de slaapkamer, spartaans gemeubileerd met een ladekast, een houten stoel en een antieke kledingkast – allemaal vrijwillig van de straat meegenomen – een permanente ongezonde, bleke, kleur. Ward sliep in een smal eenpersoonsbed dat in een monnikencel niet misstaan zou hebben.

Hij proefde roet op zijn tong, de bittere en vieze smaak van het verleden.

Hij had bange voorgevoelens over naar huis terugkeren, terug naar de historische locatie van beelden en gebeurtenissen die nooit vervaagden. Wat een kwarteeuw geleden was gebeurd, stond hem zo helder voor de geest alsof het gisteren was gebeurd. Ward bezat de niet altijd even prettige gave van synesthesie: een absoluut geheugen. Hij kon zich de gesprekken nog herinneren die hij als kind had gevoerd, stukken proza die hij slechts één keer gelezen had, plattegronden en complete kamerinrichtingen, de volgorde van boeken op een plank, de plek waar ieder keukenattribuut 'leefde' en op diezelfde plek teruggelegd diende te worden.

Hij had het beeld in zijn hoofd van de mezzaluna op het aanrecht.

De volgende drie kwartier werkte hij in de badkamer met gewichten tot het zweet over zijn hoofd stroomde en de aders op zijn voorhoofd en schouders strak stonden. Hij betwijfelde of Ed Lister in zijn armen even sterk was als hij. In Londen had Ward hem iedere ochtend uit zijn huis zien komen om te gaan joggen in Hyde Park. Ed had er toen wat tenger uitgezien. Maar hij vond het prettig dat de man die zijn schoonvader had kunnen worden zichzelf in vorm hield – weer iets wat ze gemeenschappelijk hadden.

Gedoucht en geschoren koos Ward uit zijn conservatieve garderobe een verschoten havermoutkleurige broek, een roestkleurig shirt, bruine sokken en een paar oude Timberland bergschoenen – kleding die volgens hem zou passen in het boerse Connecticut zoals hij het zich herinnerde. Daarna pakte hij de rugzak in die hij mee naar Europa had genomen.

Hij at langzaam een licht ontbijt van yoghurt en fruit met het boek, *The Soul of the White Ant* van Eugene Marais, onder zijn neus. Hij had besloten een auto te huren en over de noordelijke Taconic Parkway te rijden – hij kende de weg.

Over een paar uur zou hij thuis zijn.

43

Wachtend tot de bibliotheek van Norfolk open zou gaan, keek Campbell Armour aan de overkant van de straat vanuit zijn geparkeerde Toyota naar een tafereel dat hij voornamelijk kende uit oude Hollywoodfilms die hij als jongen in Hong Kong gezien had. Het ouderwetse, welvarende stadje in New England lag genesteld in een groen bekken van heuvels, met bomen vol bloesem en gezang van vogels, glimlachende bewoners die rondliepen alsof ze alle tijd van de wereld hadden en zich niet veel van die wereld aantrokken – bijna te mooi om waar te zijn.

Behalve de auto's en kleding, peinsde Campbell, was het stadje niet veel veranderd – nog even vredig en gezond met de Congregatiekerk met de witte torenspits, houten koloniale huizen en ouderwetse winkels – sinds die julidag zevenentwintig jaar geleden toen Ernest Seaton in de bezemkast met een met bloed besmeurd gezicht werd gevonden op Skylands, alsof hij aan een primitieve initiatierite had deelgenomen.

Een bruine politieauto met open raampjes kroop voor de tweede keer voorbij en de dikbuikige agent achter het stuur keek hem even aan van achter een pilotenzonnebril en knikte hem toe. Campbell stak zijn blikje Mountain Dew naar hem op en nam een slok. Hij zag wat dr. Stilwell bedoeld had: dat dit het soort plek was die zo goed mogelijk geprobeerd had om de Seatontragedie te 'beperken'. Er hing een zelfgenoegzame exclusiviteit in de lucht die hem benauwde.

In de stad voelde hij dat de mensen hem nakeken zodra hij hen zijn rug toegekeerd had.

Om een paar minuten voor tien draaide een gebutste Ford pick-up een parkeerplaats op naast het bakstenen gebouw dat in het victoriaanse tijdperk gebouwd was als bibliotheek. Er stapte een lange vrouw uit, gekleed in een spijkerbroek en een duur linnen jasje met een grijze vlecht op haar rug. Ze liep met sleutels in haar hand de trappen naar de voordeur op.

Campbell gaf haar wat tijd, en volgde haar toen het gebouw in.

'En waarmee kunnen we u vandaag helpen?'

De vrouw met de grijze vlecht zat achter de balie. Van dichtbij zag ze er jonger uit dan hij geschat had. Op haar naamkaartje stond Susan Mary Billetdeaux.

'U kunt ook gewoon rondkijken, als u dat wilt.'

Hij keek naar het houten interieur van de bibliotheek met zijn stenen haard en leunstoelen en schilderijen van wilde dieren aan de muren boven de boekenkasten; één eenzame computer in een alkoof was de enige concessie aan de moderne tijd.

Campbell schraapte zijn keel. 'Geen idee. Hebt u microfiches? Ik ben op zoek naar exemplaren van de *Litchfield County Times* van 1979, juli en augustus.'

Susan Mary glimlachte. 'Iets speciaals, waar u naar zoekt? We bewaren geen complete jaargangen, dus u kunt beter op onderwerp zoeken.'

Hij dacht even na. Het was hem niet gelukt om de archieven van de plaatselijke krant online te vinden. Hij zag geen enkele reden om haar tegen zich in het harnas te jagen.

'Je zou het onder moord of zelfmoord kunnen proberen,' zei hij en hij keek naar haar gezicht voor haar reactie. 'Het gezin heette Seaton. Hij was een tandarts, vermoordde zijn vrouw en schoot toen zichzelf dood. Ze woonden in de buurt van Colebrook.'

'Nou, dat bakent het behoorlijk af.' Weer glimlachte ze, alsof ze hem grappig vond, of door zijn ongebruikelijke vraag. Het was duidelijk dat ze nog nooit van de zaak had gehoord.

'Je komt niet hier uit de buurt, hè Susan?'

Ze schudde haar hoofd en de vlecht draaide. 'New York.'

'Ik ook niet.'

'Dat dacht ik al.'

Ze moesten allebei lachen. Hij liep met haar naar het documentatiegedeelte en zag hoe ze een stuk of twaalf in linnen gebonden knipselboeken van de planken haalde en op een leestafel legde. Bladerend door pagina's vergeelde krantenknipsels vond ze wat ze zocht en draaide het boek naar hem toe. 'Alstublieft.'

UITSPRAAK MOORD IN PLAATSELIJKE TRAGEDIE: ZELFMOORD

'Wist je,' zei Campbell terwijl hij de tekst vluchtige doornam, 'dat tandartsen het hoogste zelfmoordpercentage van alle beroepen hebben?'

Onder de kop stond een foto van Skylands. Een wit huis in koloniale stijl boven op een beboste heuvel. Het was een foto van veraf, van onderaf en opzij genomen – Campbell voelde een schok van herkenning.

Hij keek naar het huis op de homebeforedark-website.

'Tandartsen? Grapje zeker?' zei Susan Mary. 'Die zijn altijd zo saai en vervelend. Maar misschien komt het daardoor.'

Het artikel vertelde niet veel meer dan dr. Stilwell hem verteld had. Het verbaasde hem niet dat het onderzoek geen reden voor de zelfmoord had opgeleverd. Er was ook een foto van June en Gary Seaton; en een vermelding, helaas geen foto, van de jongen.

'Ik zou dit graag laten scannen... nu, als dat kan.'

'Geen probleem. Ik zal het met plezier voor u doen.'

Hij zag haar met het knipselboek verdwijnen door een deur met Privé erop en stelde zich voor hoe dat zilvergrijze haar eruit zou zien als het loshing, hoe ver het dan op haar rug zou hangen.

Om 10.13 uur e-mailde Campbell aan Ed Lister vanaf de computer in de bibliotheek een kopie van het artikel met een cirkel om de foto van Skylands en een krabbel: 'Ziet er bekend uit, hè? Laat me weten wat je denkt. Ik ga hier aan de slag om het na te trekken. C.'

Op weg naar de uitgang van het gebouw had Campbell het gevoel dat hij eindelijk eens ergens kwam, en hij stopte bij de balie om de bibliothecaresse te bedanken voor haar hulp.

'U weet zeker niet hoe ik daar moet komen?'

'Naar Skylands? Tuurlijk. Neem de bergweg richting Norfolk. Na de tweede heuvel rechtsaf Deer Flats Road op... laatste oprijlaan links.'

Hij keek haar verbijsterd aan, alsof hij om een verklaring vroeg.

Susan Mary glimlachte. 'U bent niet de eerste die dat vraagt.'

44

adorablejoker: wat doe jij hier?
templedog: op jou wachten
aj: lieg niet, verdomme

Ik loog niet – ik zat op kantoor en bekeek mijn e-mails voor ik naar een afspraak moest. Oké, ik had net ingelogd. Maar ik was wel veel online geweest in de hoop dat ik haar toevallig zou tegenkomen en had mezelf gekweld met het idee dat ze, onzichtbaar voor mij, er wel was en met iemand anders praatte.

Toen zag ik de kleine grijze smiley naast haar nickname oplichten en al mijn negatieve en jaloerse gevoelens waren op slag verdwenen; alsof de zon achter de wolken vandaan was gekomen. Was dit een toevallige ontmoeting? Jelly hield vol dat ze me gewist had, mijn naam van haar vriendenlijst verwijderd had en dat ze er dus geen idee van had wanneer ik online was, maar ik had mijn twijfels. Volgens mij had ze gezien dat ik er was en had ze toen gekozen voor de 'Ik ben aanwezig'-optie.

Ze wilde contact met me.

td: waar ben je?
aj: op het strand met vrienden
td: ik dacht dat je de pest had aan de oceaan… je vrienden in
    Westhampton, klopt dat?
aj: hier is het tenminste koeler dan in Brooklyn
aj: hé, weet je? ik heb kleren gekocht voor een feest vanavond en o mijn
    god, het heeft zó'n leuk topje. met een V-hals en een soort gouden
    kleur… nu moet ik alleen nog een paar schoenen erbij vinden en…
td: ik weet zeker dat je de mooiste op het bal zult zijn

Ik keek over mijn scherm heen, door de deuropening van mijn kantoor naar de vergaderkamer waar mijn team al aanwezig was. Ik had om twee uur een bijeenkomst op kantoor geregeld met de boekhoudafdeling. Het was nu kwart over.

Audrey ving mijn blik en trok vragend een wenkbrauw op.

aj: ja, vast… het is in een club hier die Scarlett's heet

td: die ken ik, was vroeger een disco… je moet voorzichtig zijn met dit soort informatie. Ik zou in een vliegtuig kunnen springen en er rond middernacht kunnen zijn.

aj: mmmm… misschien zou dat niet zo'n goed idee zijn… hoor eens, ik wilde het je niet vertellen… maar er is een kans dat mijn ex ook komt

td: o… dus je luistert liever niet naar je hart

aj: alsjeblieft, Ed, niet doen

td: jij wil liever bij iemand zijn van wie je niet houdt en nooit zult houden

aj: o, jezus… moet ik het echt voor je uitspellen?

td: momentje

Ik kreeg een mail van Campbell Armour.

Ik opende vlug de bijlage en voelde mijn maag omdraaien toen het knipsel over het Skylandsverhaal het scherm vulde. Geen twijfel mogelijk: dit was het huis.

Ik keek naar de andere foto, die van de Seatons. In hun trouwkleding leken ze precies op ieder ander jong Amerikaans stel uit die onelegante periode. De kleding van de bruid dwong me beter te kijken. Het was niet echt duidelijk, maar June Seaton deed me aan iemand denken die ik heel lang geleden ooit ontmoet had.

Ik verwierp de gedachte meteen.

Ik concentreerde me op Skylands. Ik vond het raar om naar het ouderlijk huis te kijken van degene die Sophie had vermoord. Ik vergrootte het beeld en boog me over de details, opgewonden over de mogelijkheid dat dat oude, witte huis – dat overduidelijk model had gestaan voor het virtuele huis op de homebeforedark-website en de tekeningen in Sophies schetsboek – ons naar hem kon leiden. Dit was een heel belangrijke ontwikkeling. Ik keek op mijn horloge.

Campbell was inmiddels op weg ernaartoe.

aj: ik heb met hem geslapen

td: gefeliciteerd… wat wil je dat ik zeg, dat ik blij voor je ben?

td: het betekent helemaal niets en dat weet je

aj: waarom doe je dit toch? Waarom laat je me niet gaan?

td: omdat we volgens mij voor elkaar bestemd zijn

aj: o, god, hou nou eens óp

td: ik ben verliefd op je, Jelly… is dat verboden?

aj: niet op mij, op jouw idee over mij

td: je kunt het blijven ontkennen, maar het is duidelijk dat jij hetzelfde voelt

aj: nee, dat heb je helemaal verkeerd, mannetje… en dit is het einde van dit gesprek

Ik zag dat ze wegging – nou, ja, ik wachtte tot de regel boven in het venster bevestigde dat 'Adorablejoker offline was' – en leunde achterover in mijn stoel en sloot mijn ogen. Mijn borst deed pijn, ik kon amper ademhalen, mijn maag was van streek en toch voelde ik me vreemd genoeg verrukt door onze ontmoeting.

We hadden dit eerder meegemaakt. Al onze gesprekken leken er tegenwoordig mee te eindigen dat Jelly zei dat ze nooit meer met me wilde praten, maar dit was anders.

Ik dacht na over haar reactie toen ik had voorgesteld dat ik naar haar toe zou komen vliegen die avond. Het was verrassend, toch – ik scrolde terug om zeker te weten dat ik mezelf niet voor de gek hield – dat ze dat idee niet meteen verwierp?

Op een bepaalde manier leek ze te zeggen: kom.

Waarom zou ze anders vertellen waar ze zat? Ze gebruikte haar vriend om mij jaloers te maken, om er zeker van te zijn dat ik in dat vliegtuig sprong. Het was duidelijk dat ze hetzelfde voelde als ik – ze was alleen nog niet zover dat ze het toe gaf.

Toen, toen ik het allang niet meer verwachtte, stuurde ze me een berichtje terug.

aj: wil je wat voor me doen?

td: hangt ervan af wat het is

aj: wil je deze kant op kijken… een seconde naar me kijken?

aj: één seconde, voor je weggaat?

Toen ze dat schreef, sprong mijn hart op en klopte het even wat sneller. Ik vergrootte Jelly's foto. Haar gezicht vulde het scherm en ik voelde het bonken in mijn borstkas als een metronoom die een sneller ritme aangaf dan waar ik naar luisterde op mijn iPod – 'Superstition' van Stevie Wonder.

td: oké, ik kijk
aj: ik kom naar voren en kus je zacht op je lippen
td: verdomme
aj: je hebt gelijk. ik denk dat dit verkeerd was, ik kan beter gaan
td: pas nadat ik de gunst heb vervuld
aj: moet jij niet werken, mensen spreken?
td: die kunnen wachten…
aj: nou ja… als het alleen een kus is
td: je brengt me helemaal in de war
aj: ik ben verdomme zelf helemaal in de war
aj: ik weet niet of het door de warmte komt of niet
td: blij dat ik niet de enige ben die er last van heeft
aj: tja… maar wat doe je eraan?

'Bestaat er nog een kans dat we je deze week nog een keer te zien krijgen?' vroeg Audrey.

Ik had haar niet binnen horen komen. Met haar handen op haar heupen stond ze voor mijn bureau, een meter van mijn laptop.

De foto van Jelly vulde nog steeds het scherm.

Ik sloot het scherm vlug en deed mijn oortje uit. 'Is iedereen er?'

Audrey knikte alleen maar. Ik hoorde het blikken geluid van de gitaarsolo van 'Superstition' uit het witte oortje komen. Toen viel me in dat er iets in dat laatste suggestieve gesprek met Jelly niet klopte. Toen ze net terugkwam, had ik gemerkt dat er een kleine vertraging aan haar kant van de conversatie was, die er in het gesprek ervoor niet was geweest. Ik wist het niet honderd procent zeker – er kon ook een andere verklaring voor zijn – maar ik had de indruk (ik word nog steeds misselijk als ik eraan denk) dat ze na haar 'en dit is het eind van het gesprek' geen berichten meer verstuurd had.

Ik had met iemand anders gesproken.

'Voel je je wel goed?' vroeg Audrey. 'Je ziet eruit als een geest.'

'Een verandering in de plannen,' zei ik zo kalm mogelijk, toen de betekenis hiervan tot me doordrong. Als het Ward was die deed of hij Jelly was, realiseerde ik me, dan wist hij niet alleen van haar bestaan, maar dan was hij bijna zeker ook achter haar identiteit gekomen, haar telefoonnummer, waar ze werkte en woonde. Dan was ze in reëel en direct gevaar.

'Ik moet naar New York… vanavond nog. Ik wil dat je al mijn afspraken afzegt en de laatste vlucht voor me boekt.'

Ik stond op en begon mijn bureau op te ruimen, terwijl ik me afvroeg hoe vaak ik met Ward gesproken had als ik dacht dat ik een gesprek met Jelly voerde – en, vice versa, of zij ooit met de moordenaar had gesproken, terwijl ze dacht dat ik het was.

45

'Grace?' zei Ward in zijn mobiel. 'Grace Wilkes?'

'Wie wil dat weten? Wie ís dit?'

'Herken je mijn stem niet?'

Stilte aan de andere kant van de lijn.

'Het is ook al een tijd geleden, hè. Met Ernest Seaton, Grace.'

Hij hoorde haar ademhaling stokken.

'Ernie? Dat is niet te geloven. Ernie...' Haar stem sloeg over en ze begon te huilen. Het was de eerste keer dat ze elkaar spraken sinds hij het huis verlaten had. Ward hield de telefoon op een afstandje van zijn oor. 'O, mijn... o, mijn god. Ernie, ben je het echt?'

'Je bent het niet vergeten,' zei hij en toen ze weer een beetje bijgekomen was, ging hij verder: 'Het is niet nodig dat iemand anders het weet.'

'Dat komt wel goed. Ik ben alleen... ik woon nu op mezelf.' Ze onderbrak haar gehuil om een diepe zucht te slaken. 'Earl is vorig jaar overleden.'

'Wat jammer voor je.' Het was geen nieuws voor hem, maar nu ze het zei, zag hij een lange, magere man voor zich die met vermoeide, diepliggende ogen en een rood-zwart geruite polo van Woolrich de bladeren in de tuin aanharkte. 'Ik kom meteen ter zake, Grace. Ik zit in moeilijkheden. Er is een kerel, een of andere detective, die zijn neus in zaken wil steken die hem geen donder aangaan.'

'Kan dat dezelfde vent zijn die me gisteren belde en allerlei vragen stelde? Ik zei dat ik tot morgen niet in de stad ben.'

'Jij weet altijd hoe je moet reageren.' Hij liet haar de lach in zijn stem horen.

'Waar zit je, Ernie?' vroeg ze sniffend.

'Bij het huis.'

Hij stond op de veranda, keek geschokt naar de verwaarloosde tuin en zag hoe slecht onderhouden alles was. De terrassen waren zo overwoekerd dat hij amper het originele ontwerp kon zien. Er waren stenen uit de muren gevallen, langs de heuvel naar beneden gerold en tegen boomstammen en struiken blijven liggen. De witte schutting was verdwenen en ook het tuinhek en de cirkel van grind waar hij zijn legers had opgesteld en historische veldslagen had nagespeeld.

Ward plaatste in gedachten alles precies zo terug als hij het zich herinnerde.

Aan het uitzicht hoefde hij niets te doen. Je kon nog steeds zo'n negentig kilometer ver kijken, zeker tot de Berkshires, de beboste heuvels die in elkaar overliepen en langzaam vervaagden tot ze in de blauwe mist aan de horizon verdwenen.

Onbedorven, het soort uitzicht dat Ed Lister mooi vond.

'Ik kan daarnaartoe komen,' zei Grace.

In de verte hoorde hij een auto aankomen. Hij sprong van de veranda en liep vlug naar de rand van het terras, waar een gat in de begroeiing zat. Hij zag de kleine zilveren Camry even aarzelen voor hij Piper Hall indraaide en over het zandpad met een stofwolk achter zich aan naar het huis reed.

Ward keek omhoog naar het enige raam aan de voorkant van het huis waar geen luik voor zat. De blauwe lucht die in de ramen weerkaatste smaakte naar roestige spijkers.

'Nee, ik heb nu geen tijd. Ik bel je later.' Hij maakte met zijn sleutel de voordeur open, ging naar binnen en draaide de deur weer achter zich op slot.

Het duurde even voor zijn ogen aan de duisternis gewend waren. Achter in de gang, onder het stof nu, stond nog steeds de ronde tafel; daarachter lag de trap. Er viel een lichtbaan op de vloer vanuit de gebarsten keukendeur. De lucht voelde koel op zijn gezicht. Ward merkte dat hij zweette.

Zijn voeten maakten geen geluid toen hij over de kale grenen vloer liep. Hij herkende een paar meubelstukken, die bedekt waren met een dikke laag stof, maar verder stonden er in het huis weinig familiebezittingen. Die waren allemaal weggehaald. Ineens zag hij door de openstaande deur in de salon de oude piano waar zijn moeder altijd op speelde. Hij moest vechten tegen de herinneringen die hem overspoelden en die vochten om zijn aandacht terwijl hij de trap op liep.

Op de overloop volgde Ward het spoor van gefilterd daglicht. Hij kwam bij de logeerkamer en liep naar het enige raam zonder luik er- voor, terwijl op hetzelfde moment de Toyota met blèrende radio voor het huis tot stilstand kwam. Hij zag hoe Campbell Armour, in een rood traningspak met dubbele witte strepen aan de zijkanten, uit de auto stapte, rondkeek en, tevreden dat hij het juiste adres had gevonden, in de auto dook om de motor af te zetten.

'*Son of a gun, we'll have big fun...*'

Door het abrupt stilvallen van het oude countryliedje werd de stilte dieper dan ervoor, werden onwelkome echo's uit het verleden opgeroepen: dat hij gedwongen werd om in de voorkamer 'muzikaal standbeeld' te spelen. Zijn vader trok altijd de naald weg in *Jambalaya*, net voordat Hank Williams '... *on the bayou*' zou gaan zingen. Achter de bleke ogen van de jongen dansten oranje, tralieachtige vormen op het verdwijnende ritme die hem uit balans brachten. Ik zag je bewegen, zoon.

Oranje, zijn standaardkleur voor pijn.

Ward trok zich terug achter de verschoten chintzen overgordijnen toen de detective, met zijn handen boven zijn ogen tegen de zon, omhoogkeek naar de ramen op de eerste verdieping. Hij had hem eerder gezien in het dorp, in de bibliotheek en bij de makelaar, en hem domme vragen horen stellen – de man was een amateur. Hij mocht dan veel van computers weten, maar hier had hij geen, totaal geen, kaas van gegeten. Ward hoopte dat, in het belang van iedereen, deze Jackie Chan niets stoms zou gaan proberen, zoals in dit huis inbreken.

Hij was nog niet klaar voor hem.

En wat als hij wel naar binnen komt, onuitgenodigd? Heb je daarover nagedacht, Ernest? Wat ga je dan doen? Je weer in de bezemkast verbergen?

Hij was klein, zelfs voor een Chinees, maar wel gespierd en atletisch gebouwd. Niet dat Ward bang was dat hij hem niet aankon. Maar hij was wel bang dat hij hem, als hij eenmaal binnen was, niet meer kon laten gaan. Zijn oog viel op een loden schuifgewicht op de vensterbank.

Ho, wacht... wacht verdomme nog eventjes. Nee, JIJ pakt het...

Hij pakte het dertig centimeter lange gewicht en liep zachtjes naar beneden.

'Hoe lang blijf je weg, denk je?' vroeg Laura. Ze stond in de slaapkamer toen ik onder de douche vandaan kwam.

'Een dag of twee... ik weet het niet precies, tot ik weet wat er aan de hand is. We gaan naar twee mogelijkheden kijken, misschien meer.'

'Ik snap het niet. Dit heb je dus net gehoord?'

Ik wreef ruw mijn haren droog. 'Al belde me twee uur geleden vanuit New York. Hij heeft een ingang bij een deal die geweldig kan uitpakken.

Ik moet snel reageren, anders zit ik ernaast.' Ik glimlachte naar haar. 'Je weet hoe dat gaat.'

'Waarom laat je het hem niet regelen, of stuur iemand anders.'

'Het is een oud landgoed in Connecticut. Al zei dat het uitzicht vanuit het huis spectaculair is. Niet dat ik hem niet geloof, maar ik wil gewoon graag zien wat ik koop.'

Ik liet de handdoek vallen, pakte het schone overhemd dat ik op bed had klaargelegd en trok dat aan. Laura keek me even aan, liep toen naar de bank onder het raam en ging zitten. 'Ik neem aan dat je bent vergeten dat we vanavond zouden dineren bij de Rentons. Zal ik ze afbellen, of doe jij dat?'

'Waarom ga je niet alleen?' vroeg ik luchtig. 'Het zal er best gezellig zijn.'

'Je weet hoe vervelend ik het vind om alleen naar etentjes te gaan.'

Ze fronste haar wenkbrauwen en keek naar de grond. Er viel een stilte. Ik voelde dat ze wist dat ik iets voor haar achterhield. Ik kleedde me verder aan, trok een van de donkerblauwe pakken aan die ik altijd draag als ik voor zaken op reis moet. Verraad hing in de lucht, maar ik kon alleen aan Jelly denken en aan het feit dat ik haar eerder moest vinden dan Ward.

Laura leek verdiept in haar eigen gedachten.

'Er is nog een reden,' begon ik aarzelend, alsof ik de ware reden van de reis ging onthullen, 'voor het geval je je dat afvroeg.' Na Parijs nam ik aan dat ze begrepen had dat 'werk' mijn smoes was om naar Amerika te vliegen, in feite hoopte ik dat. 'Ik zal daar Campbell Armour ontmoeten... die privédetective waar ik het over heb gehad. Het ziet ernaar uit dat hij grote vooruitgang heeft geboekt.'

'Woonde die niet in Florida?'

'Hij probeert om donderdag in New York te zijn.'

Ze stond op en liep langzaam naar de deur, daar draaide ze zich om en bleef ze staan; helemaal in het wit gekleed zag ze er onheilspellend sereen uit. 'Ik neem aan dat ik nu alles heb gehoord wat ik van jou te horen krijg over dit onderwerp?'

Ik haalde mijn schouders op. 'Ik weet dat je het niet leuk vindt, dus... bespaar ik je de details.'

Weer een moeizame stilte.

'Trouwens, die politieagente heeft nog gebeld... Edith Cowper. Ze moet je net gemist hebben op kantoor.'

Met een zwaar gevoel in mijn borst ging ik verder met pakken, ik legde mijn kleren in een koffertje. 'Ik zal haar bellen als ik terug ben.'

'Ze zei dat het belangrijk was.' Ik voelde hoe Laura naar me keek en wachtte op mijn reactie, maar toen gaf ze het op. 'Als je me nodig hebt, ben ik beneden.'

De voordeur van Skylands zat op slot.

Terwijl hij langzaam over de veranda om het huis liep, probeerde Campbell alle luiken voor de ramen op de begane grond, voor het geval er één niet op slot zat. Aan de achterkant van het huis kwam hij bij een soort ingebouwde serre met, achter een gescheurde hor, weer een afgesloten deur. Hij keek in een bijkeuken waar sneeuwschoenen stonden en aan de muur een paar oude houten skistokken hingen; daarachter was iets wat op de keuken leek.

Hij liep door de achtertuin en nam een paar foto's – hij kon up-to-date bewijzen nodig hebben dat het virtuele huis een reproductie was van het ouderlijk huis van Ernest Seaton.

De middag was warm en stil en wat er over was van de tuin rook naar het welig tierende onkruid. Achter een stel verwaarloosde bessenstruiken vond Campbell sporen van een omheinde tennisbaan die lang geleden voor het laatst onderhouden was. Onder aan de heuvel lag een vijver vol riet en gele irissen en met een oud vlondertje dat half tussen het onkruid verborgen lag. Er stond een reiger op een dode boom die over het water was gevallen.

Toen hij terugkeek naar het witte huis op de heuvel, omgeven door eiken en dollekervel, zag hij hoe Skylands er moet hebben uitgezien toen het nog bewoond en onderhouden werd – de zon die op het rustieke leidak scheen, rook die uit de schoorstenen van geglazuurde stenen kringelde, de zwart-groene luiken die openstonden en de violette schaduw op de lange, witte veranda met pilaren, de belofte van een koel drankje... het was een droomhuis.

Voor een negenjarige jongen die hier opgroeide, dacht Campbell, moest het een paradijs zijn geweest. Tot op een warme zomeravond een keukenmes werd gegrepen in god mocht weten wat voor moordzuchtige woede en de hel op aarde kwam. En voor eeuwig een eind gemaakt werd aan de droom die Skylands was. De enige échte paradijzen zijn we kwijtgeraakt. Lag hier de geheime oorzaak van Ernest Seatons gedrag? Hij vroeg zich af of hier nog dingen uit diens jeugd zouden liggen, speelgoed en zo, wat hem zou kunnen helpen om de man die Ernest was geworden op te sporen.

Hij schrok van de schrille tonen van zijn mobiel.

Hij verwachtte half en half dat het Ed Lister was toen hij op het display keek. Onbekend nummer, maar het netnummer 941 gold voor een groot deel van Zuidwest-Florida: de woekeraars werkten vanuit Sarasota en Venice. Campbell aarzelde even, maar zette toen zijn mobiel uit. Het zweet brak hem uit, terwijl hij langzaam naar het huis terugliep.

Het interieur van Skylands, zo had hij van een plaatselijke makelaar gehoord, was grotendeels intact. De huidige eigenaars, een ouder echtpaar uit New York, hadden het begin jaren 1990 als investering gekocht en waren vervolgens gaan rentenieren op Hawaï. Ze hadden er nooit gewoond.

'Niemand weet wat hun plannen met het landgoed zijn,' had Hersey Dodds hem toevertrouwd; ze werd informeler toen bleek dat hij niet van plan was om met zijn gezin naar Norfolk te verhuizen. 'Het staat niet te koop en is de laatste vijftien jaar niet verhuurd of bewoond geweest, u begrijpt wel waarom... toch heeft het veel mogelijkheden.'

Hij dacht aan Susan Mary in de stadsbibliotheek; toen hij had gevraagd wie er dan nog meer die kant op had gewild, had ze slechts gezegd: o, een of andere projectontwikkelaar uit New York die het misschien wilde kopen. Ook al stond het niet te koop.

Terwijl hij op de veranda aan de voorkant van het huis zat en takjes tussen de veters van zijn gymschoenen uit trok, dacht Campbell na over wat hem te doen stond. Het was vast niet moeilijk om Skylands binnen te komen. Het probleem was dat de halve stad, inclusief die dikke agent, wist dat hij hier was. Gevangenisstraf wegens inbraak en het betreden van privéterrein – er hingen waarschuwingen op de bomen langs de oprijlaan – zou niet erg goed staan op zijn cv.

Aan de andere kant kon dit de enige kans zijn die hij kreeg.

Ergens diep vanuit het huis kraakte hout. Hij bleef even roerloos zitten, maar het geluid herhaalde zich niet en hij weet het aan uitzetting door de hitte of aan verzakking. Toen dacht hij aan de ellende waarin hij zich bevond, het geld dat hij schuldig was en de hoge bonus die zijn cliënt had toegezegd – hij had geen keus.

Hij bekeek de voordeur en herinnerde zich dat hij, toen hij naar een verborgen toegang tot het virtuele huis had gezocht, het kattenluik had geprobeerd. Hij had het eerder niet gezien, maar over het onderste linkerpaneel van de deur zat een dunne plank fineer gespijkerd, die daarna was overgeschilderd. Hij hurkte neer, gebruikte zijn zakmes om het fineer los te wrikken en vond daarachter het kattenluik.

De plastic flap was niet afgesloten. Met een verraderlijk piepje bewoog het naar achteren toen hij zijn hand door de kleine opening stak en binnen naar een sleutel tastte. Toen met een arm, tot aan zijn elleboog. Er lag niets.

Omdat hij zeker wilde weten dat er ook niets net buiten zijn bereik lag, ging hij verzitten, hield met een hand de flap omhoog en probeerde naar binnen te kijken. Hij kon maar een een klein stukje de donkere gang in kijken, maar dat was ver genoeg om voetstappen in de dikke stoflaag op de vloer te zien – het was onmogelijk te zeggen hoe lang die daar al waren. Hij zag ze van de deur af en naar de deur toe lopen. Hij probeerde zijn hoofd te draaien om beter te kunnen zien.

Hij liet de flap los, die een paar keer heen en weer wapperde voor hij stil bleef bleef hangen. Het enige wat hij hoorde was zijn eigen, licht verhoogde hartslag.

Zijn handen trilden toen hij zijn zakmes dichtklapte.

Helemaal aan de linkerkant, in de verste hoek van zijn beperkte blikveld, had hij een paar bruine bergschoenen gezien... daar stond iemand, doodstil, pal achter de deur.

Langzaam achteruitlopend, stapte hij van de veranda. Hij dwong zichzelf om rustig over het terras naar de auto te lopen, niet te rennen. De krekels voor hem vielen stil, maar begonnen weer met hun kabaal zodra hij voorbij was.

Campbell weerstond de neiging om over zijn schouder naar het huis te kijken tot hij veilig achter het stuur zat, met de portieren op slot en een draaiende motor.

46

'Hoe zou je het vinden,' hoorde ik Laura achter me zeggen, 'als ik met je meeging?'

Ik stond bij de deur van onze slaapkamer en keek rond om te controleren of ik niets vergeten was. 'Met me meegaan?' Het kwam zo onverwacht dat ik eerst niet begreep wat ze bedoelde. 'Je bedoelt naar New York? Vanavond?'

Ze was zojuist de trap op gerend en was een beetje buiten adem. Ik keerde me naar haar toe om haar aan te kijken, met in elke hand een koffer, bang dat ik iets in haar ogen zou zien wat zei: ik weet het.

Laura glimlachte. 'Kijk niet zo verbijsterd, Ed.'

'Het is meer dat ik verbaasd ben. Je bent niet iemand die op het laatste moment beslissingen neemt. Ik bedoel... je hebt geen ticket, je hebt nog niet eens je koffers gepakt.'

'Dat zijn details.' Haar stem klonk onnatuurlijk opgewekt.

'Aan de andere kant,' herstelde ik me snel genoeg om vriendelijk te klinken, 'kan ik me niets leukers voorstellen.'

'We zijn al in geen eeuwen in New York geweest.'

'Ik weet het, maar waarom nu? Ik zal het de hele tijd druk hebben.'

'Ik dacht gewoon dat het misschien een goede gelegenheid zou zijn om Alice weer eens te zien. Je weet dat ik me daar schuldig over voel. En als jij aan het werk bent, zou ik naar La Rochelle kunnen gaan om haar op te zoeken.'

Alice, de oude mevrouw Fielding, was de grootmoeder van Laura en Will. Ze was ver in de tachtig, breekbaar en gerimpeld, maar had een ongebroken onafhankelijke geest, die ze zelf toeschreef aan haar voorgeslacht uit Virginia. Ze woonde min of meer alleen in Gilmans Landing aan de rivier de Hudson.

'Het is een geweldig idee. Jammer dat je er niet eerder aan gedacht hebt. Laura, ik moet nu weg, anders mis ik mijn vliegtuig.' Audrey had een plaats voor me geboekt op de vlucht van 20.30 uur, de laatste vlucht van Virgin Atlantic naar JFK Airport. Ik had minder dan een uur om op Heathrow te komen.

'Ik weet nog maar sinds een uur dat jíj weggaat.' Laura stond boven aan de trap, met één hand op de leuning, en blokkeerde mijn weg naar beneden.

'We doen het een andere keer, dat beloof ik,' zei ik, in een poging de ondertoon van berouw te negeren, maar in het volle besef dat ik bezig was het vertrouwen te verspelen van iemand met wie ik drieëntwintig jaar mijn leven had gedeeld.

'Je zou op zijn minst kunnen voorstellen dat ik morgen een vlucht neem om bij je te komen.'

'Schat, ik wilde... ik denk gewoon niet dat het gaat lukken. We zouden elkaar daar nauwelijks zien. Luister, als het je geruststelt, wil ik wel even bij Alice langs gaan, om te zien of alles goed gaat met haar.'

'Echt? Ze zou een bezoekje echt op prijs stellen. Je weet dat ze gek op je is.' Laura begon te glimlachen, maar beet toen op haar onderlip. 'Weet je zeker dat je daar tijd voor hebt?'

Ze bedoelde het ongetwijfeld ironisch, maar ik was allang blij dat ik het haar uit haar hoofd gepraat had om mee te gaan: dat was het enige dat ertoe deed. Ik zag iets van spijt, of misschien alleen berusting in haar ogen. 'Luister, als ik terug ben, is het misschien een goed idee als we eens praatten.'

'Waarover?'

'Ik weet niet... Sophie, ons huwelijk, ons.'

Ze glimlachte schamper. 'Wat valt er te bespreken?'

Ik wist wat ze bedoelde. We leken uit elkaar gegroeid, dus waarom zouden we tijd verspillen aan praten als dat alles alleen maar erger zou maken? Ik had me een ander soort gesprek voorgesteld, waarbij we er misschien op vriendschappelijke wijze toe konden besluiten dat we aan het eind van onze gezamenlijke weg waren aangekomen. Maar zover waren we nog niet. 'Ik heb je dit nog niet verteld,' zei ik. 'Maar ik denk niet dat je beseft hoeveel ik van haar hield. Van Sophie, bedoel ik.'

Laura zuchtte. 'Het gaat nog altijd alleen maar om jou, hè?'

'Oké, als je er zo over denkt... laat dan maar.'

'Ed, het spijt me.' Ze stapte naar me toe en sloeg haar armen onder mijn jasje om mijn middel. Ik zette de koffers neer. We namen met een onhandige omhelzing afscheid, hielden elkaar steviger en langer vast dan anders. Ik denk dat we ons aan het wrak vastklampten.

Ik voelde dat Laura nog meer wilde zegen, maar ik had echt de tijd niet om te luisteren. De Mercedes stond bij de voordeur te wachten. Ik kon Michael, de chauffeur, beneden in de hal horen rommelen.

'Als we er ooit achter komen wie ons dit heeft aangedaan... kunnen we misschien beginnen onze levens opnieuw op te pakken.'

Ze deed een stap achteruit en ik zag dat ze huilde. 'Ik weet het niet.'

Ik had geen idee wat er echt met haar aan de hand was, maar ik denk dat we geen van beiden op dat moment geloofden dat we samen nog een toekomst hadden. Ik wist alleen maar dat ik naar New York vloog om het meisje te beschermen op wie ik verliefd was geworden en wier leven ik in gevaar had gebracht – en dat ik zo gericht was op het opsporen van Sophies moordenaar dat ik nergens anders aan kon denken. Die twee doelen waren nu, hoe dan ook, innig met elkaar verbonden.

Mijn laatste onlinegesprek met Jelena, hoe onrustbarend dat ook geweest was, had me in elk geval doen inzien dat, hoewel het leek alsof zij 'kom' had gezegd, het net zo goed Ward kon zijn geweest die me had uitgenodigd voor het feestje bij Scarlett's.

Daar was iemand behoorlijk goed weggekomen.

Hoe zit het met jou? Ben je opgelucht? Of zijn we misschien een heel klein beetje teleurgesteld?

Daar stond je hem dan op te wachten achter de deur, als een soort psychopaat in een griezelfilm. Ernie, ik heb je gewaarschuwd dat je dit gedoe niet te leuk moet gaan vinden.

Ward deed zijn ogen dicht. Hij had tien volle minuten voorbij laten gaan sinds hij de auto van de detective aan de voet van de heuvel had horen wegrijden. Alleen maar om zeker te weten dat hij niet terug zou komen. Nu kwam het moeilijkste. Hij ging de trap op.

Op de overloop was de derde van vier identieke eiken paneeldeuren de slaapkamerdeur van zijn ouders. Ward stak zijn hand uit, aarzelde. Hij kon het al horen. Het gebons werd langzaam luider en indringender, zwol aan tot een onophoudelijk dreunend gebonk. Het klonk alsof het van beneden kwam, maar hij had de luiken en de sloten gecontroleerd, die zaten allemaal goed vast, en er stond geen zuchtje wind.

Hij had de ingepakte koffers van zijn moeder in de hal zien staan...

Hij pakte de deurkruk vast en het gedreun stopte; hij deed de deur op een kier en duwde hem toen helemaal open. Voor zich zag hij het schouwspel dat hij die avond gezien had.

Zijn verwilderde blik was gericht geweest op een reproductie van het schilderij *Christina's World* van Andrew Wyeth, dat scheef boven het bed hing, omdat hij niet in staat was om te gaan met het bewegingloze stilleven van de vernietiging daaronder – toen spatte er iets op de grond en vloog de kamer hem aan.

De kleuren, de vormen en de smaken stormden op hem af in een woeste draaikolk waartegen hij geen enkel verweer had. Hij voelde dat het warmer werd – een nachtelijke hitte, bedompt en dichtbij – als een massieve pilaar die hij kon zien en aanraken. Hij hoorde een hoog gejank dat als een hand zijn hart omsloot. Zijn zintuigen liepen totaal door elkaar en veroorzaakten kortsluiting.

De beelden die volgden kwamen met een emotionele intensiteit die hij bijna ondraaglijk vond: het hoofd van zijn moeder dat over de bedrand hing, haar parelwitte tanden die glinsterden door een masker van bloed dat de geur had van een vlakgom... haar open ogen, die hem ondersteboven aanstaarden, waardoor zijn tong de bittere, inktachtige smaak van kinine proefde... de grijze en roze hersenmassa van zijn vader op het kleed en het plafond... de rook trok op, de geur van cordiet, groene appelen, het droge geritsel van miljoenen insectenvleugels.

Hij kon de drempel niet over, kon zich niet bewegen, kon niet zien wie daar bij hen was. Maar er was íémand...

Dat wist hij nu zeker.

Zijn blik werd helder, waardoor de kamer weer leeg werd. Maar toen hij de deur probeerde te sluiten, bleef die halverwege steken, alsof er aan de andere kant een obstakel zat. Hij zette zijn schouder tegen de deurpost en trok uit alle macht; plotseling brak de weerstand en viel hij achterover. De deur sloeg dicht en heel even, achteruitgeworpen op de kale, stille overloop, voelde Ward dat een volkomen zekerheid zich van hem meester maakte.

Hij wist dat hij gerechtvaardigd was.

Niet iedereen heeft het geluk om het pad te vinden. Je moet eerst leren om de ironie te waarderen en te accepteren die besloten ligt in het hart van alle vooruitgang, en die zegt dat zoiets uiteindelijk niet bestaat. Hij ontdekte het ware doel van zijn leven pas toen het verleden, dat men hem zei te vergeten, hem eindelijk had ingehaald.

Hij begreep nu dat, hoe hard je ook je best doet om iemand anders te worden, dat nooit zal lukken. Je kunt de kaarten schudden zo vaak je wilt en geloven dat je dan andere kaarten hebt dan die je zijn toebedeeld; je kunt je aanpassen aan veranderende omstandigheden en je inbeelden dat je emotioneel, moreel en spiritueel gegroeid bent. Je kunt rijkdom en geluk najagen, evangeliën of zelfverbetering of wedergeboorte nastreven, je kunt je vertrouwen in een vlag wikkelen – maar dan bedrieg je jezelf. Je zult blijven wie je bent en dat zal altijd zo zijn, vanaf de wieg tot het graf.

Het enige doel is die persoon worden.

Weet je wat ik denk? Ik denk dat de behoefte om wraak te willen nemen er altijd al geweest is, altijd deel heeft uitgemaakt van jou... je kon het alleen niet toegeven, niet toen je nog iemand anders was.

Tot twee jaar geleden had hij een ander leven geleid – een onopvallend, redelijk succesvol bestaan, dat gebaseerd was op een leugen. Hij was onzichtbaar. Niemand kende zijn echte naam, of het echte verhaal van zijn herkomst. Hij had nooit gepraat over wat er van hem was geworden na de dood van zijn ouders; hoe hij als bij toverslag (de breuk was zo compleet) van een idyllische jeugd te midden van een liefhebbend gezin was terechtgekomen onder de voogdij van een koud, kinderloos echtpaar. Zijn nieuwe 'ouders' namen hem in hun midden op, maar lieten hem rigoreus afscheid nemen van het verleden. Hij mocht niets van zijn oude leven meenemen naar zijn nieuwe leven. Geen foto's van zijn vroegere huis of zijn ouders, geen boeken of brieven, geen speelgoed... herinneringen waren niet toegestaan. Hem werd verboden te praten over wat gebeurd was, en te rouwen.

Iets in jou is die nacht gestorven... Ik weet het jongen, ik heb het ook meegemaakt en ik heb het allemaal al eerder gehoord. Kunnen we nu verdomme weg uit dit mausoleum?

Toen zijn grootmoeder twee jaar geleden stierf, had hij erover gedacht om naar New York te vliegen om afscheid te nemen (hij woonde toen in Europa), maar hij wist uiteindelijk niet waarom hij dat zou doen. Waarom zou hij herinneringen ophalen die hij had toegewezen aan iemand anders? Hij had haar gebeld en nadat ze was overleden en hem een aanzienlijke hoeveelheid geld had nagelaten, schreef hij naar Grace Wilkes, die hem een paar persoonlijke bezittingen van zijn grootmoeder toestuurde. Daarbij zat een niet verzonden brief in het handschrift van zijn moeder, die de oude dame al die jaren veilig had bewaard.

Die brief had zijn leven veranderd.

Onder de trap scheen Ward met het lampje aan zijn sleutelhanger de bezemkast in waar hij zich die nacht had verborgen. Een stoffer en blik, een stapel oude *Life*-tijdschriften, een paar gebrekkig bespannen houten tennisrackets... het blauwe schijnsel gleed beurtelings over alle stoffige dingen. Hij zette het loden schuifgewicht net binnen in de kast, zodat de deur op een kier bleef staan.

De brief had hem wakker geschud en een gevoel van richting gegeven. Daardoor had hij de weg teruggevonden naar zijn lang vergeten zelf. Hij werd naar huis geroepen.

Aan de andere kant van de gang ging Ward de ruimte binnen die vroeger de woonkamer was. De oude televisiekast in de hoek was weg, maar de twee leunstoelen waren niet verplaatst. Hij haalde een stoflaken van de stoel die het dichtst bij de deur stond en ging erin zitten. Zijn hand liet hij over de kussens van de zitting gaan, op zoek naar de afstandsbediening. Maar er was niets.

Hé, raad eens wat ik heb ontdekt?

Die schwartze had het over een disco, Scarlett's, toch? Nou, volgens de kamer van koophandel van Washington Beach is Scarlett's al sinds het einde van de jaren tachtig niet meer open. Ik bedoel maar: hoe grappig is dat?

Hij haalde zijn mobieltje uit het borstzakje van zijn overhemd en deed alsof het een afstandsbediening was, die hij richtte op een denkbeeldig televisiescherm. Toen draaide hij zijn hoofd met een ruk naar links en keek naar waar het poppenhuisje had gestaan, onder het raam.

Hij belde Grace terug.

Ik ving een glimp op van Laura, die vanaf het bordes bij de voordeur naar me keek, terwijl de auto vanaf Campden Hill Place links afsloeg en zich bij het westwaarts rijdende verkeer op Holland Park Avenue voegde, in de richting van Shepherd's Bush. Michael zei over zijn schouder: 'Marloes Road is waarschijnlijk onze beste kans.' Hij keek omhoog in de achteruitkijkspiegel.

'Oké, mister L?' Probeerde mijn blik te vangen.

Hij stuurde naar de vluchtstrook en remde af. Ik deed mijn oortjes uit en toetste het nummer van mijn zwager in op mijn mobiel.

'*Mister* L?' Toen ik geen antwoord gaf, maakte hij een U-bocht met de grote Mercedes.'

Will, die mijn telefoontje verwachtte, nam direct op. 'Waar ben je nu?'

'Op weg naar het vliegveld.'

'Weet je zeker dat dit verstandig is?'

'Je weet waarom ik ga. Ik heb je verteld dat Campbell het huis gevonden heeft waarop de tekeningen en de website gebaseerd zijn – Wards oude familiehuis in Connecticut.'

'Daar heb ik het niet over.'

Toen hij voor het eerst over het synesthesieverhaal hoorde, vroeg Will zich af of het wel mogelijk zou zijn om een psychopaat te identificeren aan de hand van een weinig bekende neurologische aandoening. Maar hij moest toegeven dat het goed was van Campbell dat hij binnen een week van 'het kan iedereen zijn, overal op aarde' gekomen was tot een naam, een locatie en binnenkort misschien een gezicht.

'Je hebt gelijk, er is nog iets anders.' Ik haalde diep adem. 'Ik maak me zorgen over het meisje. Ik denk dat ze misschien gevaar loopt. Door mij.' Ik ging er niet nader op in. Ik had geen zin om het er met hem over te hebben.

'Des te meer reden, zou ik denken, om haar gewoon met rust te laten.'

Er viel een stilte. Ik stelde me voor dat dokter Calloway achterover in zijn bureaustoel zat, met zijn handen achter zijn hoofd, starend naar het plafond.

'Oké, ik weet hoe dit in jouw oren moet klinken.'

Ik had hem al bekend dat mijn gevoelens voor Jelena zich verdiept hadden.

'Je zegt dat je "verliefd" bent op iemand die je nog nooit hebt ontmoet, die je nog nooit hebt gezien? Het klinkt precies zoals het is, ben ik bang – een denkbeeldige ervaring.'

'Dat kan zo zijn, maar het voelt... alsof we elkaar altijd gekend hebben. We kennen elkaars gedachten. Ik hoef maar aan haar te denken, Will, en...'

'Ed,' onderbrak hij me, 'het gevoel in het hoofd van iemand anders te zitten is een van de meest voorkomende illusies in onlineverhoudingen. Het internet heeft "zielsverwanten" een nieuwe dimensie gegeven die volkomen overeenkomt met de vaagheid van het concept.'

Ik lachte schor.

'Voelt ze hetzelfde voor jou?'

'Dat geeft ze niet toe, maar... ja, ik geloof dat het zo is.'

'Je kunt je makkelijk laten misleiden door de kracht van je eigen gevoelens,' zei hij kalm. Ik kon merken dat mijn antwoord hem verontrustte. 'Hoe minder je weet over de ander – de persoon op wie jij je geïdealiseerde verlangens projecteert – hoe dieper het erin hakt. Stel dat je het eilandmeisje vindt, dan is het gevaar groot dat je niet zult zien dat jullie niets gemeen hebben.' Hij aarzelde. 'Of dat je niet wilt luisteren naar een afwijzing.'

Het was een vriendelijke waarschuwing, verder dan dat ging Will niet met zijn suggestie dat mijn liefde voor Jelly wel eens een obsessie zou kunnen zijn, grenzend aan het pathologische. Op dat moment besefte ik dat ik zijn advies niet echt wilde.

Allebei zwegen we een tijdje. Toen zei hij op een andere toon: 'Weet je wat ik denk? Ik denk dat dit weinig te maken heeft met het meisje – het gaat om het verlies van Sophie. Je rouwt nog steeds om haar, Ed. Ga naar huis naar je vrouw en je zoon en probeer de boel op een rijtje te krijgen. Zij zijn de enigen die je kunnen helpen. Zij hebben jouw hulp net zo hard nodig als jij die van hen.'

Ik voelde een scheut schuldgevoel die niet zou verdwijnen nadat ik had opgehangen, maar dat veranderde niets. Ik had al een besluit genomen en ik wist volkomen zeker dat dit de juiste, de enig mogelijke beslissing was.

'Ik moet haar vinden, Will,' zei ik grimmig, 'voordat hij haar vindt.'

47

Campbell Armour negeerde het signaal dat er een oproep voor hem was.

Hij zat met zijn laptop tussen zijn knieën op de vloer van zijn kamer in Mountain View, bewoog de cursor door de toegangspoort naar de veranda van het virtuele huis en klikte op de voordeur.

Nog steeds niks. Hij probeerde het nog een keer. Automatisch herhaalde hij de hele procedure ongeveer elke halve minuut, terwijl hij via de telefoon met zijn dochter praatte en op de televisie naar het verslag van de tweede dag Wimbledon keek.

Zijn bezoek aan het echte Skylands had hem behoorlijk van streek gemaakt. Iemand had hem opgewacht in het oude huis en als hij dacht aan de bergschoenen achter de voordeur – die alleen maar van Ward geweest konden zijn – en hoe dicht hij er wel niet bij was geweest om te proberen in te breken, voelde hij een golf van misselijkheid opkomen. Het vreemde was dat hij zich zelfs nu ongemakkelijk voelde omdat hij toegang zocht tot de homebeforedark-website, alsof hij wist dat hij ook in het virtuele huis zou worden opgewacht.

'Even wachten, schat,' zei hij.

Hij schrok van de dingdongbel, waardoor hij geen aandacht meer had voor de wedstrijd op het centre court. Hij zag dat de voordeur openzwaaide.

'Yesss!' Campbell juichte alsof hij een winnende slag had geslagen.

Met de afstandsbediening zette hij het geluid van de televisie af. Tegen Amy zei hij: 'Papa moet nu weg, liefje. Hou van je. Zeg maar tegen mama dat ik ook van haar houd, en dat ik jullie allebei later nog zal spreken. Tot morgen!'

Hij klapte zijn mobiel dicht en propte een handvol Doritos in zijn mond. Voor het eerst ging hij het virtuele Skylands binnen.

Uit de foto's die hij eerder die dag genomen had, bleek dat het huis op zijn scherm een exact schaalmodel was van het huis uit Ernest Seatons jeugd. De tekeningen waren niet alleen indrukwekkend, ze waren gewoon eng: ze bevestigden wat Campbell gelezen had over de gave van synestheten om ruimtelijke informatie te onthouden. Terwijl hij de drempel over ging, zette hij het voetstappen-geluidseffect in werking, waarover Ed hem had verteld. De deur ging achter hem dicht en hij liep door de duistere hal waar hij die ochtend via het kattenluik naar binnen had gekeken. Hier lag echter geen stof en waren geen bergschoenen te zien. Het interieur van Skylands was smetteloos, zoals het ooit geweest moet zijn.

Omdat hij niet wist hoeveel tijd hij had, trok Campbell de cursor snel naar de achterkant van de hal. Zijn voetstappen klonken sneller toen hij dat deed. Hij ging onder aan de trappen staan. Het 3D-beeld draaide naar hem toe en liet, recht voor hem, de eerste traptrede zien.

Het programma stond hem alleen toe om langzaam te klimmen, tree voor tree, totdat hij de eerste halve overloop bereikte. Toen hij zich omdraaide en verder omhoogging, veranderde het perspectief: het beeld van een trap omhoog vóór hem werd vervangen door een beeld van boven, alsof hij vanuit de kroonluchter die aan het plafond hing op zichzelf neerkeek.

Er was iets aan dat beeld dat zowel vertrouwd als bedreigend overkwam, maar hij kon het niet goed plaatsen. Hij kon nu muziek horen – het zachte gepingel van een piano, dat vanuit een ander deel van het huis op hem af kwam – terwijl hij de tweede trap beklom naar een overloopgalerij met vier deuren die zich elk op een even grote afstand van het midden bevonden.

Hij bewoog de cursor over de overloop en bleef staan bij de deur die het dichtst bij de trap was. Terwijl hij de zak maïschips pakte, keek hij over het scherm heen hoe Federer weer een ace sloeg. Toen glimlachte hij omdat hij een lichte angst bij zichzelf voelde en klikte de deurknop aan.

De deur zwaaide open en onthulde wat alleen maar de slaapkamer van Ernest Seaton kon zijn geweest. Terwijl hij de virtuele inhoud van de smalle kamer bekeek – de poster van de Yankees All-Stars boven het bed, een honkbalhandschoen op het schoenenkastje onder het raam, stapels Marvel-stripboeken, een eerste generatie Star Wars-lichtzwaard in een hoek, speelgoedsoldaatjes en autootjes, allemaal keurig neergezet – besefte Campbell dat dit meer was dan hij had durven hopen aan te treffen in het echte Skylands. Maar afgezien van de propere netheid (nog zo'n synesthesietrekje) was hier niets ongewoons of onthullends aan – het was een typische kamer van een negenjarige jongen van een kwart eeuw geleden.

De detective liep verder over de overloop. Zijn voetstappen werden nu gedempt door een kleed, maar hier en daar kraakte de vloer. De tweede en derde deur zaten op slot. Hij stond op het punt om de deurkruk van de vierde deur te proberen, toen er binnen in die kamer een lamp aanging en er vanonder de deur en door de kieren van de deurposten lichtstrepen te zien waren.

Campbell liet zijn vingers kraken. Hij had het gevoel dat hij op het punt stond te ontdekken waaróm Ward uiteindelijk besloten had hem in het huis toe te laten. Terwijl hij, nu heel ingespannen, toekeek, verduisterde een schaduw de streep licht onder de deur. Het was alsof er iemand aan de andere kant van de deur was gaan staan.

Hij wachtte tot de deur zou opengaan, toen zijn mobiel overging.

'Ik sta nu in de vertrekhal van Heathrow.'

'Kan ik je zo terugbellen?'

'Dit duurt niet lang. Ik zou je donderdagmiddag graag ontmoeten.'

'Geen probleem. Tegen die tijd moet ik hier klaar zijn.'

'Ik moet bij de grootmoeder van mijn vrouw gaan lunchen vlak bij de Hudson, maar met een beetje geluk ben ik om een uur of twee weer terug.'

'Ed, ik ben hier eigenlijk nogal druk...'

'Oké, ik e-mail je de details nog wel. Ik neem aan dat je nog steeds in Norfolk zit?'

'Yep. Ben nog steeds niet gelyncht. Het is inderdaad het huis!'

'Je doet het geweldig, Campbell.'

'Groot huis, helemaal dicht, is al in geen jaren meer bewoond. Is er enige kans dat ik een voorschot op m'n bonus zou kunnen krijgen? Grapje.' Hij vroeg zich even af of hij over zijn mogelijke ontmoeting met Ward in Skylands zou vertellen, maar besloot dat niet te doen. Nog altijd naar zijn scherm kijkend, vroeg Campbell aan zijn cliënt: 'Zeg, komen de Seatons jou soms bekend voor?'

'Nee, hoezo? Ik dacht dat ik dat al gezegd had in mijn mailtje.'

Hij klonk een beetje verdedigend. 'We proberen nog steeds een verband te vinden, Ed.'

Het was even stil. Hij kon liegen, maar waarom? 'Heb je al met de huishoudster gepraat?' vroeg Ed.

'Verdomme!' Campbell verstijfde en staarde naar het scherm.

De vierde deur werd langzaam opengedaan. 'Wacht even.'

'Gaat het goed daar?'

De deur ging helemaal open en uit een explosie van licht kwam iets op handen en voeten aangekropen. Het deed zijn hoofd omhoog en heel even dacht hij dat het een brandend kind was, maar toen schoot het vurige wezentje met een verbazingwekkende snelheid over de overloop en dook de kamer van de jongen in, voordat Campbell in de gaten had wat hij nu eigenlijk gezien had.

Campbell bewoog zijn cursor en uit het niets verscheen het dunne zwarte figuurtje van 'mevrouw Danvers'. Hij keek hoe ze verder liep en de deur dichtdeed van wat hij dacht dat de slaapkamer van de ouders was. Toen draaide ze zich om en liep langs hem heen over de overloop.

Campbell lachte. 'Je belt op een goed moment, dat is eigenlijk alles.'

Als theaterstukje was het een anticlimax, misschien opzettelijk zo gebracht, maar terwijl hij nog altijd gebiologeerd toekeek, liep het magere figuurtje met het scherpe gezicht zachtjes de trap af. Op de halve overloop aangekomen bleef ze staan, keek omhoog en gebaarde dat hij haar moest volgen.

'Ed, ik moet gaan.'

'Wees in elk geval voorzichtig.'

Het figuurtje was verdwenen in de gang die naar de achterkant van het gebouw leidde. Hij hoorde de hordeur dichtslaan en ging achter haar aan, waarbij hij met zijn cursor door de bochten en hoeken van het labyrint in het keukengedeelte navigeerde. De muren weerkaatsten het gesimuleerde geluid van zijn rennende voetstappen.

Hij trof Danvers aan op de veranda aan de achterkant, waar ze in het donker op hem zat te wachten.

Hij was bij daglicht het huis binnen gegaan (in de echte tijd was het pas halverwege de middag geweest), maar nu keek Campbell ineens naar een hemel vol sterren, een halvemaan boven het dak, vuurvliegjes die vanuit de hoge berglaurieren flonkerden.

Zijn gids haalde een zaklamp uit haar zak, trok een sjaal over haar hoofd en liep het terrein op, over het pad tussen de schuren dat hij die morgen had onderzocht. Toen hij achteromkeek, zag hij dat er geen lampen brandden in het huis. Ze leidde hem de tuin uit en al gauw waren ze diep in het bos.

Donkere, puntige naaldbomen strekten zich boven hen uit. De lichtstraal van de zaklamp schoot heen en weer, op en neer, tot de gestalte van Danvers stil bleef staan bij het hek van een klein kerkhof, dat omgeven was door een smeedijzeren hek.

Hij hoorde de kreet van een uil – een standaardgeluid voor een nachtelijke scène, maar altijd effectief – terwijl de lichtstraal over een zestal zerken gleed, terugkwam en bleef hangen op een uitbundig versierd monument voor June en Gary Seaton (later zou Campbell ontdekken dat de Seatons apart waren begraven – June op het Colebrook-kerkhof, Gary in Danbury), en dan terechtkwam op twee recentere zerken. De eerste gaf hem een onprettige schok; daar stond de naam van Sophie Lister op, met haar jaartallen, verder niks.

De tweede steen, zonder inscriptie, stond boven een vers gedolven, open graf.

De lichtstraal gleed over de hoop aarde, het gapende gat... dit begon erg op een B-film te lijken. Kom op joh, dacht Campbell, je kunt toch wel wat beters verzinnen. Toen draaide mevrouw Danvers zich naar hem toe en richtte de zaklamp op hem: hij staarde in de concentrische cirkels van een 'verblindende' lichtstraal.

Als poging om hem te intimideren was het niet geslaagd. De reden dat hij toegang had gekregen tot de website was niet omdat Ward hem wilde waarschuwen dat hij uitverkoren was om het volgende slachtoffer te zijn. In cyberland, zo zei hij zelf altijd, is niets wat het lijkt te zijn.

Nee, hij was er zeker van dat de moordenaar een ander motief had... iets wat hij gemist had.

Campbell keek op naar de televisie. Hij pakte de afstandsbediening en drukte de geluidsknop in. Federer sprintte van het net naar het achterveld, op jacht naar een niet te retourneren lob. Hij zag hoe de kampioen de bal op wonderbaarlijke wijze tussen zijn knieën door richting het net sloeg en zo het punt pakte. Het publiek ging uit zijn dak.

Hij keek toe hoe de gestalte van het figuurtje tussen de bomen uit het beeld verdween in de duisternis – leuk detail. Hij glimlachte, deed toen zijn laptop dicht en wijdde al zijn aandacht aan het tennis.

Hij had afgesproken dat hij Grace Wilkes de volgende morgen bij Skylands zou ontmoeten – dan zou hij 'mevrouw Danvers' persoonlijk kunnen vragen naar de gebeurtenissen rond het gezin.

48

'Je ziet eruit alsof je wilde dat je hier niet was.'

Jelly draaide haar hoofd te snel om, waardoor de dansvloer heen en weer deinde. Ze zag de onscherpe omtrekken van een man achter haar, met zijn hand op een van de lege stoelen rond de tafel.

'Wat zegt u?' De muziek was hard genoeg om net te kunnen doen alsof ze hem niet had verstaan.

'Ik zei dat je eruitziet alsof je liever ergens anders zou willen zijn.'

Ze zag de man nu wel scherp. Hij droeg een donkerblauw poloshirt, een bruine broek en instapschoenen. Hij was lang, zag er niet echt knap uit, maar wel oké... een beetje ballerig, maar niet echt. Als hij al een type was, kon ze hem niet echt plaatsen.

Ja, hoor, ik zou nog liever een avondje opgesloten worden in de aula van een begrafenisondernemer.' Ze tuurde naar hem. 'Kennen wij elkaar?'

'Nog niet.' Hij had een open, vriendelijk gezicht. 'Maar ik hoopte dat dat ervan zou komen.'

'Vast wel.' Ze drukte haar sigaret uit in de overvolle asbak en pakte haar glas.

'Ik probeer je niet te versieren. Ik zag je hier alleen zitten en... nou ja... je zag er wat verloren uit.'

Daar had hij gelijk in. Het feestje was erger dan saai – een bedaagd publiek, vooral blanke ouderen, niemand die ze kende. Ze had zich zelfs afgevraagd hoe het zou zijn als Ed Lister hier ineens verscheen.

'Ik hoef niet gered te worden, meneertje.' Ze duwde het rietje en het parapluutje weg met haar neus en dronk haar vierde Long Island Iced Tea. Het werd tijd om naar huis te gaan.

'Nee, ik bedoel... Ik dacht alleen... Ach, wat kan het mij ook schelen, je bent een aantrekkelijke vrouw. Ik zou graag met je kennismaken.'

'Wat kan het mij ook schelen?' Ze trok haar wenkbrauwen op en glimlachte. Hij was beleefd, leek vriendelijk genoeg en was op haarzelf na waarschijnlijk de jongste persoon in deze ruimte. En ze zat hier de komende paar uur nog wel vast.

'Vind je het goed als ik bij je kom zitten?' Dit zou hij toch niet zijn... O, mijn god, zou het waar zijn?

'Ik ben hier met vrienden... dit is hun tafel,' zei ze, nog altijd op een wat vijandige toon, al bedoelde ze dat niet zo. De anderen waren allemaal aan het dansen. Ze wuifde naar Ronnie en Steve, die nostalgisch aan het swingen waren op Natalie Coles 'This Will Be' (het retrothema van het feest was R&B uit de jaren zeventig & tachtig), en voelde zich ineens in een veel betere bui. 'Hé, wil je dansen?'

'Ik ben niet zo'n goede danser,' zei hij. 'Maar ik zou wel wat frisse lucht kunnen gebruiken. Als we nou eens een paar drankjes meenemen en samen het terras op gaan...'

Jelly knikte, al stond het idee haar niet erg aan. Ze stond op en de zaal begon te draaien. Ze stak haar armen uit en hervond haar evenwicht door met de muziek mee te bewegen.

'Ik móét gewoon het einde van dit liedje horen.'

Jelly kwam het toilet uit en begaf zich overdreven voorzichtig – zelfs voordat ze wat gedronken had liep ze al als een pasgeboren giraffe op de gouden, hooggehakte sandalen die ze bij de Shoe Inn gekocht had – langs de rand van de dansvloer het terras op.

Hij leunde over het hek en staarde naar de oceaan.

Er was geen kans, geen schijn van kans dat dit Ed Lister was. Ten eerste was hij te jong, hooguit halverwege de dertig. Bovendien wist ze hoe Ed eruitzag: ze had zijn foto. Maar aan de andere kant wist ze alleen van hem wat hij wilde dat ze van hem wist. En als hij dat nu eens allemaal verzonnen had? Wat als Ed niet was wie hij zei die hij was? Wat als deze vent hem wél was? En alleen maar op het juiste moment wachtte om zichzelf bekend te maken?

Die gedachte zorgde ervoor dat haar huid tintelde.

Hij keerde zich naar haar om en er viel haar iets op aan zijn gezicht. Het was perfect ovaal – de oren klein en plat langs zijn hoofd, het haar kort als een kapje – te perfect voor een man. Er was echter niets verwijfds aan zijn sterke kaaklijn en voorhoofd, de diepliggende ogen waren zo helder dat ze bijna onecht leken. Ze begon hem bijna knap te vinden. Vooral met het maanlicht op het water als achtergrond.

Jelly had nooit echt gedacht dat Ed serieus meende dat hij hierheen zou vliegen om haar te ontmoeten op het feestje. Voor alle zekerheid had ze hem de naam van een disco gegeven die niet meer bestond (Scarlett's werd al opgedoekt voordat ze geboren was). Het probleem was dat er nauwelijks nachtclubs waren in Westhampton, zodat het hem niet veel moeite zou kosten om deze tent te vinden, vlak bij het strand.

'Ik heet trouwens Guy... Guy Mallory.' Hij glimlachte en ze zag dat zijn dunne lippen zo ver terugweken tot er alleen maar gezicht om zijn tanden was.

'Jelena.' Ze stak haar hand uit. 'Aangenaam kennis te maken, Guy.'

Ze werd niet echt opgewonden van hem. Dit was beslist niet Ed. Ze voelde dat de vlaag van paniek begon weg te vloeien. En bovendien: Guy praatte met een Amerikaans accent, een vet aangezette tongval uit het Midwesten, die haar deed vermoeden dat hij haar zo *ma'am* zou gaan noemen. En Ed was een Engelsman. Ze had zijn stem nooit gehoord, maar ze kon zien aan de taal die hij gebruikte, die rare kleine zinnetjes van hem, dat het moeilijk was om zoiets na te doen.

Ze zei: 'Toen je naar me toe kwam, dacht ik dat je iemand anders was.'

Hij bleef glimlachen. 'Weet je, dat hoor ik vaker.'

'Ik had het dubbel mis.' Ze schudde haar hoofd. 'Je doet me helemaal niet aan hem denken.' Toen vroeg ze op een toon die ze normaliter niet zou gebruiken bij iemand die ze net had ontmoet: 'Ben je getrouwd, Guy?'

'Nee.' Hij keek haar aan. 'Jij wel?"

Ze knikte. 'Geweest. Ik ben online getrouwd. Dan ga je naar zo'n website en tik je het een en ander in en dan ben je bij de wet van het internet, ta-da, getrouwd... Dat heb ik gedaan toen ik een jaar of zeventien was.'

'Wie was de gelukkige?'

'Colin Firth. Maar we zijn gescheiden van tafel en bed. Ik kan altijd terug naar die site voor een scheiding.'

Ed had 'hardop gelachen' toen ze het hem vertelde. Ze keek naar Guys uitdrukkingsloze gezicht om zijn reactie te peilen. Hij glimlachte alleen beleefd. Klaarblijkelijk had hij het niet eerder gehoord, en dat was alles wat ze wilde weten.

Ze vond het prettig om met hem te praten. Toen het gesprek stokte, voelde dat helemaal niet vervelend. Ze keken samen naar het zomeravondlicht boven de oceaan, luisterden naar de golven die tegen het strand sloegen, naar de muziek – meedeinend op een oude hit van de Temptations, 'I can't get next to you' – allemaal goed.

Op een gegeven moment zei Guy: 'Ik begrijp het als je nee zegt, maar ik zou je wel vaker willen zien... na vanavond, bedoel ik.'

Zijn stem ging omhoog aan het einde van de zin, alsof hij een vraag stelde.

Jelly haalde haar schouders op. 'Tuurlijk, waarom niet?'

DEEL 3

New York

49

Ik kon alleen maar aan haar denken tijdens de vlucht. Ik probeerde wel wat te werken, een film te kijken en te lezen, maar ik kon me niet concentreren. Ik moest er telkens weer aan denken dat we elkaar binnen enkele uren zouden ontmoeten. Er was geen sprake van dat ik zou kunnen slapen.

Toen ik naar beneden keek, terwijl we over het land van noordoostelijk Long Island vlogen, maakte mijn hart een sprongetje, omdat ik heel kort de lichten van Westhampton Beach had gezien. Zodra de cabinedeuren opengingen, met die eerste hap adem van warme lucht, kerosine en elektriciteit, kon ik haar aanwezigheid bijna voelen, ze leek zo dichtbij, zo binnen bereik.

Maar tegen de tijd dat ik door de douanecontroles was, was alle hoop verdwenen op een ontmoeting met Jelena die avond. Nadat ik een paar uur in de rij had moeten staan (een veiligheidsactie op JFK eerder die avond had ertoe geleid dat er een enorme meute binnenkomende passagiers stond te wachten), waren mijn woede en frustratie weggeëbd tot verveelde berusting.

'Het Carlyle,' zei ik tegen de chauffeur, terwijl ik in de wachtende limo stapte. Het was nu ruim na middernacht, veel te laat om nog naar de Hamptons te rijden. Het feest zou al voorbij zijn voor we er aankwamen.

Nu ik toch in Manhattan zou blijven, schonk ik mezelf een whisky met water in en zonk weg in de grijze leren bekleding. Ik bedacht dat ik waarschijnlijk mijn beste en mogelijk enige kans gemist had om het meisje op te sporen. Terwijl de betoverende skyline opdoemde boven Forest Hill bedacht ik ineens dat ik naar deze enorme metropool was gekomen om iemand te zoeken van wie ik geen adres, geen telefoonnummer en zelfs geen naam had – dat had grappig kunnen zijn als de inzet niet zo hoog was geweest.

Maar dit was New York, zei ik tegen mezelf, een stad die ik goed kende. Ik had hier tenslotte gewoond, bijna mijn halve werkende leven. Hier had ik mijn eerste zakelijke succes behaald, mijn eerste miljoen verdiend, Laura ontmoet. Voor mij zal het altijd de stad op de heuvel zijn. Als je ooit diep bent gevallen in de Big Apple (wat mij een paar keer was overkomen), maar nadien omhoog hebt weten te krabbelen en succesvol bent geworden, dan weet je dat niets onmogelijk is.

De limochauffeur luisterde naar James Brown op de radio. Ik vroeg of hij de muziek wat harder wilde zetten en ging een actieplan voor de volgende dag bedenken.

Toen we de Midtown-tunnel indoken dacht ik aan Ward en het knipsel dat Campbell me had gemaild over de Seaton-tragedie. Ik had tegen de detective gezegd dat ik de ouders van de jongen niet herkende. Maar vanaf dat moment had ik me afgevraagd of er echt níéts bekends was aan het stel op die trouwfoto – of er niet toch een verband kon zijn met mijn eigen verleden.

Ik was er niet zeker van, maar June Seaton deed me een beetje denken aan de vrouw in die wazige gebeurtenis, mijn New Yorkse droom, waarin ik neerkijk op haar halfnaakte lichaam op de donkere bodem van een zwarte put.

Ineens bedacht ik dat ik haar naam ook niet wist.

Nadat ik voor mijn gevoel tien minuten had geslapen, werd ik door de telefoon wakker gebeld.

Ik vroeg Campbell Armour om terug te bellen als ik koffie had gehad, maar hij had haast, was op weg naar een afspraak met de huishoudster, Grace Wilkes, in de stad Torrington – op het laatste moment was ze van gedachten veranderd over een afspraak met hem op Skylands, zei dat dat huis te veel herinneringen opriep.

Ik dacht erover om open kaart te spelen met Campbell over Jelena. Het was steeds mijn bedoeling geweest om hem te vertellen dat ik bang was dat Ward van haar bestaan wist. Zelfs al was het niet waar dat hij online deed alsof hij haar was en dat ik de bedreiging van haar veiligheid overdreef of het me inbeeldde, dan nog kon ik de hulp van een detective goed gebruiken om haar te vinden. Maar dat wilde ik niet telefonisch bespreken. We namen het plan door dat we voor morgen gemaakt hadden. Mijn boodschap zou tot dan moeten wachten.

Nadat ik gedoucht had en in mijn kamer in het Carlyle had ontbeten – ik heb hier net zo'n regeling als met het Ritz in Parijs en beschouw het als mijn thuis als ik van huis ben – ging ik aan de slag.

Zonder de gebruikelijke informatie moest ik het doen met het weinige dat ik over Jelly wist: ik had haar e-mailadres, ik wist dat ze pianoles had bij een lerares die ze 'mevrouw C' noemde, in de buurt van waar ze woonde in Brooklyn, en ik wist dat ze een soort leidster van een crèche was. Ze had er altijd goed op gelet niet de naam van die crèche te noemen, maar gisteren had ze onopzettelijk – of misschien wel opzettelijk – de dichtstbijzijnde metrohalte genoemd.

Ik ging online en googelde 'kinderopvang' rond het Prospectpark in Brooklyn. Het duurde niet lang of de hits kwamen. Met een kaartzoekactie beperkte ik de hits tot drie mogelijke crèches binnen vijf minuten loopafstand van de metrohalte op Church Avenue van de Coney Islandlijn.

Ik moet bekennen dat dit niet de eerste keer was dat ik haar probeerde te vinden. Al snel na onze eerste ontmoeting had ik een halfzachte poging gedaan om de 'adorablejoker' te traceren. Uit nieuwsgierigheid had ik haar e-mailadres aan een van die internet-detectivebureaus doorgegeven, die beweren voor een paar dollars van alles over iemand te kunnen vinden (zelfs hun medisch dossier en hun kredietwaardigheid). Toen dat niets kon vinden, liet ik het verder gaan. Ik was bang dat ze, als ze erachter kwam dat ik haar natrok, een heel verkeerd idee van me zou krijgen.

Nu lag de situatie heel anders. Ik weet niet zeker wat ik belangrijker vond: Jelly te zien of haar te beschermen – maar ik voelde dat het steeds dringender werd.

Vanuit het Carlyle ging ik met de taxi naar Fifth en 53rd, waar ik de F-trein naar Brooklyn nam. In het metrostation, waar ik werd overvallen door de bekende verschaalde lucht van pis en pretzels, waande ik me twintig jaar terug, toen ik nog van Jelly's leeftijd was en niet altijd een taxi kon betalen.

Op het verhoogde deel van het spoor, terwijl ik keek hoe de skyline van Manhattan week voor het strenge, onaantrekkelijke vlakke stadsaanzicht van halfhoge gebouwen, billboards en vervallen, zonovergoten straten, begon ik te twijfelen – en niet alleen omdat ik de beschaving achter me liet. Ik droeg een oude spijkerbroek en een zwart poloshirt en had een zonnebril opgezet: kleding waarin ik hoopte niet uit de toon te vallen. Maar ik bedacht dat ik, in mijn haast om de vrouw te vinden voor Ward het deed, Ward wel eens naar haar toe kon brengen.

'U verspilt uw tijd,' zei Grace Wilkes. 'Ik heb geen flauw idee wat er van de jongen is geworden, ik weet niet eens of hij nog wel leeft.'

'Ik wil graag uw verhaal horen over wat er gebeurd is.'

'Hoe bent u eigenlijk aan mijn naam gekomen?' Grace keek met gefronste wenkbrauwen en toegeknepen ogen over haar koffiekopje naar Campbell Armour.

'De plaatselijke krant,' zei Campbell, wat dicht genoeg bij de waarheid was. Hij vond het onverstandig om haar te vertellen dat hij met dr. Stilwell had gesproken. 'Daar stond in dat de lichamen waren gevonden door de tuinman, Earl Wilkes, en zijn vrouw, Grace de huishoudster... dus deed ik een beetje onderzoek, zocht u op in het telefoonboek.' Hij glimlachte.

Ze keek hem alleen maar aan.

'Mevrouw Wilkes,' ging hij ernstig verder, 'gecondoleerd met het recente verlies van uw man.' Het kwam er wat onhandig uit, maar niet onoprecht.

Haar ogen stonden ineens vol tranen. Een onnatuurlijke pafferigheid, misschien door een cortisonenbehandeling, lag over haar ooit knappe gezicht. Een slanke vrouw, keurig gekleed, misschien vijfenzestig, zeventig jaar. Ze droeg een groen velours joggingpak en gympen met veters met kwastjes; twee krukken, omwikkeld met oranje en gele sjaaltjes, lagen naast haar op de bank.

Hij kon zich niemand voorstellen die minder op mevrouw Danvers leek.

Ze zette haar kopje neer, schudde een zakje zoetstof leeg in de koffie en nam de tijd voor ze langzaam zei: 'Earl was een goed mens. Hij had veel pijn op het eind. Nooit een woord geklaagd. Mag ik u wat vragen, meneer Armour...'

Hij knikte. 'Tuurlijk, wat u maar wilt.'

'Waarom wilt u deze onverkwikkelijke zaak weer oprakelen? Het is zo lang geleden gebeurd en ik heb toen de politie alles al verteld wat ik wist. Ik heb het uit mijn hoofd gezet. Moest ik wel.'

'Dat begrijp ik volkomen, mevrouw,' zei Campbell, en hij nam een hap van de specialiteit – macaroni met kaas en pepperoni – hij wenste dat hij gewoon de gefrituurde kip had besteld. 'Maar ik weet niet waar ik anders moet beginnen. De politie wilde me niets vertellen, helemaal niets.'

Hij had wel overwogen om naar het kantoor van de sheriff in Canaan te gaan, maar zonder een detectivelicentie zou hij niet veel te weten komen. Alleen maar de aandacht op zichzelf vestigen. En de sheriff die de zaak Seaton had behandeld was een paar jaar geleden overleden.

'U ziet er helemaal niet uit als een privédetective.'

'Nee?' Hij glimlachte, maar wist niet of het zijn jonge leeftijd of zijn huidskleur was die haar deed twijfelen. 'Dan kan ik dit een goede vermomming noemen.'

Het gesprek verliep niet zoals hij had gehoopt. Hij sprak liever tegen een scherm dan tegen een gezicht en Campbell moest aarzelend toegeven dat zijn gemis aan ervaring hem nu misschien wel opbrak.

Ze zaten in een nis in het gezinsgedeelte van 'Annie's Grill' in Torrington, een vervallen arbeidersstadje, vijftien kilometer ten zuiden van Norfolk. Het restaurant was van de vloer tot het plafond van witte tegels voorzien en er stond een keurig gesnoeide magnolia; Grace had het uitgekozen.

Ze at niets. 'Ik snap niet hoe ik u zou kunnen helpen.'

'U kénde hem, mevrouw Wilkes,' zei hij en hij leunde naar voren. 'U bent de enige die hem echt gekend hebt.'

'Mogelijk. Maar wat wil uw cliënt precies van Ernest?'

Hij ging weer recht zitten en wachtte even terwijl hij met zijn eten speelde.

'Dat is vertrouwelijk.' Hij zette zijn officiële stem op en keek haar over zijn bril aan. 'Ik kan alleen zeggen dat het om een erfenis gaat.'

Ze dacht na. 'U zei aan de telefoon dat het voor mij interessant zou kunnen zijn om met u af te spreken. Hoe zit dat dan?'

'Mijn cliënt looft een redelijke beloning uit voor iedere informatie die leidt naar de verblijfplaats van Ernest Seaton.

Het viel stil. Hij zag dat Grace haar roze mobiel, die naast haar kopje lag, dichter naar zich toe schoof. Toen zei hij: 'Misschien kunt u beginnen met te vertellen wat er die avond is gebeurd?'

De receptioniste van het All Saints Preschool and Daycare Center, een hoogzwangere Indiase vrouw in een sari die Joy heette, vertelde me op gedempte toon in zangerig Engels dat er tot de lente geen plaats was.

'Ik wil geen kind inschrijven,' legde ik geduldig uit. 'Een vriendin van mij werkt hier.' Ik keek om me heen. 'Trouwens, waar is iedereen?'

Het was hier onnatuurlijk rustig voor een crèche.

'Middagdutjestijd,' zei ze. 'Praat u alstublieft zachtjes.'

Ik liet haar Jelly's foto zien, waar ze amper naar keek voor ze hem hoofdschuddend teruggaf. 'Ken haar niet.'

'Volgens mij is ze een begeleidster. En ze... speelt piano.'

Joy keek met haar grote bruine ogen naar een lijst met foto's van medewerkers aan de muur naast haar balie, het All Saints-team, geleid door de 'moederkloeken' mevrouw Quinn en mevrouw Arbogast. Ik zag dat Jelly er niet bij stond.

'Hoe zei u dat ze heette?'

'Haar achternaam weet ik niet. Het is erg belangrijk. Luister, zou ik niet met iemand van de leiding kunnen praten?'

'Ze werkt hier niet, dat zei ik toch al.'

Ze klonk minder vriendelijk.

Hetzelfde verhaal bij 'The Leapfrog Center' en 'Precious Littles'. Niemand herkende Jelly van de foto, de enige die ik had, of uit mijn denkbeeldige beschrijving. Het volgende uur liep ik de crèches af die ik op de plattegrond als 'mogelijk' had gemarkeerd. Die konden me ook niet verder helpen. Ik realiseerde me dat Jelly me misschien misleid had over waar ze werkte, maar ik kon het idee niet loslaten dat ze op de een of andere manier met deze buurt verbonden was. De metrohalte was alles wat ik had, mijn enige referentiepunt.

Moedeloos liep ik terug langs de saaie, door bomen omgeven straten. Een gemengde lageremiddenklassebuurt, met smalle houten huizen, appartementenflats van witte stenen die onder de graffiti zaten, een verlopen minimarkt op een hoek; Hotel Carlyle leek ver weg. Tegen de tijd dat ik bij het grote kruispunt met Macdonald Avenue stond, was mijn shirt doorweekt en dacht ik dat de stoeptegels aan mijn schoenzolen bleven plakken, elke stap werd moeilijker, alsof ik door drijfzand waadde.

Dat had een waarschuwing moeten zijn.

Ik weet nog dat ik voor de Astoria Federal Savings Bank stond en me afvroeg of ik naar binnen zou gaan of niet – Jelly had ooit eens gezegd dat ze bij een bank had gewerkt – toen een straaljager laag overvloog en het geluid van scheurend papier maakte. Ik keek omhoog, naar de trillende witte lucht en ineens begon mijn hoofd te draaien. Toen ik verder wilde lopen, leek de stoep ineens verdwenen en voelde ik mijn benen niet meer. Wel een hand onder mijn elleboog.

We haalden nog net de deur van een Carvels-ijssalon, naast de bank, maar toen werd alles zwart.

Ik dacht dat ik flauw zou vallen, maar dat gebeurde net niet. Ik hoorde een vrouwenstem vragen: 'Gaat het? Zal ik een ambulance bellen?'

'Ik zou heel graag een glas water willen,' zei ik.

Het meisje kwam achter de toonbank vandaan en begeleidde me naar een stoel. Er was verder niemand in de ijssalon. 'U ziet er niet goed uit, meneer.'

Had ik me die ondersteunende hand ingebeeld?

'Het gaat wel. Alleen wat last van de hitte.' Ik huiverde. Door de airco voelde mijn door het zweet doorweekte shirt klammig.

'Ja, u moet uitkijken, het is buiten bloedheet.'

Dat klonk raar. Het was een fris meisje, blond en sproeterig, niet ouder dan zestien. Opgefrist door het ijswater, bedankte ik haar voor 'het redden van mijn leven', gaf haar een fooi waar haar ogen van gingen glanzen, en liep naar de voordeur.

Daar draaide ik me om en vroeg: 'Heeft iemand me soms naar binnen geholpen?'

Ze keek me nietszeggend aan. Ik zag dat ze een wit koptelefoontje uit haar oor haalde. 'Sorry?'

Ik herhaalde de vraag.

'Daar heb ik niet op gelet. Doet u wel voorzichtig.'

50

'Het was té rustig, zelfs voor een zondag,' begon Grace, nerveus haar mobiel open en dicht klappend. 'Ik had een slecht voorgevoel toen ik naar de voordeur liep... het was stil in huis en er hing een geur die ik niet herkende.'

'Weet u nog hoe laat het was?' vroeg Campbell.

'Zondagochtenden gingen we er altijd laat naartoe, rond negenen denk ik.'

'Woonde u daar dan niet?'

Ze schudde haar hoofd. 'Niet nadat ik getrouwd was.'

Campbell keek naar beneden. 'Oké, u ging naar binnen... en toen?'

'Ik zag niemand, dus ik riep Earl in de tuin en zei dat hij naar boven moest gaan... om te kijken of daar alles goed was... ik wachtte onder aan de trap. Het was verdomme veel te rustig – kleine Ernie was áltijd al op.'

Ze pauzeerde even, hij zag dat ze haar herinneringen op een rijtje zette, zodat ze er niet door overmand zou worden. 'Ik hoorde de klok tikken in de hal, en Ernie klopte op de slaapkamerdeur, riep hun namen...'

Hij stuurde haar voorbij het moment van de ontdekking. 'En de jongen had zich in de bezemkast onder de trap verstopt?'

'We dachten eerst dat hij ook dood was.'

Campbell knikte. 'Ik heb over het bloed gelezen.'

'We maakten hem wakker... hij wist niet waar hij was, hij kon amper praten, beefde over zijn hele lijf. Ik sloeg een deken om hem heen en gaf hem warme thee.'

'Denkt u dat hij zich voor iemand verstopt had?'

Ze keek even naar hem. 'Ernie vond het verschrikkelijk als zijn ouders ruzie hadden. Hij verstopte zich daar vaak om gewoon weg te zijn. Het was zijn... zijn speciale plek.'

'Waar kwam al dat bloed vandaan, Grace?'

'Er was wát bloed. U weet hoe de kranten kunnen overdrijven.'

'Ja, maar hoe kwam het daar? Op zijn gezicht en handen. Zou hij erbij zijn geweest, of is hij pas na de gebeurtenis naar binnen gegaan?'

'Hoe moet ik dat verdomme weten?' Ineens schoot ze uit. 'Toen wilde ik er niet over nadenken – wat dat arme kind gezien of gehoord kon hebben – en ik weet verdomd zeker dat ik er nu ook niet over wil nadenken.'

'Ik begrijp het,' zei hij, gas terugnemend.

Campbell schoof zijn bord weg. Hij keek naar Grace' ronde gezicht waar weinig van af te lezen viel en wist niet of hij moest proberen om haar vertrouwen terug te winnen of dat hij de druk moest opvoeren.

Hij veranderde van onderwerp. 'Kon hij goed met zijn ouders opschieten?'

'Ernest? Hij was nog jong toen, maar hij zag heel goed wat Gary Seaton voor type was – een kleinburgerlijke loser, wiens idee van een leuke avond was stomdronken te worden in de Gin and Chowder Club. Ze konden niet met elkaar opschieten. Hij was veel closer met zijn moeder.'

Campbell knikte. 'Ik heb een foto van haar gezien. Een knappe vrouw.'

'June had iets... energie, weet u, ze zat vol leven, liet iedereen zich goed voelen. Ze had massa's bewonderaars, maar ze was zo'n arme ziel, snakte naar opwinding.' Ze aarzelde. 'Dat werd haar dood.'

'Bedoelt u dat ze thuis niet vond wat ze nodig had?'

'Het was geen gelukkig huwelijk... ze maakten alleen maar ruzie.' Grace keek hem afwezig aan, haar gedachten waren in het verleden. 'Die avond hadden ze ruzie... ik was in het huis, zorgde voor het avondeten. Gary had gedronken en ze begonnen naar elkaar te schreeuwen en te blèren tot het zo erg werd dat ik erover dacht om de politie te bellen.' Ze zuchtte diep. 'Uiteindelijk, tja... ben ik gewoon weggegaan, net als altijd.'

'Weet u nog waar die ruzie over ging?'

'Hetzelfde, hetzelfde oude verhaal. June was naar een feest in New York City geweest en was daar de hele nacht gebleven – alleen belandde ze deze keer daar in een ziekenhuis. Niets ernstigs, ze was gevallen en buiten bewustzijn geraakt, maar Gary had haar moeten halen en naar huis brengen.'

'Bedroog ze hem?'

Grace knikte. 'Hij had een brief gevonden die ze aan een knul had geschreven waar ze gek op was – ik denk dat ze vergeten was die op de bus te doen, of dat ze er geen tijd voor had gehad.'

'Hebt u die brief gezien?'

'Hij heeft haar ermee geconfronteerd... beschuldigde haar ervan dat ze weg wilde lopen, hem wilde verlaten. June ontkende alles, zei dat het niets anders dan een fantasie was. Toen dwong Gary haar een stuk uit die brief hardop voor te lezen... over verliefd worden. Ze begon te huilen.'

'Weet u nog voor wie die brief was? Werd er een naam genoemd?'

Ze draaide haar hoofd langzaam van links naar rechts. 'Voor zover ik weet niet.'

'Wat is er met die brief gebeurd?' vroeg Campbell. 'Er stond niets over in het dossier. Hebt u dit aan de politie verteld?'

'Misschien heeft Gary hem verscheurd en in de vuilnisbak gegooid; misschien is hij in alle commotie verdwenen. Ik heb ze alles verteld wat ik wist. En wat doet het er nu nog toe?'

Een heleboel, dacht de detective, maar hij besloot er niet verder op in te gaan. Hij dacht dat een meer ervaren detective zou hebben doorgezet, maar hij was bang dat ze dan zou dichtslaan.

'Denkt u dat June hem echt wilde verlaten?'

'Ze heeft ooit tegen me gezegd dat ze alleen maar voor de jongen bleef. Ze zei dat ze zich gevangen voelde in dat huis, dat ze zich doodverveelde, dat haar leven wegglipte. Hij had een soort avondklok voor haar ingesteld. Elke keer als ze uitging, waarschuwde Gary haar: "Vergeet het niet, Junebug, *home before dark*."'

'Home before dark,' herhaalde Campbell. 'Voor het donker thuis...'

'En June maakte de zin dan altijd af, weet u, alsof ze met zijn gedreig spotte: "Of de duivel zal je komen halen."'

'Het moet echt een beproeving voor je zijn geweest, Grace,' zei hij rustig, maar zijn hart bonkte. 'Ik bedoel, je betekende meer voor het gezin dan alleen de huishoudster, hè?'

'Dat kunt u wel zeggen. June vond het heel belangrijk dat ze goed met de hulp kon opschieten, maar ze liet je nooit je plaats vergeten. Er was altijd een grens.'

Ze zuchtte. 'Toch vond ik haar aardig.'

'En de jongen?'

Ze drukte de achterkant van haar pols tegen haar voorhoofd. 'Alsof het mijn eigen kind was.'

'En nadat zijn oma hem had meegenomen naar New York, hebt u Ernest daarna nog wel eens gezien?'

'Ik heb geprobeerd hem te bellen,' zei ze. 'Maar toen kreeg ik een brief van mevrouw Calvert dat hij inmiddels bij familie in het westen woonde... ik geloof dat ze Wyoming noemde. Ze bedankte me voor mijn trouwe dienst, maar vond dat het het beste voor alle betrokkenen was als we hem het verleden lieten vergeten en hem een nieuw leven lieten beginnen.'

'Dus u hebt nooit meer iets van hem gehoord – bijvoorbeeld waar hij naar school ging daar, of hij zijn diploma heeft gehaald, een baan kreeg... heeft hij nooit meer contact gezocht?'

'Hoe vaak moet ik u het nou nog zeggen? Nee.'

Hij nam een grote slok frisdrank. 'Maar u zult zich toch afgevraagd hebben, door de jaren heen, hoe het met de jongen zou gaan, hoe zijn nieuwe leven eruitzag?'

Ze keek van hem weg, keek met betraande ogen door het raam naar de parkeerplaats. 'Ik voelde op de een of andere manier dat het goed met hem ging, en na wat hij allemaal had meegemaakt zou de Heer wel voor hem zorgen.'

Het viel stil.

'Iedere zondag leg ik bloemen op het graf van June.'

In gedachten zag Campbell 'mevrouw Danvers' uit de bovenkamer van het virtuele huis komen, hem meenemen de trap af, het donkere bos in. De straal van haar zaklantaarn sneed door de bomen.

'Was er een kerkhof op Skylands, een familiegraf?'

Ze schudde haar hoofd. 'Is er iemand anders... denkt u dat er die avond misschien iemand anders in dat huis was?' vroeg hij op neutrale toon.

Omdat hij haar goed in de gaten hield, zag hij de onverwachte flikkering in haar ogen.

'Ik hoorde Gary Seaton zijn vrouw bedreigen. Ik hoorde hem zeggen: als ik je niet kan hebben, dan zorg ik ervoor dat niemand je heeft. Gary heeft June vermoord en toen zichzelf doodgeschoten. Als mijn man nog leefde, dan zou hij kunnen vertellen...'

Ze klapte abrupt dicht, alsof ze besefte dat ze te veel had gezegd.

'Wat zou hij hebben verteld, Grace. Wás er iemand anders in het huis?'

Ik liep het metrostation in, ging op een houten bank zitten en wachtte op de trein naar Manhattan. Ik dacht aan mijn black-out op straat. Het was niets ernstigs, een combinatie van onvoldoende slaap en een lichte zonnesteek. Het had alles bij elkaar een paar minuten geduurd en ik had er nu totaal geen last meer van. Alleen die hand onder mijn elleboog zat me dwars – een stevige, intieme greep, die ik nog steeds voelde.

Ik beeldde me in dat Jelly hier in het spitsuur was. Ze moest hier, op dit perron, duizenden keren hebben gelopen, misschien op ditzelfde bankje hebben gezeten – nou ja, als ze echt deze metrohalte nam, als ik alles kon geloven wat ze me verteld had.

Ik weet nog dat ik haar ooit vroeg of ze *Breakfast at Tiffany's* van Truman Capote had gelezen en verbaasd was over haar scherpe, beledigende reactie. 'Denk jij soms dat ik op die vrouw in dat boek lijk? Denk je nou echt dat ik líég over belangrijke zaken?'

Ik vroeg me nu af hoe ze gekeken had terwijl ze dat typte. Misschien had Will gelijk en kon je over internet alleen met zekerheid zeggen dat iedereen altijd liegt. Een wereldwijd netwerk van leugens.

Ik dacht nog steeds aan Jelly toen de metro van Sixth Avenue piepend bij het zuidelijke perron tot stilstand kwam, aan de andere kant van het station. Met een half oog zag ik een stuk of tien mensen uitstappen en naar de uitgangen lopen. De trein trok weer op en toen pas zag ik, aan de overkant van het spoor, een jonge vrouw midden op het perron staan die druk in de weer was met haar mobiel. Ik had haar nog nooit eerder gezien, maar toch had ze iets bekends.

Ik zag haar van de zijkant, met licht gebogen hoofd. Slank, lang en elegant zoals ze daar stond – vanwege de afstand was ik er niet helemaal zeker van. Toen draaide ze zich mijn kant op en lachte in de telefoon.

Ze was langer dan ik had gedacht, of misschien leek dat zo, omdat haar haar anders zat – het was lichter, krullend en was kunstig opgestoken. Op het moment dat ik haar gezicht zag, wist ik het.

Het was gek hoe het me overviel, hoe onvoorbereid ik was op het moment waar ik zo vaak over had gedroomd. Ik was niet zozeer getroffen door haar uiterlijk – hoewel ik moet zeggen dat ze er precies zo uitzag als in mijn dromen – maar wel door het simpele feit dat ze bestond, dat ze daar echt stond. Het bevestigde wat ik allang met mijn hart wist. Ik herkende haar als degene die ik liefhad.

Op dat moment had het de overweldigende kracht van een openbaring.

Jelena had me nog niet gezien. Ik wist niet of ik naar haar moest zwaaien, haar naam moest roepen of de trap op moest rennen, de straat oversteken en op het andere perron tegemoet moest lopen. Ik stond daar als gebiologeerd, bang dat als ik een beweging zou maken, de betovering verbroken zou zijn. Er liep iemand door mijn blikveld. Ik zag hem amper.

Ik kan me niet herinneren dat ik de trein hoorde, tot hij een paar seconden later binnen ratelde over het middenspoor. Toen pas stond ik op, keek Jelly mijn kant op en heel kort keken we elkaar aan.

Ze glimlachte niet, voor zover ik weet veranderde haar gezicht niet van uitdrukking. Ik zag wel haar schouders verstijven, van schrik of van angst... dat was het enige teken waardoor ik wist dat ze me herkend had. Het volgende moment verloren we elkaar uit het oog.

De trein die tussen ons door raasde, een Coney Island-expres, leek oneindig lang te zijn. Ik probeerde oogcontact met haar te houden door de hel verlichte ramen van de voorbijrazende wagons, maar dat lukte niet.

Toen het tegenoverliggende perron weer zichtbaar was, rende ik al naar de uitgang aan Macdonald Avenue. Jelly was verdwenen.

'U vertelde dat er vroeger een piano in het huis was.' Ze beschermde iemand, dacht Campbell, of ze was bang voor iemand.

Grace knikte. 'Een oude piano in de salon... die staat er nog. June vond het heerlijk om te spelen. Ze was heel getalenteerd en creatief.'

Hij bedacht ineens dat Ernest Seaton misschien eerder bij haar was geweest. In dat geval zou dit hele gesprek waarschijnlijk weer aan Ernest doorverteld worden. Hij wilde Grace over de recente moorden vertellen die hij onderzocht en dat hij vermoedde dat die verband hielden met wat er destijds op Skylands was gebeurd. Maar het was nog te vroeg. In plaats daarvan vroeg hij of de jongen het muzikale talent van zijn moeder had geërfd.

'Ernie?' Grace glimlachte. 'Muziek interesseerde hem totaal niet. Toen hij klein was en iemand neuriede alleen maar een deuntje en hij hoorde het, dan sloeg hij zijn handen over zijn oren en begon te huilen. Ze hebben zijn gehoor laten testen, maar dat was prima in orde.'

Hij herinnerde zich de beschrijving van dr. Stilwell van de weesjongen die Mozart vergeleek met de smaak van dode vliegen. Grace scheen de diagnose van Stilwell niet te kennen.

'Hij zal het moeilijk hebben gehad in het dagelijks leven.'

'Soms,' antwoordde ze aarzelend. 'Hij was een eenzaam kind. Ernie maakte niet makkelijk vrienden, maar dat vond hij niet erg. En andere kinderen vonden hem raar.'

'Ik bedoel door wat muziek met hem deed.'

'Ik weet wat u bedoelt,' zei ze. 'Als iemand een plaat opzette of de radio aan deed, dan raakte hij volkomen overstuur... zijn vader zei dan: "De jongen zoekt aandacht" en zette het geluid harder.'

'Maar u wist dat het hem echt van streek maakte.'

Ze knikte. 'Ik weet nog die keer dat June in de zitkamer oefende en hetzelfde stuk keer op keer opnieuw speelde, en toen hoorde ik opeens dat enorme lawaai. Ik rende naar haar toe en vond haar over de gesloten pianoklep gebogen. Ik kon de noten nog horen. Ernie stond naast haar, met een vuurrood gezicht, en hij keek van onder zijn wenkbrauwen met een blik... nou, ik werd er bang van. Ik kon wel raden wat er gebeurd was, maar June deed alsof het een ongelukje was. Ze beschermde hem.'

Een geboren en getogen outsider, dacht Campbell, slim maar niet gek, toch ontvankelijk voor psychoses, niet in staat om berouw te hebben of gevoelens van anderen te begrijpen...

'Weet u nog welk stuk dat was?'

'U maakt een grapje.'

Campbell keek om zich heen, door de lege koffieshop. Toen leunde hij voorover en floot voor Grace, een beetje vals, de eerste noten van 'Für Elise'. Hij zag haar wenkbrauwen fronsen en haar mond ongelovig openvallen.

'Jezus christus, hoe weet u dat?'

Hij gaf geen antwoord, liet haar een paar seconden nadenken.

'Je moet me helpen hem te vinden, Grace.'

Haar ogen sprongen vol tranen. 'Ik heb alles verteld wat ik weet... meer dan ik had moeten doen.'

'Zegt de naam "Ward" u iets?'

'Nee.' Zonder aarzelen.

'Ik vermoed dat er een kans is dat de Ernest die u opvoedde en liefhad een gevaar voor anderen is geworden. Grace, u zou hem helpen...'

'Ik heb hem nooit ópgevoed. Heb ik dat gezegd?'

Ze stortte in, huilde zachtjes, bedekte haar ogen met haar handen. Hij wachtte tot ze wat gekalmeerd was en vroeg toen: 'Heeft hij weer contact opgenomen?'

'Het spijt me, ik kan niet... ik moet nu weg.' Ze greep haar roze mobiel, tastte naar de versierde krukken en krabbelde onhandig omhoog. Haar mond stond in een strakke lijn, net als bij koppige oude pony's, en ze strompelde de nis uit.

Hij bleef zitten, wist dat hij het had verknald en had medelijden met haar.

Campbell betaalde de rekening en liep achter Grace Wilkes aan naar de parkeerplaats. Ze wilde de sleutel in het portier van een zwarte nieuwe Taurus steken, maar haar hand trilde zo erg dat het niet lukte.

272

'Laat mij dat maar doen,' zei hij.

Protesterend gaf ze hem de sleutel. 'Bent u getrouwd, meneer Armour?'

Hij glimlachte en stak zijn linkerhand met de gouden trouwring omhoog. 'Vier jaar, in augustus. We hebben een dochter, Amy.'

Hij deed het portier voor haar open. Ze gooide eerst de krukken erin en plofte toen zelf op de bestuurdersstoel. Ze pakte een pakje Newport Lites, tikte er een sigaret uit en stak die aan. Ze blies een dunne rooksliert uit een mondhoek in de richting van Campbell. 'Ga dan naar huis,' zei ze en ze keek even naar hem op, 'ga naar huis, naar hen toe. Laat dit met rust.'

'Ik moet eerst Ernest Seaton vinden,' zei Campbell en hij steunde met zijn onderarmen op het open raampje. 'En als me dat lukt, dan vraag ik hem ook naar de moorden op Sophie Lister en Sam Metcalf. Als u nog van gedachten verandert, dan hebt u mijn nummer, bel me dan.'

Ze inhaleerde nog een keer. 'Ik had nooit met u moeten praten.'

'Voor er nog iemand gewond raakt Grace... Hij luistert misschien naar u.'

Ze keek strak door de voorruit, blies zuchtend de rook uit en wapperde toen met haar hand om de rook te verspreiden; ze zag er ongezond uit in het zonlicht.

Met de sigaret tussen haar lippen startte ze de motor en zonder Campbell aan te kijken zei ze met een klein stemmetje:

'Hij weet het niet.'

51

Inspecteur Morelli stond midden in de lege woonkamer van Sam Metcalf en dacht aan zijn lunch. Dit was dag drie van zijn dieet en hij verlangde naar een *bistecca fiorentina* en salade in de familie-*trattoria* bij de Porta Romana. Thuis werd de mogelijkheid om een caloriearm dieet te volgen aanmerkelijk gecompliceerd omdat hij Maria nog niet had verteld dat hij aan het afvallen was.

Als hij dat zou vertellen, kon hij rekenen op een paar samengeknepen donkere ogen.

Hij had geen idee waarom hij hiernaartoe was gegaan. Hij was toevallig in Oltrarno, reed langs Sams deur en besloot nog eens te gaan kijken. Hij zou het weten als hij het zag, zei hij tegen zichzelf, toen hij een raam openzette om frisse lucht binnen te laten in het hete, stoffige appartement.

Hij dacht aan de jonge Amerikaanse vrouw die hij voor het eerst had gezien op een snijtafel in het mortuarium in Linz, die een hok als dit had uitgekozen als haar thuis voor het grootste deel van haar volwassen leven. Haar bezittingen waren afgelopen week naar huis verscheept. De paar meubels die er nog stonden waren van de huisbaas. Zelfs haar afwezigheid was verbleekt. Je moest echt Sams verhaal kennen, dacht Morelli, om de melancholieke sfeer die in de drie lege kamers hing, te kunnen voelen. De nieuwe huurder zou zaterdag komen.

Hij herinnerde zich het pijnlijke telefoongesprek dat hij met Sams ouders in Boston had gevoerd. Zijn collega's beweerden dat dit het akeligste deel van het werk van een politieman was, de naaste familie op de hoogte brengen, en dat je er nooit aan zou wennen. Voor Morelli was praten met degenen die het slachtoffer hadden gekend en van hem of haar hadden gehouden, een manier om zijn werk goed te kunnen doen. Hij had gehoopt de Metcalfs positief nieuws over het onderzoek te kunnen brengen, maar het forensisch rapport van de Oostenrijkse politie was niet bemoedigend.

De moordenaar had de slaapcoupé smetteloos schoon achtergelaten; net als de grot bij de Villa Nardini. Geen spoor waarmee de slachtoffers geïdentificeerd konden worden. Als hij bedacht dat de griezel het voor elkaar had gekregen om ook nog uit die trein te ontsnappen, snapte hij dat de Oostenrijkse media hem 'Meester van de Dood' noemde, maar het hielp niet echt.

Morelli bekeek de badkamer. Hij keek onder de ouderwetse badkuip op pootjes en in het medicijnkastje; toen verwijderde hij de kap van de stortbak en voelde erin voor hij doortrok. Zijn mensen hadden het hele appartement al doorzocht. Ze zouden niet veel over het hoofd hebben gezien.

Hij fronste naar zijn spiegelbeeld in de spiegel op het kastje terwijl hij zijn gezicht en handen waste en aan Gretchen dacht. Aan de telefoon had ze een romantisch weekend in Parijs voorgesteld. Misschien was dat niet zo'n slecht idee. Als hij het tenminste kon laten samenvallen met zijn werk. Hij moest met Laura Lister praten, misschien was dat een geldige reden voor een buitenlandse reis. Hij had nog een paar vraagtekens bij haar man en Parijs.

Hij liep naar de keuken, ging aan de tafel zitten en luisterde naar de klok die boven het fornuis aan de muur hing en de stilte wegtikte. Hij voelde zich depressief. Sam Metcalf was al een week dood en hij had niets, geen enkel spoor. Zijn vermoeden dat Ed Lister een affaire had met een vrouw die zijn dochter had kunnen zijn, was amper een positieve ontwikkeling te noemen. Morelli zakte onderuit op zijn stoel en dacht na over de Listers en hun huwelijk; iets zei hem dat het geheim om de zaak op te lossen nog steeds bij hun dochter Sophie lag. Hij had tot nu toe alles bekeken vanuit het perspectief van Sam. Hij moest terug naar het begin en een andere weg inslaan – zich focussen op Sophie Lister, die naar de flat van haar vriendin ging om haar computer te gebruiken.

Hij moest aannemen dat ze Sam nooit in vertrouwen had genomen over de vreemdeling, waarmee ze, naar zijn overtuiging, online chatte. Anders zou Sam dat toch wel aan Sophies vader verteld hebben? Toch bewezen de tekeningen in het schetsboek dat *ze had geweten dat ze voorzichtig moest zijn*. Misschien was ze te verlegen om met de oudere vrouw te praten, of wilde ze dat wel, maar was het er nooit van gekomen – Sam was de week voor de moord in Boston bij haar ouders geweest. Als Sophie nieuwsgierig genoeg was geworden om de vreemdeling in het echt te ontmoeten, wat volgens Morelli het geval was, dan zou ze daar met niemand over hebben gesproken.

Maar stel dat Sophie ermee had ingestemd om haar moordenaar te ontmoeten, dan zou ze toch bezorgd moeten zijn geweest over haar veiligheid. Misschien had ze voorzorgsmaatregelen getroffen; een briefje misschien, of een aanwijzing over de identiteit van de man, of een beschrijving, voor het geval haar wat zou overkomen. Het probleem was dat ze, behalve zijn nickname waarschijnlijk niet veel van hem zou weten, tenzij ze nog een keer met hem had afgesproken.

Met een diepe zucht keek hij naar de *Annunciatie*-klok, de enige plek waar hij nog niet gekeken had op zijn vluchtige zoektocht. De uitgestrekte arm van de engel Gabriël deed hem denken aan zijn vrouw toen ze, na hun huwelijk, haar bruidsboeket had geofferd aan de maagd Maria in de Santissima Annunziata-kerk.

Hij stond op, trok een stoel bij het antieke fornuis en klom op het gasstel. Voorzichtig balancerend op de gietijzeren rekken strekte hij zich uit naar de klok en voelde achter het gelamineerde paneel van de lange, rechthoekige voorkant: de korte, stevige vleugels van de engel, de fruitbomen, de loggia waar Maria aan de lessenaar zat. Zijn vingers gleden door vettig stof en roet; verder was er niets.

Hij tilde de klok van de muur en keek naar het verdacht lijkende elektrische draadwerk, maar meer zat er niet in. Hij voelde zijn maag knorren.

Tijd voor die overheerlijke *bistecca fiorentina* en, godbetert, een glas water.

De inspecteur trok Sams oude voordeur achter zich dicht. Nadat hij de gele afzettape had weggehaald, in elkaar had gepropt en in een hoek van de overloop had gegooid, zag hij met afgrijzen hoe vies zijn handen waren geworden.

Hij aarzelde – hij hoorde rockmuziek blèren uit het appartement van de Iraniërs onder hem, wat hij, misschien onredelijk, ongepast vond – draaide toen de deur van het slot en ging weer naar binnen.

In de badkamer waste hij nog een keer zijn handen. Weer keek hij naar zijn spiegelbeeld in de spiegel van het kastje, bette zijn wangen en dacht: ja, misschien ben je inderdaad wat slanker, Andrea.

Hij glimlachte en kreeg toen een ingeving.

'*Ma stai scherzando,*' zei hij hardop. Hij stond er met zijn neus bovenop.

Hij schoof het kastje open, haalde de glazen plankjes eruit en wrikte een hand achter een van de dubbelwandige schuifdeurtjes. Niets. Hij liet de spiegel weer terugglijden en probeerde het deurtje aan de andere kant.

Moeder Maria, daar voelde hij iets, vastgeplakt aan de achterkant van het glas.

Hij peuterde het voorzichtig los en trok het omhoog – een in vieren gevouwen A4-formaat wit Ingres-schetspapier, het soort dat kunstenaars gebruiken.

52

Ze hadden om half zeven afgesproken. Dat was het nu bijna en hij zat nog steeds vast in het verkeer op de Brooklyn-Queens Expressway. Ward had aangeboden om Jelly bij haar appartement op te pikken, maar ze wilde per se direct uit haar werk naar het restaurant.

Ze was voorzichtig, begrijpelijk. Aan de telefoon had hij een lichte verrassing in haar stem gehoord omdat hij zo snel weer van zich liet horen. Terwijl de rij auto's voorwaarts kroop, dacht Ward erover na hoe zenuwachtig ze had geklonken; maar dat had, hoopte hij, niets te maken met zijn uitnodiging om te gaan eten. Toen kwamen de zuidelijke rijbanen vrij en kon hij in zijn gehuurde VW Golf doorrijden naar hun eerste afspraakje.

Hij was bijna kwart voor zeven toen hij de foyer van de Renchers Crab Inn op Myrtle Avenue binnenliep. Hij had dat restaurant uitgekozen omdat zij had gezegd dat ze vis heerlijk vond en omdat hij er nog nooit geweest was.

'Guy Mallory. Ik heb gereserveerd.'

De gastvrouw keek op haar lijst, kruiste zijn naam aan en nam hem toen mee naar de bar waar hij Jelena al op een kruk zag zitten, weg uit de drukte. Ze zwaaide en glimlachte naar hem, en leek opgelucht te zijn dat ze een bekend gezicht zag.

'Ik dacht al dat ik verkeerd was,' zei ze toen hij bij haar was. Hij verontschuldigde zich voor het feit dat hij te laat was en bestelde iets te drinken. Een Sea-Breeze voor Jelly en een glas witte huiswijn voor zichzelf. Hij zag dat haar haar anders zat dan de avond ervoor – het was opgestoken in een strakke chignon – en dat ze amper make-up op had. Ze droeg een beige linnen jasje, een rok en een witte blouse. Werkkleding.

'Ik zou je niet herkend hebben,' zei hij.

'Tja, jongen, dit is de echte ik.'

'Je werkt toch bij Morgan Stanley?'

Ze lachte. 'Waarom denk je dat in vredesnaam? Ik ben telefoniste bij een scheepvaartbedrijf in Flatbush. Ooit gehoord van McCormicks?'

Hij schudde zijn hoofd. 'Maar je ziet er geweldig uit.'

'Vind je?' Haar gezicht lichtte even helemaal op.

Praktisch tegelijk met hun drankjes kwam de gastvrouw melden dat ze aan tafel konden. Hij liet Jelly voorgaan en merkte dat andere gasten bewonderend naar haar keken toen ze voorbij liep. Hij vond die aandacht prettig, maar ook ongemakkelijk.

De blauwe ruit draaide langzaam in zijn hoofd.

Maak je niet bezorgd; ik zal dit niet verpesten... ik zweer dat ik geen woord zal loslaten over wat jij vandaag gedaan hebt. Geen woord.

Aan tafel keek hij over zijn menu naar haar; het leek een eeuwigheid te duren voor ze een keuze kon maken. Hij glimlachte toen Jelly eindelijk de gamba's koos – hij kon er niets aan doen dat hij moest glimlachen. Ze zag zijn reactie en keek hem uitdagend aan.

'Geen bezwaar, meneer?'

'Ik vind het grapppig, want...' Ward aarzelde. Hij vond het grappig omdat hij wist uit haar onlinegesprekken met Ed Lister dat gamba's haar lievelingsgerecht waren.

'Omdat het bij gefrituurde kip staat en een seksgerecht was en wij zwarte mensen gewoon nooit genoeg van die zooi kunnen krijgen?'

'Nee, nee,' protesteerde hij, geschrokken van haar uitval. 'Het is gewoon dat ik altijd moeite moet doen om zelf geen gamba's te bestellen.'

'En daar zit ik dan met mijn racistische gedachten.' Ze lachte. 'Verdomme, nu moet ik je er eentje laten proeven.'

Ze was op haar mooist als ze lachte.

Hij bekeek de wijnkaart en besloot uit de witte wijnen een keurige Meursault te kiezen. Hij had gegrilde zwaardvis besteld.

Tijdens het eten veranderde de sfeer en een gesprek voeren werd een opgave. Jelly werd steeds stiller en leek beheerster dan gisteravond. Op het feest was ze zo druk en praatgraag geweest, dat hij op een gegeven moment had gewenst dat ze haar mond dicht zou houden. Er zat nu een heel andere persoon tegenover hem – zoals ze al had gezegd: de echte ik. Hij wist dat hij haar heel behoedzaam moest aanpakken om haar uit haar schulp te laten kruipen.

Ward had zijn huiswerk gedaan. Van haar middelbareschooljaarboek tot het bedrag van de achterstallige huur die ze haar huisbaas schuldig was, van haar sofinummer, ziektekostenverzekering en lievelingskleur tot de naam van de hond van haar moeder – er was weinig wat hij níét wist over Jelena Madison Sejour.

Hij liet haar vertellen over haar liefde voor muziek en ontfutselde haar de bekentenis dat ze een 'beurs' had om piano te studeren aan het Conservatoire in Parijs.

'Ik ben onder de indruk,' zei hij. 'Daar nemen ze alleen maar de besten aan.' Hij wilde haar vertellen dat zijn moeder ook piano speelde, zij het niet zo goed, maar besloot dat het beter was als ze zo weinig mogelijk over zijn familieomstandigheden wist. 'Wanneer ga je?'

'Ik heb nog niet eens besloten óf ik wel ga. Ik heb er altijd van gedroomd om daar te wonen, maar nu... ik weet het niet, het lijkt zo'n grote stap.'

'Waarom durf je niet?'

Ze haalde haar schouders op. 'Ben nog nooit in het buitenland geweest. Ken helemaal niemand in Parijs. Weet niet zeker of ik muzikaal genoeg ben. Ik laat hier twee hulpeloze wezens achter, mijn katten, en dan nog mijn moeder... kies maar uit.'

'Ik ben daar regelmatig,' vertelde hij. 'Dus dan heb je in ieder geval minstens één vriend, Jelena. Een vriend die je dolgraag Parijs wil laten zien.'

'Goed om te weten.' Ze knikte, maar glimlachte niet terug.

Je wilde haar bijna 'Jelly' noemen, hè? Het lag op het puntje van je tong. Maar ze had nog niet gezegd dat je haar zo mocht noemen, of verteld dat anderen haar zo noemen. Eén verspreking, Ernest, en je kunt het allemaal vergeten...

Hun dessert kwam en ze aten in stilte. Hij bestudeerde haar onverholen: soms keek ze op en zag dat hij naar haar staarde en dan glimlachte hij. Hij vond het niet erg als ze zijn blik onprettig vond. Hij zag nu dat Jelly meer dan mooi was, ze was een schoonheid. Ze had expressieve ogen, die een beetje te ver uit elkaar stonden, een brede mond, een lange, mooie nek en een honingkleurige huid. Hij begeerde haar niet. Dat had wel gekund, maar Ward volgde nooit zijn seksuele impulsen. Hij was blij dat hij met dat gedoe al vroeg in zijn leven afgedaan had. Hij zag dat de vrouw een goed stel hersens had – en charme en warmte – waardoor hij begreep hoe iemand als Ed Lister was gevallen voor het plaatje.

Haar parfum, fris en eenvoudig, had voor Ward de vorm en structuur en gewicht van een glazen presse-papier. Hij liet de stilte tussen hen nét iets te lang duren en pas toen vroeg hij Jelly of alles oké was.

Ze keek hem fronsend aan en zei: 'Hoezo?'

'Je lijkt niet helemaal jezelf.'

'Ten opzichte van wat? Gisteravond? Dat was een feest, man.'

Hij knikte. 'En het was gezellig, hè?'

'Niet té, mag ik hopen.' Ze trok een wenkbrauw op. 'Ik had behoorlijk wat op.'

'Denk je dat ik misbruik van je heb gemaakt?' Hij glimlachte en keek naar zijn handen. 'Je zei dat je dronk om te vergeten.'

'O ja? Dat was de diva die sprak.' Ze moest lachen, haalde toen diep adem en blies langzaam uit. 'Nee, je hebt gelijk, ik denk dat ik een beetje in de put zit...'

Hij zag dat ze hem in vertrouwen wilde nemen. Hij had haar zitten paaien. Doordat hij wist waar ze wel en niet van hield, kon hij doen alsof ze veel gemeen hadden. Hij had alleen niet verwacht dat ze zo snel overstag zou gaan. 'Wil je erover praten?'

Ze schudde haar hoofd. 'Niet echt.'

'Nog vers... ik begrijp het. Je kent me nog niet zo goed.' Hij leunde achterover in zijn stoel en glimlachte. 'Soms is het prettig om met een vreemde te praten.'

Hij zag haar aarzelen, zijn aanbod overwegen. 'Je lijkt me aardig. Echt waar, maar... o, wat maakt het ook uit.'

Het was het bekende verhaal, alleen interessant wat betreft de dingen die ze niet vertelde. Ze noemde Eds naam niet, maar vertelde dat ze het moeilijk vond om de attenties van een oudere, getrouwde man te weerstaan. Als hij niet het hele verhaal al had gekend, zou hij nooit gedacht hebben dat ze het over iemand had die ze nog nooit had ontmoet.

Ward kon goed luisteren, hij wist hoe hij haar op haar gemak moest stellen, wanneer hij vragen moest stellen en wanneer hij zijn mond moest houden. Hij zei haar dat hij het zich goed kon voorstellen omdat hij hetzelfde had meegemaakt – hij moest 'er nog steeds overheen komen'. Ze toonde medeleven.

Hij had moeten leren om medeleven te tonen, maar inmiddels vond Ward het behoorlijk gemakkelijk; het was, zoals een oudere filmster ooit gezegd had over zijn beroep, gewoon een kwestie van anticiperen.

'Waar hebben jullie elkaar ontmoet?'

Ze zei: 'Ik weet dat dit idioot gaat klinken.'

'Laat me raden.' Hij glimlachte, beroerde met twee vingers zijn slaap alsof hij net op een idee kwam. 'Jullie hebben elkaar online ontmoet.'

'Wel ver... hoe kom je daarop?'

'Ben je toen niet met meneer Darcy getrouwd?'

'En van hem gescheiden.' Ze trok een gezicht en veegde met de rug van haar hand over een wenkbrauw. 'En sinds vanochtend ben ik een vrije vrouw.'

'En mag ik dan de eerste zijn om je daarmee te feliciteren.' Hij hief spottend zijn glas en ze lachten allebei. Nu ze contact hadden gelegd, verwachtte hij niet dat ze zijn aanbod om haar met de auto terug te brengen naar Manhattan zou weigeren.

En daarna, besloot Ward, hoefde hij het alleen nog op zijn gehoor te spelen.

53

Het krakende geluid dat met tussenpozen uit zijn laptop kwam, als van een verroest scharnier, begon Campbell Armour op zijn zenuwen te werken. Het deed hem denken aan die screensavers met hun irritante geluidseffecten als bubbelgeluiden, fanfares en mysterieuze klanken uit het heelal. Het gekraak – van de homebeforedark-website – werd veroorzaakt door een hordeur die op de veranda aan de achterkant van het virtuele Skylands in de wind heen en weer zwaaide.

De laptop stond op tafel onder het raam van zijn kamer in de Mountain View, half verscholen achter het piepschuimen doosje met de restanten van de cheeseburger de luxe, die hij had meegenomen uit Canaan. Het was nu bijna half tien en pikdonker. Campbell had die avond al meerdere malen geprobeerd om in het virtuele Seatonhuis te komen, maar zonder succes. Ward moest hebben besloten om hem weer buiten te sluiten, misschien alleen maar voor de lol.

Hij schrok van een nieuw gekraak. Hij keek de kamer door – hij was de bergschoenen in de gang van het echte Skylands niet vergeten – toen het hordeureffect op zijn laptop overging in een regelmatig knars, beng... knars, beng. Hij vroeg zich af of hij wel veilig was in het motel.

Misschien kon Ward zijn gedachten lezen. Hoofdschuddend richtte Campbell de afstandsbediening op de televisie om het Wimbledon-commentaar weg te drukken, en ging zich toen bezighouden met zijn onderzoek. Sinds de laatste keer dat hij had gekeken, twintig minuten geleden, waren de graphics van de homebeforedark-website synchroon gaan lopen met de werkelijkheid en was het ook in het het programma avond geworden.

Op de hordeur was een briefje geprikt waarop stond: KOM.

Campbell haalde alle rommel van tafel en ging zitten. Hij klikte op de uitnodiging en zag dat hij in het sombere huis was, en meteen op de overloop van de eerste verdieping stond. Hij gromde van tevredenheid.

Voor hem zag hij vier identieke deuren. Hij probeerde ze allemaal, stuurde de cursor door het gedimde licht uit de kroonluchter boven de trap. Net als eerder ging alleen de deur van Ernest Seatons slaapkamer open.

Die ging naar binnen open en onthulde een kleine jongen in zijn pyjama, opgerold op bed, met zijn handen over zijn oren, heen en weer wiegend alsof hij pijn had. Campbell dacht eerst dat 'Ernie' (het figuurtje van de jongen: een spichtig kind met sproeten en een wipneus) harde muziek en geluiden probeerde buiten te sluiten.

Maar er was geen geluid – althans niet hoorbaar via de laptop.

Toen zag Campbell van onder de deur van de slaapkamer ernaast iets als mist of rook doorsijpelen. Hij zag hoe de wittige mist zichzelf omvormde tot een duidelijk 3D-woord – LIEGEN – snel gevolgd door een ander woord – BITCH. Hij begreep dat de jongen probeerde te ontsnappen aan het gekijf tussen zijn ouders.

De letters zweefden boven de trap omhoog, vulden in stilte het scherm met de giftige sneren van June en Gary Seaton, hun woorden werden uitdrukkingen en gebroken zinnen die door elkaar liepen en tegen elkaar botsten in een bewegende collage van haat.

JIJ, LIEGEND **KRENG**   jij bent
gewoon **IK HEB *NOOIT* VAN JE GEHOUDEN**
JIJ KUNT HEM NIET EENS *OMHOOG* KRIJGEN,
GARY SEATON
Kreng… jij vuile teef… **HOER**
IK GA WEG   denk je nou echt dat ik dat erg vind?
Iedere knul neuken die naar je kijkt
GOD, *ZIELIG* MANNETJE
MISTER FLOPPY, HA-HA
Kun je niet zonder hem leven? Ben je zo verliefd? Wil je
ons **verlaten**, Junebug? Eens denken, hoe ik kan
NEE… GARY JE BENT VEEL TE DRONKEN
help daarmee. Hier, probeer dit eens, vuile kut

Het was zo knap gedaan dat Campbell bijna medelijden met de jongen kreeg toen hij zag dat hij zijn hoofd onder zijn kussen verborg. Ineens, alsof hij er niet meer tegen kon, sprong 'Ernie' van het bed en rende naar de overloop. Hij liep dwars door de zwevende woorden naar de andere kant en ging op zijn tenen langs de deur van de slaapkamer van zijn ouders. Hij sloop de trap af, terwijl hij de krakende treden oversloeg.

Van over de trapleuning zag Campbell (die desondanks bewondering had voor Wards technische snufjes) hoe de jongen op handen en voeten in de bezemkast kroop en de deur achter zich dichttrok. Met zijn muis wilde hij hem volgen, maar hij werd tegengehouden. De zinnen op het scherm vervaagden, gaven de suggestie dat in de ouderlijke slaapkamer, waar ongetwijfeld de dramatische gebeurtenissen van die avond zouden plaatsvinden, op dit moment alles rustig was – het werd stil in het huis.

Het enige wat hij nog hoorde was het tikken van de klok in de hal.

Hij dacht erover Ed Lister te bellen en te zeggen dat hij op de website moest inloggen, zodat ze samen konden zien wat er ging gebeuren. Toen ze elkaar eerder hadden gesproken, had hij zijn cliënt verteld over het gesprek met Grace Wilkes en het vermoeden dat zij niet het achterste van haar tong liet zien, uit loyaliteit of angst. Ed leek toen afwezig, bijna ongeïnteresseerd. Hij wist nog dat hij zei dat hij die avond weg zou zijn.

Een vreemd geluid trok zijn aandacht naar de wijzers van de klok in de hal. Hij zag de wijzers rondzoeven, de tijd versnelde zoals dat ook wel eens gebeurde in oude zwart-witfilms. De wijzers draaiden langzamer en bleven stilstaan op exact zes minuten over half vijf. Het tikken begon weer.

Met zijn cursor keek Campbell de gang door. Er stonden nu twee koffers bij de voordeur. Hij hoorde muziek, de ijle, onheilspellende tonen van 'Für Elise' – en, terwijl de pianotonen door het huis zweefden, hoorde hij andere geluiden, uit de slaapkamer, in eerste instantie amper te plaatsen. Hij herkende de geluiden van het heimelijk, maar intens bedrijven van de liefde, het gekreun en gehijg van een man en een vrouw die de climax naderen – maar midden in hun gesmoorde kreten veranderde er iets.

Hij hoorde een enkele gil, geen ander geluid, geen beweging, niets.

Op de klok in de gang gingen zestig seconden voorbij voor Campbell op de geluidsband een hysterische vrouwenstem hoorde, waarschijnlijk die van June Seaton, die iemand snikkend smeekte om haar geen pijn te doen en, in antwoord daarop het onsamenhangende gemompel van haar dronken echtgenoot.

Op dat moment verscheen de jongen, slaperig en geschrokken, uit zijn schuilplek in de bezemkast en keek fronsend naar de koffers in de gang en toen van onder aan de trap naar boven. Hij hoorde zijn moeder smeken:

NIET DOEN

Hoewel hij wist dat de effecten gesimuleerd waren, huiverde Campbell onwillekeurig toen een schril gekrijs in het virtuele huis weerklonk. Onderbroken door doffe bonzen, afgrijselijke krassende en krabbende geluiden, hoorde hij Junes wanhopige gesmeek verminderen en afzwakken tijdens de aanvallen van haar belager; het scheurende geluid van de huid van het slachtoffer (als een rits die open en dicht werd getrokken) deed denken aan een slachtpartij.

Het viel even stil, een eiland van stilte, en toen weerklonk de holle explosie van een geweerschot in een gesloten ruimte. Toen de echo's verdwenen waren, leunde Campbell voorover naar de luidsprekers van zijn laptop om te horen of hij nog steeds het zachte gepingel van de piano op de achtergrond hoorde of dat er iets druppelde.

Een auto kwam de parkeerplaats achter het hotel oprijden. Hij keek van het scherm naar het raam achter met de blauwe gordijnen en voelde zijn maag van schrik ineenkrimpen. Hij zag de lampen uitgaan en hoorde het vertrouwde geluid van dichtvallende portieren en gelach. De betovering was verbroken. Campbell voelde hoe gespannen hij was en daarom strengelde hij zijn vingers in elkaar en draaide ze van binnen naar buiten, waardoor de gewrichten kraakten.

Hij vond het ongelooflijk dat beelden van iets wat meer dan een kwart eeuw geleden was gebeurd, een geheugenspel met elektronische poppetjes, zo'n impact had dat een doorgewinterde kerel als hijzelf ervan gruwde. Hij zette zijn bril af, ademde over de glazen en maakte ze met een papieren zakdoekje schoon. Hij vroeg zich af waarom Ernest Seaton de gewelddadige dood van zijn ouders had verbeeld met zo'n... de woorden die in hem opkwamen waren 'liefde voor detail', maar op de een of andere manier dekte dat niet de lading van de hartverscheurende intensiteit van het nietsontziende oog van een kind.

Beweging op het scherm trok zijn bijziende ogen weer naar de laptop.

Hij zette haastig de poten van zijn bril achter zijn oren en was net op tijd om 'Ernie' te zien, in dezelfde starre positie als tijdens de gewelddadige scènes boven. Hij draaide zich nu naar hem toe – de horror en het verdriet diep gegrift in het gezicht van zijn verstarde figuurtje. Tranen zo groot als cartoonachtige regendruppels rolden in stilte over de wangen van de jongen.

En toen, in de drukkende stilte (hij herinnerde zich dat de dokter had gezegd dat het een ongewoon warme, windstille avond was), hoorde Campbell een geluid waardoor zijn hart in zijn keel bonkte. Op de verdieping boven kraakte een plank.

Zonder na te denken bewoog hij zijn cursor direct naar de trap en probeerde naar boven te komen. Weer werd hij tegengehouden. Vanaf de plek waar hij stond zag Campbell een stuk van de overloop boven hem. Door de kieren van de deur van wat volgens hem de ouderlijke slaapkamer was, scheen een lichtbundel die geleidelijk steeds groter werd.

En er verscheen een schaduw op de drempel.

In de gang beneden had de jongen, die hetzelfde perspectief had als Campbell, ook het gekraak gehoord en begrepen wat dat betekende. Staand in de brede gang keek 'Ernie' paniekerig naar zijn bezemkast, alsof hij niet wist of hij wel of niet naar zijn schuilplaats moest gaan. Toen hij voetstappen de trap af hoorde komen, vloog hij door de gang en verdween in een donkere deuropening, slechts een paar seconden voor het licht aan ging in de schaars gemeubileerde televisiekamer. De detective, die volgde, bewoog zijn cursos langs de vier muren – de kamer was leeg. Toen stond alles stil.

Campbell keek langzaam op van het bevroren beeld op zijn laptopscherm naar de gordijnen. Hij had iets gehoord, iemand liep over de parkeerplaats naast zijn huisje.

54

Jelly vroeg: 'Kom je nog binnen voor een kop koffie?'

Ze zaten voor haar flat in Guys auto, die geparkeerd stond bij de hoek van 39th Street en Lexington. Ze staarde door de voorruit en wilde graag naar binnen, dan kon ze een sigaret opsteken. 'En dan bedoel ik ook koffie. Haal je niets in je hoofd, makker.'

Ze keek naar hem en zag hem glimlachen. 'Zo iemand ben ik niet,' zei hij, en vervolgens aarzelend: 'Oké, maar ik blijf niet lang. Ik moet nog naar Jersey, langs mijn oma. Ze is ziek.'

'O, sorry.' Haar gezicht betrok. 'Ik heb geen cafeïnevrije koffie en ik moet je waarschuwen, het is boven een zootje. Wordt ze weer beter?'

'Het is een oude dame, ze is een beetje in de war. Maar niets ernstigs. Meestal weet oma niet of het dag of nacht is.'

Toen ze uit de auto stapten, keek Jelly links en rechts de straat in voor het geval er iemand op haar stond te wachten. Ze was er bijna zeker van dat ze Ed in de metro had gezien, naar haar kijkend vanaf het perron aan de overkant. Ze was zich rot geschrokken.

Guy bood haar zijn arm aan toen ze overstaken, een ouderwets gebaar, maar wel prettig. Toen hij haar eerder die dag had gebeld, had ze zijn naam niet herkend, Guy Mallory – ze kon zich eigenlijk amper herinneren dat ze hem op dat feest had gezien en haar mobiele nummer had gegeven. Het was riskant, een uitnodiging aannemen van iemand die ze amper kende, maar de avond was beter verlopen dan verwacht. Het was gezellig tijdens het eten. Ze vond hem aardig – hij was een beetje stijf, geen persoonlijkheid, maar hij was aardig en meelevend.

Als het écht Ed Lister was geweest die ze op dat perron had gezien, en die zou nu verschijnen, dan zou ze Guys bescherming wel kunnen gebruiken.

'Beloof je me dat je niet schrikt?' zei ze, en ze deed de deur van haar appartement open.

Ze had ruimte voor hem gemaakt op de oude rotan bank, waarop hij nu zijn koffie dronk, terwijl Jelly een sigaret rookte bij het open raam dat uitkeek op Lexington. Ze zou zweren dat Guy dat niet prettig vond, maar wat maakte dat uit? Tachel zei altijd dat ze moest stoppen. Misschien zou ze dat doen als dit gedoe voorbij was. Ze had Ed de indruk gegeven dat ze het vervelend vond dat híj rookte... en waarom ook niet? Ze kon hem toch gewoon vertellen hoe hij zijn verrotte leven kon verbeteren? Ze glimlachte toen Mistigris op Guys schoot sprong en hard begon te spinnen.

'Duw hem maar weg als je last van hem hebt,' zei ze, terwijl ze naar de stereo liep. 'Van welke muziek hou je, Guy?'

'Weet je?' Guy draaide zijn hoofd om en ze zag dat zijn nekspieren zo dik als kabels waren. 'Waarom praten we niet gewoon wat?'

'Prima,' zei ze en zonder enige reden voelde ze zich opgelaten dat hij er was, 'ik moet even mijn mail checken, dan kom ik eraan.'

Vanaf het moment dat ze binnen waren – nee, al eerder, maar dat wilde ze niet toegeven – had ze naar haar computer gewild. Het leek op het verlangen naar nicotine, maar dan veel sterker. Ondanks alles was ze nieuwsgierig of Ed haar een boodschap had gestuurd.

Ze zat aan haar bureau met een Marlboro tussen haar lippen en ging naar haar inbox. Leeg, geen mail van hem, van niemand.

Ze klikte op het Messenger-pictogram en voelde meteen een onverwachte schok van opwinding door haar lichaam schieten.

templedog: ik ben in het Carlyle. We moeten wat afspreken.

Shit! Ze voelde haar maag draaien en ineenkrimpen, toen er een nieuwe boodschap op het scherm verscheen. De debiele hufter wist dat ze online was. Hij had haar in de gaten gehouden, gewacht tot ze thuis was.

td: Jelly, we moeten elkaar spreken

Ze aarzelde, keek even naar Guy, die door een van haar *Vogues* bladerde. Ze begon te typen en toen hij het zachte getik van de toetsen hoorde, keek hij verbaasd op.

'Zo klaar,' zei ze.

adorablejoker: wat heeft dat nou voor zin?

td: we moeten praten

aj: dat gaat helemaal niets veranderen

td: je leven kan in gevaar zijn. Ik ben hier om je te waarschuwen.

aj: hou alsjeblieft op met die onzin... trouwens, ik ben niet eens in de stad

td: dat was je vanochtend wel. Ik heb je gezien in Brooklyn.

aj: dat kan ik nooit zijn geweest, maar als jij het zegt

td: ik weet dat jij het was en ik weet ook dat je mij gezien hebt, wanneer kom je terug?

aj: geen idee

td: hoor eens, we kunnen hier niet online over praten. Dat is niet veilig, hier heb je mijn mobiele nummer – 917 775 2998. Pak de telefoon en bel me nu.

aj: onmogelijk. ik ben met iemand

td: beloof dan dat je me zult ontmoeten... op de trap van de openbare bibliotheek, morgen om tien uur

aj: kun jij niet luisteren? Ik ben er niet!!

td: waar zit je morgen?

aj: wil je dat echt weten?

aj: OVERAL WAAR JIJ NIET BENT

td: vroeg of laat moet je terugkomen. Ik wacht op je... ik wacht

Jelly hapte naar adem, haar handen trilden en ze kon elke moment in tranen uitbarsten. Waarom was hij zo godvergeten koppig? Ze moest naar de wc, maar er was geen sprake van dat ze kon gaan plassen met Guy in de kamer, zonder muziek. Waarom ging die niet gewoon weg? Ze drukte haar handpalmen tegen haar slapen en kwam half omhoog, alsof ze weg wilde van de computer, de oorzaak van haar ellende, maar liet zich weer zakken.

Ze sloot haar ogen, haalde een paar keer diep adem, zoals ze ook deed voor ze begon met pianospelen, haar vingers boven het toetsenbord.

Jelly wist wat ze moest doen. Ze had het immers zien aankomen. Ze had er lang en diep over nagedacht.

aj: ik vind dat je de waarheid moet horen

Ze vond het verschrikkelijk dat ze hem dit moest aandoen, om Eds illusies over hun lange relatie, die toch overwegend positief was geweest, aan diggelen te slaan, maar hij liet haar geen andere keus.

aj: er bestaat geen Jelena, ook geen 'Jelly', ook nooit geweest

td: hoe bedoel je? Waar heb je het over?

aj: ik heb haar verzonnen, ed. ze is een bedacht iemand, degene op wie jij denkt verliefd te zijn, bestaat niet

td: ik snap het niet

aj: het was een spelletje. Ik had met Tachel gewed dat ik je verliefd op me kon laten worden. Het spijt me. Ik wilde het je al eerder vertellen, maar… het liep een beetje uit de hand

Het bleef even stil. Het leek alsof hij een eeuwigheid niet antwoordde.

aj: ben je er nog? Eddie… IK BEN HAAR NIET

td: maar ik heb je gezien… vanochtend, op het metrostation van Church Avenue, in Brooklyn. Dat was jij

aj: ik zit al sinds gisteren in Pittsburg. degene die jij bij de metro hebt gezien was Tachel. Het fotootje dat ik je gestuurd heb van 'Jelly' was zij…

aj: zij is knap, ik niet

td: maar we herkenden elkaar. Dat weet ik gewoon

aj: Tachel zei dat ze iemand had zien kijken vanaf het andere perron. Ze dacht dat jij het was, door de foto die jij me gestuurd had – die heb ik haar laten zien

td: ik geloof je niet… geen woord van wat je zegt

aj: hoor eens, het spijt me verschrikkelijk wat ik heb gedaan. ik had het je veel eerder moeten en willen vertellen… vaarwel

td: nee, wacht, dit is niet waar, je mag dit niet doen

'Hé, kerel, sorry hoor, maar dit is een privégesprek.'

Jelly maakte een sprongetje in haar stoel. Ze merkte nu pas dat Guy Mallory achter haar stond en over haar schouder naar het scherm keek.

Hij stak zijn handen verontschuldigend in de lucht, maar bleef kijken. 'Sorry, ik wil me nergens me bemoeien... maar je leek nogal overstuur.'

Ze draaide terug naar de computer en klikte met haar muis het Messenger-scherm weg. Het gespreksvenster verdween uit beeld. Ze zag het oranje balkje in haar taakbalk knipperen, wat betekende dat Ed nog aan het typen was, maar ze negeerde het en zette de computer uit.

'Hoor eens, niet om 't één of 't ander, maar daar heb jij niets mee te maken.'

'Was hij die persoon over wie je het eerder had? Die Templedog? Die Engelse knakker die je probeert te ontlopen? Die jou niet los kan laten?'

Ze knikte mistroostig en zei, omdat ze vond dat ze hem moest uitleggen wat ze geschreven had: 'Ik moest hem eindelijk vertellen...'

Ze maakte haar zin niet af en barstte in tranen uit. 'Het was de enige manier waarop ik hem duidelijk kon maken dat hij me verdomme met rust moest laten.'

'Hier, huil maar niet. Volgens mij heb je het heel goed gedaan.' Guy trok een opgevouwen witte zakdoek uit zijn broekzak en gaf die aan haar. 'Het gaat me helemaal niets aan, maar hij is duidelijk stapelgek op je.'

Ze snoot haar neus. 'Die gek dénkt dat hij verliefd op me is.'

'Dat kan ik me heel goed voorstellen,' zei Guy met een klein lachje, dat haar niet zoveel deed. 'Laat me raden. Hij zei dat jij zijn droom was, dat jullie voor elkaar bestemd waren, dat het in de sterren stond geschreven?'

Jelly gaf geen antwoord. Met Guys zakdoek, die een beetje naar patchouli rook, depte ze de tranen van haar wangen.

'En jij?' ging hij verder. 'Geloof jij al die kletskoek?'

Ze fronste haar wenkbrauwen. 'Hoe weet jij wat hij allemaal gezegd heeft?'

'Het klassieke verhaal.' Hij glimlachte weer, maar ontweek haar blik. 'Jouw vriend mag dan oprecht zijn, maar er zijn massa's engerds die uit zijn op een onschuldige vrouw online. Begrijp me niet verkeerd. Ik vind alleen dat ik je moet waarschuwen dat zijn gedrag op dat van een stalker lijkt. Die zeggen precies hetzelfde.'

'Hoor eens, ik ken hem... verrekte goed. Hij is een goed mens. Hij zou niemand kwaad doen. Trouwens, we hebben het niet zomaar over iemand, hij is een respectabele en geslaagde zakenman.'

'Maar je hebt hem nog nooit ontmoet, Jelena, toch?'

'Momentje... even terug. Hoe weet jij dat wij elkaar nooit ontmoet hebben? Heb ik je dat verteld?'

'Omdat het me overduidelijk is wat hier aan de hand is,' zei Guy kalm. 'Het enige wat ik niet goed begrijp is waarom een knappe vrouw als jij hem in je leven laat. Hoe weet je zeker dat hij is wie hij beweert te zijn?'

'Ik vertelde toch dat hij een groot verlies heeft geleden? Dat heeft in alle kranten gestaan. Hij werd verscheurd door de dood van zijn kind. Zoiets kun je niet faken.'

'Weet jij wel dat verdriet vaak de aanleiding voor stalken is? Het beëindigen van een relatie, ontslag, het verlies van een kind – gewoonlijk binnen zeven jaar voor het stalkgedrag – zoiets is een katalysator.'

Ze dacht aan Ed op het station vanochtend; lang, mager... de versleten jeans, zwarte polo en zonnebril. Ze was zo geschrokken, zo overspoeld door allerlei gevoelens, dat ze amper had kunnen denken, maar het was alsof ze hem al ergens eerder had gezien.

Jelly voelde de eerste twijfel.

Ze vroeg Guy, die zijn jasje aantrok om weg te gaan: 'Waarom weet jij hier zoveel van?'

'Ik heb een poosje bij Slachtofferhulp in Washington DC gewerkt... tussen twee banen in. We kregen veel gevallen van pesterijen en stalken.' Guy keek op zijn horloge. 'Gaat het weer een beetje? Ik ben bang dat ik nu echt weg moet.'

Ze wilde hem zijn zakdoek teruggeven, maar hij gebaarde dat ze die kon houden. 'En bedankt voor de koffie.'

Bij de voordeur, in het gangetje dat ook dienstdeed als keuken, draaide Guy zich met een bezorgd gezicht om, zijn grijze ogen waren zacht en glanzend.

'Hoor eens, ik wil je niet bang maken, maar wat er nu kan gebeuren is dat hij achter je adres komt. Ik heb situaties meegemaakt waarin vrouwen het gevaar negeerden tot het te laat was. Misschien moet je contact opnemen met de politie.'

Jelly schudde haar hoofd. 'Dat zou ik niet kunnen.'

'Ik denk alleen maar aan jouw veiligheid.'

'Bedankt, aardig van je.'

Hij keek haar even aan. 'Nou ja, als je last krijgt, dan weet je hoe je me kunt vinden.'

Hij boog zich naar haar toe, en ze duwde onhandig haar wang tegen de zijne. Toen stapte ze naar achteren en deed de deur naar het trappenhuis open. Halverwege de trap stopte Guy alsof hij iets was vergeten en keek naar haar om.

'Hé, als je morgenavond niets te doen hebt, kunnen we misschien weer afspreken?'

'Ik wilde eigenlijk een paar dagen de stad uit,' zei ze.

'Wijze beslissing.' Hij stak een hand omhoog. 'Rustig aan, Jelly.'

55

'Dit kun me niet aandoen!' riep Campbell tegen zijn laptop. Hij tikte snel enkele commando's in, maar kreeg geen reactie. Het scherm reageerde niet. Zijn verbinding was weggevallen. Perfecte timing.

Hij leunde naar achteren in zijn stoel en dacht even na. Zijn gastheer kon ineens hebben besloten om de website onbereikbaar te maken, maar daardoor zou zijn computer niet crashen. Het moest toeval zijn dat de server precies op dit moment plat ging.

Zijn mobiel ging af en hij nam snel op. 'Ja?'

'Hoi, ik ben het,' zei Kira vrolijk.

Campbell sloot zijn ogen en haalde diep adem. Hij had uit het raam gekeken. Er was niemand. Hij was wat gespannen, dát was het.

'Sorry, lieverd... kan nu niet praten. Ik was net bezig... ik zit ergens middenin.'

'Om deze tijd?' Hij hoorde de teleurstelling in haar stem, de trilling die ze niet probeerde te verbergen, waardoor hij wist dat ze had gehoopt het weer goed te maken. 'Gaat het wel goed? Je klinkt gestrest.'

'Alles gaat prima, alleen...' Hij realiseerde zich ineens dat ze alles wat hij zou zeggen verkeerd op zou vatten.

'Je zou me het liefst achter het behang hebben geplakt. Maar Amy weigert te gaan slapen voor jij haar hebt ingestopt. Kun je even met haar praten?'

Terwijl hij aan de telefoon was met zijn dochter, mobiel onder zijn kin geklemd, logde Campbell uit. Hij startte de computer opnieuw op en probeerde weer op de gecrashte website te komen. Hij bleef het proberen.

'Mag ik je moeder ook nog even, liefje,' vroeg hij nadat hij haar beloofd had dat hij morgen op tijd thuis zou zijn om haar voor het slapen gaan een verhaaltje voor te lezen.

Hij begreep nu waarom Ward wilde dat hij naar de beelden van de moord keek. Om hem te laten weten dat er die avond wel degelijk iemand anders in het huis was geweest. Dit was het antwoord op de vraag die hij eerder aan Grace Wilkes had gesteld – wat waarschijnlijk betekende dat ze na hun ontmoeting nog met Ernest Seaton had gesproken. Hij kwam in de buurt.

'Wat is er, Campbell?'

'Niets... ik mis je.'

Ze aarzelde. 'Ja ja, hou maar op.'

'Ik maak alles goed met je als ik weer thuis ben, dat beloof ik.'

'O, echt waar? En wanneer mag dat wezen?'

'Vlug,' mompelde hij, terwijl het silhouet van Skylands op zijn scherm verscheen. 'Ik hou van je, maar nu moet ik ophangen.'

Hij was weer binnen.

In een donkere, kleine ruimte, een vierkant, bontgekleurd kleed was zichtbaar door een raampje, nam Campbell even de tijd om zijn positie te bepalen. De bekende omgeving was verdwenen, en hij was vanaf de veranda van het virtuele huis naar een ruimte gebracht die leek op een kamer in een kamer. Toen hij de cursor bewoog, zag hij dat de ruimte op zijn scherm nu van onder tot boven gevuld was met de in pyjama gestoken ledematen van de jongen, ineengedoken in het halfdonker, een gebogen elleboog voor het deurtje – hij zat in Ernies schuilplaats.

Toen hij hem de televisiekamer in was gevolgd, had hij het poppenhuis tegen de muur zien staan, een oud houten model van een Cape Cod-huis. Hij had niet gedacht dat het een mogelijke schuilplaats kon zijn, te klein en te fragiel. En de jongen moest via het dak naar binnen zijn geklommen.

De muziek kwam zachtjes tot leven. Het interieur van het poppenhuis werd donkerder en ineens werd het uitzicht belemmerd doordat iemand langzaam naar voren liep, tot vlak bij het huis, en toen stopte. Het enige wat Campbell kon zien door het raampje, door Ernies ogen, was een lichtbruine broekspijp met bloedspetters en oude zwart-witte sportschoenen, ook onder het bloed.

Het leek de voet van een reus.

Met zijn armen over zijn hoofd gevouwen, zijn hoofd tussen zijn knieën, zat de jongen doodstil, hij durfde amper adem te halen. In de wirwar van ledematen ontdekte Campbell de schittering van een oog dat angstig luisterde in plaats van keek. Door de luidsprekers hoorde hij Ernies hart zo hard bonken dat het hem zou kunnen verraden.

Nu liepen de sportschoenen uit beeld en het uitzicht uit het raampje toonde een groot stuk tapijt en de benen van een man die in een van de gemakkelijke stoelen tegenover de tv zat.

Seconden gingen voorbij, er gebeurde niets, Campbell wachtte.

Hij wist wat er ging komen. Hij had de tekeningen gezien. Sommige details zouden anders zijn (de kopieën die Ed gestuurd had, had hij opgeslagen en hij zou ze later op hun artisticiteit beoordelen), maar het was duidelijk: de jongen die zich verstopt had in het poppenhuis, die vastzat in een kleine ruimte zolang die dreiging buiten op hem loerde en de moordlustige sportschoenen, die zo gigantisch leken in vergelijking met het poppenhuis, waren de inspiratiebron geweest voor Sophie Lister en haar schetsboek.

Zij moest de beelden ook hebben gezien; dat bleek uit de angst in haar tekeningen. Hij vroeg zich af of ze wist dat ze waren gebaseerd op echte gebeurtenissen en dat dit geen zwartgallige webfantasie was. Hij vroeg zich ook af of ze had gezien (hoewel het uitzicht uit het raampje beperkt was) dat die slungelachtige figuur in de leunstoel, de veroorzaker van de angst van de jongen, een jongere versie van haar vader was.

Campbell voelde zijn maag samentrekken.

Hij had zijn cliënt nooit persoonlijk ontmoet, maar de gelijkenis was onmiskenbaar. Hij herinnerde zich dat Ed verteld had van de moord op Sam Metcalf en dat hij uitgenodigd was om in de tv-kamer webcamopnames van de jonge vrouw te bekijken die dood op de vloer van de slaapwagon lag... en hoe geschokt Ed was geweest toen hij ontdekt had dat de figuur in de stoel van achteren wel erg op hem leek. Het maakte deze ontdekking op het scherm niet minder verontrustend.

Hij kende de gevaren van het opgaan in een website, maar hoe onwaarschijnlijk het ook leek, één ding was zeker – Ward wilde dat hij wist dat de persoon die deze avond in het huis was geweest, Ed Lister was.

De man in de stoel tilde zijn hand op en drukte op de afstandsbediening, de kleine tv kwam tot leven. Niet, zoals Campbell had gedacht met een liefdesscène uit de film *Breakfast at Tiffany's*. Een lieflijk plaatje liet een vrouw in een zomerjurk zien die in het gras lag en vol verlangen naar een huis op een heuvel keek.

Er liep een rode veeg van boven haar heup naar beneden.

De camera draaide naar achteren en onthulde het beroemde schilderij van Wyeth, dat scheef aan een muur boven een bed hing, en draaide naar beneden, langs bloedspetters en stukjes huid en vlees. Toen, alsof Ward besloten had dat de toeschouwer genoeg had gezien, was er alleen nog maar sneeuw in beeld.

Campbell keek hoofdschuddend van het scherm weg.

Wat had Grace bedoeld met: '*Hij weet het niet*'?

De gedachte dat Ed op de avond van de moorden op Skylands was, kon waar zijn, of het was onderdeel van het spelletje dat Ward speelde met cyberspace en de echte wereld, een omslachtige poging om hem op het verkeerde spoor te zetten. Waarom had hij in de beelden het gezicht van die figuur niet laten zien? Misschien omdat hij er niet zeker van was dat hij het was? Of had Ward 'echte' bewijzen om zijn versie van de gebeurtenissen te staven en wilde hij die delen met iemand anders? Was 'Ernie' daarom thuisgekomen?

Morgen, zo besloot hij, zou hij opnieuw naar het huis gaan.

Jelly trok de gordijnen dicht toen ze zich ging uitkleden. Daarna knipte ze het licht uit en liep door haar appartement – het laatste wat ze altijd deed tijdens warme nachten – en trok de gordijnen weer open om zo veel mogelijk frisse lucht binnen te laten door de openstaande ramen.

Ze lag naakt op de lakens, luisterde via haar koptelefoon naar muziek en hoopte vlug in slaap te vallen. Ze hield het bijna een uur vol.

Uiteindelijk sprong ze uit bed en keek op haar computer of er nog berichten van Ed waren. In het donker verlichtte de gloed van het scherm haar lichaam, wat haar eraan deed denken dat ze iets aan moest trekken. Hij was niet online, maar het voelde alsof Ed haar door zijn woorden kon zien, alsof die in het scherm waren uitgesneden en hij door de kleine openingen naar haar keek.

Hij had wel een e-mail gestuurd.

Sinds vanmorgen is mijn wereld veranderd en zal niets ooit meer hetzelfde zijn. Nadat jij weggerend was, heb ik je de hele dag gezocht. Ik ben naar alle plekken in de stad gegaan die je ooit genoemd hebt. Ik zocht naar je gezicht in de mensenmassa, verwachtte je ieder moment te kunnen vinden. Het kan me niet schelen als dit idioot klinkt.

Jelly, zeg gewoon dat je me wilt zien. Ik weet dat je bang bent voor wat er kan gebeuren als we elkaar ontmoeten. Maar de liefde, het doel dat we delen, is niet niks...

Hier stopte ze. Wacht eens even... verdomme! Zoals hij het maar steeds had over haar ontmoeten, had Ed dan helemaal niets begrepen van wat ze hem gezegd had? Ze was in Pittsburg, ver weg, ze... bestónd niet!

Hoofdschuddend las ze verder. Hij zei dit allemaal, terwijl hij verdomd goed wist dat zij zijn gevoelens niet deelde.

Ik ben er nog nooit zo zeker van geweest dat dit moest gebeuren, dat we voor elkaar bestemd zijn. Ik kan alleen maar raden naar wat er door je heen ging daar in dat metrostation, maar toen we elkaar aankeken, leek het alsof ik voor het eerst mijn andere helft tegenkwam. Voor mij... voor ons allebei, Jelly, is er geen vrede, geen rust, geen geluk, geen leven tot we samen zijn.

Was hij gek of alleen stom? Ze had een droge keel. Ze stond op, liep naar de koelkast, en daar, voor de open deur om haar benen wat te verkoelen, dronk ze vruchtensap direct uit het pak.

Toen ze weer bij haar bureau kwam en verder las wat Ed had geschreven, voelde ze zich klein, bijna beschaamd.

Zelfs als je weigert om me te zien, dan zal ik altijd van je blijven houden. Jij zegt dat we niet samen kunnen zijn. Maar als je af en toe geen risico's neemt in het leven, mijn engel, dan kan de prijs veel hoger zijn. Ik kan niet beschrijven wat ik voor je voel, of wat je voor me betekent.

Ik hou van je, Eddie.

PS Ik ben sinds een halfuur weer in het hotel. Het is nu bijna acht uur 's avonds. Ik wacht hier tot ik iets van je hoor.

Toen ze de PS las, begreep ze het. Ze keek naar de kop en zag dat het bericht om 19.56 uur was verstuurd – anderhalf uur vóór hun laatste gesprek. Jelly fronste haar wenkbrauwen. Ze wist bijna zeker dat haar inbox leeg was geweest toen ze eerder had gekeken. Maar ze had vaak last van vertragingen en haperingen bij haar e-mails.

Misschien moest ze van provider veranderen.

In ieder geval hoefde ze hem nu niet te antwoorden – dat had ze al gedaan. Ze had hem haar antwoord gegeven. En het feit dat hij daarna geen contact meer had gezocht, kon alleen maar betekenen dat hij haar verhaal dat ze iemand anders was accepteerde.

Ze staarde naar het scherm en voelde zich ongelukkig. Niemand had haar ooit een dergelijk bericht gestuurd... shit, het was zelfs niet iets wat mensen tegenwoordig schreven of zeiden of mochten voelen. Dat gepraat over een doel, over dat ze waren 'voorbestemd', deed haar denken aan de waarschuwing van Guy Mallory. Al deed Ed dan een beetje gek en obsessief, zijn woorden vond ze prachtig. Ze wist dat hij echt verliefd op haar was. En dat zou ze hem niet ontnemen. Ze zag hem nu niet als een bedreiging. Wat ze voelde was zijn pijn en verlangen.

Later in bed liet Jelly alles nog eens de revue passeren en vroeg ze zich af wat ze moest doen. Ze vond het verschrikkelijk om toe te moeten geven dat Guy gelijk kon hebben. Maar als Ed haar hier in Brooklyn had kunnen vinden, dan was het nog maar een kwestie van tijd voor hij haar woning in 39th Street gevonden had.

Misschien moest ze écht een paar dagen weg.

Ze werd erdoor verscheurd.

Ze begon te bidden. Ze bad ook voor Ed, zoals ze eerder ook had gedaan, en vroeg om leiding in een situatie die haar heel onzeker maakte. Vlak voor ze in slaap sukkelde, vroeg ze zich af wat hij bedoelde met: '*Als je af en toe geen risico's neemt, dan kan de prijs veel hoger zijn*'.

Ze dacht aan iets wat Guy eerder had gezegd toen ze in Manhattan over de Brooklyn Bridge reden.

Haar ogen vielen dicht. Ze dreef op haar gedachten. Wat was dit, verdomme?

Ze zag hem weer op de trap staan, naar haar kijken en zwaaien. Hij had iets gezegd over de Twin Towers en haar toen, hier in haar huis, gewaarschuwd dat je nooit aardig moest doen tegen een stalker – hij bedoelde iemand als Ed – want dan dacht hij dat zijn gevoelens werden beantwoord.

En verbeeldde ze het zich of had hij haar vervolgens 'Jelly' genoemd?

56

Op donderdagmorgen, nadat hij om kwart voor zeven had uitgecheckt uit het Mountain View, reed Campbell Armour naar dat leuke eethuisje in Canaan, waar hij zijn laatste Early-Bird-speciaal bestelde. Hij had om half elf een vlucht geboekt naar La Guardia, New York, wat inhield dat hij op zijn laatst om negen uur bij Bradley Airport in Hartford zou moeten zijn. Die middag had hij een afspraak met Ed Lister in de stad.

Hij reed weer terug naar Litchfield County, de weg van Winsted naar Norfolk op – een paar keer minderde hij vaart om er zeker van te zijn dat hij niet gevolgd werd – en met de route in gedachte die hij naar het vliegveld zou moeten nemen, maakte hij een omweg via Skylands.

Het was bijna tien voor negen toen Campbell stilhield voor het verlaten huis. Hij zette zijn motor uit en wachtte even om de situatie te overdenken. Wat gisteravond een redelijk plan had geleken – teruggaan naar het huis om bewijzen te zoeken die de beelden op de website zouden bevestigen – leek hem nu een slecht idee. Zichzelf naar een échte B-film laten lokken... was hij nou helemaal gek geworden? Hij keek door de voorruit naar de voordeur, waardoor hij hetzelfde onprettige gevoel kreeg dat hij eerder had gehad. Hij kon het niet precies benoemen, maar hij wist vrijwel zeker dat Ward hem ergens vandaan in de gaten hield.

Als het niet om het geld zou gaan, en zijn onbuigzame vrienden in Sarasota, zou hij meteen zijn omgekeerd en zijn doorgereden. Hij wist dat hij veel riskeerde, maar als gokker kon Campbell er nooit weerstand aan bieden om nog één spel te spelen, hetgeen altijd te veel gevraagd was van de misnoegde geluksgoden. Daardoor kwam hij keer op keer in moeilijkheden, en toch... *je weet maar nooit.* Hij stapte uit zijn auto en liep naar de lange, lege veranda.

Hij greep de koperen deurknop en gaf de voordeur een voorzichtig duwtje. Hij was niet verbaasd toen het ding meegaf. Hij duwde nog een keer en de voordeur van Skylands zwaaide naar binnen toe open. Zijn handpalmen waren klam van het zweet.

Hij stond doodstil, de morgenzon wierp zijn schaduw voor hem uit over de drempel, en luisterde. Vanuit het dal klonk het geluid van een vrachtwagen die in een lage versnelling de heuvel beklom. In het huis was niets te horen. Terwijl hij de duistere gang achter het halletje in tuurde, zag Campbell dat het patroon van voetstappen in het stof, dat hij door het kattenluikje had gezien, was weggeveegd. Iemand was hier sindsdien geweest, had opgeruimd en – wat goed uitkwam – de voordeur opengelaten.

Ze hadden net zo goed een welkomstbriefje kunnen achterlaten.

Campbell aarzelde, hij keek om naar de groene bergen in de verte. Nadat hij gisteren de beelden van de gebeurtenissen had gezien, moest hij niet veel hebben van de schoonheid van deze plek. De omgeving deed luguber aan. Hij kon het nu alleen nog maar kijken door het donkere prisma van de website en de gruwelijke gebeurtenissen die hadden plaatsgevonden in die kamer boven. Hij ving de zomerse geur van verse berglaurier en wilde tijm op onder de warmer wordende blauwe lucht.

Hij schonk geen aandacht aan het bonzen van zijn hart en aan een stemmetje dat hem influisterde dat het nog niet te laat was om van gedachten te veranderen: hij ging het huis binnen en sloot de deur achter zich.

Langzaam liep hij door de gang, waarbij het hem opviel dat de indeling identiek was aan het interieur van het virtuele huis. Aan weerszijden van hem waren de kamers leeg, afgezien van wat oude meubels. Onder aan de trap bleef hij staan en keek omhoog naar de overloop met de vier deuren.

Hij ging een paar traptreden omhoog, bleef staan en besloot toen om eerst in de bezemkast onder de trap te kijken, waar de jongen zich die nacht had verborgen.

Het was een vrijwel lege kast, met niets erin wat van enig belang was. Maar Campbell kreeg er wel het antwoord op een vraag die hem had beziggehouden. Door het gekraak van de scharnieren toen hij de kast open- en dichtdeed, begreep hij ineens het dilemma van Ernie. Misschien kon de jongen niet terug naar zijn oude schuilplek omdat hij wist dat iemand hem dan zou horen.

Campbell bleef even stilstaan, zoals Ernie gedaan had, met zijn ogen nog altijd op de overloop boven gericht – hij keek nerveus naar de streep licht boven de deur van de ouderlijke slaapkamer. Voor het geval die streep ineens breder zou worden. Hij trad in Ernies voetsporen door vervolgens de gang over te steken en de vroegere televisiekamer in te gaan, of de salon, zoals Grace deze genoemd had.

Het voelde vreemd aan om over het blauwgroene kleed met de zwierige, golvende patronen te lopen, dat hij gezien had door de raampjes van het Cape Cod-poppenhuis. In het duister ontwaarde hij twee grote leunstoelen, bedekt met lakens, nog steeds naar de hoek gekeerd waarvan hij aannam dat daar ooit het televisiemeubel gestaan had.

Er was geen spoor van een poppenhuis.

In de donkere, sfeerloze kamer hing een bedompte, onfrisse geur. Hij liep naar het raam tegenover de deur en trok de luiken open om meer licht binnen te laten. Toen hij zich omdraaide, zag hij het enige andere meubelstuk. Tegen de binnenmuur, onder een lange, uit verschillende panelen bestaande spiegel met glanzende randen, waardoor deze eruitzag als een tweede raam, stond een piano. Campbell werd door een sterke, bijna morbide nieuwsgierigheid naar het instrument toe getrokken en deed de klep open.

De piano stonk naar schimmel en er was, gezien de vergane toetsen met oranje schimmelvlekken, in geen jaren op gespeeld; een paar witte toetsen hadden hun ivoor verloren, zodat ze op ontbrekende tanden leken. De lege muziekstandaard deed hem denken aan June Seaton, die eindeloos 'Für Elise' oefende, maar nooit beter werd.

Hij stelde zich voor hoe Ernie naast zijn mooie moeder stond... en hij deed de klep weer dicht, voorzichtig, om geen geluid te maken. Toen keek de detective in de spiegel boven de piano. In de donker uitgeslagen panelen zag hij iets waardoor hij zich met een bonkend hart snel omdraaide. Dat was geen geest uit het verleden of gezichtsbedrog door de schemering. In de leunstoel die het dichtst bij het raam stond, onder de vouwen van het laken, kon hij de omtrekken van een menselijke gestalte waarnemen.

Hij wachtte eventjes om er zeker van te zijn dat de persoon die in de stoel zat weggezakt niet bewoog, toen ging hij er met loden schoenen naartoe en trok het laken eraf.

Op hetzelfde moment hoorde Campbell hoe ergens achter in het huis een hordeur dichtsloeg.

Ik stond lang onder een koude douche. De ijzige naalden liet ik net zolang op mijn gebogen hoofd hameren totdat ik helemaal gevoelloos was. Toen ik eindelijk uit de douchecabine stapte, voelde ik me niet langer allergisch voor daglicht, maar het bonzen in mijn schedel was niet opgehouden. Ik liep naar de badkamerspiegel, veegde de condens weg en werd, met mijn scheermes in de hand, geconfronteerd met mijn doorweekte spiegelbeeld.

Gisteravond was ik voor een paar drankjes naar de hotelbar gegaan en het draaide erop uit dat ik mijn zorgen wegdronk met een fles Jack Daniels Green Label in de een of andere kroeg op Second Avenue. Het resultaat was een reusachtige kater, die werd versterkt door de gedachte aan hoe Will me zou uitlachen als hij me weer verwelkomde in de echte wereld.

Tja, wat had je dan verwacht? Je dacht toch niet serieus dat zij de ware zou blijken te zijn? Je hebt haar bedacht, Lister, ze was maar een fantasie, een verzonnen personage, een exotisch waanbeeld van je eigen voorstellingsvermogen – de persoon op wie jij verliefd bent geworden, heeft nooit bestaan. Ik vind het vervelend om het erin te wrijven, Ed, maar had ik het je niet gezegd?

Ik zag Will Calloway voor me, hoe hij over zijn bril naar me keek en zijn scherpe opmerkingen op me losliet. Ik was beetgenomen, voor de gek gehouden, volkomen voor joker gezet. Niemand zo gek als een ouwe gek, enzovoort enzovoort... Wees maar blij dat er geen oplichting in het spel was en dat het eilandmeisje je uiteindelijk een plezier deed en je droombeeld kapotprikte. Ik deed mijn ogen dicht. Hoe had ik zo stom kunnen zijn?

Ik dacht terug aan het moment, de avond daarvoor, waarop ik de waarheid te weten kwam over Jelena. Ik kon het nog altijd niet accepteren. Ik probeerde mezelf ervan te overtuigen dat ze loog, of in de ontkenningsfase zat – dat ze bang was om me te ontmoeten omdat ze niet tegenover zichzelf kon toegeven dat ze hetzelfde voelde als ik – of gewoon net deed alsof ze niet wilde, en nee zei terwijl ze ja bedoelde.

Terwijl ik me aan het scheren was, spatten al mijn argumenten een voor een voor de spiegel uit elkaar.

Het enige positieve was dat, omdat het meisje alleen in mijn dromen bestond, ik redelijkerwijs kon aannemen dat ze niet meer in gevaar was.

Door de manier waarop ze zat, leek het alsof Grace er de hele nacht geweest was.

Ze had dezelfde kleren aan die ze gedragen had toen ze elkaar gistermiddag in Annie's Grill gesproken hadden. Het avocadokleurige joggingpak van velours, de witte sportschoenen met de kwastjesveters – Campbell vroeg zich af wat er met haar krukken was gebeurd. Zonder die dingen kon ze niet lopen.

Ernie had haar waarschijnlijk geholpen, had haar zijn arm aangeboden.

Er stond geen teken van angst of andere emotie op haar grijze, ingevallen gezicht. Hij moet haar zonder waarschuwing geraakt hebben, haar van achteren hebben neergeslagen met het lange loden schuifgewicht dat nu op haar magere schoot lag, met aan het uiteinde wat opgedroogd bloed en plukken haar eraan geplakt. Ze zal niet geweten hebben wat er gebeurde, dacht hij, want ze had immers geen enkele reden om te verwachten dat het kind dat ze had gekoesterd en liefgehad in staat zou zijn om haar kwaad te doen. Haar schedel was opengespleten en de wond, met geronnen bloed en bot zichtbaar onder de hoofdhuid, had gebloed op de hoofdsteun van de stoel, waardoor er een donkere vlek op zat met de vorm en grootte van een hoofdkleedje.

Campbell moest een golf van misselijkheid onderdrukken. Hij was nog nooit zo dicht bij een dode geweest. Grace zag er kleiner uit dan hij zich herinnerde, alsof ze gekrompen was. Zijn weerzin vermengde zich met medelijden en angst. Hij schaamde zich dat hij dit niet had zien aankomen; hij was ervan overtuigd dat zijn gesprek met Grace – wellicht de enige persoon die wist wat er die nacht gebeurd was – ertoe geleid had dat ze vermoord werd.

Nadat hij vanuit het raam de achtertuin had gecontroleerd, en daar niets had zien bewegen, was zijn eerste gedachte dat hij de politie moest bellen. Maar toen hij bedacht hoe zij deze situatie zouden inschatten, schoot er een koude paniekgolf door hem heen. Nu begreep hij wat de bedoeling van Ernest Seaton was geweest toen hij de website gebruikte om hem terug te lokken naar zijn oude huis.

Hij was beetgenomen. De politie was hoogstwaarschijnlijk al op weg.

Campbell liep langzaam de kamer uit. Hij was er niet zeker van of hij alleen was in het huis, of dat Ward nog altijd in de buurt was – hij wist alleen dat hij snel weg moest.

Er was iets aan de manier waarop Grace voorovergebogen zat in de stoel, aan de positie van haar oude huishoudstershanden, dat hem deed aarzelen. In de ene hand klemde ze haar aansteker en een pakje Newport Lites. De andere hand was leeg en lag met de palm omhoog, met de stijve duim en wijsvinger in een smekend gebaar opgeheven. Daardoor leek het alsof ze op het moment van haar sterven om iets had gevraagd, misschien gesmeekt. Het leek alsof haar laatste verzoek was geweest dat ze een sigaret mocht roken.

Zijn intuïtie zei dat hij weg moest – nú – maar een aangeboren koppigheid zorgde ervoor dat Campbell weerstand bood aan deze verstandige keuze. Stel je voor dat hij het mis had en dat Grace wél geweten had dat ze ging sterven. Wat als de moordenaar haar níét meteen had vermoord?

Hij ging terug en stond nu vlak voor de stoel, dichterbij dan eerst.

Hij had geen idee waar hij naar zocht, totdat hij zijn hoofd een stukje draaide en iets zag in het licht. Hij keek nog eens en zag dat de weerkaatsing afkomstig was van een roze metalen voorwerp dat naast het stoelkussen in de stoel was gestoken. Hij hurkte voor haar knokige knieën vol aderverkalking, probeerde te vermijden dat hij haar aanraakte en stak zijn hand tussen de arm op de leuning en het kussen van de stoel. Hij tastte rond en vond een mobiele telefoon die identiek was aan die waarmee hij haar gezien had in het café.

De zoete zweem van oudedamesparfum die, zo stelde hij zich voor, de al in gang gezette ontbinding maskeerde, drong zijn neusgaten binnen.

Kokhalzend ging Campbell overeind staan. Hij stak het roze mobieltje in zijn zak en liep weer naar de deur van de woonkamer. Hij herinnerde zich Grace' verhaal over hoe ze zevenentwintig zomers geleden op die zondagmorgen naar haar werk ging, en over de onbekende geur in het stille huis, waardoor ze terugging naar de veranda en Earl riep.

Dit had ze niet verdiend.

Haar ogen leken hem te volgen. Hij draaide zich om en rende weg.

Ik belde roomservice en vroeg of ze me een pot espresso konden brengen.

In een poging mijn balans te hervinden en weer wat zelfrespect terug te winnen, had ik mijn belofte aan Laura gehouden en geregeld dat ik naar Gilmans Landing zou gaan om te lunchen met haar grootmoeder, Alice Fielding. De auto zou me over een halfuur ophalen. Ik moest zorgen dat ik een helder hoofd had.

Terwijl ik wachtte op de koffie, zette ik mijn laptop aan en controleerde ik mijn mail. Geen woord van 'Jelly'. Ik had half een verontschuldiging of een soort uitleg verwacht. Ik was nog steeds boos en verward door wat er gebeurd was. Maar ik wilde vooral dat hele vernederende gedoe achter me laten en me nu concentreren op wat er echt toe deed. Campbell Armours onderzoek had een kritieke fase bereikt.

Voordat hij naar het vliegveld was afgereisd, had hij me een e-mail gestuurd waarin hij onze afspraak later die middag bevestigde. In een korte update meldde hij jammer genoeg geen foto van Ernest Seaton te hebben gevonden – blijkbaar was Grace Wilkes niet in staat geweest om te helpen – maar hij was er wel in geslaagd om in de openbare bibliotheek van Norfolk een paar kiekjes van betere kwaliteit te vinden van de ouders van de jongen. Of ik er even naar wilde kijken.

Ik opende de bijlagen. De foto van de vader, die poseerde in zijn witte tandartskleren met een typisch jarenzeventigkapsel en een piekerig Zappata-snorretje, deed me een beetje denken aan de acteur Bruce Dern in zijn jongere jaren. Gary Seaton had die slappe, ruziezoekerige, licht agressieve houding van de geboren verliezer. Ik had hem nooit eerder gezien.

Om de een of andere reden duurde het langer voordat de andere foto was gedownload.

De deurbel ging. Het kamermeisje kwam binnen, zette voorzichtig een blad op de tafel onder het raam, draaide zich naar mij om en vroeg: 'Kan ik verder nog iets voor u doen?'

Ik gaf geen antwoord en keek zelfs niet op. 'Een prettige dag, meneer Lister.'

Ik was geboeid door de afbeelding die eindelijk op mijn laptop verscheen.

Het portret bracht June Seaton, de tandartsvrouw – blond, steil haar en donkere wenkbrauwen, een heel bleke, bijna doorschijnende huid, zwarte, doordringende ogen – bijna weer tot leven. Ik zag in een flits de volle, nerveus uiteenwijkende lippen met daarachter enkele niet helemaal perfecte tanden, en herkende direct hun gevaarlijke aantrekkingskracht.

De foto liet geen ruimte meer voor twijfel. June Seaton leek niet alleen op iemand van wie ik dacht dat ik haar ooit gekend had... ze wás het. Onze paden hadden elkaar kort gekruist in wat nu een ander leven lijkt. Maar het had lang genoeg geduurd om te wensen dat het nooit was gebeurd. Als onconventioneel, rijk meisje was ze net zo neurotisch en onvoorspelbaar als dat pruilende glimlachje voorspelde. Ineens was ik bang dat alles nu een wending zou nemen op een manier die ik niet had kunnen voorzien.

De laatste keer dat ik June Seaton gezien had, zevenentwintig jaar geleden, lag ze bewusteloos in een lege vrachtcontainer aan de West Side-oever.

Zonder de remmen ook maar aan te raken, stuurde Campbell de zilverkleurige Camry Deer Flats Road op en gaf heuvelafwaarts gas tot de naald van zijn snelheidsmeter ruim over de honderd gleed. Bij de eerste bocht nam hij gas terug en keek in zijn achteruitkijkspiegel: daarin ving hij een glimp op van een lichtbruine politiewagen die een paar honderd meter achter hem reed. De auto kwam uit een schaduwrijke zijweg en leek te aarzelen voordat hij de oprijlaan van Skyland opreed.

Campbells voorhoofd begon te zweten. Als de patrouillewagen niet vanaf de andere kant, uit de richting van Colebrook, was gekomen, zou hij recht op de politieagenten af zijn gereden. Hij was precies op tijd weg geweest. Terwijl hij de achteruitkijkspiegel in de gaten hield – hij wist niet zeker of ze hem hadden gezien – reed hij door tot hij het kruispunt met Route 44 bereikte, de weg van Winsted naar Norfolk. Daar nam hij een scherpe bocht naar links.

Negen minuten later, met zijn nek en schouders nog steeds strak van de spanning, nam hij de afslag van de snelweg naar de tweebaansweg, die hem in één keer naar het vliegveld van Bradley zou brengen. Hij had iets meer dan een uur om daar te komen voordat de gate van zijn vlucht gesloten zou worden. Als hij tenminste niet aangehouden zou worden... en dat was nog allerminst uitgesloten.

Campbell wist zeker dat Ward de politie getipt had, wat inhield dat er nu waarschijnlijk een opsporingsbevel of zelfs een arrestatiebevel tegen hem zou zijn uitgevaardigd. Iedere politieauto in Litchfield County zou naar hem op zoek zijn. Hier op het platteland konden ze hem moeilijk over het hoofd zien. Hij dacht na over de mogelijkheid zich over te geven en de politie de waarheid te vertellen. Hij was een amateur cyberdetective uit Tampa, Florida, die een reeks moorden onderzocht... vergeet het maar, dat zouden ze nooit geloven. Ze zouden hem, met z'n oosterse uiterlijk, in de gevangenis gooien en dan zou hij geen schijn van kans meer hebben om Ward te vinden en de bonus van een miljoen dollar op te eisen die zijn cliënt hem beloofd had.

Hij had nog tot morgen om de man te vinden die Sophie Lister vermoord had, anders zou zijn eigen leven niet meer de moeite van het leven waard zijn. Hij moest om vijf uur Cholly ontmoeten in het Regency Hyatt-hotel in de binnenstad van Tampa en hem het geld overhandigen – het hele bedrag inclusief rente.

De weg voerde over dichtbeboste heuvels. Campbell hield zijn achteruitkijkspiegel en zijspiegels in de gaten, maar kon niet zien of hij werd gevolgd. De bomen groeiden zo dicht langs de kant van de weg, dat hun bladeren elkaar raakten, waardoor ze een oneindig slingerende, groene tunnel vormden die hem zelden de kans bood om meer dan twee autolengtes achter zich te kunnen overzien. Gaandeweg nam de verkeersdrukte af en begon hij wat gemakkelijker te ademen. De lege weg slingerde over enkele met pijnbomen begroeide hellingen richting de rivier de Farmington.

Bij de oever van de rivier reed hij over een roestige brug met ijzeren platen en parkeerde op een parkeerplaats die gebruikt werd door vissers. Hij wachtte tot hij zeker wist dat hij niet gevolgd werd en zette toen de motor uit. Vanuit de auto kon hij de vissers zien, die met hun lieslaarzen op regelmatige afstand van elkaar bij de oever in het water stonden.

Zijn handen trilden nog na van de spanning toen hij het roze mobieltje van Grace uit zijn zak haalde, het openklapte en snel het geheugen en het adresboek van de telefoon bekeek. Er stonden belachelijk weinig nummers in.

Campbell dacht aan het moment waarop ze moet hebben beseft dat Ernie haar zou gaan vermoorden. Het moet bijna een reflexreactie zijn geweest, maar hij was ervan overtuigd dat ze haar mobiel expres tussen de kussens van de stoel had gestoken, in de hoop dat iemand het ding zou vinden en er de informatie uit zou halen die erin zat opgeslagen.

Met een beetje geluk was een van de nummers dat van Ernest Seaton.

Ze had hem iets willen vertellen toen ze elkaar in het café in Torrington gesproken hadden; slechts angst of loyaliteit had haar dat belet. Haar kleine Ernie hield duidelijk niet van risico's nemen. Campbell vroeg zich opnieuw af wat Grace bedoeld had met haar afscheidswoorden: 'Hij weet het niet.'

Hij fronste zijn wenkbrauwen bij het zien van de gegevens op het schermpje. Het leek bijna te simpel. Er stond een nummer, het een-na-laatste dat ze gebeld had, dat alleen al opviel omdat het geen lokaal nummer was. Kengetal 201 was van de staat New Jersey. Hij drukte op de herhaaltoets en na wat een eeuwigheid leek, klonk er een Spaanstalige vrouwenstem.

'Huize Fielding, met Jesusita spreekt u. Hoe kan ik u helpen?'

Campbell aarzelde. De naam Fielding klonk hem bekend in de oren, maar dat kon toch niet waar zijn? Hij herinnerde zich dat Ed gezegd had dat de grootmoeder van zijn vrouw, mevrouw Alice Fielding, in New Jersey woonde, ergens bij de Hudson.

Hij probeerde eerst de minst waarschijnlijke mogelijkheid. 'Is Ed Lister daar?'

'*Miesta Liesta?* Nog niet, maar we verwachten hem.'

'Oké,' zei hij en hij liet de implicaties van die mededeling tot zich doordringen. Dit is niet mogelijk, dacht hij, er moet een of andere fout zijn gemaakt. Maar hij had het bewijs in zijn hand.

'Wilt u een boodschap achterlaten?'

Hij wilde haar vertellen dat hij had afgesproken om zijn cliënt daar te ontmoeten en haar om richtingaanwijzingen te vragen, maar hij bedacht zich. Hij zou het adres later wel opzoeken met behulp van een van de online databanken, met 'omgekeerd zoeken'.

'Bedankt, ik probeer zijn mobiel wel,' zei hij en hij maakte een eind aan het gesprek.

Beneden klonk een kreet uit de rivier. Een van de vissers, een dikke kerel in een woestijncamouflagepak, met een buik die bijna tot aan zijn lieslaarzen reikte, had een vis aan de haak geslagen. Er flitste iets zilvers toen de zalm uit het water sprong en zijn kop heen en weer schudde om het aas uit te spugen, voordat hij terugplonsde in de jadegroene stroom; zijn rugvin was nog even zichtbaar aan het oppervlak, en toen spurtte hij stroomopwaarts. De ongelukkige hengelaar haalde zijn lijn in en schreeuwde iets wat Campbell niet kon verstaan. Gelach galmde over het water.

Ze zouden hem wel bij het vliegveld staan opwachten, dacht hij. Hij kon het beste terugrijden naar Winsted, zijn auto achterlaten en een andere vorm van transport zoeken.

Er werd tegen zijn raam getikt. Geschrokken draaide hij zich om in zijn stoel.

Een slungelige jongen in een nylon T-shirt, een spijkerbroek en met een goedkope koffer stond verlegen door een zijruit naar hem te glimlachen. Terwijl hij zijn adem langzaam liet ontsnappen, draaide de detective het raam open. De jongen vroeg hem met een plat accent uit de Chinese provincie Hunan dat hij nauwelijks kon verstaan, of hij naar New York ging.

'Hé man,' antwoordde Campbell geïrriteerd in het Engels, 'in dit land kan het je dood zijn als je mensen zo besluipt. Zie je niet dat ik bezig ben?'

De jongen boog verontschuldigend, draaide zich om en ging weg.

Waar kwam hij vandaan? Ze zaten verdomme midden in de wildernis. Wat deed hij hier in Connecticut, in de Verenigde Staten? Hij zag er te arm en te dom uit om een toerist te zijn. Campbell was zich ervan bewust dat het vooroordeel tegen Chinezen van het vasteland dat hij van zijn ouders geërfd had al minstens een generatie uit de tijd was. Kira zou woest zijn geweest.

'Wacht eens even!' riep hij hem na.

'Ik spreek geen Amerikaans,' zei de jongen, terwijl hij een busabonnement omhooghield. 'Ik ben vreemdeling hier. Jij kunt me helpen.'

'Misschien,' zei Campbell in zijn roestige Kantonees, terwijl hij bedacht dat deze boer met zijn bloempotkapsel en zijn tanden als scheefstaande grafzerken wel eens zijn vrijbrief zou kunnen betekenen. 'We kunnen elkaar helpen. Stap in, man.'

57

'Het doet me denken aan een standbeeld.'

'Een buste van een van je voorouders, misschien,' zei Morelli plagerig, terwijl hij de tekening die hij in Sam Metcalfs appartement gevonden had aan de muur van zijn kantoor prikte. 'Nog iets? Heb je gezien wat hij aanheeft?'

'Ziet eruit als een poloshirt.'

'Ralph Lauren. Wat zegt dat jou, Luca?'

De jongere rechercheur bleef naar de tekening staren. 'Amerikaans?'

'Het is een bekend merk, wordt overal nagemaakt.'

'Maar hij ziet er Amerikaans uit. Er is iets met zijn ogen. Het lijkt wel een cowboy die in de verte staart.'

'Weet je hoe stom dat klinkt? Er zijn helemaal geen ogen, Luca. Daarom doet hij je denken aan een standbeeld. Ze heeft de ogen niet getekend. Waarom is dat, denk je?'

Luca haalde zijn schouders op. 'Misschien heeft ze hem niet goed genoeg kunnen zien.'

'Als dit de man is die Sophie Lister vermoord heeft, dan moet ze hem meer dan eens hebben ontmoet. Ze heeft hem opnieuw gezien, Luca.' Hij liep terug naar zijn bureau en ging met een diepe zucht zitten. 'Ondanks het feit... dat ze bang was.'

'Het kan iedereen zijn.'

'Dat was precies wat de tekenaar ons heeft willen vertellen, denk ik. Haar moordenaar ziet eruit zoals iedereen. Hij wordt onzichtbaar in een menigte.'

'Tja, we moeten ergens beginnen.'

'Probeer je soms grappig te zijn?' Morelli gebaarde naar de stapel papier voor hem. 'Moet je zien wat een respons we krijgen!'

Na zijn ontdekking van de tekening, gistermiddag, was hij meteen naar kantoor teruggegaan. Hij had geen tijd genomen om te lunchen, maar

311

een broodje meegenomen van een *paninoteca* op de hoek van Sams straat. Tegen drie uur was de schets van het hoofd en de schouders van een blanke man van 25 tot 35 jaar gekopieerd, gescand en per e-mail en fax verstuurd naar alle relevante politieposten in Italië, Oostenrijk en verder weg. En daarna naar alle hotels, restaurants, pensions, jeugdherbergen en internetcafés in Florence.

Afgezien van de gebruikelijke telefoontjes van gekken, hadden ze negentien reacties gekregen op hun verzoek om informatie. De belangrijkste melding kwam van een oude ober van Garga, een *trattoria* in het centrum, niet ver van de Piazza Antinori, waar Jimmy Macchado was vermoord. Hij had twee weken geleden een Amerikaanse toerist bediend die leek op de man op de tekening. Hij had contant betaald; goede fooi, geen reservering. Verder kon hij zich niet veel meer van hem herinneren. Van de andere meldingen die werden nagetrokken moest Morelli toegeven dat geen daarvan tot dusver erg veelbelovend leek.

Luca zei: 'Als dat meisje bang was, waarom heeft ze die tekening dan niet gewoon aan iemand gegeven, of naar huis verstuurd, of in het atelier achtergelaten?'

'Daar heeft ze misschien geen tijd voor gehad.'

'Denk je dat de moordenaar wist dat ze een schets van hem had gemaakt? Misschien was dat het wat er in Sam Metcalfs computer zat.'

'Onwaarschijnlijk, want Sam zat in Boston. Ze heeft de laptop meegenomen.' Morelli wipte met zijn stoel achterover en vouwde zijn vingers onder zijn kin. 'Wat hebben we verder nog?'

'Een telefoontje vanochtend van een vrouw die niet wilde zeggen waarom ze belde. Zo gauw ik vragen begon te stellen, verzon ze een excuus en hing ze op.'

'Heb je het nummer nagetrokken?'

'Jennifer Ursino. Woont aan de Via Dell'erta Canina 59. Dat kleine straatje bij de Viale Galileo, voorbij San Miniato, ken je dat? Ik heb haar teruggebeld en uiteindelijk gaf ze toe dat het om de tekening ging.'

'Is ze Engels?'

'Ja. Spreekt Italiaans met een enorm accent. Ze is weduwe, woont alleen. Haar echtgenoot is twee jaar geleden overleden aan een hartaanval. Hij was een *Fiorentino,* zat in de leerhandel, had zijn eigen bedrijf. Ik dacht dat ik misschien morgen bij haar langs kon gaan.'

'Waar had ze die tekening gezien?' vroeg Morelli.

'Ze heeft pensiongasten, maar ze zei iets over dat ze onze folder had gezien in de bar van Hotel Dante. Ze denkt dat die figuur misschíén bij haar gelogeerd heeft... en dit is het interessante deel: vorig jaar lente.'

'Weten we of ze toen is ondervraagd?'

Luca schudt zijn hoofd. 'Ze is een illegale verhuurster. Ik neem aan dat ze er daarom niet zo happig op was om contact op te nemen met de questura.'

'Wat is de naam van het pension?'

'Heeft geen naam. Ze verhuurt gewoon een flatje en soms een kamer als ze daar zin in heeft. Ze zei dat hij erg rustig was, ze heeft hem bijna niet gezien.'

'Jezus, waar wachten we dan nog op?'

Morelli hees zichzelf uit zijn stoel.

'U hebt over vijftien minuten een bespreking met *commissario* Pisani.'

'Krijg de hik, Luca.'

Terwijl de verduisterde, van airco voorziene limousine met hoge snelheid over de Westside Highway noordwaarts naar Gilmans Landing reed, zakte ik in mijn stoel onderuit. Ik sloot mijn ogen en liet de golven van Beethovens Negende neerkomen op wat dokter Calloway mijn gekneusde psyche zou hebben genoemd. Ik had nog altijd een bonkende hoofdpijn en was niet echt in de stemming om te kletsen met een vijfentachtigjarige dame die al licht aan alzheimer leed.

Begrijp me goed, ik ben erg gesteld op Alice Fielding. Haar woning aan de Hudson, 'La Rochelle', heeft ooit een belangrijke rol gespeeld in ons leven en zit vol herinneringen aan Sophie en George toen ze nog klein waren. We gingen er 's zomers altijd heen als gezin om te ontsnappen aan de hitte van de stad. Dan zwommen we in het zwembad of nam de echtgenoot van Alice ons mee uit zeilen op de rivier. Dat waren gouden tijden.

Ik keek naar de Hudson en probeerde niet te denken aan het meisje, het niet-bestaande meisje waardoor ik me zo belachelijk had gemaakt. Ook al had ik min of meer geaccepteerd dat ik bij de neus genomen was – Will had me per slot van rekening gewaarschuwd voor Jelly en ik had niet geluisterd – ik voelde nog steeds iets voor haar. Het slaat nergens op, ik weet het, maar ik was nog altijd verliefd op haar – of, zoals zij het stelde: op mijn idee van haar. Ik begon in te zien dat 'Jelly' en ik er allebéí goed vanaf waren gekomen.

Er was geen sprake van dat ik nog zou proberen haar te vinden. Je kunt niemand beschermen die niet bestaat, of Ward nu wel of niet wist dat Jelly een verzonnen persoon was, het leek me niet dat haar inventieve vriend ook maar enig gevaar liep. Ik moest me nu afvragen of hij werkelijk degene was geweest die online had gedaan alsof hij haar was. Het werd tijd dat ik me over mijn midlife-hallucinatie heen zette en verder ging.

Ik had nog altijd het e-mailtje van Campbell Armour niet beantwoord. Dat had ik deels uitgesteld omdat ik weinig waardering had voor de manier waarop hij leek te insinueren dat ik meer wist van wat er in Skylands gebeurd was dan ik hem vertelde. Ik had nog nooit gehoord van Skylands en ook niet van de naam Seaton, totdat hij erheen ging en hen in Norfolk opspoorde.

Hij kwam om zes uur in het Carlyle aan. Voordat we elkaar zouden ontmoeten, leek het mij het beste om alle misverstanden uit de weg te ruimen door hem een verslag te sturen van die toevallige ontmoeting die ik jaren geleden had gehad met een vrouw van wie ik nu besef dat het June Seaton geweest moet zijn.

Ik had niets te verbergen. Het leek me onwaarschijnlijk dat onze weinig spectaculaire en korte relatie een reden was waarom iemand een langdurige wrok koesterde of mij en mijn gezin wilde kwetsen. Maar ik wist dat er een of ander verband moest zijn.

We ontmoetten elkaar op een feestje, een societybijeenkomst waar ik mee naartoe was genomen door vrienden van vrienden, in een groot penthouse aan Fifth Avenue. Ik was toen twintig, helemaal blut, en een ambitieuze Engelsman. Het was mijn eerste bezoek aan New York.

Ik herinner me dat ik met passende opgewondenheid naar de daktuin ging, samen met mijn gastvrouw, die zo'n letternaam had als KK of CC. Zij wees me Central Park, een donkere, mysterieuze vlek te midden van de met diamanten bezaaide skyline. En toen stond daar plotseling vlak naast ons een meisje dat uitdagend tegen een muurtje leunde, met haar rug naar het magische uitzicht, en mij aankeek.

Ze droeg een zwarte cocktailjurk en een parelketting, een champagneglas in de ene hand en een sigaret in de andere – niet dat ik me dat herinnerde; de beschrijving past bij nogal wat vrouwen daar. Maar ze was betoverend en, vond ik, uiterst sophisticated. Ze moet minstens zeven of acht jaar ouder geweest zijn dan ik. We raakten aan de praat en brachten uiteindelijk de rest van de avond samen door. We zijn overal geweest – Xenon, Studio 54, de Mudd Club… zij betaalde – daarna dwaalden we door Lower Manhattan, op zoek naar clubs die nog laat open waren. Vlak voor zonsopgang, op een van de kades van West Side, werden we door een hevige regenbui overvallen.

We zetten het op een lopen en vonden een schuilplaats in een lege vrachtcontainer met een open luik aan de zijkant. We waren doornat, buiten adem en lacherig. We namen een of twee lijntjes cocaïne en bedreven staande de liefde in het gat van het luik omdat de vloer smerig was. Het was opwindend. De regen hamerde op het dak en hield niet op.

Ze vertelde me hoe ze heette – ik ben er vrij zeker van dat haar naam niet June Seaton was. Ze wilde graag dat we elkaar de avond daarna weer zouden ontmoeten, en ook de avond daarna. Maar ik was op een voorzichtige, typisch Britse manier terughoudend. Ik zou een paar dagen later terugvliegen naar Londen en ik was niet zo groen en onervaren dat ik niet doorhad dat ze moeilijk en misschien een beetje onstabiel was. Het was het tijdperk van de doldwaze meiden.

Ik stelde voor dat we een taxi zouden pakken en dat ik haar thuis zou brengen, maar toen werd ze plakkerig en enigszins hysterisch. Ineens kondigde ze aan dat ze haar man zou verlaten en dat wij samen verder konden gaan. Ik had er geen idee van dat ze getrouwd was, een negenjarige zoon had en op het platteland in Connecticut woonde. Ze sloeg haar armen om mijn nek en begon tussen wanhopige kussen door te praten over onze toekomst. Ik probeerde mezelf los te maken, eerst zachtjes maar later krachtiger – uiteindelijk moest ik haar wegduwen. Ik gaf haar een hardere zet dan de bedoeling was. Ze gleed uit en ze viel met haar hoofd tegen een stalen balk.

Ik schaam me nog altijd voor wat ik toen heb gedaan. Ik voelde haar pols en constateerde opgelucht dat ze niet zo zwaar gewond was. Maar ik wilde eigenlijk niet meer bij haar zijn als ze bijkwam. Ze was gek genoeg om me aan te klagen wegens mishandeling en ik kon er alleen maar aan denken dat ik dan in de gevangenis kwam of, erger nog, het land uit zou worden gezet. Ik liet haar bewusteloos liggen en ging weg. Vanuit een telefooncel in de buurt belde ik een ambulance en ik legde uit hoe ze haar konden vinden – en dat was dat.

Ik heb nooit meer iets van of over haar gehoord. De volgende dag vluchtte ik terug naar Londen. Het nieuws over de afschuwelijke tragedie die de Seatons niet lang daarna trof, heeft me nooit bereikt. Toen ik een paar jaar later terugkwam in New York om daar te gaan wonen, stond ze niet op mijn lijstje van mensen die ik wilde opzoeken. Ik heb nooit aan iemand verteld wat er was gebeurd.

Mijn herinnering aan die ontmoeting is vervaagd, net als één of twee andere herinneringen uit die wildere periode van mijn leven, maar ik twijfel er niet aan dat die vrouw June Seaton geweest is.

Ik begon aan mijn e-mail voor Campbell, en voor het eerst deelde ik mijn herinneringen aan June met iemand anders. Toen besefte ik dat het te veel informatie was en kortte ik de boodschap in tot: 'De man: beslist niet... maar de vrouw ziet eruit als iemand die ik kort heb ontmoet in New York, zomer 1979. Kan me niet voorstellen hoe Ernest kan hebben geweten dat ik ooit een avond heb doorgebracht met zijn moeder, maar het is een mogelijk verband.'

Ik keek op en zag de torens van de George Washington-brug boven de snelweg uitsteken. Op dat moment begon mijn mobiel te piepen.

'U kent me niet.' Het was een jonge stem, zacht, aarzelend. 'Ik ben een vriendin van Jelena.'

Het duurde even voordat ik antwoordde: 'Hoe kom je aan mijn nummer?'

'Dat heeft zij me gegeven. He was haar idee om te bellen, weet u.'

'Hoe heet je?' Ik was meteen achterdochtig.

'Tachel...'

'Sorry, waar wilde je me over spreken?'

'Luister, we hoeven dit niet te doen.'

'Wat precies?'

'Krijg de schijt.'

Ik dacht dat ze zou ophangen, maar het gesprek ging verder op deze stekelige, half-vijandige toon. Tachel zei dat als ik wilde praten, als er vragen waren die ik wilde stellen, dat zij dan bereid was om in een gesprek de dingen uit te leggen vanuit het gezichtspunt van haar vriendin.

Haar betoog klonk alsof het gerepeteerd was en ik stond op het punt om te zeggen dat ze allebei naar de hel konden lopen. Ik had me erbij neergelegd dat ik 'Jelly' nooit zou ontmoeten en eerlijk gezegd had ik daar nu ook helemaal geen zin in. Maar ik was nieuwsgierig, en hoe tegenstrijdig het ook mag klinken, ik kon geen weerstand bieden aan de mogelijkheid om met iemand te praten die haar kende. Ik vond nog steeds dat ik recht had op een verklaring.

Dat zou betekenen dat ik Alice Fielding pas later die middag kon bezoeken, maar zij zou het toch niet in de gaten hebben of ik nu een paar uur, of zelfs een paar dagen later kwam opdagen.

'Oké. Wanneer ben je vrij?' vroeg ik en ik gebaarde naar mijn chauffeur dat hij de auto aan de kant moest zetten. Ze vroeg of ik haar een kwartier kon geven.

58

Luca Francobaldi drukte voor de tweede keer op de bel in de ruw gestuukte muur van Via Dell'erte Canina 59, deed toen een stap naar achteren in het smalle straatje en keek omhoog naar de gesloten luiken voor de ramen van de villa. De lucht boven Fiesole was donker.

'Weet je zeker dat ze ons verwacht?' vroeg Morelli narrig, terwijl hij zijn kraag omhoogdeed. Het begon te regenen. 'Ah!' Hij hoorde voetstappen naderen.

'Ik móét nu echt ophangen.' Jennifer Ursino praatte in haar mobiel toen ze de deur opendeed. Ze klapte haar telefoontje dicht en verontschuldigde zich tegenover de politiemannen voor het feit dat ze hen had laten wachten. *'Fa molto afoso,'* mompelde ze.

Ze was een knappe grijsharige vrouw van begin veertig, met een slobberend T-shirt, een strakke zwarte spijkerbroek en Prada-instapschoenen. Ze ging haar bezoekers voor door een donkere gang naar de woonkamer, waar ze op een enorme plasmatelevisie naar een spelletjesprogramma had zitten kijken. Ze pakte de afstandsbediening en deed de tv uit. 'Wilt u iets drinken?'

Beide mannen weigerden beleefd. Ze schonk zichzelf een gin-tonic in, nam die mee naar de sofa en maakte het zich gemakkelijk tussen de kussens, met haar benen onder zich.

'Oké, wat kan ik voor de heren doen?'

Ze zaten tegenover haar op rechte stoelen. Morelli haalde een kopie van Sophies tekening uit zijn zak en vouwde die uit op de koffietafel.

'Ik denk dat u dit gezicht kunt identificeren, *signora*.'

Jennifer knikte. 'Hij doet me aan iemand denken – sterker dan dat kan ik het niet uitdrukken. David. Het kan zijn dat hij hier in april is geweest.'

'Hing u daarom op toen u eerder de politie belde... omdat u het niet zeker wist?'

Ze haalde haar schouders op. 'Zoiets.'

'David? Hoe heette hij verder?'

'Dat herinner ik me niet meer. Hij was een Amerikaan, woonde in Parijs... Ik geloof dat hij wetenschappelijk onderzoek deed.'

'Vraagt u uw gasten niet altijd naar een identificatiebewijs, signora?'

Ze glimlachte. 'Dat zou ik eigenlijk moeten doen, ik weet het. Maar ik behandel mijn gasten graag als vrienden. Ik probeer ze niet met vragen te bestoken.'

'Heeft David gezegd uit welk deel van de Verenigde Staten hij kwam? Uit welke staat?'

'Dat herinner ik me niet. Kunt u me zeggen waar dit om gaat?'

'We proberen de persoon op de tekening op te sporen in het kader van een misdaadonderzoek.' Morelli schraapte zijn keel. 'Hebt u zijn verblijf ergens geregistreerd?'

Ze schudde haar hoofd. 'Ik heb een gastenboek liggen in de flat, maar niemand neemt de moeite er wat in te schrijven. Hij ook niet. Hij heeft contant betaald, gaf me het hele bedrag al van tevoren.'

Luca vroeg: 'Signora, kunt u zich misschien herinneren wat hij deed in de nacht van de 27e april?'

'Ik heb geen idee.' Jennifer verstijfde. 'De flat heeft een eigen ingang aan de achterkant. Hij kwam en ging. Ik zag hem bijna nooit. Ik slaap... erg diep.'

Morelli wierp Luca een ik-stel-de-vragen-wel-blik toe en vervolgde: 'Hoe komt u aan uw gasten, signora?'

'Vooral mond-tot-mondreclame. Ik krijg veel artistieke types, mensen uit de modewereld en zo.'

'En deze... David?'

'Hij belde me gewoon vanuit het niets.'

'Kende u Sophie Lister misschien?'

'Het meisje dat vermoord is? Nee.'

'Hebt u ooit aan hem gedacht in verband met haar moord?'

'Nee... jezus, nee, nooit. Hij leek me een vrij verlegen, aardig persoon.'

'Hoe zou u hem verder willen omschrijven? Rookte hij? Dronk hij? Had hij ongebruikelijke gewoonten? Kreeg hij bezoek?'

'Zoals ik net al zei, hij was erg rustig, erg netjes en schoon. Ik heb hem nooit met iemand anders gezien. Ik hoorde eigenlijk vrijwel nooit iets van hem. De ideale pensiongast.' Ze lachte.

'U zegt dat u uw gasten graag als vrienden behandelt, signora, maar toch lijkt u erg weinig contact te hebben gehad met deze man.'

'David was anders. Hij maakte duidelijk dat hij met rust gelaten wilde worden, en ik behandelde hem zoals hij dat wenste.'

'Hebt u nooit meer iets van hem gehoord?'

Jennifer schudde haar hoofd, nee. Morelli kon zien dat ze loog. Hij ging bij het raam staan en keek naar de regen.

'We weten dat hij kort geleden in Florence is geweest. Weet u heel zeker dat hij hier niet terug is gekomen? Hebt u niet met hem gepraat?'

'Daar ben ik heel zeker van.'

'Signora,' zei hij nadrukkelijk en hij keerde zich naar haar toe, 'ik moet u waarschuwen dat, als David is wie wij denken dat hij is, we te maken hebben met een uitzonderlijk gevaarlijk persoon. U moet ons echt alles vertellen wat u weet.'

Jennifer knipperde met haar ogen en pakte haar glas. Haar hand trilde en Morelli vroeg zich af of ze een alcoholprobleem had of alleen maar bang was.

'Heeft hij een computer gebruikt toen hij hier was?' vroeg Luca.

'Oké, oké!' riep ze uit. 'Ik heb niet met hem gepraat, maar hij heeft wel contact opgenomen. Een paar weken geleden kreeg ik een e-mail waarin hij vroeg of zijn oude kamer beschikbaar was. Ik heb geantwoord dat die al verhuurd was.'

'Was dat zo?'

Ze keek naar Morelli. 'Ik wilde hem niet terug.'

'Waarom niet? Ik dacht dat u zei dat hij de ideale pensiongast was?

Ze aarzelde. 'Ik voelde me ongemakkelijk bij hem.'

'Waarom bent u nu bang?'

'Ik zei niet dat ik bang was.'

'Signora, vertel me wat er is gebeurd.' Morelli's toon was vriendelijk, eerder bezorgd dan ondervragend. 'Heeft hij geprobeerd contact met u op te nemen toen hij hier was?'

Jennifer keek in haar glas. 'Ik dacht dat ik hem zag, dat is alles. Op een avond liet ik de hond uit, en toen ik langs de oude ijzeren hekken bij de Villa Arrighetti liep' – Morelli keek naar zijn ondergeschikte, maar Luca was te druk met aantekeningen maken – 'zag ik daar een man tussen de bomen staan die eruitzag als David. Ik wist zeker dat hij me in de gaten hield. Tegen de tijd dat ik de straat kon oversteken was hij verdwenen.'

'Misschien logeerde hij wel in de Villa, of ergens in de buurt.'

'Ja, daar heb ik aan gedacht. Ik was bang dat hij ontdekt had dat de flat niet bezet was en dat hij wist dat ik tegen hem gelogen had.'

Morelli wilde haar niet nog ongeruster maken, maar hij had het idee dat ze waarschijnlijk goed weggekomen was. 'Was dat de enige keer?'

'Ik heb hem nooit meer gezien.'

'Mij is nog steeds niet helemaal duidelijk waarom u van mening veranderd bent over hem.'

'Ik weet het niet. Het was gewoon een gevoel.'

'Hebt u die e-mail misschien bewaard, signora?'

'Denk je dat ze met hem naar bed is geweest?' vroeg Luca, terwijl hij gas gaf in de haarspeldbocht op de Viale Galileo. 'Ze was best een lekker ding.'

'Lekker ding? Ik weet dat je valt op oudere vrouwen. Maar dat komt doordat jij, Luca, diep vanbinnen een moederskindje bent.'

'Ze is nog jong voor een weduwe.'

'Dus wat houdt dat in? Dat ze erop zit te wachten? Dat ze haar pensiongasten neukt in plaats van huur van ze te vragen? Ik weet hoe jij denkt. Nee, ze vertelt niet alles, maar zo zit het niet. Hoe lang zullen ze nodig hebben om die URL na te trekken en het adres van de afzender van die e-mail te traceren?'

'Weet ik niet. Ik heb tegen Milaan gezegd dat het dringend was.'

'Realiseer je je dat de Listers in de Villa Arrighetti verbleven toen ze hier waren? Rijd eens wat langzamer, anders worden we straks aangehouden door een *carabinieri,* klootzak.'

Luca draaide aan het stuur van de Fiat en haalde zijn schouders op. 'Toeval.'

'Misschien heb je gelijk. Florence is niet zo groot.'

Een uur later lag de informatie waar Morelli om gevraagd had op zijn bureau aan de Via Zara. Het computerrechercheteam had de internetprovider nagetrokken en het telefoonnummer gevonden dat 'David' had gebruikt om verbinding te maken om een e-mail naar Jennifer Ursino te versturen.

Het nummer hoorde bij een naam en adres in Parijs – David Mallet, Rue Mabillon 20, Place Saint Sulpice.

Iets aan het adres klonk bekend. Morelli pakte de telefoon, toetste twee nummers in en vroeg naar het dossier van de Villa Nardini-moord. Hij opende de map die het meisje hem bracht.

'Daar was ik al bang voor.' Hij leunde achterover. 'Het lijkt erop dat David Mallet een paar deuren van het kantoor van Ed Lister in Saint-Germain woont.'

'Wat?'

'Denk je nog steeds dat het toeval is?'

Luca lachte. 'Misschien een beetje veel toeval.'

Morelli dacht even na. 'Het kan zijn dat ik naar Parijs moet.'

Pas nadat ze de telefoon had neergelegd, besefte Jelly dat ze zojuist zijn stem voor het eerst had gehoord en dat hij totaal niet klonk als Colin Firth. Elk woord dat hij uitsprak irriteerde haar. Het was een harde man, wantrouwig en bazig. Ze zag hem nu als een gladde, gelikte kantoorlul. Geen Mr. Darcy meer. Die gek in de metro moet verdomme zijn geest zijn geweest.

Ken je de 'Frick Collection'? Wat een eikel! Ze deed Ed een plezier, ze probeerde aardig te zijn, en hij gaf haar het gevoel dat ze hem lastigviel. Ze had twintig dollar voor de taxi moeten betalen om hier te komen.

Dit was ongetwijfeld het stomste idee dat ze ooit gehad had, en dat allemaal omdat ze zich schuldig had gevoeld vanwege die hufter. Ze wilde alleen maar dat hij begreep dat het nooit wat had kunnen worden. Ze moest zorgen dat hij wat verstandiger werd. Ze leek wel gek.

Jelly zat op een marmeren bank in de tuin te kijken naar de glazen deuren die toegang gaven tot de zuidelijke zuilengang. Betekende dit dat hij haar spelletje nu al doorhad? Haar maag kwam in opstand. Het geklater van die verdomde fontein deed haar er steeds aan denken dat ze naar het toilet moest. Ze was zo zenuwachtig.

O, hallo, ik ben Tachel... u moet Ed zijn. Ik heb zoveel over u ge-hoord.

Ze had geen schijn van kans dat ze hiermee weg zou komen. Ze bleef trillen. Plotseling móést ze echt plassen. Als ze nu van deze plek wegging, zou hij natuurlijk net komen en zouden ze elkaar mislopen. Shit, misschien was dat wel de beste oplossing. Het was nog niet te laat.

Jelly stond op om weg te gaan en hoorde op hetzelfde moment voet-stappen achter zich. Ze draaide zich om en zag dat hij er al was.

Ze hapte naar adem en begon als een kind te stamelen: 'Hallo, ik ben... dan bent u...' Ze kreeg een black-out, kon zich hun namen niet meer herinneren.

'Ik ben Ed,' zei de man rustig. 'Sorry dat ik te laat ben.'

O jezus... ze wilde alleen maar weglopen en zich verstoppen.

Ze stak haar hand uit. 'Tachel. Leuk u te ontmoeten.'

Hij glimlachte, stak zijn hand uit en... *wat krijgen we nou, verdomme...?* raakte haar gezicht aan.

'Even kijken of dit echt gebeurt,' zei hij.

59

'Dus u bent haar miljonair,' zei Tachel met een lachje, terwijl ze achter-overleunde in haar stoel en me bekeek.

'Was,' corrigeerde ik haar.

'Uh-huh.' Ze knikte. Het was dezelfde, bijna plagerige glimlach die ik kende van de foto van 'Jelly' op mijn computer, de foto die ik nog altijd niet weggegooid had. Ik kon er niet achter komen wat erachter zat.

'Ik dacht niet dat geld er iets mee te maken had.'

'Je maakt een grapje, toch?' Ze leunde voorover en liet haar kin op haar hand rusten. 'Doe ons allebei een lol, Ed. Je weet dat alles met geld te maken heeft. Jij was haar rijke droomvent.'

'Tja, als dat zo was, dan heeft ze daar niet bepaald van geprofiteerd. Ze heeft nooit om een cent gevraagd. Op een bepaald moment zou ik haar alles gegeven hebben.'

'Wat is er mis met jou?'

'Sorry?'

'Ach, bekijk het ook maar.' Tachel haalde haar schouders op. 'Oké, vraag maar wat je wilt weten.'

Ik hield mijn handen omhoog. 'Jij hebt alle troeven in handen.'

Ik had haar voor een lunch meegenomen naar '21', een vroegere clandestiene kroeg op 52nd Street die nu een New Yorks monument is geworden. Tegenwoordig komen er aandelenmakelaars en goedgeklede toeristen, het soort gelegenheid dat ik normaliter probeer te vermijden. Ik had deze plek uitgekozen omdat men mij er niet kende en omdat ik, invoelend als ik ben, dacht dat het meisje misschien wel geamuseerd, maar niet overdonderd zou zijn door de vlotte, clubachtige sfeer.

'Besef je wel,' vroeg ze fronsend, 'dat er geen enkel woord waar was van alles wat ze je heeft verteld?' Ze wachtte even, alsof ze die mededeling wilde laten aankomen, en beet op haar onderlip.

'Oké.' Ik ademde langzaam uit.

'Jelena heeft het allemaal verzonnen. Ze heeft tegen je gelogen over alles – hoe ze eruitziet, hoe ze zich kleedt, hoe ze haar haar doet, waar ze woont, over haar baantje in het kinderdagverblijf, over dat ze toen ze naar Washington ging, haar twee katten... ík heb twee katten. Ik weet niet wat ze je verder nog allemaal verteld heeft, maar je kunt er verdomd zeker van zijn dat ze het ofwel over mij had, of dat het onzin was.'

'Ik kan me niet herinneren dat we het erover hebben gehad hoe haar haar zat,' zei ik, om te zien of ze moest lachen. 'Waarom deed ze alsof ze jou was?'

'Dat zou je haar moeten vragen.'

'Ik dacht dat jij haar afgevaardigde was?'

Nu glimlachte ze. Ik had ergens iets gemist.

'Ze had het stomme idee dat ze iedereen online verliefd op haar zou kunnen laten worden. Toen ik ontdekte dat Jelly mijn foto gebruikte en mijn leven – dat was geen gebrek aan zelfvertrouwen, maar gewoon pure diefstal – werd ik ontzettend kwaad op haar. Ze is mijn beste vriendin, maar ze heeft altijd al theatrale neigingen gehad – zowel online als in het echte leven.'

Ik wilde haar vragen naar Jelly's oude vriendje, over wie ze verteld had dat ze weer met hem sliep, maar dat zou het verkeerde signaal hebben afgegeven.

We zaten in de Bar Room aan een tafel, verscholen achter de deur. Ik bestelde voor ons allebei een pure whisky en een '21'-hamburger. Tijdens het eten ontspande Tachel wat en bleek ze heel onderhoudend gezelschap te zijn. Ik deed mijn best haar op haar gemak te stellen en het gesprek luchtig te houden. Ik maakte haar zelfs een paar keer aan het lachen, maar ik kan niet zeggen dat het allemaal gesmeerd liep. Er vielen stiltes in het gesprek en tijdens de hele lunch bleef de situatie behoorlijk onwennig. Pas toen we aan de koffie toe waren, kwamen we echt te spreken over waarom we daar waren.

'Wat heeft ze tegen jou gezegd over ons?'

'Ons?' Tachel trok een wenkbrauw op. 'Ze heeft nooit van je gehouden, als je dat bedoelt. Het was een spelletje voor haar, om te proberen die oerdegelijke, blanke, ríjke, oudere Engelse man voor haar te laten vallen. Ze schepte op dat je straalverliefd op haar was.'

Ik knikte en hield mijn blik op haar gezicht gericht. Ik moet zeggen dat ik mezelf niet zie als 'oerdegelijk'. Maar ik leerde veel bij.

'Ik heb Jelly gewaarschuwd dat ze met andermans leven aan het kloten was. Ik denk niet dat ze de boel zo erg uit de hand heeft willen laten lopen als nu gebeurd is. Ze zegt dat ze het je talloze keren had willen vertellen, maar dat je... dat je weigerde te luisteren. Toen is ze bang geworden, denk ik.'

'Bang? Bang waarvoor?'

'Dat je misschien, je weet wel, een psychopaat was of zo... dat je haar stalkte... zoiets. Ze is nog steeds bang dat je een stalker bent, misschien zonder dat je het weet.'

'Ik begrijp het.' Ik voelde mijn borst samenknijpen. Het was verontrustend om te horen hoe mijn gevoelens voor haar verkeerd begrepen waren. Ik wilde mezelf verdedigen, maar ik zei alleen maar: 'Tja, dat ben ik niet.'

Het was even stil.

'Jelly zei dat het haar zo spijt dat ze je gekwetst heeft.'

Ik glimlachte en maakte een wuivend gebaar met mijn hand. 'Ik wist eigenlijk altijd al dat het niet echt was. Denk je dat ik iemand ben die zijn verstand verliest om... nou ja, niks? Het voelt alsof ik uit een droom ontwaak.'

'Het was inderdaad een droom,' zei ze langzaam, terwijl ze me met ernstige ogen aankeek. 'Maar dat is geen excuus voor wat ze gedaan heeft: zeggen dat het niet waar is, maakt iets wat fout is nog niet goed.'

'Het is vergeven.' Ik lachte. 'Ze kan het nu vergeten. Ik ben het al vergeten.'

'Ik kan alleen maar zeggen dat ik weet dat het haar spijt.'

'Zeg haar maar dat ik het wel overleef.'

Het was moeilijk voor me, eigenlijk bijna onmogelijk, om de persoon die aan de andere kant van de tafel zat niet te zien als Jelly. Op een bepaalde manier wás zij het, maar ik was ervan overtuigd (ik had Tachel een paar strikvragen gesteld, maar ze was er niet ingetrapt) dat ze een volkomen vreemde was. Ze droeg een bril. Daar had ik me niet op voorbereid, maar het hielp wel.

Natuurlijk had ik de mogelijkheid overwogen dat dit dubbele bluf was en dat Jelly met haar vriendin van identiteit had geruild om zichzelf te beschermen tegen de bedreiging die ik leek te zijn. Maar als dat zo was, als ze dit gedaan had om me kwijt te raken – waarom was ze dan hier?

'En jij was toevallig,' zette ik haar onder druk, 'gisteren in dat metrostation toen ik op zoek was naar Jelly?'

'Hé, ik werk daar in de buurt. Dat is niet zo raar. Bovendien wist je dat toen misschien nog niet, maar je was eigenlijk op zoek naar mij.'

We lachten allebei en vingen elkaars blik op. Plotseling wist ik niet wat ik moest geloven, of hoe ik me moest voelen. Ze deed me denken aan 'haar' en hoe betoverd ik geweest was door haar toen ze nog iemand anders was en alleen in mijn fantasie bestond.

Ik keek naar haar slanke bruine handen, haar lange soepele vingers waarvan ik me vaak had voorgesteld dat ze muziek maakten, en vroeg of haar vriendin piano speelde.

'Nee, dat heeft ze allemaal op mij gebaseerd,' zei ze bescheiden.

Buiten het restaurant bleef ze staan op de stoep voor de beroemde '21'-gevel met zijn geschilderde jockeyplaten en stak een Marlboro op.

'Wat is er nou?' vroeg ze, terwijl ze een rookwolk uitblies. Ze had de verbaasde uitdrukking op mijn gezicht gezien. 'Weet je dat ik dit elke dag te verduren heb van mensen die denken dat wij, rokers, meer plezier hebben dan zij... het kan ons geen réét schelen.'

'Het is alleen dat Jelena er een hekel aan had als ik rookte.'

'Ach ja, ik ben haar niet en ik zit vol verrassingen.'

'Dus dat is iets wat ze niet op jou heeft gebaseerd.'

Ze schudde haar hoofd. 'Is ze het niet mee eens. Vraagt me altijd om te stoppen. Hoe ver is het? Ik moet terug naar mijn werk.'

'Een paar straten hiervandaan.'

Ik had voorgesteld om naar Frank & Camille's te gaan, een muziek-winkel op 57th Street. Tegen Tachel had ik gezegd dat ik erover dacht om een piano te kopen als cadeau voor een vriend en dat ik advies nodig had. Ik zei er niet bij dat de vriend in kwestie Jelly was geweest, wat inhield dat de onderneming niet meer relevant was, maar het moet vrij duidelijk zijn geweest.

Ik wilde haar alleen maar horen spelen.

We baanden ons een weg over Fifth Avenue. Het trottoir was overvol en hoe we ook liepen, het leek steeds tegen de stroom in te zijn. We waren pas een half huizenblok onderweg toen ze stilstond, een hand op mijn arm legde en zei: 'Weet je, dit gaat te lang duren. Ik moet echt gaan.'

'Een andere keer?'

'Dat zal niet gaan, denk je wel?'

'Nee, dat denk ik niet,' zei ik. 'Nou, ik vond het leuk je ontmoet te hebben. En bedankt... ik weet niet precies waarvoor, maar ik ben erg blij dat je gebeld hebt.'

Ze lachte en liep bij me vandaan. 'Bedankt voor de lunch.'

'Zal ik een taxi voor je roepen?'

Ze schudde haar hoofd, draaide zich bevallig om en liep weg.

Ik stond haar na te kijken en probeerde niet te luisteren naar een irritant stemmetje in mijn hoofd dat me zei dat ik haar moest tegenhouden. Het duurde even voordat ik besefte dat ik haar nooit meer zou zien als ze uit het zicht verdwenen was.

'Wacht even!' riep ik haar wat halfslachtig na. 'Ik weet niet hoe ik contact met je kan opnemen.' Maar ze was al verdwenen in de massa. 'En er was nog iets wat ik je wilde vragen.'

Het moet geleken hebben alsof ik in mezelf praatte. Toen ik achter haar aan begon te rennen en riep dat ze moest wachten, gingen de mensen snel aan de kant.

Ik haalde haar in bij het stoplicht. 'Ik vroeg me af,' schreeuwde ik, waarop ik kuchte en zachter verder praatte toen ze zich naar me toe keerde, 'of je plannen had voor vanavond.'

Ze keek minder verrast dan ik verwacht had. 'Eerlijk gezegd wel.'

'En kun je die niet verzetten?'

'Uitgesloten.'

'Het is namelijk zo dat ik een paar kaartjes heb... voor het ballet.' Ik moest snel nadenken. 'Ik weet dat dit vrij stom klinkt, maar ik hoopte eigenlijk Jelena mee te nemen.'

Ze zuchtte en sloeg haar armen over elkaar. 'Ze houdt niet eens van ballet.'

'Dat had ik kunnen weten.' Ik glimlachte. Ik herinnerde me dat Jelly online gezegd had dat ze een groot fan was van klassiek ballet. 'Als je het echt wilt weten, ik ook niet.' Ik zag een blik in haar ogen die me deed vermoeden dat ze zich misschien zou laten overtuigen. 'Maar wat ik eigenlijk wil weten: hou jij wel van ballet?'

'Ik weet het niet.' Ze haalde haar schouders op. 'Hangt ervan af wat het is.'

'Doornroosje... haar favoriet.' Ik had ergens gelezen dat de Kenneth MacMillan-uitvoering door het American Ballet zou worden opgevoerd in het Metropolitan.

Ze rolde met haar ogen. 'Die meid!'

Ze begon op een andere manier te lachen. 'Hé, ik moet ervandoor.'

'Zie ik je vanavond?'

'Ik weet niet... ik denk het niet.'

60

Het was bijna half vijf toen Campbell Armour door de aankomsthal van het busstation van New York Port Authority liep en scherp oplette of niemand met een scheef oog naar hem keek. Met zijn zonnebril, honkbalshirt van de Tampa Bay Devil Rays en Nike Airforce-sportschoenen kon hij doorgaan voor een toerist of een student op vakantie. Zijn angst dat hij gehandboeid uit de bus gehaald zou worden of bij het loket zou worden aangehouden werd niet bewaarheid.

Misschien had zijn opzetje gewerkt en was 'Chen' al in zijn plaats staande gehouden achter het stuur van de zilveren Toyota. Maar toen hij het drukke plein overstak, voelde hij een prikkelend gevoel tussen zijn schouderbladen waarvan hij wist dat het niet weg zou gaan voordat hij uit het zicht was van het gebouw.

Tijdens de busreis vanuit Torrington had hij zich schuldig gevoeld over de manier waarop hij misbruik maakte van zijn zwervende landgenoot. Maar zoals hij het bekeek, had het lot hem een kans geboden die hij wel moest benutten. Hij had de jongen niet alleen zijn huurauto overgedaan, maar hij had hem ook honderd dollar gegeven voor zijn buskaartje. In het ergste geval zou hij een nacht in de gevangenis moeten doorbrengen terwijl de autoriteiten op zoek waren naar een tolk. Campbell had wat extra tijd gewonnen.

De twee politieagenten bij de uitgang op Eight Avenue keken nauwelijks naar hem toen hij de straat op ging en naar de binnenstad liep terwijl hij via zijn mobiel met zijn vrouw in Florida praatte. Hij had sinds het ontbijt niet meer gegeten en merkte ineens dat hij een razende honger had.

'Hoe laat is je vlucht?' vroeg Kira.

Hij aarzelde. 'Het ziet ernaar uit dat het morgen wordt.'

'Je hebt het Amy belóófd.'

'Dit is echt belangrijk. Ik ben er bijna.'

Het was stil aan de andere kant van de lijn.

'Hij begint wat van zichzelf bloot te geven. Hij heeft zijn eerste fout gemaakt.'

Terwijl hij doorliep, praatte Campbell zijn vrouw bij over het onderzoek. Hij vertelde haar over de videobeelden van de Seaton-tragedie die hij gezien had op de homebeforedark-website en over Wards buitengewone onthulling dat Ed Lister in het huis was geweest toen het gebeurde die nacht. Hij vermeed zorgvuldig te vertellen dat hij zelf misschien ook gevaar had gelopen en gaf vervolgens een kort, gecensureerd verslag van zijn terugkeer naar Skylands die morgen en de ontdekking van Grace' lijk.

Kira liet zich geen moment voor de gek houden.

'Jij belt je cliënt,' zei ze rustig toen hij klaar was, 'en je vertelt hem dat je hier niet mee kunt doorgaan en dat het nu een zaak is voor hem en de politie... en dan neem je het eerste het beste vliegtuig naar húís.'

'Zo simpel ligt het niet, schat.' Hij lachte en probeerde er een grapje van te maken dat hij een voortvluchtige verdachte van moord was. 'Ik moet hem oppakken om te kunnen bewijzen dat ik erin geluisd ben...'

'*Hem oppakken?* Lieve God, Campbell, je zou jezelf eens moeten horen. Je denkt dat je slim bent nu je je detectivefantasietje kunt uitspelen alsof het een film is, of een van die verrekte videospelletjes.'

'Voordat er nog iemand het slachtoffer wordt.'

'Je gedraagt je als een kind. Laat die zaak los. Je weet niet waar je mee bezig bent... schat, alsjeblieft.'

'Ik moet dit doen.'

'Waarom? Waarvoor? Zodat je zélf kunt worden vermoord?'

Campbell zei niets.

'Wat probeer je te bewíjzen?'

'Heb je recentelijk nog naar onze spaarrekening gekeken?'

Nu was het Kira's beurt om stil te zijn. Hij had het haar pas morgen willen vertellen, maar hij had het al te lang voor zich gehouden en de waarheid kwam er gewoon uit. Kira wist van zijn 'kleine zwakte' – hij was al gokverslaafd voordat ze trouwden. Er waren sindsdien een paar uitglijers geweest, maar niks groots. Ze gaf geen commentaar toen hij bekende dat hij bijna 200.000 dollar had verloren bij een online privépokerspel. Pas toen hij haar vertelde dat hij nog eens 100.000 dollar schuldig was aan mensen in Sarasota, zei ze zacht – hij wist zeker dat ze huilde: 'Campbell, hoe kun je ons dit aandoen?'

Hij begon haar te vertellen dat hij het allemaal zou terugbetalen van de bonus die Ed Lister hem had beloofd... het enige wat hij moest doen, was Ward vinden.

Met een wanhopige kreun had ze de verbinding verbroken.

'Ik heb geprobeerd in contact te komen met uw echtgenoot, signora.'

Inspecteur Morelli zette de luidspreker van de telefoon aan en keek over zijn bureau naar Luca, die deed alsof hij zijn oren bedekte toen de scherpe Engelse stem van Laura Lister door het kamertje sneed.

Morelli zei: 'Ja, ik weet dat hij in New York is. Ik heb boodschappen ingesproken...' Hij glimlachte naar het toestel. 'Ik hoopte dat u ervoor kunt zorgen dat ik hem niet hoef te storen. Het gaat om iets kleins.'

'Ik kan nu echt niet praten. Ik stond net op het punt om weg te gaan.' Ze klonk alsof ze teruggerend was naar de telefoon.

'Dit duurt maar heel even, signora. Ik moet het adres hebben van het kantoor van uw man in Parijs.'

'Probeer het telefoonboek onder Beauly-Lister.' Toen, alsof ze besefte hoe onbeleefd dat klonk, zei ze snel: 'Het is Rue Mabillon 24, bij de Boulevard Saint-Germain.'

Hij schreef het niet op, maar keek naar Luca. 'Dank u.'

'Is dat alles wat u wilde weten?'

Morelli schraapte zijn keel. 'Verblijft uw echtgenoot op dat adres als hij daarheen gaat voor zaken?'

'Het is een kantoor, geen flat. Ed logeert altijd in het Ritz...' Ze aarzelde. 'Ik dacht dat u dat wist. Hebt u daar niet met hem gesproken?'

'Heeft hij ooit... ja, dat is waar, stom van me... overwogen om een pied-à-terre te nemen in Parijs? Misschien is dat wat gemakkelijker voor zijn werk?'

'Misschien wel. Ik weet het eerlijk gezegd niet.'

'Heeft hij dat nooit met u besproken?'

'We verschillen van mening over Parijs. Het is niet mijn favoriete stad.' Hij hoorde het zachte geluid van een hand die over de hoorn werd gelegd. 'Ik moet nu echt gaan.'

'Signora Lister,' zei Morelli, 'er is een ontwikkeling in het onderzoek naar de moord op uw dochter.'

Even was het stil. 'Wat voor ontwikkeling?'

'Het is nog te vroeg om te spreken over een verdachte, maar we hebben een veelbelovend spoor.'

'Dan denk ik dat u beter met Ed kunt praten.'

'Natuurlijk. Ik wil u alleen iets vragen.' Ze zuchtte geërgerd. 'Signora, als het niet uitkomt, kan ik u op een ander moment terugbellen.'

'Ach, in hemelsnaam, schiet nou maar op.'

Hij had nooit goed overweg gekund met Laura Lister. Ze had hem al snel duidelijk gemaakt dat ze hem incompetent en onbetrouwbaar vond, waarschijnlijk alleen omdat hij een Italiaan was. Morelli voelde zich klein onder die verwijtende blauwe ogen en toch voelde hij een vreemde bewondering voor haar – hij vond haar houding dapper, niet onsympathiek. De laatste keer dat hij haar gezien had, bij de requiemmis voor Sophie in San Miniato, was ze zich nauwelijks bewust geweest van zijn aanwezigheid, ze was afstandelijker en geïsoleerder geweest dan ooit, alsof ze haar verdriet niet te boven kon komen, maar er juist door op drift raakte. De vader, zo dacht hij, ging te veel op in zijn eigen verdriet – of misschien in zijn kleine ragtimepianiste – om dat op te merken. Morelli bedacht zich ineens dat hij moest proberen iets uit te vissen.

'Uw echtgenoot had het erover dat u een kunstfonds had opgericht in Parijs na de dood van Sophie... ter nagedachtenis aan haar.'

'Het is een klein liefdadigheidsfonds, gevestigd in Londen.'

'Ah... toch een prachtig idee, als ik het mag zeggen, om minder gefortuneerde talenten de kans te geven hun vaardigheden te ontwikkelen.'

'We dachten dat Sophie daarmee zou hebben ingestemd.'

Hij fronste zijn wenkbrauwen en schudde zijn hoofd naar Luca, die gebaarde dat hij het gesprek wilde onderbreken. 'Ik vroeg me af... heeft uw liefdadigheidsfonds ooit iemand geholpen om naar het Conservatoire de la Musique in Parijs te gaan?'

'Niet dat ik weet.' Haar stem klonk gespannen, of beeldde hij zich dat in? 'Vraag het Ed maar eens. Hij doet de muziekkant.'

Het was mogelijk dat ze al vermoedde of zelfs wist dat haar echtgenoot buiten de deur neukte. Maar als dat niet het geval was, had hij niet echt de behoefte om Lister erbij te lappen. Hij had net met Gretchen gesproken in Marienbad en geregeld dat hij zijn prachtige langharige fysiotherapeute morgen in Parijs zou ontmoeten, dus was hij geneigd om genadig te zijn.

'Het is moeilijk om uw man te bereiken.' Hij dacht even aan de mogelijkheid om de signora te vertellen van de tekening, maar besloot dat hij haar al genoeg reden had gegeven om haar echtgenoot over te halen hem terug te bellen. Hij keek ernaar uit om Ed Lister zelf te informeren over de doorbraak van de questura in deze zaak; hij wilde ook persoonlijk zijn reactie zien op het toeval dat David Mallet aan de Rue Mabillon woonde.

'Wat wilde je zeggen?' vroeg hij zijn assistent, toen hij de hoorn neerlegde, 'dat zo dringend was dat je niet kon wachten?'

'Je gaat je vliegtuig missen.'

'Niet als jij rijdt, Luca.'

Nergens stond een bord met Gilmans Landing.

Er stonden wat verscholen, met oud geld gebouwde woningen die uitkeken over de Hudson. Het was een soort gemeenschap uit een andere tijd die er nooit veel belang bij had gehad om de aandacht te vestigen op haar bestaan. De chauffeur was Dearwater Road op gereden, en de steile weg onder een bladerdak van statige bomen afgereden in de richting van de rivier. Vervolgens had hij vijf minuten rondgereden door de doolhof van smalle en doodlopende straatjes voordat ze aankwamen bij de hekken van 'La Rochelle'.

Campbell betaalde voor de taxirit en liep de lange privéoprijlaan op naar het Fielding-huis. Het was een stenen gebouw uit de victoriaanse tijd, niet hoog, maar vlak bij het water. Het deed hem denken aan het huis van zijn grootvader in Hong Kong, dat hij alleen kende van verschoten familiefoto's, maar dat hij altijd met gemengde gevoelens bekeek als zijn keizerlijk erfdeel. De detective schrok van de sproeiers op het grasveld die ineens tot leven kwamen, keek achterom en zag, halverwege de Hudson, de blauwe driehoek van een zeil tussen de bomen door glijden. Hij dacht aan Kira's stille tranen, de schande die hij hen had aangedaan.

Hij had half verwacht dat zijn cliënt nog steeds hier in 'La Rochelle' zou zijn – aan de telefoon had het dienstmeisje gezegd dat ze meneer Lister ergens die middag verwachtte – maar dat leek nu onwaarschijnlijk. Het was er te stil. Op de veranda stonden de glas-in-looddeuren op een kier. Hij klapte zijn mobiel open en toetste Eds nummer in. Voordat ze elkaar eindelijk zouden ontmoeten, moest hij uitzoeken waarom de dode vrouw, Grace Wilkes, het nummer van 'La Rochelle' in haar mobiel had. Waarom ze hier gisteren naartoe had gebeld – hij kon alleen maar aannemen dat het geweest was om Ed Lister te spreken.

Hij voelde zich opgelucht toen hij de voicemail van zijn cliënt kreeg. Hij liet een boodschap achter om te melden dat hij hun afspraak in de stad niet zou redden en stelde voor die te verzetten. Toen drukte hij op de voordeurbel. Ergens hoorde hij een televisie, maar er kwam niemand.

Na pakweg een minuut ging Campbell naar binnen. Hij volgde het geluid door een smalle gang met houten zijpanelen. Bij de deur van de voorkamer schraapte hij zijn keel en zei luid en duidelijk: 'Mevrouw Fielding? Is er iemand thuis?'

61

Hij vond haar in een kleine, met bloemen gevulde serre achter de zitkamer in de tuin. Een hordeur leidde naar een betegelde patio met een blauweregen en uitzicht op de rivier. Alice Fielding zat op een met beschilderd textiel bedekte ruststoel met een plaid over haar knieën en keek naar een herhaling van *I love Lucy*.

Zonder op te kijken zei ze: 'Aardig van u dat u helemaal hiernaartoe gekomen bent. Hoe was New York? Warm en smerig, zoals altijd, neem ik aan.'

'Ja, u hebt gelijk,' zei Campbell. 'Mevrouw Fielding, ik...'

'Ik kom tegenwoordig nog amper in de stad.'

Hij aarzelde. 'Het spijt me dat ik zomaar kom binnenvallen. Ik heb wel aangebeld.'

'Zijn ze niet hilarisch?' grinnikte ze, nog steeds naar het scherm kijkend. 'Weet u, Lucy en Desi Arnaz waren goede vrienden van ons toen we na de oorlog in Los Angeles woonden. Dat was dikke pret.'

'Echt waar? Ik ben ook een groot fan.'

'Kwam u iets afgeven?'

'Nee, mevrouw. Ik heb een afspraak met Ed Lister. Ik vroeg me af of u hem pas nog hebt gezien?'

Met een geïrriteerd zuchtje richtte ze de afstandsbediening op de tv, zette het geluid uit, draaide zich om en keek hem met haar grijsgroene ogen aan. Ze was gekleed in een zwarte broek en een grijze, zijden blouse, en met haar korte haar dat met een parelmoeren clip opzij werd gehouden, zag ze er meisjesachtig uit. Hij schatte haar achter in de tachtig, breekbaar en duidelijk wat afwezig, maar ze liet de wereld zien dat ze in haar tijd een stoot was geweest.

'Wie zei u dat u was?'

'Campbell Armour, mevrouw. Ik werk voor hem.'

'O, oké... Eddie is even naar de stad om wat boodschappen te doen.

Hij zal zo wel terug zijn. U kunt hier wel wachten, als u wilt.'

'Dank u wel.' Campbell verborg zijn verbazing. 'Was Ed Lister hier gisteravond?'

Ze keek hem verbaasd aan. 'Ja, hij was hier. Waarom wilt u dat weten?'

'Gewoon... we lopen elkaar steeds mis.'

'Het was altijd al moeilijk om hem ergens aan te houden. Een sterke, aantrekkelijke man, maar hij kan ook stijfjes doen, op die Engelse manier.'

Hij knikte, maar zei niets. Alice had een directe, persoonlijke manier van benaderen die Campbell enigszins van zijn stuk bracht.

'En sinds de tragedie...' Ze zuchtte. 'Hij adoreerde haar gewoonweg.'

Zijn ogen schoten weg van de hare. 'Ja.'

Hij wilde Ed het voordeel van de twijfel geven. Maar nu zijn cliënt had toegegeven dat hij June Seaton had gekend, was alles veranderd. Waarom had Ed dat nu pas verteld? Hij moet zich toch gerealiseerd hebben op het moment dat het verband met Skylands was gelegd, dat het relevant was. Het feit dat hij haar kende wilde niet zeggen dat hij iets verkeerds had gedaan, maar de bewering van Ward dat Ed in het huis was geweest op de avond dat zijn ouders werden vermoord, werd wel minder onwaarschijnlijk.

Het was maar een kleine stap naar de speculatie dat Junes liefdesbrief aan Ed was geschreven en dat hij degene was geweest op wie ze verliefd was geworden, op dat feest in New York. En als Grace nu eens had gelogen, toen ze zei dat die onverzonden brief nooit gevonden was? Dat zou kunnen verklaren waarom ze met Ed Lister had gesproken, hier en in het huis van de oma van zijn vrouw, een paar dagen voor ze stierf. Het was het een-na-laatste telefoontje dat was gepleegd met haar mobiel.

Hoe meer hij erover nadacht, hoe slechter het er voor zijn cliënt uitzag. Campbell werd ineens onzeker.

'Wilt u misschien een glas wijn?' informeerde Alice. 'Ik neem er meestal eentje rond deze tijd.' Ze pakte de telefoon die naast haar lag en drukte op een voorkeurstoets. 'Het is nog maar de vraag of er iemand komt. Jesusita is nooit in de buurt als ik haar nodig heb.'

'Heel aardig van u. Maar als ik daar iets fris van mag maken...'

'Hij neemt een vriendin mee voor een etentje. Een speciale vriendin, hij wil dat ik die ontmoet.' Ineens leunde ze voorover en zei op zachte, vertrouwelijke toon: 'Hij vertelde me dat hij ontzettend verliefd op haar is.'

'Sorry... over wie hebben we het?'

335

'Wie denkt u? Eddie natuurlijk.'

'O, tuurlijk.' Hij knikte en probeerde zijn verbijstering niet te laten blijken.

'Ik geloof dat hij zei dat ze Laura heette.'

Campbell was nu de draad echt kwijt. 'U bedoelt zijn vrouw, Laura, uw kleindochter?'

'Nee, nee, nee, háár niet, sukkel. Haar ken ik.'

'Ik werk nog niet zo heel lang voor meneer Lister.'

'Dan snapt u er zeker niets van, hè?' vroeg ze duister. 'Of wel?'

Hij wist niet precies wat hij ermee aan moest, maar Campbell bleef knikken. Hij voelde dat zijn ogen afdwaalden naar een ingelijste foto van de Listers op de schoorsteenmantel. Een foto van het gelukkige gezinnetje van Ed en Laura en de kinderen toen ze nog jong waren, en de foto was waarschijnlijk hier gemaakt. Er waren meerdere foto's van Sophie toen ze wat ouder was, het leek wel een altaar op de schrijftafel. Op een ervan probeerde ze haar haar naar achteren, uit haar gezicht te houden op een winderige dag, lachend naar iemand achter de camera.

'Zo'n knap meisje, vindt u niet?' Alice Fielding zei het met een ondoorgrondelijke glimlach; ze had zijn ogen weg zien dwalen.

'Ik wilde net zeggen, mevrouw, dat er een grote familiegelijkenis is.'

Met een ongeduldig gebaar wuifde ze het compliment weg. 'Nou, ik neem aan dat het kind zichzelf een avond vrij heeft gegeven. Ze heeft een nieuw vriendje, Carlos, wat vind je daar nu van? Ze loopt permanent met haar hoofd in de wolken. Maar met een naam als Jesusita... een beetje té goddelijk, hè?'

Campbell wist niet of het een grapje was. 'Waar ik woon, in Ybor City, bij Tampa,' zei hij ernstig, 'is een grote Spaanse gemeenschap – het is daar een vrij normale naam.'

'Nou, vast wel, meneer... nu ben ik de draad en uw naam kwijt.' Ze lachte even sprankelend. 'Op mijn leeftijd vergeet je alles.'

'Campbell.'

'Campbell, zou je voor me naar de keuken willen gaan en de wijn willen pakken? Hij staat in de koelkast.'

Ik had geen kaartjes voor het ballet. Dat was iets wat ik op dat moment had bedacht, want ik wilde het meisje terugzien, wie ze dan ook mocht zijn.

Het was nogal een gedoe, en ja, het hielp dat ik geld had (ik hoefde niet lang na te denken over bijna tweeduizend dollar voor tickets die ik misschien niet eens zou gaan gebruiken), maar ik prees mezelf gelukkig dat ik op het laatste moment nog een Dress Circle-box kon krijgen voor een uitverkochte voorstelling. Het was verleidelijk om het als een gunstig voorteken te zien, terwijl ik op haar wachtte op de trappen van het Lincoln Center.

Ik was een uur te vroeg, ik bleef rondhangen voor aan de esplanade en hield het metrostation en de halte voor bussen en taxi's op Columbus Avenue in de gaten. Toen de schemering viel en het begin van de voorstelling steeds dichterbij kwam, wandelde ik ongeveer om de vijf minuten terug naar het plaza, tussen de mensenmassa's door die naar het Metropolitan Opera House liepen – voor het geval ze van een andere kant kwam.

Terwijl ik heen en weer liep onder de grote marmeren zuilengalerij en haar zocht tussen de mensen, kreeg ik het spannende gevoel van een eerste afspraakje. Ik kon er niets aan doen dat ik de kriebels in mijn buik voelde. Ik liep weer terug naar mijn oude plek op de trappen en hield het verkeer in de gaten, de lange streep achterlichten op Broadway.

Zelfs als ze kwam, zei ik tegen mezelf, en ik verwachtte dat zo langzamerhand niet meer, dan zou dat niets bewijzen.

De keuken, keurig en kraakhelder, zag er niet uit alsof er veel gekookt werd. Achterin was een ontbijtruimte die baadde in het avondlicht dat door de ramen die tot het plafond reikten naar binnen viel. Campbell liep ernaartoe, bekeek het uitzicht, en vroeg zich af of mevrouw Fielding wel echt zo warrig was als hij eerst gedacht had en of hij kon geloven wat ze over Ed Lister had verteld. Ze dacht dat hij ieder moment terug kon komen met de boodschappen, maar hij was waarschijnlijk allang vertrokken naar de stad.

Er lagen lange schaduwen over de lanen die aan de achterkant van het landgoed overgingen in een verwilderd gebied van moeras en drassige rietbedden. Op een bleke zandstrook die onder de kliffen begon en doorliep tot in het gouden bassin, zag hij silhouetten van waadvogels. In vlam gezet door de lage zon, leek de Hudson eerder op een meer of een binnenzee, dan op een rivier. Het was amper te geloven dat het centrum van Manhattan hier een halfuur vandaan lag.

Hij vond de glazen en zette die op een dienblad. Hij vulde een ijsemmer met ijs uit de volautomatische ijsautomaat en besloot dat hij nog een uur zou wachten om te zien of Ed nog opdook. Als het meisje weg was, zo vroeg hij zich af, wie verzorgde dan het eten voor de oude dame?

Een gesprekje met Jesusita zou zeer verhelderend kunnen zijn.

Pas toen hij de koelkastdeur dicht had gedaan, een fles chardonnay in de ene en een blikje Pepsi Light voor zichzelf in de andere hand, zag Campbell de magneetjes. Het waren de gebruikelijke magneetjes – beer met ballon, het Vrijheidsbeeld, een ouderwetse Coca-Colafles, een stuk watermeloen, de kleine zeemeermin... bij elkaar wel een stuk of twaalf. Een paar magneten hielden memo's vast, met telefoonnummers en er was er één met een kort boodschappenlijstje. Wat hem opviel was de manier waarop ze op de deur zaten. Ze hingen in het midden van de deur in een soort uitgerekte hartvorm of, vanuit een andere hoek, het logo van Nike – een vleugel van de Griekse godin van de overwinning.

Het leek hem niet iets wat mevrouw Fielding zou doen. Campbell vroeg zich af of Ed Lister het patroon had gemaakt. Het leek expres gemaakt, als een geheugensteuntje of een boodschap. Hij herinnerde zich dat Ed hem verteld had over het lijk in de koelkast in Florence... maar misschien draafde hij nu door. Hij besloot dat de vorm het meest op een hart leek en stelde zich Jesusita voor die over haar Carlos droomde. Hij was het alweer vergeten toen hij met het dienblad naar de serre liep.

'Daar ben je dan eindelijk, Eddie,' zei Alice Fielding. 'Jíj hebt Jesusita vanavond vrij gegeven. Ik weet het ineens weer.'

'Ik ben Campbell,' zei hij.

Om acht uur, de tijd waarop de voorstelling zou beginnen, was ze er nog steeds niet. Ik liep voor de laatste keer naar de lobby van het Metropolitan, die op een paar gehaaste laatkomers na leeg was.

Ik had geen reden om teleurgesteld te zijn, ze had zelf gezegd dat ze niet wist of ze het zou halen, maar toch voelde ik me in de steek gelaten en een beetje kwaad. Terwijl ik langzaam de trap af liep, maakte ik mijn das losser en knoopte ik mijn jasje open.

Ik gaf haar nog vijf minuten. Dat werden er tien. Ik legde me er uiteindelijk bij neer dat ze niet meer zou komen en liep verder naar beneden, de straat op, en zocht een taxi om me naar het hotel te brengen. Een ouder echtpaar had de eerste taxi. Uit de tweede stapte iemand uit toen ik ernaartoe liep. Ik stak een hand omhoog om de aandacht van de chauffeur te trekken. Zij was de passagier.

Ik herkende haar een paar seconden voordat ze me zag. Ik zal niet zeggen dat mijn polsslag versnelde of mijn hart een slag oversloeg. Ik voelde me vooral geïrriteerd toen ik toekeek hoe ze in haar tas naar geld zocht, maar ik stapte naar voren en gaf de chauffeur een paar bankbiljetten. Ze draaide zich om en met een gekweld 'ik weet het, ik wéét het... ik ben te laat' keek ze me beschuldigend aan, alsof het mijn schuld was dat ze te laat was.

Ik maakte een geluid, iets tussen een lach en een hik in, dat maskeerde mijn gevoel van verbazing – ze zag er oogverblindend mooi uit – en mijn opluchting, want nu wist ik zeker dat het Jelly was.

'Waar bleef je, verdomme?' vroeg ik.

'Ik ben er nu toch!'

DEEL 4

Gilmans Landing

62

Het was nu na achten, donker buiten, en niemand te zien.

Campbell stond op van achter de tafel in de serre waar hij zijn laptop op had gezet en liep naar de keuken voor een nieuw koud drankje. Mevrouw Fielding had hem gezegd te doen alsof hij thuis was voor ze boven een dutje ging doen. Ze hield nog steeds vol dat Eddie ieder moment terug kon komen uit het dorp. Dat was meer dan een uur geleden.

Hij liep terug naar zijn laptop, nam een slok Pepsi Light en keek naar het scherm. Hij scrolde terug en herlas hun laatste gesprek – waarin 'Adorablejoker' beleefd tegen 'Templedog' zegt dat het voorbij is, dat er iemand anders is; en waarin hij niet echt luisterde, weigerde om haar nee te accepteren. Ze hield vol, maakte hem duidelijk dat ze niet 'verliefd' op hem was, en nooit was geweest, maar hij wilde of kon dat niet inzien.

'Ik weet dat je hetzelfde voelt... alleen weet jij het nog niet.'

De eerste waarschuwingssignalen.

Het meisje leek gereserveerd, steeds minder bereid om te praten, wat hem steeds vasthoudender maakte. De toon van zijn e-mails en berichten veranderde, was niet meteen dreigend, maar wel griezelig vasthoudend; en uit de irrationele, hoopvolle nadruk die hij in elk woord legde dat hij naar 'Jelly' schreef, iedere gedachte die hij met haar deelde, sprak opgekropte agressie. Het klassieke stalkingscenario van de 'man die het niet kan loslaten'.

Campbell had het allemaal al eerder gezien. Hij zette zijn bril af, wreef in zijn ogen en rolde het koude blikje cola over zijn wenkbrauwen.

Hij had het spul toevallig gevonden. Toen hij eerder door het huis was gelopen, was hij in de studeerkamer terechtgekomen en uit professionele nieuwsgierigheid had hij het bureau geïnspecteerd. In een onafgesloten la vond hij een hele stapel cd's, grotendeels handelscorrespondentie, met de naam Ed Lister op sommige bestanden. Het was geen verrassing dat Ed de zaken van de oude vrouw behartigde. Een van de cd's viel hem op.

Onder het kopje 'verzekering' stond een tweede titel 'bewaren'. Misschien had hij het niet moeten doen, maar hij was zo nieuwsgierig dat hij zijn laptop opstartte en de map opende. Toen het tot Campbell doordrong wat hij gevonden had, downloadde hij de bestanden, legde de cd keurig terug waar hij hem had gevonden en nam zijn laptop mee naar de serre.

Voor het geval mevrouw Fielding gelijk had en Ed nog zou komen. Vanaf de plek waar hij zat kon hij de lampen van een auto zien die over de oprijlaan reed.

De afgelopen vijf kwartier had hij een kroniek van een cyberrelatie gelezen, waar het niet goed mee ging – bijna tweehonderd gesprekken, berichten en e-mails in een periode van zes maanden, vanaf het moment dat Ed en de vrouw elkaar online ontmoet hadden tot een paar dagen geleden, toen hij in New York was. Nu begreep hij waarom zijn cliënt zijn laptop niet aan de politie had willen overdragen. Waarom hij zo vernietigend had gesproken over het profiel dat hij had opgesteld van Sophies moordenaar als 'iemand die door liefde was geobsedeerd'. Waarom hij geen haast had gehad om hem te ontmoeten.

Hij probeerde weer Eds mobiel te bellen, maar die stond nog steeds uit. Hij besloot te wachten tot de oude vrouw weer beneden was en dan een taxi te bellen die hem naar New York kon brengen. Hij dacht erover om Kira te bellen, gewoon om haar te zeggen dat hij van haar hield, maar besloot dat pas te doen als hij hier klaar was.

Campbell had geen scrupules wat betreft het lezen van Ed en Jelly's geheime geschiedenis. Het was net alsof hij een pak oude brieven op zolder had ontdekt. Soms dacht Campbell dat hij de taal die Ed gebruikte pas geleden al eens eerder had gezien. Hij vergeleek het met de gesprekken in de tekst van Wards webcast, maar vond geen verband. Zoekend naar de levendige, onsamenhangende tekenen van synesthesie die dr. Derwent had gedefinieerd, keek hij Eds documenten na op 'woorden van een ijzeren vorm' en andere voorbeelden van Ernest Seatons ongewone aandoening. Maar hij vond niets.

Hij was opgelucht, maar niet verbaasd. Over de mogelijkheid dat zijn cliënt en Ward dezelfde persoon zouden kunnen zijn, had Campbell al eerder nagedacht, maar hij had dit al aan het begin van zijn onderzoek verworpen. Hij had de verkeerde leeftijd, verkeerde nationaliteit, verkeerde achtergrond en was niet zo handig met IT. En bovendien, als Ed Lister Ward zou zijn, waarom had hij hem dan ingehuurd? En wat betreft de moord op Sam Metcalf: Ed had nooit in die trein kunnen zitten.

En Sophie, zijn eigen dochter? Onmogelijk.

Of zijn cliënt werd er ingeluisd, of de verbanden tussen de dingen waren niet wat ze leken. Zelfs nadat hij de verraderlijke correspondentie had gelezen, vond Campbell het moeilijk om aan te nemen dat Ed Lister een stalker was.

En toen vond hij de brief.

Hij zocht naar mappen met plaatjesbestanden, voor het geval Ed de foto van de vrouw ergens anders op de schijf had opgeborgen en vond toen een jpeg-bestand genaamd 'Casebow'. En weer gebeurde het bijna toevallig, alhoewel hij deze keer zeker wist dat het de bedoeling was dat iemand dit bestand zou vinden en openen.

Het bevatte één gescande afdruk van de brief van 29 juli 1979, die June Seaton aan haar minnaar schreef, maar nooit verstuurde.

Allerliefste lieveling,
We kunnen niet langer wachten. Ik ben zo bang dat ik mijn gevoelens niet meer kan verbergen en dat hij het dan weet. Gisteren, toen we spraken over het lot dat ons samenbrengt, ontstaken jouw woorden een vuur in mijn hart dat nooit zal doven. Ik realiseerde me toen dat jij de andere helft van mij bent en – ja, mijn lieveling – ik ben de jouwe.

Hij zag June Seaton voor zich, huilend en doodsbang, die gedwongen werd dit stuk hardop aan haar dronken echtgenoot voor te lezen.

Het voelt alsof ik je altijd gekend heb, Eddie, maar nu we elkaar gevonden hebben, moeten we niet aarzelen. De jongen voelt al dat er veranderingen aankomen. Je had gelijk toen je (onleesbaar woord) dat als we geen risico's in het leven nemen, de prijs soms veel hoger kan zijn. Ik begrijp dat nu.

Ik ga hem verlaten. Kom vanavond, June

De brief, geschreven op blauw briefpapier van Skylands in een achteroverhellend vrouwelijk handschrift, leek authentiek, met gepassioneerde onderstrepingen, doorhalingen, inktvlekken en mogelijk bloedvlekken. De brief bewees niet dat Ed Lister de minnaar van June Seaton was geweest of dat hij die avond in het huis was geweest, of dat hij de moordenaar was. Maar alles wees in een bepaalde richting.

Wat Campbell zich afvroeg, was hoe Ed aan een kopie van de brief kwam die hij nooit ontvangen had. Had hij het origineel op de plaats delict gevonden, jaren geleden, en hem meegenomen? Of had Grace Wilkes hem al die tijd in haar bezit gehad? Hij had kunnen begrijpen dat hij hem had willen vernietigen als zijnde belastend bewijs, maar waarom zou hij een kopie bewaren? En die vervolgens rond laten slingeren? Iedere vraag leidde naar drie nieuwe vragen. Er waren veel te veel variabelen.

Toch waren er overduidelijke overeenkomsten tussen wat June Seaton beweerde dat Ed tegen haar gezegd had in 1979 en de evangelische toon die hij gebruikte tegenover het meisje, 'Jelena', toen hij haar vertelde over zijn liefde voor haar. Op een bepaald punt zelfs woord voor woord. *'Als we geen risico's nemen in het leven, kan de prijs soms veel hoger zijn...'*

Jezus. Campbell veegde het zweet van zijn gezicht.

Alles in de 'bewaren'-map wees erop dat Ed Lister gestalkt had en mogelijk vroeger gemoord had. Hij dacht aan Jelly en vroeg zich af of ze enig idee had hoe groot het gevaar was waarin ze verkeerde – het was bijna standaard dat zodra een slachtoffer en een stalker eenmaal een relatie hadden, geweld hiervan het gevolg was.

Maar zat hij op het juiste spoor? Er kon geknoeid zijn met het bewijs – het kon allemaal geconstrueerd zijn. En waar bleef Ernest Seaton in dit geheel? Campbell wist dat hij moest waken voor de voor de hand liggende interpretatie, dat hij trouw moest blijven aan zijn eigen mantra: online is niets, maar dan ook niets, wat het lijkt.

Hij wreef over de brug van zijn neus. Zijn ogen waren moe. Hij had ze graag even gesloten, een dutje gedaan Dit herinnerde hem eraan dat hij geen slaapplek in New York geregeld had. Alert blijven.

Terwijl hij stap voor stap de 'liefdesgeschiedenis' ontrafelde, had hij glimpen opgevangen van een cyberstalker aan het werk, maar niets duidde erop dat Ed informatie over zijn slachtoffer had verzameld – gewoonlijk een bewijs van obsessief gedrag. Jelly's persoonlijke gegevens waren heel makkelijk te vinden zonder dat ze daarachter kwam. Hij had een foto van haar, hij wist hoe ze eruitzag. Toch zou Campbell hebben verwacht dat hij meer vragen had gesteld over haar leven, werk, vrienden, activiteiten naast hun relatie – hij had interesse in haar muzikale talent en bood aan haar te helpen met haar studie in Parijs, maar vroeg niet eens naar haar echte naam.

Ed leek meer dan tevreden om het bij een online vriendschap te laten, veilig gescheiden van zijn echte leven. Hij realiseert zich niet dat hij haar in zijn leven laat, tot het moment dat hij haar dreigt te verliezen en dan...boem, wordt hij tot over zijn oren verliefd. Zij wijst hem af en dan, ineens, is hij geobsedeerd, kan hij niet zonder haar leven – *tenminste, dat staat in de Templedog-bestanden* – dus gaat hij naar New York om de vrouw te zoeken, haar op te sporen... en dan wat? Haar te doden?

Ineens valt hem in dat Ernest Seaton hem misschien allang probeerde te waarschuwen voor zijn cliënt. Dat zou verklaren waarom Skylands in beeld kwam, waarom de zoon hem wilde laten zien dat Ed Lister zijn moeder had vermoord – en op het punt stond nóg een moord te plegen.

Het kon een verlate vorm van wraak zijn.

Campbell stond op en liep naar het raam.

Hij hoorde een geluid, iets lichts schrapends, vanaf het terras. Hij stak een hand omhoog tegen de reflectie van de kamer in het glas en tuurde naar buiten, maar het was veel te donker om iets te zien. Een wasbeer waarschijnlijk. Hij werd wat ongedurig van het idee dat Ed Lister nog steeds langs kon komen.

En hij bedacht nog iets anders: als wat hij zojuist gevonden had over zijn cliënt maar voor de helft waar was, dan kon hij het vergeten dat hij betaald zou worden, laat staan dat hij zijn bonus zou krijgen.

Hij was zojuist overbodig geworden.

Hij liep weer naar de tafel, ging online en surfte vlug naar de homebeforedark-website. Hij tikte het wachtwoord in en zodra de afbeeldingen geladen waren, stond hij op de donkere veranda van het virtuele huis.

Er brandde licht in het huis. Terwijl hij wachtte tot 'mevrouw Danvers' naar buiten kwam, herinnerde hij zich de arme Grace Wilkes die met een opengespleten schedel in de stoel in de televisiekamer zat. Toen het figuurtje niet kwam, liep hij alleen over het donkere pad door de bossen naar het kerkhof.

Het was een maanloze nacht. Geen uil te horen. Zonder zaklantaarn kon hij alleen vaag de pijlvormige pijnbomen zien en het gietijzeren, sierlijk bewerkte hek rond het kerkhof, maar niet de graven. Terwijl hij tussen de bomen door achteromkeek naar Skylands, leek het huis lichter, leek het op te lichten als een schip op zee. Toen zag hij rook kringelen uit een bovenraam en het volgende moment likten er oranje vlammen aan het dak. Binnen enkele seconden had het vuur zich verspreid en stond het hele huis in lichterlaaie. Campbell realiseerde zich meteen dat hij niet alleen getuige was van een gesimuleerde ramp, maar dat de verholen zelfvernietiging van Skylands betekende dat de van moorden vergeven website eindelijk het eind van zijn bruikbare leven had bereikt.

Ward hield ermee op.

Met een angstig voorgevoel bewoog de detective zijn cursor van het brandende huis naar het kerkhof in de bossen. In het spookachtige, flikkerende licht van het vuur zag hij zijn angst bevestigd.

Op de derde zerk was een naam verschenen.

JELENA MADISON SEJOUR

Haar data stonden er nog niet in gehakt en het graf was nog open. Maar voor hoe lang? Hij had net zijn looncheque in rook zien opgaan en wist wat dat voor zijn eigen toekomst betekende; maar Campbell kon niet achteroverleunen en deze voorspelling laten uitkomen.

Hij moest die vrouw vinden voor Ed Lister dat deed, anders ging ze de grond in.

Een vrouw die iedereen kon zijn en overal kon wezen.

63

'Vroeger was je iemand anders,' zei ik. 'Dat maakt het gemakkelijker.'

Ze nam een slok wijn en keek me over de rand van het glas heen aan. 'Wist je het echt niet?'

'Ik wist het niet zeker. Niet tot ik je uit de taxi zag stappen.'

'Sorry.'

'Geeft niet. Ik had een gezellige lunch met de persoon op jouw foto.' Jelly glimlachte. 'Ik was je niet aan het natrekken, weet je.'

'Het is goed, ook als je dat wel deed. We ontmoetten elkaar als totale vreemden... nou ja, misschien was jij toen licht in het voordeel.'

'Het was voor mij de enige manier om ermee door te kunnen gaan.'

'Ik begrijp het. Ik ben blij dat je van gedachten bent veranderd.'

'Onze zielen hadden elkaar al ontmoet.'

'Wat?'

Ze lachte. 'Dat zeggen mensen die elkaar online hebben leren kennen voor ze elkaar in het echt ontmoeten. Je weet wel, dat hun relatie van binnen naar buiten groeit.'

'Het lijkt me dat dat tot een heleboel teleurstellingen leidt.'

'Ben jij teleurgesteld?'

'Nog niet.'

Ze trok een gezicht en stak haar tong uit – ik zag het glinsterende puntje en voelde ineens een steek van verlangen. 'Nou, dat zal dan niet lang meer duren.'

Ik vroeg me af of Jelly dat echt meende, of dat ze me plaagde. Ze moest weten dat het, in potentie, een gevaarlijke uitspraak was.

Ik keek naar haar over de smalle tafel die door een kaars verlicht werd. We zaten in een restaurant in de binnenstad, dat de reputatie had het beste Italiaanse eten van New York te serveren – niet dat ik me kan herinneren wat we aten. Ik kon mijn ogen niet van haar afhouden. Ik probeerde het niet al te zeer te laten opvallen door mijn blik niet op haar gezicht te vestigen, maar op een schouder of een blote arm, haar handen, haar prachtige lange vingers, haar keel. De hele avond bracht haar fysieke aanwezigheid me, laten we zeggen, van mijn stuk.

Ik probeer dit verslag sober en kort te houden. Twee uur naast haar zitten en in het donker naar Tjsaikovski luisteren had de temperatuur doen stijgen.

Ze droeg een tweedehandsjurk van zwarte tule – een ironische verwijzing naar het ballet, vermoedde ik – handig opgesmukt met andere goedkope kledingstukken en sieraden, allemaal in de kleuren zwart en roze, zodat ze er tegelijkertijd modern en ouderwets uitzag. Ze had er de bouw en de uitstraling voor. Haar haar was één krullerige massa. Het resultaat was origineel en uiterst charmant.

'Ik weet niet meer wat je denkt.'

'Ach, laat die vroegere helderziendheid je in de steek?' Ik glimlachte. 'Ik dacht dat als ik je haar zou aanraken, ik een elektrische schok zou krijgen.'

'Nee, definitief afgelopen. Toen we online waren wist ik altijd wat je dacht.'

'Net als blinde mensen die hun zicht terugkrijgen. Hun andere zintuigen, die sterker waren om te compenseren, worden weer normaal.'

'Meen je dat?'

Ik haalde mijn schouders op en raakte ineens haar hand aan. We kregen beiden een schok. Als we niet meer konden aanvoelen wat de ander dacht of zou gaan zeggen, alsof we in elkaars hoofd zaten, dan was er iets anders voor in de plaats gekomen. Een gevoel van verbondenheid dat we volgens mij allebei nogal overdonderend vonden.

We hoefden er weinig moeite voor te doen. We deden alsof we elkaar al jaren kenden, gingen verder met een gesprek dat al eeuwen duurde. We hadden het onder andere over muziek en haar plaats op het Conservatoire in Parijs (wat dat betreft was er nog steeds weerstand) en natuurlijk over Sophie. Ze vroeg me of ze degene die haar en die arme vrouwen in de trein vermoord had al gepakt hadden. Ik zei: nee, nog niet.

Ze begreep dat ik het daar niet over wilde hebben en we gingen over op een ander onderwerp.

'Je werkt niet in een crèche?'

'Nee.'

'Je woont niet in Brooklyn?'

Ze schudde haar hoofd. 'Manhattan. Ik heb een saai baantje als telefoniste bij een kantoor in Flatbush. Mijn moeder woont daar in de buurt.'

'Waarom heb je over die dingen gelogen?'

'Waarom denk je? Ik wilde niet dat je me zou vinden.'

Daar dacht ik even over na en toen zei ik: 'Als je me vanochtend niet gebeld had, had ik niet meer naar je gezocht. Dan had ik het opgegeven.'

'Weet je dat zeker, meneertje?'

'Nou, niet echt. Nu ik hier met jou zit, is het onmogelijk om me dat voor te stellen... Jelly, jij bent hiervoor verantwoordelijk.'

Ze lachte. 'Laten we zeggen dat we naar elkaar toe getrokken werden.'

Weer trok er een rilling door me heen. Toen ik naar haar keek, dwong ik mezelf om bepaalde gedachten niet toe te laten – de chemie was er en spatte eraf, maar ik werd weerhouden door haar ingetogenheid, haar ernst. Ze had al gezegd dat er niets zou gebeuren en ik geloofde dat ze dat meende.

En toch was zij degene die steeds op dat onderwerp terugkwam.

'Het was voorbestemd dat we elkaar zouden vinden,' zei ik.

Campbell Armour legde de telefoon neer en luisterde.

Hij hoorde iets, boven, misschien was de oude vrouw wakker geworden. Als ze beneden kwam, zou hij haar bedanken voor haar gastvrijheid, haar vragen of ze tegen Ed wilde zeggen dat hij contact met hem op moest nemen als hij nog mocht komen – en dan was hij weg.

Hij pakte de hoorn en belde weer naar de mobiel van zijn cliënt. De receptionist van hotel Carlyle had hem verteld dat meneer Lister die avond uit was – hij dacht dat hij kaartjes voor het theater had – wat zou verklaren waarom hij hem zo lang niet kon bereiken. Zijn mobiel stond nog steeds uit. Hij liet weer een boodschap achter.

Hij klapte zijn laptop dicht en liep naar de keuken. Hij gooide zijn lege blikjes in de vuilnisbak en zocht naar het nummer van een plaatselijk taxibedrijf op de koelkastdeur toen er een flard harde salsamuziek vanaf de bovenverdieping de keuken binnendreef. Het klonk niet als de muziekkeuze van mevrouw Fielding.

Hij liep naar de keukendeur. Achter de ontbijthoek liep een gangetje onder een boog door naar de achterdeur. Aan zijn linkerhand waren twee binnendeuren. De eerste kwam uit in de garage – hij zag een stationcar onder een dekzeil en een lege plek voor een andere auto, met een stoffige tennisbal aan een touwtje als parkeerhulp. Hij herinnerde zich dat mevrouw Fielding had gezegd dat de hulp, Jesusita, haar boodschappenauto mocht gebruiken.

De tweede deur onthulde een smalle, houten trap. Hij knipte het licht aan. Terwijl hij naar boven liep, werd de muziek harder. Hij dacht Charlie Cruz of Tito Puente.

Boven aan de trap stond Campbell stil met zijn hand op de leuning en riep: hallo. De deur voor hem stond een paar centimeter open. Hij kon een poot van een bed zien, maar de kamer was verder donker.

De muziek maakte plaats voor een zachte mannenstem. Hij schrok ervan tot hij begreep dat het een reclame was. Hij riep weer, deze keer in het Spaans; daarna klopte hij op de deur en duwde die verder open. Campbell deed ook hier het licht aan en liep naar het nachtkastje. De radiowekker, afgestemd op WPAT AMOR, een 24 uurszender met latinomuziek, stond op 07.30 uur. Hij drukte op de snoozeknop, de irritante herrie hield op en de nummers op het rode display knipperden niet meer. Hij vroeg zich af waar Jesusita zat.

Afgezien van het onopgemaakte bed was de kamer keurig opgeruimd. Een zwartfluwelen schilderij van de maagd Maria in een tropische wildernis hing boven het bed en was de enige muurversiering. Er stonden een paar persoonlijke dingen: knuffels, een kleine kentekenplaat met JESUSITA in grote letters dwars over het logo van New Jersey, Garden State en make-up en toiletartikelen op de toilettafel en in de badkamer. Opmerkelijk genoeg geen foto's. Hij had er een aantal verwacht van haar familie in Guatemala of zoiets – misschien een van Carlos. Het witte uniform van een dienstmeisje, een witte panty en een slip lagen opgevouwen klaar op een stoel, er stonden witte schoenen onder.

Hij bekeek haar bescheiden stapeltje cd's. Campbell wist niet precies wat hij hier zocht. Hij duwde de louvredeuren van een kast open en rook een vleugje jasmijn dat een oude zweetlucht maskeerde. Er hing een ochtendjas in, een paar gestreken blouses en een spijkerbroek. Een stapel vuile kleren lag in een hoek en liet een wat mindere kant van Jesusita zien.

De rest van de hangruimte werd ingenomen door een aantal oude pakken en jurken in dichtgeritste kledingzakken, die wellicht van meneer en mevrouw Fielding waren. Hij duwde ze aan de kant en zag onder in de kast, half onder een deken, een zwarte rugzak. Campbell voelde zijn maag ineenkrimpen.

Hij herinnerde zich het verhaal van zijn cliënt over Sam Metcalf die wist dat ze gevolgd werd door Europa en haar ongrijpbare schaduw had willen fotograferen. Campbell had de resultaten niet zelf gezien. Voor hij de kans had gekregen waren ze van de website van het slachtoffer verwijderd, maar volgens Ed Lister stond op alle drie de foto's een zwarte rugzak.

Hij trok de rugzak aan zijn riemen naar buiten; het was een Berghaus-rugzak, halfvol, zwaarder dan hij gedacht had. Hij had zo'n zelfde rugzak, alleen dan van Tekbag USA, met een speciaal gevoerd vak voor een laptop. Hij keek eerst in het zijvak. In dat vak zaten een oplaadsnoer voor een mobiel en, verstopt binnen in het vak, een adreskaartje.

DAVID MALLET, PO BOX 117,
RAPIDS CITY, SOUTH DAKOTA.

Campbell fronste zijn wenkbrauwen. Als de rugzak van Sams moorde-naar was, dan waren de naam en het adres waarschijnlijk vals, maar de keuze 'Mallet' was interessant. Het was een van de standaardnamen in de 'Alice and Bob'-*dramatis personae* – archetypische personages die voor de duidelijkheid worden gebruikt in cryptografische protocollen en computerbeveiliging in plaats van letters van het alfabet. Mallet, beter bekend als Mallory, is in deze rolverdeling de slechte en actieve aanvaller. Mallet kan berichten wijzigen en net doen alsof berichten van iemand anders komen. Een computersysteem beveiligen tegen Mallet is de ultieme uitdaging.

Een hacker als Ward zou deze naam nooit als een alias kiezen zonder de betekenis te kennen. Het was het soort grap waar hij van leek te houden. Maar als de rugzak van hem was, wat deed die dan in de kast van een dienstmeisje in La Rochelle? Campbell haalde het kaartje uit het plastic. Op de achterkant stond het adres van het kantoor van Ed Lister in Parijs.

Ineens wist hij het niet meer. Hij werd bijna panisch.

Het was al in hem opgekomen dat de online gesprekken die hij had gelezen tussen zijn cliënt en 'Jelly' misschien niet veilig waren. Het was simpel voor Ward om ze zo te veranderen dat het leek alsof Ed de vrouw stalkte. Maar dat betekende niet dat hij haar níét stalkte of dat ze niet in gevaar was.

Hij ging op de grond zitten en dacht na. Rapids City, South Dakota... Mount Rushmore. Misschien een plagerige verwijzing van Ward naar Hitchcock? De film *North by Northwest* ging over een geval van verwarde identiteit, een man werd abusievelijk verdacht van en opgesloten voor iets wat hij niet gedaan had. Of leek dat alleen maar zo?

Hij wist verdomme niet naar wie of wat hij moest zoeken. Hij was bang, niet alleen voor de vrouw, maar ook voor zichzelf. Toen hij het touwtje aan de bovenkant van de rugzak losmaakte, trilde zijn mobiel tegen zijn heup.

Kira zei: 'Hoor eens, sorry dat ik daarnet opgehangen heb.'

'Hééé!' Hij lachte opgelucht hardop, de warmte van haar stem zo vlak bij zijn oor was bijna voelbaar. 'Ik wilde jou net bellen.'

'Waar ben je? Zeg alsjeblieft het vliegveld.'

Hij schraapte zijn keel. 'Dit ga je niet geloven...'

De lampen van een auto kwamen de heuvel af en flikkerden door het raam. Hij stond op om te kijken of ze de oprijlaan op zouden draaien, maar de lichtstralen bogen af naar het zuiden, weg van La Rochelle.

Campbell bedacht dat hij nog geen taxi had gebeld.

Ze praatten zo'n twintig minuten, grotendeels over de zaak. Kira had hem op rustige toon verteld dat ze het wel over het geld zouden hebben als hij weer thuis was. Terwijl hij probeerde uit te leggen waarom hij het spoor naar Gilmans Landing had gevolgd in plaats van de politie te bellen – ze geloofde het niet helemaal – bekeek hij de inhoud van de rugzak.

Er zat niet veel interessants in. Een lichtblauw geruit overhemd, schoon ondergoed, sokken, een paar oude Adidas-gympen, maat 44, en twee boeken – een paperback van Thoreaus *Walden* en een gebonden exemplaar van *The Leopard* van Giuseppe de Lampedusa. Op het schutblad van de roman stond een ex libris van Greenside, het huis van Ed Lister in Wiltshire.

Hij vroeg Kira om haar psychologische visie, waardoor het gesprek op motieven kwam. Ze legde hem net uit dat wraakfantasieën vaak een donkere waarheid verbergen, toen Campbell haar onderbrak en vroeg om even te wachten. Onder uit de rugzak haalde hij een langwerpige doos die in een plastic tasje van Bowery Kitchen Supplies zat, een kookwinkel op West 16th Street. Zijn oog viel op de beschrijving op het label.

'*Gesmeed uit één enkel stuk hoogwaardig staal, geeft de 30 cm lange welving van het snijblad de vorm van de maan halverwege zijn cyclus weer...*'

De platte, witte doos voelde zwaar aan. Hij scheurde het pak open. Er zat een nieuwe mezzaluna in, nog in het plastic.

'Jezus,' hijgde hij. 'O, jezus.'

Het was een exacte kopie van het wapen waarmee June Seaton was vermoord.

'Wat is er?'

Hij gaf geen antwoord. In de verte hoorde hij een truck schakelen.

'Wat is er... Campbell?'

'Niets, lieverd.'

'Waarom zei je dat dan?' vroeg Kira, 'Campbell, ik ken je. Ik heb hier echt een heel slecht gevoel over. Alsjeblieft...'

'Rustig maar.' Hij lachte terwijl hij het deksel dichtduwde. 'Vertel eens, hoe was jóúw dag?' zei hij, hoewel hij voelde dat hij haast moest maken.

Met zijn mobiel tussen kin en schouder geklemd propte hij de doos met de mezzaluna en de rest terug in de rugzak, hij gespte de hoofdvakken dicht, gooide hem onder in de kast en sloot de deuren.

Hij was opgelucht dat het mes er nog was. Het was in ieder geval nog niet gebruikt. Degene die het gekocht had, was er duidelijk meer mee van plan dan kruiden fijnhakken.

Hij knipte het licht uit en liep de trap af. Hij was ongeveer halverwege, nog steeds met zijn vrouw aan zijn oor, toen hij de voordeur hoorde.

'Lieverd, ik moet nu hangen. Geef Amy een zoen van me. Ik hou van je.'

'Waarom fluister je?'

Hij klapte zijn mobiel dicht en stond stil, luisterde. Een andere deur sloeg dicht, er klonk het geluid van boodschappentassen en een mannenstem die van beneden riep.

'Oma, ik ben er weer.' Hij wist niet of hij opgelucht moest zijn.

Toen hoorde hij voetstappen naar de voorkant van het huis komen, gevolgd door zachte stemmen. Campbell stelde zich voor hoe de oude vrouw Ed Lister vertelde dat ze bezoek had. Hij dacht erover om de achterdeur uit te glippen.

Terwijl hij op zijn tenen door het gangetje bij de keuken naar de buitendeur sloop, bedacht hij dat zijn laptop en sporttas nog in de voorkamer stonden.

'Campbell?'

Hij verstijfde en draaide zich toen langzaam om.

De persoon die naar hem glimlachte alsof ze elkaar kenden, had hij nog nooit gezien. Hij zag een flits van verbazing in de ogen van de onbekende, maar die verdween snel. Een jong, open gezicht, vriendelijk en aangenaam.

'Weggaan zonder gedag te zeggen?'

64

'Wat zou je zeggen als ik je vertelde dat ik loog toen ik zei dat ik met m'n ex naar bed ben geweest?'

'Ik weet het niet. Ik bedoel, in hemelsnaam, Jelly, ik geloofde je op je woord.'

'Nou ja... dat was ook zo'n beetje de bedoeling.'

'Ja, maar waarom zou je over zoiets liegen?'

Ze glimlachte langzaam, alsof ze geamuseerd was door mijn onschuld. Ze had een heerlijk trage, blije glimlach die moeilijk te weerstaan was.

'Over vrijen met Guy?'

'Is Guy je vroegere minnaar? Je hebt zijn naam nooit genoemd.'

'Guy Mallory.'

'Oké, dus je bent niet naar bed geweest met Guy. Ook niet bijna? Ik bedoel, was er een situatie waarin je het had kunnen doen, maar niet deed?'

'Ik heb hem gezegd dat ik verliefd was op iemand anders.'

Ik voelde het bonken in mijn borst. 'Iemand anders. Ik begrijp het...'

'Ja.'

'Ik moet dit even verwerken.'

'En dit is niet het enige waarover ik tegen je gelogen heb.'

'Nee, ik denk dat ik dat nu wel weet.'

'Voel je je wel goed?'

'Ik weet het niet.'

'Ik wil je iets vragen.'

'Kan het niet wachten?'

Ze schudde haar hoofd. 'Nee, het is de reden waarom ik hier ben, Ed. Ik kon je niet laten gaan zonder dat je zou weten hoe ik me voel door jou. Meende je die gekke dingen die je schreef echt?'

'Waar heb je het over?'

Ze sloeg haar ogen neer. 'Je laatste e-mail. Je zei dat als we elkaar niet zouden ontmoeten, het net zou zijn alsof we de reden waarom we op deze wereld zijn zouden ontkennen... maar dat je, wat er ook gebeurde, altijd van mij zou blijven houden.'

Ik was een beetje verbaasd omdat mijn laatste e-mail bij mijn weten een emotioneel maar kort berichtje was geweest, en zei: 'Ik meende ieder woord.'

Er was echt niets anders wat ik kon zeggen. Ik kon haar moeilijk zeggen dat ik het vermoeden had dat Ward mijn berichten onderschept had en er veranderingen in had aangebracht.

'Voel je dat nog steeds zo? Nu je de kans hebt gehad om de koopwaar te inspecteren?'

'Ik wou dat we nu alleen waren.'

'Nou, ik ook.'

Ze zette haar elleboog op tafel en liet haar wang op haar hand rusten, haar hoofd naar één kant gedraaid zodat ze me in de ogen kon kijken. Haar donkere, stralende ogen stonden schuin, en hadden een goudeerlijke blik die we allemaal ten minste eens in ons leven willen zien. Ik wilde haar kussen.

'Dit voelt goed, toch... Jelly?' Ik kon de woorden nauwelijks uitspreken.

'Ja, dat is zo.'

Er viel een stilte die het hele restaurant wel moet hebben gehoord, want het leek eventjes alsof iedereen stil was geworden.

'Kun je niet iets zeggen... een grap vertellen of zoiets?'

'Ik denk dat we nu weg moeten gaan. Ik moet naar huis.'

'Nee, wacht, ik ben alleen... ik probeer me aan te passen aan de nieuwe realiteit... Ik bedoel, dit heb ik altijd geweten. Ik wist dat je hetzelfde voelde.'

'Ik heb over Guy gelogen om je op een afstand te houden,' zei ze zacht maar duidelijk. 'Want je was... de hele situatie liep uit de hand. Ik vond gewoon dat ik er een einde aan moest maken.'

'En kijk eens wat er gebeurd is.'

Ik glimlachte en stak mijn hand over de tafel heen uit naar de hare.

'Ja,' zei ze en ze trok haar hand weg. 'Maar dat betekent niet dat iets verkeerds goed wordt. Er is niets veranderd. Je bent nog altijd getrouwd. Je hebt nog altijd een gezin, Ed. Wat mij betreft ben je niet beschikbaar.'

'Omstandigheden veranderen.'

Haar ogen vulden zich met tranen. 'Nee, dat is verdomme niet zo.'

'Ik kan je niet laten gaan,' zei ik.

'Weet je, heel even dacht ik dat jij hem was,' zei Campbell, terwijl hij de vreemde man volgde naar de keuken en een verhaal ophing over hoe hij geregeld had om zijn cliënt hier, in La Rochelle, te treffen.

'Mevrouw Fielding heeft me verteld dat ze Ed hier nu ieder moment verwacht.'

Ward wachtte beleefd tot hij uitgepraat was en keek toen op zijn horloge. 'Ed Lister is in New York. Het wordt wat laat, vriend. Ik betwijfel of hij vanavond nog komt.'

'New York?' echode Campbell. 'Ze zei dat ik hier wel kon wachten tot hij terug zou zijn, maar ik moet zeggen dat ik me al begon af te vragen of dat nog wel zou gebeuren.'

'Ze heeft een ruime opvatting van tijd.'

Het lukte hem om te glimlachen. 'Eerlijk gezegd heb ik al een taxi gebeld, zo'n kwartier geleden. Ik ging net naar buiten om te kijken of hij al kwam.'

'We horen het wel als hij komt. Ze toeteren altijd. Ik ben trouwens Guy. Kan ik een biertje voor je halen of zo, terwijl we wachten?'

Hij deed de koelkastdeur open en hield een paar Millers omhoog.

'Voor mij niet, bedankt.' Campbell wuifde het aanbod weg; hij kon zijn hart sneller horen slaan. 'Campbell Armour.'

Hij vond de klank van dat 'we' niet prettig.

De man kwam naar voren om hem de hand te schudden, veegde eerst zijn eigen hand af aan zijn spijkerbroek; de hand was koud en nat door de koude glazen flesjes. Hij keek hem aan, zonder te knipperen, tot de detective hem in de ogen keek.

Hij wist dat dit alleen maar Ernest Seaton kon zijn.

Ward trok een van de houten stoelen onder de ontbijttafel vandaan en ging zitten. In die stoel leek hij langer, en ouder dan hij eerst gedacht had – Campbell schatte hem op midden dertig, wat zo ongeveer moest kloppen. Hij zag de lange, gespierde borstkas en de krachtige schouders onder het bleekgewassen, groene, denim shirt. Hij bewoog met de natuurlijke souplesse van een atleet. Guy was behoorlijk in vorm, zoals hij daar ontspannen bier uit het flesje zat te drinken, en deed alsof hij thuis was.

'Hopelijk vind je het niet erg dat ik het vraag,' zei Campbell rustig, 'maar hoe... pas jij eigenlijk in de familie, Guy?'

'Hoe ik erin "pas"?' Hij glimlachte en schudde zijn hoofd. 'O, ik begrijp het, je hoorde me haar "oma" noemen. Zo noemt iedereen haar. Al Fielding was een van de beste vriendinnen van míjn grootmoeder. Ze groeiden zo'n beetje samen op in West Virginia. Ik bezoek haar af en toe, weet je, om te zien hoe het met haar gaat. Maar ze is geweldig, vind je niet?'

Hij had hem niet horen aankomen. Hij vroeg zich af of hij misschien al die tijd al in het huis was geweest. 'Dus zo ken je Ed Lister?'

'Zo zou je het kunnen stellen.' Hij knikte traag. 'We hebben elkaar nooit echt ontmoet. Ga zitten, dan vertel ik je iets over jouw "cliënt" en mij.'

Campbell zag zijn kans. 'Misschien een andere keer. Als je het goed vindt, pak ik nu gewoon mijn spullen en loop ik alvast naar de straat, de taxi tegemoet.'

'Ik dacht het niet.'

Campbell lachte. 'Sorry?'

De man zette zijn bier neer, veegde zijn mond af met de rug van zijn hand. 'Campbell, laten we er niet meer omheen lullen. Ze zitten nu in het restaurant. Als ze weggaan, biedt hij haar aan om haar terug te rijden naar haar appartement, en dan zal ze hem hoogstwaarschijnlijk binnen uitnodigen om wat te drinken.'

Campbell stond alleen maar naar hem te kijken.

'Ik heb geprobeerd haar te waarschuwen.' Hij zuchtte, legde zijn handen in zijn nek en wipte achterover met zijn stoel. 'Ze heeft me verteld dat hij haar al maandenlang online stalkt. En nu is die engerd opgedoken in New York. Ik heb Jelena geadviseerd naar de politie te gaan. Ze wilde niet luisteren.'

Hij gaf gewoon toe dat hij het meisje kende. Campbell voelde zweet langs zijn slapen lopen, over zijn voorhoofd. Ward/Ernest/Guy – wat zijn naam ook was – had het allemaal gepland. Dit was allemaal zijn werk.

'Dus je zegt dat je bang bent dat mijn cliënt haar kwaad zal doen?'

'Ik denk dat we allebei weten dat zoiets een reële mogelijkheid is.'

'Waarom bel jíj de politie dan niet,' vroeg Campbell.

Ward glimlachte flauwtjes. 'Wat zou dat voor zin hebben?'

'Geen... denk ik.' Campbell knikte. Hij vond de plotselinge wending die de conversatie genomen had niet prettig. Hoe meer Ward hem vertelde, hoe meer hij toegaf, des te moeilijker zou het voor hem worden om weg te komen.

'Je beseft toch wel dat hij haar zal gaan vermoorden?'

'Jezus. Denk je dat echt? Daar lijkt hij niet toe in staat...'

'Zoals hij ook mijn moeder vermoord heeft.'

Campbell aarzelde. Het was alsof er een deur keihard in het slot viel, waarbij de sponningen trilden. Hij slikte, zijn mond was droog. 'Denk je echt dat Ed Lister iets te maken heeft gehad met June Seatons dood?'

'Je gelooft me nog steeds niet,' zei Ward en hij schudde zijn hoofd. 'Je hebt hem die nacht in het huis gezien, Campbell. Jij wás er, of zo goed als. Wat ik jou heb laten zien op de website is precies de manier waarop het gebeurd is. Het lijkt misschien een tijd geleden, maar niet voor mij. En ik verzin niets.'

'Ed vertelde dat hij ooit iemand op een feestje heeft ontmoet die op je moeder leek – hij was twintig en heeft nooit haar naam geweten.'

'Is dat zo? Zij wist zíjn naam wel. Die stond op die verdomde envelop. Ze heeft hem een brief geschreven waarin ze hem smeekte haar te komen halen.'

'Die brief is nooit verstuurd.'

'Betekent niet dat hij er niet heen is gegaan.'

'Maar waarom zou hij iemand willen vermoorden die hij net had ontmoet?'

'Ik geloof niet dat ze elkaar net hadden ontmoet. Ik denk dat die verhouding al langer aan de gang was. Misschien veranderde ze van gedachten over weggaan met hem, en besloot ze haar gezin toch niet te verlaten. Misschien werd hij kwaad op haar... de man is een stalker, Campbell, een psychopaat.'

Campbell voelde het zweet in zijn ogen prikken. Hij wist dat hij Ward niet te snel gelijk moest geven, want hij keek dwars door hem heen. 'Mijn cliënt houdt vol dat hij nooit bij je huis is geweest. Hij was zelfs niet in het land op het moment dat de moorden gepleegd werden. Hij zweert dat hij pas een paar dagen geleden voor het eerst gehoord heeft over de gebeurtenissen.'

'En jij gelooft hem?'

Campbell aarzelde. 'Ik weet het niet.'

'Het is bullshit dat je het niet weet.'

De waarheid was dat hij nog altijd hardnekkige twijfels had over Ed Lister, maar hij had het gevoel dat het niet uitmaakte wat hij dacht. Hij moest nu eerst het meisje zien te waarschuwen dat gevaar liep door een van beiden. 'Weet je wat?' Er klonk een lichte trilling in zijn stem. 'Ik denk dat ik het taxibedrijf nog eens bel om te vragen waar mijn taxi blijft.'

'Je hebt toch geen haast?' vroeg Ward. 'Ik ga later naar de stad. Dan geef ik je wel een lift. Ga zitten, in hemelsnaam, bedaar een beetje.'

Onwillig trok hij een stoel van de tafel naar zich toe. Zo van dichtbij leek Wards frisse plattelandsuiterlijk – regelmatige trekken, heldere lichte ogen, gave huid – een goede gezondheid en een innerlijke kalmte uit te stralen. Campbell moest zichzelf eraan herinneren waarom hij bang moest zijn.

'Je ziet eruit alsof je het bloedheet hebt, maat, weet je zeker dat je niet toch zo'n koud biertje wilt?'

Hij moest een manier vinden om weg te komen, hij had geen behoefte aan bier. Hij dacht aan de cd die hij zo makkelijk gevonden had in de studeerkamer, de online gesprekken, de kopie van June Seatons liefdesbrief... de inhoud van de zwarte rugzak in de kast boven. Allemaal bedoeld om de moord een herhaling te laten lijken.

Hij vroeg Ward naar de brief, hoe die hem naar Ed Lister geleid had.

'Grace Wilkes heeft hem nadat mijn grootmoeder overleden was verstuurd. Ik denk dat ze dacht dat ik het recht had het te weten.'

'Dus besloot jij hem op te sporen.'

'Hij was niet echt moeilijk te vinden.'

'Jij wilde de dood van je ouders wreken. Was dat het plan?'

'Ik wilde rechtvaardigheid voor hen.'

'Op basis van dat ene, dubieuze stukje bewijs.'

'Ik heb mijn research gedaan.'

Campbell knikte. Hij kon nog steeds terug, net doen alsof hij meeging in Wards opzettelijk verdraaide visie op het verleden – niet dat hij ervan overtuigd was dat daarmee zijn veiligheid gegarandeerd was. Kira zou hem dit nooit vergeven, maar hij had nog een idee.

'Heb je daarom Sophie Lister gewurgd en doodgeslagen?'

Er viel een lange stilte. Ward keek hem alleen maar aan met een strak glimlachje. Campbell kon het gebrom van de koelkast horen. Blikkerig gelach golfde uit de tv die de oude dame had aangezet in de woonkamer. Hij wist dat het zijn dood zou betekenen als Ward de moord bekende.

'Ik was in Florence,' begon hij. 'Ik was van plan via haar toegang tot haar vader te krijgen, maar toen... laten we zeggen dat de dingen anders uitpakten.'

'Wat is er gebeurd? Werd je verliefd op haar?'

Hij haalde zijn schouders op. 'Ik heb geen zin om dat met jou te bespreken.'

'Heeft ze je afgewezen? Gezegd dat je moest oprotten?'

Hij gaf geen antwoord. Het glimlachje was verdwenen.

'Weet je wat ik denk? Volgens mij geloof jij niet echt dat Ed Lister iets te maken heeft gehad met de dood van je ouders. Ik denk dat je het allemaal verzonnen hebt.'

Ward zat doodstil en staarde naar hem.

'Grace was de enige die wist wat er die nacht echt gebeurd is in Skylands. Daarom heb je haar toch vermoord? Omdat ze je iets vertelde wat je niet wilde horen? Iets wat je niet kon verdrágen om te horen?'

Hij bleef hem maar uitdrukkingloos zitten aankijken.

'Wat is dat, waar je niet mee kunt omgaan? Ze heeft jou verteld wat ze mij verteld heeft – dat je moeder een verwend, neurotisch nest was, dat met iedere man meeging die twee keer naar haar keek. Dat je vader een zielige dronkenlap was. Je kon er niet tegen dat ze de hele dag aan het bekvechten en het ruziën waren, toch? Hoe ze elkaar te lijf gingen?'

Hij wachtte, wilde dat hij boos werd. 'Of is er iets anders?'

Toen keek hij in de leegte van Wards ogen. Het was alsof er een menselijk basiselement aan ontbrak. Het kon zijn dat hij alles ontkende, of dat hij het zich gewoon niet bewust was – Campbell vroeg zich af of dat het was wat Grace bedoeld had met 'hij weet het niet' – maar wat hij boven alles voelde, was een pure, ijzingwekkende leegte.

Hij probeerde te redeneren met Ward, zei tegen hem dat hij ziek was, dat hij hulp nodig had.

'Vind jij dat ik eruitzie als iemand die hulp nodig heeft?'

Campbell drong aan: 'Je hoeft dit niet te doen.'

Het enige wat hij terugkreeg was die lange, koude, lege blik. Hij wist niet hoe hij hem kon bereiken.

'Heb je al gegeten?' vroeg Ward, terwijl hij opstond en naar het aanrecht liep, waar hij zijn boodschappentassen had neergezet. Hij haalde er een stronk selderij uit, trok er een stuk vanaf en begon erop te kauwen. Het was alsof het gesprek nooit had plaatsgevonden.

'Ik zou koken, maar... wat maakt het ook uit? Ik weet een pizzatent bij de brug waar ze geweldige peperonipizza maken. We kunnen een paar punten meenemen op weg naar de stad.'

Campbells mond werd droog. Hij staarde naar Wards handen. Tot nu toe had hij niet gezien hoe onnatuurlijk bleek ze waren. De manchetten van zijn westernshirt bedekten zijn polsen. Je zag het alleen aan de haren op de rug van zijn handen die platgedrukt werden door het rubber. Hij had chirurgische handschoenen aan die zo dun waren dat het rubber doorschijnend leek. Hij moest ze ook al gedragen hebben toen ze elkaar de hand schudden, alleen waren ze toen nat en koud omdat hij die biertjes had vastgehouden, waardoor hij het niet gemerkt had.

Ward zag waar hij naar keek en glimlachte. Hij strekte zijn vingers, boog ze en strekte ze weer.

'Ik heb eczeem. Rustig maar, het is niet besmettelijk.'

'Ga jij maar vooruit, vriend. Ik doe het licht wel aan,' zei hij.

Instinctief zette Campbell zich schrap toen hij de onverlichte garage binnenstapte. Ward volgde vlak achter hem. Er hing een statische dreiging boven zijn onbeschermde nek en schouders. Hij hoorde een klik toen Ward aan het koordje van het licht trok en er een fluorescerende balk boven hen begon te gloeien. Hij moest de neiging onderdrukken om gewoon weg te rennen.

Snel keek hij rond in de garage. Hij zag de oude stationcar, de lege plek voor de tweede auto, de automatische garagedeur en boven de werkbank langs de muur van de garage een rij gereedschap dat niemand in jaren gebruikt had. In de hoek stond een stoffige Weber-barbecue, er hing een set oude golfclubs aan een haak en er lagen riemen en kanopeddels op rekken – hij zocht naar iets wat hij als wapen kon gebruiken.

Hij wist dat hij niets had in te brengen tegen Wards kracht, maar de tennistraining had hem snel gemaakt – over een korte afstand zou hij in het voordeel kunnen zijn. Hij dacht niet dat Ward een pistool bij zich droeg.

Zijn blik gleed terug over de werkbank en bleef hangen bij iets wat op een knop van de deuropener leek. Het was een met een katrol aangedreven 'Chamberlain', die in de muur verzonken was: hetzelfde model als hijzelf had in Tampa. Hij wist precies hoe lang het duurde voor de garagedeur open was.

Hij had gezien dat Ward de knop niet had aangeraakt toen ze de trap af liepen. Ofwel hij had een afstandsbediening aan zijn sleutelbos, of hij was voorlopig niet van plan om te vertrekken.

'Wat vind je van deze schoonheid?' vroeg Ward, terwijl hij de hoes van de stationcar trok, een klassieke Buick Electra Estate, wit met houtachtige panelen. Campbell had geen idee uit welk jaar. Voordat hij geboren was.

'Rijdt hij?' vroeg hij, met een snelle blik door het passagiersraam. Op de achterbank lag een rugzak die identiek was aan de rugzak die hij had gezien in de kast in het kamertje boven. Hij had het gevoel dat hij moest braken.

'Als een trein,' zei Ward, terwijl hij de hoes op de grond gooide.

Toen zag Campbell in de achterbak de rol tuinafvalzakken liggen, de pikhouweel en de schep. 'We gaan niet naar New York, hè?'

Ward liep om de voorkant van de wagen. Hij had een touw in zijn handen.

Campbell aarzelde niet. Deze manoeuvre had hij al gepland op het moment dat ze de garage binnen gingen. Hij draaide zich snel om, rende terug naar de werkbank, drukte op de muurschakelaar en sprintte naar de garagedeur. Hij begon al te duiken voordat hij zelfs maar het draaiende geluid van de elektrische deuropener hoorde, hij ging plat op de grond liggen en zo gauw het gat groot genoeg was, rolde hij onder de deur door, de nacht in.

65

We liepen in de richting van de binnenstad en staken Washington Square over. Ik stopte om te wijzen op een gebouw aan de noordwestelijke kant waar ik in de jaren tachtig gewoond had, mijn eerste appartement in New York dat geen onderhuur was. Jelly maakte de een of andere opmerking, stak toen zonder nadenken haar arm door de mijne en zei dat ze zin had om te dansen. Ze kende een tent, een Cubaans café in Hoboken, waar de muziek zo *hot* was dat iedereen wel móést bewegen.

'Maak je geen zorgen hoor.' Ze zag hoe ik reageerde en glimlachte. 'De helft van de mensen daar is minstens twee keer zo oud als jij... mínstens.'

'Bedankt.' Ik lachte, was me bewust van haar warmte, haar slanke lichaam dat ineens zo dicht bij het mijne was. 'Het kan me niet schelen of ik mezelf voor gek zet. Ik ben alleen niet zo'n danser.'

'Had ik ook nooit van je verwacht. Maar ik wil toch met je dansen.'

'Denk je niet dat zoiets vragen om moeilijkheden is?' vroeg ik stijfjes.

'Ik wil nog niet naar huis, dat is alles.'

Ik stelde voor dat we een rustig plekje zouden opzoeken waar we konden zitten en praten. Ik vertrouwde mezelf niet. 'Ik besteed de tijd die we nog overhebben liever alleen met jou.'

Ze fronste haar wenkbrauwen. 'Moet je ergens heen?'

Ik schudde mijn hoofd.

'Je laat alles zo serieus klinken... zo, ik weet niet, alsof het een zaak van leven of dood is.'

Op dat moment leek ze erg jong. Ik zei, een beetje scherp: 'Je bent blijkbaar vergeten wat je eerder hebt gezegd, in het restaurant.'

Ze onderbrak me. 'Wat is er verdomme met je aan de hand?'

'Jij zei dat er niets zou gebeuren.'

'Wat wíl je precies van me?'

'Wat ik wil, Jelena?'

Ze trok haar arm terug om een sigaret te pakken. Ik keek hoe ze hem aanstak, nam toen de sigaret tussen haar lippen vandaan en kuste haar.

Frisse lucht vulde zijn longen en ineens voelde Campbell dat er nog hoop was.

Na het rollen was hij meteen gaan rennen. Hij keek niet eens om. Zijn hart bonsde, angst gaf zijn benen vleugels, hij sprintte naar de beschermende duisternis aan het eind van de oprijlaan. Hij was al zo'n dertig meter bij het huis vandaan voordat hij besefte dat hij de andere kant op had moeten rennen, het terrein op.

Net toen hij van richting wilde veranderen, hoorde Campbell een ongewoon zoevend geluid. Het volgende ogenblik voelde hij een explosie van pijn, alsof een gigantische vuist hem onder in zijn rug raakte. Meteen stokte zijn adem en een luide kreun ontsnapte uit zijn keel. Zijn knieën begaven het en hij viel voorover.

Daarna was er alleen gevoelloosheid.

Campbell probeerde op te staan. Zijn benen reageerden niet. Vanaf zijn middel voelde hij helemaal niets. Hij klauwde naar zijn bril, die was gevallen toen hij de grond raakte, en haakte hem weer achter zijn oren. Het deed er niet veel toe: één glas was eruit, het andere gebarsten door de val, maar hij kon nu wel zien wat hem had geraakt. In een greppel een paar meter bij hem vandaan glom de kop van een zware hamer. Hij was daar terechtgekomen nadat hij zijn doel had geraakt. Er was geen tijd om hem te pakken.

Hij haalde zijn mobiel uit zijn zak.

Hij zag dat Ward recht op hem af kwam lopen, met zijn hoofd naar beneden. De streep licht van de garage zigzagde tussen zijn benen. Hij klapte het mobieltje open en drukte de 7 in, het sneltoetsnummer van Kira. Hij moest haar zeggen dat ze contact moest opnemen met Ed Lister, dat ze de politie moest bellen. Hij hoorde de telefoon overgaan.

Kom op, neem op. De telefoon ging nog steeds over terwijl hij zichzelf naar de hamer sleepte. Hij kroop op zijn ellebogen naar voren en strekte zich ernaar uit, waarbij hij zijn mobiel liet vallen. Wards laars kwam hard neer op het houten handvat en op zijn vingers eronder.

Ward boog zich voorover en raapte de hamer op.

'Hallo?' de stem van Amy.

Waarom was ze nog zo laat op? Geef me je moeder, schatje.

Hij probeerde haar te antwoorden, maar het enige wat hij uit kon brengen was een zwak gekreun, terwijl Ward de mobiele telefoon over het asfalt schopte. Toen zette hij zijn voet in de nek van de detective, waardoor zijn hoofd tegen de grond gedrukt werd.

Vanuit zijn rechteroog zag Campbell hem de hamer een paar keer optillen, waarna hij steeds de kop liet neerkomen in de palm van zijn hand, alsof hij iets overwoog.

'Jezus, nee, wacht... doe dit niet,' steunde hij. 'Ik heb al met de politie gepraat. Ze weten wie je bent. Ze zijn op weg hierheen.'

'Campbell, Campbell,' zei Ward hoofdschuddend.

'Je hebt wat... ze hebben huidcellen gevonden in de trein.' Hij verzon het ter plekke en klonk nu ronduit panisch. 'Die zullen overeenkomen met je DNA.'

'Van wat? Dan moeten ze me eerst vinden.'

'De questura in Florence.'

Ward snoof. 'Morelli? Die flapdrol. Doe me een lol, zeg.'

'Ze hebben een arrestatiebevel voor je uitgevaardigd.' Zijn borst deed pijn bij elke ademhaling. 'Jezus, ik denk dat ik mijn rug gebroken heb.'

'Dat komt wel goed. Een tijdje niet meer tennissen. Maar het komt wel goed met je.'

'Een internationaal arrestatiebevel...'

'Tuurlijk. Onder welke naam? Nadat ze dat meisje uit de rivier hebben gevist, zal de politie waarschijnlijk met iemand willen praten. Ik denk dat ze dan achter de kerel aan gaan die haar gestalkt heeft, de man die van geen "nee" wilde weten – jouw cliënt, Ed Lister.'

'Je hoeft haar niet te doden,' hijgde Campbell. 'Waarom doe je dit? Je vindt dit blijkbaar prettig, is dat het? Je weet niet eens hoe gestoord je bent, idioot.'

'Ik hou me aan de planning maat. Als dat me vastberaden maakt – een moedige man met een onafhankelijke geest, zou je kunnen zeggen – nou, dan is dat maar zo. Ik mag dan niet erg vergevingsgezind zijn, maar gestoord? Idioot? *Ik dacht het niet.*'

'Je bent niet echt op wraak uit... je weet dat het alleen maar inbeelding is.'

'Heeft Kira je dat in je hoofd gepraat?' Ward lachte. 'Puur uit interesse: hoe heb je me gevonden? Dat kwam niet door mijn netwerk of door mijn website, toch?'

Hij wist niet waarom hij het zou moeten vertellen. Hij zou toch niets in ruil krijgen voor die informatie. Dus zei hij alleen maar: 'Je hebt het te gemakkelijk gemaakt.'

Hij schaamde zich er niet voor Ward te vragen om zijn leven te sparen, hem erop te wijzen dat hij een gezin had, een vrouw die van hem hield, een dochtertje. Hij kon makkelijker voor hen pleiten dan voor zichzelf. Maar hij wist dat het vergeefse moeite was.

Hij zei het echter toch: 'Alsjeblieft, ik heb een gezin.'

'Je had hier niet moeten komen, Campbell.'

'Ik weet het... dat zie ik nu in.'

Hij was niet bang om dood te gaan, maar de timing... Campbell wilde aan iemand uitleggen: kijk, ik denk dat er een fout is gemaakt, je hebt de verkeerde te pakken, ik ben nog niet klaar met de wereld. Ik moet dat geld nog vinden voor morgen... o god.

Terwijl hij zich over hem heen boog, zei Ward: 'Campbell, ik denk dat je portie geluk zojuist op is geraakt. Jij weet als geen ander dat je daar weinig aan kunt doen.'

De detective worstelde en de druk van de laars nam toe.

Toen hij de hamer omhoog zag gaan, hief hij zijn arm op om te ontsnappen aan de onvermijdelijke klap. Het botte deel van de hamerkop kwam met een flitsende boog neer.

De eerste klap van de hamer doodde hem niet.

We liepen een paar straten verder zonder veel te zeggen. Ze had zich losgerukt, was snel uit mijn armen geglipt en nu was het alsof er nooit een kus was geweest. De spanning was er echter nog steeds, niet ver onder het oppervlak. Ik vond het moeilijk om te accepteren dat we elkaar na vanavond nooit meer zouden zien.

Misschien begon ik daarom te praten over Sophie. Ik liet het maar gaan en stortte mijn hart uit bij Jelena. Ik vertelde haar dingen die ik nog nooit tegen iemand had gezegd, zelfs niet tegen Laura. We staken Park Avenue over en stopten bij een bar met tafeltjes buiten.

Nadat ik iets te drinken had besteld, zei ik: 'Sorry, daar word je niet echt vrolijk van.'

'Nee, ik heb altijd gewild dat je me over haar zou vertellen.'

'De laatste keer dat ik in Florence was,' zei ik, terwijl ik haar blik vasthield, 'heb ik een kaars voor Sophie aangestoken in een kerk vlak bij de plek waar ze gestorven is, de Santa Maria del Carmine. Toen heb ik ónze namen in het gastenboek geschreven... die van jou en mij.'

Jelena keek weg. 'Je moet erg veel van haar gehouden hebben.'

'Ik weet niet waarom ik het gedaan heb. Ik besefte alleen dat ik je miste.'

'Dat komt toch niet doordat ik je aan haar doe denken, hè?'

'Nee. Je doet me aan niemand denken.'

Ze zei niks. Ik hoorde haar maag rommelen. Dat leek een merkwaardig intiem en lief antwoord. Jelena trok haar wenkbrauwen op. Ze lachte en er viel een lok haar voor haar gezicht.

Ik zei: 'Ik ga regelen dat we samen kunnen zijn.'

'We kunnen niet samen zijn, dus zeg niet van die stomme dingen.'

Er viel een stilte die enkele seconden duurde.

'Wil je nog wat drinken?'

'Weet je?' zei Jelena. 'Het is niet het leeftijdsverschil of zelfs het feit dat je een heel ander leven leidt... het komt doordat je verdriet hebt, Ed, je hebt het ergste meegemaakt wat iemand kan overkomen. Dat is wat ons scheidt. Als ik bij jou ben, heb ik het gevoel dat ik niet eens besta.'

Toen ze dat zei, leek het alsof ze zich overgaf.

66

Keer op keer sloeg Ward zachtjes op zijn slaap, waar Campbells haar ongewoon dik was. Hij wilde geen bloed over de hele oprijlaan, en niets bloedt zo hevig als een hoofdwond. Hij bleef op dezelfde plek slaan totdat het wit in de ogen van de kleine Chinees troebel werd, doordat er adertjes sprongen en er achter de hoornvliezen een rood waas ontstond. Hij scheen met het lampje aan zijn sleutelbos in een stervende pupil en zag zijn eigen weerspiegeling, een gezicht dat over de rand van een put gluurde.

In de vreemde manier waarop Ward de wereld ervoer waren geen overeenkomsten, geen analogieën, geen metaforen, de dingen waren niet 'zoals' andere dingen – ze wáren andere dingen. Hij was bang dat het beeld van zijn gezicht in de put een diepere, ongewenste betekenis had. Hij was bang dat het inhield dat er iets in hem veranderde.

Hij raapte Campbells vernielde mobiel op en smeet het ding in de bosjes.

Toen stak hij de plakkerige steel van de hamer in zijn riem en haalde het touw dat hij bij zich droeg onder de schouders van de detective door. Terwijl hij het lichaam terugsleepte naar het huis, moest hij stoppen om een Nike Airforce-sportschoen op te rapen waarvan hij niet gemerkt had dat die van Campbells voet afgegleden was. In plaats van te proberen de schoen weer aan te doen, deed hij de andere schoen ook uit, hij bond de veters aan elkaar en hing het paar om zijn nek.

Het was een weerspiegeling in een leeg oog... *niet zijn gezicht op de bodem van een verrekte put.* Hij schudde het beeld van zich af, om te voorkomen dat het zijn doelmatigheid zou verminderen en de loop der rechtvaardigheid zou verstoren.

Hij moest gewoon een klus klaren.

Ward reed de Buick Estate achteruit de garage uit en reed er een stukje mee terug, voorbij de splitsing in de oprijlaan. Toen ging hij weer vooruit, het ruwere pad op dat leidde naar de achterkant van het landgoed, naar de rivier.

Eerder, toen hij op zoek was naar een plek waar hij het meisje naartoe kon brengen (voor het geval dat de dingen niet volgens plan zouden verlopen), had hij een oud botenhuis uit de jaren dertig ontdekt, bij een drassig zijwatertje. Het gebouwtje was overgroeid door bomen en te vervallen voor wat hij van plan was, maar hij had er nu een andere bestemming voor bedacht.

Hij stopte tegenover het pad naar het huis en zette de motor uit.

Hij deed geen moeite om uit de auto te komen, zat daar maar gewoon en zette alles op een rijtje, met zijn handen op stand tien voor twee aan het stuur, starend in het niets. Aan de andere kant van het botenhuisje kon hij de rivier horen stromen.

Vind je deze wat moeilijker dan die anderen, Wardo? Met zijn jonge vrouw en kind in Florida? Er is nu geen tijd voor bedenkingen. We raken achter op schema.

Hij had hier niet moeten zijn, dat was alles.

Er was altijd een risico geweest dat Campbell het lichaam van Grace zou vinden vóór de sheriff van Canaan een patrouillewagen naar het huis had gestuurd, maar hij was verrast door Campbells komst naar La Rochelle. Hij hád geen spijt van wat hij gedaan had. De detective was hem misschien levend van meer nut geweest, als getuige tegen zijn cliënt; maar aan de andere kant zou zijn moord nu het werk van Ed Lister lijken te zijn.

De smaak bleef hangen, de scherpe bitterheid van aspergewater, een blauwgroene driehoek met puntige, scherpe hoeken. Had Campbell hem zo gevonden? Had hij online iets over zijn synesthesie onthuld? Als er meer tijd was geweest, had hij die kleine bemoeial nog wel laten vertellen hoe hij hem op Skylands had weten te traceren. Hij maakte zich niet veel zorgen over de politie. Dat was maar wanhoopspraat geweest.

Toch stoorde het hem dat hij een foutje had gemaakt.

Zijn vingernagels op het stuurwiel keken hem hard en misnoegd aan. *Dus wat is precies jullie probleem?* Ward had een hekel aan hun betweterige, kritische persoonlijkheden.

Hij deed de achterklep van de Buick open en trok Campbell op het zandpad. De grond was hier zachter. Ward had een paar oude zeilschoenen aangetrokken die hij in het had huis gevonden en die van Ed Lister waren; ze knelden een beetje, maar nu hoefde hij zich tenminste niet druk te maken over voetafdrukken. Hij sleepte het lichaam van de detective over de houten steiger naar het botenhuis. Het was een vervallen houten bouwsel met een lekkend dak en gapende gaten in de muren waar stukken hout uit de zijkant waren weggevallen, en het hing vervaarlijk uit het lood.

Weet je, voordat ze naar het huis kwam, had Grace haar haar laten doen bij First Impressions, de beste kapsalon van Norfolk, speciaal voor jou... haar kleine Ernie.

Nu niet te sentimenteel worden. Ik was erbij, weet je nog? Ik heb haar gezegd hoe goed ze eruitzag – ze waardeerde het enorm dat iemand het in de gaten had.

De deur was vastgeroest in zijn scharnieren. Ward moest hem met zijn schouder openduwen en daarna het lichaam achter zich aan trekken. Binnen leek de duisternis eerst ondoordringbaar; hij stond stil, raakte gewend aan het donker en de muffe geur, luisterde naar het holle, rusteloze golven van het water tegen de aanlegsteiger.

Hij kon nog net de omtrekken van een opening aan de andere kant zien.

Ward trok aan het touw. Hij hoorde de planken kraken en voelde de vloer onder zijn voeten bewegen. Hij was ver genoeg. Hij wist niet zeker of de houten vloer hun gezamenlijke gewicht zou kunnen dragen en besloot af te zien van zijn plan om Campbell in een van de bootgaten te dumpen. Hij liet het lichaam liggen waar het lag, met het hoofd tegen een omgevallen balk aan, starend door het gat naar de rivier.

Hij vond het niet jammer toen hij weer terug was in de stationcar.

'Ik moet naar New York,' vertelde hij Alice Fielding nadat ze gegeten hadden. 'Ik neem de Buick mee, als u dat goed vindt.' Hij had wat soep in de koelkast gevonden – Jesusita's zelfgemaakte gazpacho – die had hij in kommen gegoten en naar de woonkamer gebracht, op een blad met Ritz-crackers en een fles chardonnay.

'Je ziet er goed uit, liefje,' zei ze, alsof ze zijn moeder was.

Hij had opgeruimd en droeg een van Eds oude pakken, die hij geleend had uit de kast in de logeerkamer. Hij had zichzelf ook aan een overhemd en een das geholpen.

'Ik heb een afspraakje met een heel mooi meisje. Ik ga haar de stad laten zien, en ik dacht dat ik haar dan misschien hier naar de Rock zou kunnen brengen.'

'Er was hier net een man die naar je vroeg. Waar bleef je zo lang?'

'Het spijt me.' Hij aarzelde. 'We hebben elkaar uiteindelijk wel ontmoet.'

Ze knikte. 'Heeft dat mooie meisje ook een naam?'

'Jelena.'

'Je weet dat het niet goed is wat je doet, Eddie. Een van de laatste prinsessen van Montenegro heette Jelena. Hou je van haar?'

'We houden van elkaar,' zei Ward afwezig. Hij keek naar de verzameling ingelijste foto's van Sophie Lister boven op het bureau en proefde de zoete, kalkachtige smaak van chocoladesigaretten. 'Tot zij verscheen, was ik niemand.'

Ze glimlachte. 'Wat romantisch.'

You're nobody till somebody loves you.

'Heb ik je ooit verteld dat Dean Martin dat een keer voor mij gezongen heeft? Ben je van plan om te gaan trouwen?'

'Ik ben al getrouwd... weet je nog?'

'O Eddie,' grinnikte de oude dame afkeurend.

De telefoon naast haar ging over. Ze stak er een bevende hand naar uit. *'Niet opnemen!'* De toon van zijn stem deed haar terugschrikken.

Hij liep erheen en legde een hand op de hoorn. Ze keek hem verbijsterd aan terwijl hij wachtte tot het rinkelen stopte. Ze zei: 'Jij bent niet echt Eddie, hè?'

Ward glimlachte. 'Waarom zeg je dat?'

'Denk je dat ik het niet weet?'

Ze zakte achterover in haar rotan leunstoel en sloot haar ogen.

'Ik denk dat je misschien een beetje in de war bent, dat is alles.'

'Ja, mogelijk.' Ze zuchtte. 'Je lijkt érg op hem.'

Hij keek hoe ze wegdoezelde, en een moment later weer wakker schrok, alsof ze gewekt werd door haar eigen onvrijwillige afwezigheid. Hij had nog niet besloten wat hij met Alice zou gaan doen.

Een perfecte snijrand weerspiegelt geen licht.

Ward hield het gekromde blad van de mezzaluna omhoog naar de fluorescerende balk boven de werkbank. Hij bewoog hem heen en weer en zag hoe de geslepen boog schitterde. Net als elk nieuw mes was het fabrieksscherp uit de doos gekomen, wat voor zijn doel verre van scherp genoeg was.

Met een viltstift trok hij een streepje van een halve centimeter over de gebogen rand van het snijblad en zette de mezzaluna toen vast in de bankschroef. Hij hield het staal met twee handen in een boog van twintig graden en werkte, met een cirkelvormige beweging, methodisch van de ene kant van de kromming naar de andere, waarbij hij het punt van aanzet constant hield door te kijken naar de inkt, die gelijkelijk in de richting van de rand naarboven schoof. Toen de inkt was weggeslepen, draaide hij het blad om in de bankschroef en herhaalde hij het proces vanaf de andere kant. Daarna concentreerde hij zich op het gladmaken van de snijrand.

Je weet best dat je me niet moet storen als ik bezig ben.

Ik realiseer me dat dit misschien niet de beste tijd is om hierover te beginnen, Ernie, maar we moeten in ieder geval iets doen aan geheugenverwerking.

Geheugenverwerking? Ben je tegenwoordig ook al psychiater?

Het slagersstaal werd doordat het werd geschuurd met fijn diamantzand, tegelijkertijd scherp en gepolijst. Terwijl de rand dunner werd, kon hij het zien wegbuigen van het staal, waardoor het op een lange metalen veer ging lijken. Dat was een teken dat hij er bijna was. Hij verkleinde de hoek van het staal tot ongeveer tien graden en verwijderde het slijpsel met een lichtere slijpbeweging. Toen hij vond dat het zo scherp was als hij het maar kon krijgen, hield Ward het snijblad weer omhoog naar de fluorescerende balk om te zien of er weerspiegelingen kwamen van de rand.

Dit keer was dat niet zo.

Hij deed de plastic hoes weer om het mes, wikkelde de mezzaluna in een doek en deed die in zijn rugzak. Hij was er helemaal klaar voor. Met de rugzak over zijn schouder drukte hij op de knop waarmee de deur sloot en liep de garage uit naar de geparkeerde stationcar. De zoete nachtelijke geur van tabaksplanten die op de veranda groeiden bereikte zijn neusgaten. Hij raakte de greep van het portier aan en kreeg door de aanraking een scherpe herinnering aan de woonkamer in Skylands.

Hij zag Grace een beetje voorover zitten in de leunstoel om te zorgen dat haar suikerspinkapsel niet werd platgedrukt tegen de stoffige hoofdsteun. Terwijl hij achter haar langs liep, vertelde Grace hem, haar kleine Ernie, dat hij zich nergens zorgen over hoefde te maken. Zijn geheim zou altijd veilig zijn bij haar. Nou, dat is nu wel zeker... wat 'zijn geheim' ook was.

Je had haar moeten laten uitpraten, maat. Je had haar moeten laten uitpraten. Je had...

Echt waar? Ward staarde bewegingloos over de rivier naar Wave Hill. In de verte kon hij door de toppen van de bomen de verlichting van de George Washington-brug zien schitteren. Hij keek op zijn horloge: 23.42 uur. Ze zouden nu wel uit het restaurant weg zijn. Hij rekende er niet op dat ze eerst nog ergens anders heen zouden gaan voordat ze naar haar huis teruggingen, maar het zou helpen als ze de tijd namen.

Hij kon zich niet voorstellen dat Ed haar zou uitnodigen in het Carlyle.

Hij wierp een blik op het huis. De slaapkamer van de oude dame was donker. Hij had Alice eraan herinnerd, voordat ze elkaar goedenacht wensten, dat ze haar slaappillen moest innemen. Ze zat nu op twee tabletten van 20 mg Oxazepam – hij had de voorgeschreven hoeveelheid gecheckt op het etiket – wat sterk genoeg was om zelfs Mike Tysons ogen te sluiten. De volgende morgen zou ze zich alleen herinneren dat haar schoonkleinzoon was komen eten, toen naar de stad was gegaan en gezegd had dat hij later terug zou komen met een meisje. Haar laatste woorden tegen hem waren: 'Ik beloof je dat ik het niemand zal vertellen, Eddie. Helemaal niemand.'

Als ze de dingen door elkaar haalde, als haar realiteit een beetje in de war was, dacht Ward, terwijl hij de Buick omdraaide en naar de straat reed, was er nog niet veel aan de hand.

67

Ze gingen op een zo vanzelfsprekende manier met elkaar om, dat het heel natuurlijk leek.

Haar voeten deden vreselijk zeer, haar favoriete Jimmy Choo-schoenen, die haar een maandloon hadden gekost, waren zo goed als geruïneerd, maar elke keer als Ed voorstelde om een taxi te nemen, hield Jelly vol: nee, nee, het ging prima, ze vond het heerlijk om te wandelen.

Het enige wat ze deed, was het moment uitstellen waarop ze de hoek van haar straat zouden bereiken. Ze bleef denken over wat ze zou gaan zeggen als het erop aankwam: er was geen sprake van dat ze hem boven kon uitnodigen.

Ze waren nu op Third Avenue, een paar straten van haar huis vandaan en praatten al lopend. Naarmate ze dichter bij 39nd Street kwamen, ging hun pas langzamer en langzamer. Ed vertelde haar dat hij besloten had zijn leven te veranderen – zijn geld weggeven, de armen helpen, de planeet redden en meer van dat soort hilarische onzin. Hij legde uit hoe hij, door zijn gevoelens voor haar, de wereld in een nieuw, prachtig licht zag.

Toen ging hij weer verder over zijn vrouw verlaten en terugkomen voor haar.

'Het gaat me een maand kosten om alles te regelen, misschien minder.'

Lieve God, die gek was seriéús!

'Waarom zou je zoiets zeggen als je weet dat je het niet gaat doen, en dat als je het wel zou doen, ik niet van je zou kunnen houden? Je bent niet vrij, je hebt een gezin dat je nodig heeft...'

Hij bleef midden op de stoep staan en draaide haar aan haar arm naar zich toe, zodat ze gedwongen was hem aan te kijken. 'Ik kan niet zonder je leven, Jelly,' zei hij.

'Je bent gek, weet je dat? We kennen elkaar nu hóé lang, vijf uur? En jij wilt alles opgeven voor... je hebt verdomme geen flauw idee!'

Mensen die langs hen heen liepen keken hen raar aan.

'Zeven, als je de lunch erbij telt. Ik ga mijn vlucht annuleren en blijf nog een paar dagen. Dan kunnen we elkaar beter leren kennen.'

'O jezus!' Ze trok zich los en draaide haar hoofd weg. 'Waarom moet je zo verdomd koppig zijn? Weet je? Je begint me echt bang te maken.'

Jelly liep door, wreef over haar ogen en draaide zich naar hem toe. 'Hoe dan ook, ik ben er niet, dit weekend. Ik ga naar de kust van Jersey met Guy...'

'Guy? Hoe bedoel je?'

'Een paar vrienden van hem hebben een huis gehuurd, pal aan zee. Dat wordt leuk, weet je, een beetje rondhangen... Hij heeft tickets voor een concert van Mary J. Blige in Asbury Park.'

'Ik dacht dat je hem gezegd had dat je verliefd bent op iemand anders.'

'Ja, ach, we zijn nog steeds vrienden. We voelen ons prettig bij elkaar.' Ze was bang dat hij door haar poging heen zou kijken om Guy Mallory te laten doorgaan voor haar vroegere vriendje. Maar hoe kon Ed dat nou weten? Ze wist niet eens zeker waarom ze Guys naam genoemd had in het restaurant. Misschien zag ze hem als een soort veilige haven. Een redder in nood. Guy was op het juiste moment verschenen, ze leken goed met elkaar te kunnen opschieten, maar ze had geen idee of ze hem nog eens wilde zien. 'Ik wil gewoon verder gaan met mijn leven.'

'Denk je dat als je misschien besluit om naar Parijs te gaan...'

'Eddie, we moeten hiermee stoppen,' zei ze zacht en ze pakte zijn hand, terwijl ze haar straat in liepen. 'We weten allebei dat ik niet echt ben wat jij nodig hebt.' Dat was een zin die ze zich herinnerde uit een of andere film.

Hij knikte langzaam en het lukte hem zijn frons om te zetten in een flauwe glimlach terwijl hij zei: 'Ik denk dat het eerder zo is dat ik niet ben wat jij nodig hebt.'

'Het spijt me, Eddie.' Ze kon hem niet aankijken.

Ward parkeerde zijn auto langs de stoep aan de zuidkant van 38th Street en Lexington Avenue, een straat verder en schuin tegenover het gebouw waarin het appartement van Jelena Sejour zich bevond. Het was een oud gebouw zonder lift in Murray Hill, een van de laatste tussen de glimmende hoogbouw die de overhand kreeg in de ooit zo rustige woonwijk.

Hij reed in zijn gehuurde Golf, want hij had de opvallender en minder

377

betrouwbare Buick stationcar aan de andere kant van de rivier bij Huyler's Inn in Alpine, New Jersey geparkeerd – hij was van plan de auto op de terugweg op te halen, nadat hij zijn passagier had opgepikt. Hij keek door zijn voorruit naar de ramen op de vierde verdieping. Er brandden geen lichten.

Nog steeds aan het flaneren, zoals Alice het zou uitdrukken.

Hij zette de autoradio aan, zocht wat statisch geruis op tussen twee zenders in en draaide toen het geluid harder – zoals hij dat als kind gedaan had om het geluid van zijn ruziënde ouders te overstemmen.

Toen ging hij zitten wachten.

Op de trap voor haar appartementencomplex keek ik toe terwijl Jelly naar haar sleutels zocht. Ze hield haar open tasje tegen het licht boven de deur. Ik kon zien hoe erg haar handen trilden.

'Kan ik je helpen?' bood ik aan.

'Bedankt. Het lukt wel.' Ze deed haar tasje dicht en hield de sleutels omhoog.

'Oké dan.' Ik stak mijn handen in mijn zakken en stapte achteruit de stoep weer op. 'Ik neem niet aan dat we elkaar nog eens zullen zien.'

'Je begrijpt dat ik je niet mee naar kan boven vragen,' zei ze.

'Ja, dat begrijp ik.' Ze stak haar sleutel in het slot.

'Let op jezelf, Eddie.'

Ik vertrouwde mijn eigen stem niet en boog mijn hoofd. Toen draaide ik me om.

Het volgende moment hoorde ik haar sleutels op de grond vallen. Ik keerde om, rende de trap op en ving Jelly op terwijl ze zich naar me toe draaide, met haar armen al gespreid. Ik hield haar stevig vast en ze maakte een vreemd geluidje, deels een zucht, deels een kreun. Toen raakten onze lippen elkaar. Vrijwel onmiddellijk voelde ik haar tong de mijne zoeken, en toen onze tongen elkaar raakten, kreeg ik een warme elektrische schok die overging in een hele serie warme elektrische schokken.

Ik weet niet hoe lang we daar stonden, zo innig verstrengeld als maar mogelijk is voor twee mensen met hun kleren aan. Het was een kus met een twijfelachtige lading die op een bepaalde manier bij een ander tijdperk leek te horen. Maar dat maakte hem er bepaald niet slechter op.

Na een poosje duwde ze me weg. Ik struikelde de trap af. Ik kan me niet herinneren dat ik haar voorover zag buigen om haar sleutels op te rapen of naar binnen zag rennen. Plotseling was ze weg en sloeg de deur met een klap achter haar dicht.

Ward kon zijn geluk bijna niet op.

Hij zag Ed Lister langzaam naar de hoek van 39th Street lopen, de drukte in. Hij stak een hand op om een taxi aan te houden. Hij wist niet zeker wat er gebeurd was, maar het tafereel dat hij zojuist bij de voordeur had gezien was duidelijk een afscheid.

Voor hetzelfde geld had hij de hele nacht moeten wachten.

Een gele taxi kwam met piepende banden bij de Engelsman tot stilstand.

Ward liet zich onderuitzakken in zijn stoel en draaide zijn raam open. Hij was er vrij zeker van dat hij Ed tegen de chauffeur hoorde zeggen: 'Hotel Carlyle.' De radio stond nu uit.

Hij wachtte tien minuten voor het geval een van beiden van gedachten zou veranderen. Toen startte hij de motor en reed om het blok heen naar 39th Street. Vol voldoening riep hij 'yessss' toen hij vlak voor haar voordeur een lege parkeerplek vond. Het liep allemaal gesmeerd.

In de hal bekeek hij het rijtje namen naast de brievenbussen en belde aan bij sejour. Er kwam geen antwoord. Ongeduldig drukte hij weer op de bel.

De intercom kraakte. 'Jelena?'

'Ga weg, Ed,' zei ze. 'Ga alsjeblíéft weg.' Haar van emotie overslaande stem deed hem denken aan halfgesmolten suiker onder in een koffiekopje.

'Hé, ik ben het, Guy... Guy Mallory!' De beveiligingscamera was blijkbaar kapot.

'Guy?' Hij hoorde haar verwarring. 'Wat doe jij hier?'

'Ik was in de buurt. Ik vroeg me af of je misschien zin zou hebben om nog iets te gaan drinken... als je het niet te druk hebt.'

'Het is nogal laat, vind je niet? Het spijt me, ik heb erge hoofdpijn.'

'Kan ik iets voor je halen? Wil je dat ik boven kom?'

'Nee, het gaat wel.'

'Wat je wil.'

'Wat?'

'Niks. Ga maar slapen.'

Ze drong niet aan. 'Luister, bel me, oké?'

Ze hing op voordat hij de kans had om haar goedenacht te wensen.

Daar stond Ward, met zijn hoofd naar beneden. Hij voelde zijn gezicht warm worden. Hij was een beetje teleurgesteld dat Jelly hem niet boven wilde laten komen. Ze klonk behoorlijk van streek. Hij zou haar zijn schouder hebben aangeboden om op uit te huilen.

In een plotselinge uitbarsting van woede schopte hij tegen de deur en vloekte zo hartgrondig dat een langslopend stelletje zich naar hem omdraaide.

Toen deed hij de rugzak af, zette die op de grond en hurkte erbij neer. Hij vond een manier om op zijn hurken te zitten zonder dat Eds pak vuil zou worden, hij zat met zijn rug tegen het betegelde stukje muur onder de brievenbussen geleund.

Ward wist dat hij het slot gemakkelijk kon forceren om het gebouw in te komen, maar hij wilde liever wachten tot een van de andere bewoners naar binnen of buiten zou gaan. Hij wilde dat hij op weg naar Jelly's appartement gezien zou worden door iemand die zich hem zou herinneren.

Nog twintig minuten... hooguit een halfuur, dan ging hij naar binnen.

68

De telefoon in mijn hotelkamer ging over toen ik uit de lift kwam.

Ik was er zo zeker van dat het Jelly was, dat ik begon te bedenken wat ik tegen haar zou gaan zeggen. Haastig maakte ik het slot open, duwde tegen de deur en rende naar de telefoon naast het bed.

'U bent moeilijk te vinden, signor Lister.'

'Andrea.' Ik was weer terug in de realiteit. 'Jij bent het.'

'Hebt u mijn e-mail ontvangen?'

'Wacht even.' Ik liep terug en schopte de deur dicht. 'Welke e-mail? Het spijt me, ik kom net binnenlopen.'

'Hebt u dan nog niets gehoord van uw vrouw?'

'Nee.' Ik voelde mijn ingewanden ineenkrimpen, bang dat hij me ging vertellen dat er iets gebeurd was met Laura of George. 'Is alles goed?'

'Ze klonk prima toen we elkaar een poosje geleden spraken. Ik heb haar gevraagd om een boodschap door te geven, voor het geval zij u het eerst zou spreken.'

'Ik ben veel weg geweest. Ik had mijn mobiel uit staan.'

'Volgens mijn spionnen bent u naar de opera geweest.'

Ik nam niet de moeite hem te corrigeren. Ik verkeerde nog steeds in een andere wereld en was niet in de stemming voor Morelli's vlotte gebabbel. 'Andrea, het is hier laat. Ik wil gaan slapen. Wat kan ik voor je doen?'

'We hebben een verdachte.' Hij schraapte zijn keel om het belang van die mededeling te onderstrepen. 'Ik wil dat u de bijlage opent die ik u heb toegestuurd. Kunt u daar nu naar kijken?'

Ik legde de telefoon neer en liep naar het bureau; het duurde even om mijn laptop op te starten en Morelli's e-mail uit mijn inbox te halen. Het bijgevoegde plaatje werd gedownload terwijl ik de laptop meenam naar het bed.

'Kent u dat gezicht?' vroeg de politieman.

Het was een pentekening van een man, hoofd en schouders, niet iemand die ik eerder had gezien – dat was tenminste mijn eerste indruk.

'Waar heb je dit vandaan?' vroeg ik, terwijl mijn hart sneller ging slaan. Het portret had dezelfde intense, nauwkeurige stijl als de tekeningen van Sophie.

'Uit Sam Metcalfs appartement. Ik vond het in de badkamer, aan de binnenkant van de deurtjes van het medicijnkastje geplakt.' Hij klonk erg tevreden met zichzelf. 'Ik denk dat uw dochter het daar verborgen heeft.'

Het ontbrekende blad uit haar schetsboek.

'Ik herken hem niet,' zei ik, nog altijd naar het scherm starend. 'Denk je dat dit de persoon is die haar vermoord heeft? Heeft Sophie haar moordenaar echt getékend?'

Hij gaf geen antwoord.

Ik keek wat nauwkeuriger naar het portret. Een Romeinse buste – van het soort dat kunstacademiestudenten moeten tekenen – met een Ralph Lauren-shirt. Ik kon het embleempje van het polospelertje op het borstzakje zien. De tekening was gladjes, gepolijst, sinister – ik twijfelde er niet aan dat Sophie dat zo bedoeld had. Ze moet de schets uit haar hoofd hebben gemaakt (het leek onwaarschijnlijk dat hij voor haar geposeerd had, of zichzelf had laten fotograferen) als een soort voorspellende compositietekening. Ze wist het.

Ik voelde me trots op haar en tegelijkertijd intens verdrietig.

Het was een knap, onopvallend gezicht. Ik was vastbesloten om elke walgelijke trek ervan te onthouden.

Morelli zei: 'We hebben geprobeerd in contact te komen met haar tekenleraar. Bailey Grant is in Tunesië en onbereikbaar. Ik hoopte dat u misschien een idee had...'

'Ja, het is haar werk,' zei ik ongeduldig. 'En als jij het spoor naar Sam Metcalf nagetrokken had toen ik je over haar vertelde...' Ik dwong mezelf te stoppen. Het had geen zin om boos te worden. 'Je zei dat je een verdachte had.'

De tekening van uw dochter heeft ons naar iemand geleid met wie we heel graag zouden willen praten... *Un secondo.*' Op de achtergrond kon ik een onpersoonlijke Italiaanse stem een mededeling horen doen via een omroepsysteem. 'Sorry, signor Lister, maar ze roepen eindelijk mijn vlucht om. Zegt de naam David Mallet u iets?'

'Mallet? Nee.'

'In de nacht dat uw dochter werd vermoord, huurde hij een kamer vlak bij San Miniato. De pensionhoudster herkende hem van de tekening als een van haar huurders. Hij heeft er een paar weken gelogeerd, was heel rustig, erg op zichzelf, en deed een of ander onderzoek; ze dacht dat hij misschien een boek aan het schrijven was.

Ik kon geen woord uitbrengen.

'Ze was er vrij zeker van dat hij het was,' zei Morelli. 'Hij is Amerikaan, woont of woonde in Parijs. Het kan een vals spoor zijn, of gewoon toeval, maar het adres van David Mallet is interessant – Rue Mabillon 20 is een paar deuren bij uw kantoor vandaan.'

'Wat heeft dat verdomme te betekenen?'

'Ik weet het niet. Maar mijn advies is: wees voorzichtig. Ik ben over een paar uur in Parijs. Ik heb de Sûreté gevraagd het een en ander na te trekken. Wanneer gaat u terug naar Londen?'

'Morgen... misschien.'

'Tegen die tijd weet ik wellicht meer.'

Er stond geen bericht van Laura op mijn voicemail, wat al met al niet zo'n verrassing was. Ze had waarschijnlijk niet veel aandacht besteed aan dat wat Morelli te zeggen had, en ze had er een hekel aan om boodschappen achter te laten. Maar toch, dacht ik, moet ze zich gerealiseerd hebben dat dit belangrijk kon zijn.

Campbell Armour had twee keer gebeld – om 17.47 uur, om te zeggen dat hij de afspraak niet ging redden; en opnieuw om 22.38 uur, met de mededeling dat hij me dringend moest spreken.

Het was nu over enen. Ik belde hem terug op het nummer dat hij had achtergelaten, toetste het in zonder na te denken. Er werd niet opgenomen. De telefoon ging vijf keer over, toen kreeg ik een antwoordapparaat en herkende ik mijn eigen stem. Ik had het huis van Laura's grootmoeder gebeld, La Rochelle. Ik controleerde het nummer opnieuw en het klopte. Dit sloeg helemaal nergens op.

Ik maakte me geen zorgen over Alice Fielding. Ik verwachtte niet dat ze de telefoon zo laat nog zou hebben opgenomen – de oude dame lag meestal al om tien uur te slapen. Maar ik snapte niet wat de detective bij haar thuis had gedaan. Waarom zou Campbell daar in hemelsnaam naartoe zijn gegaan? Hoe kwam hij aan het nummer, het adres?

Het moest een fout zijn. Ik probeerde Campbells mobiel, toen belde ik zijn huis in Tampa en liet een bericht achter.

Ik schonk een groot glas whisky met water in, dronk het leeg en schonk er nog een in.

De ontdekking van Sophies tekening die zo snel geleid had tot de identificatie van een verdachte had me in een goed humeur moeten brengen. Maar ik voelde me depressief en ongemakkelijk. Ik wist niet wat ik ervan moest denken dat Ward zo dicht bij mijn kantoor in Parijs woonde. Het was een misselijkmakende gedachte dat ik hem onbewust misschien gepasseerd was op straat.

Ik kon niet ophouden met aan Jelena te denken.

Haar geur zat op mijn handen en mijn gezicht, in mijn kleren. Ik kon haar nog steeds proeven, de warmte van haar huid voelen. Ik bleef teruggaan naar dat moment tijdens het eten toen ze toegaf dat ze hetzelfde voelde als ik. Misschien had ik het mis, maar het leek me duidelijk dat ze niet echt had gewild dat ik wegging. Ik had mezelf moeten dwingen om weg te lopen. Ik wist dat ik degene was die de juiste keuzes moest maken en dat betekende dat ik moest doen wat goed voor haar was. Ik was bijna teruggegaan om bij haar aan te bellen.

Ik nam mijn glas en laptop mee naar het bureau en ging zitten om de schets van 'David Mallet' beter te bestuderen. Ik stelde me het gezicht van de man onder verschillende omstandigheden voor, in verschillende omgevingen. Ik haalde de foto's van Ernest Seatons ouders tevoorschijn en onderzocht ze op familiegelijkenissen. Die zag ik niet, ik zag noch Gary noch June terug in die neutrale trekken; toch was er íéts met hem.

Ik begon me af te vragen of ik recentelijk geen glimp van dat gezicht had opgevangen – misschien zelfs vanavond, hier in New York. Het was maar een vage indruk, waarvan de herinnering in mijn achterhoofd bleef zitten als een jeukende plek waar ik niet bij kon. Maar als dat vanavond was gebeurd, terwijl we samen waren, had Jelly misschien gezien wat ik had gemist.

Ik toetste het nummer van haar mobiel in.

Wakker worden, Wardo, bezoek.

Ward stond op. Een jonge moeder, misschien toch niet zo jong, liep achter een McLaren-kinderwagen en trok een vierjarig kind met zich mee naar de ingang van het gebouw. Wat deed ze zo laat nog buiten met die kinderen? Alsof hij daar iets mee te maken had. Met een vriendelijke glimlach schoot hij haar te hulp.

'Kom, laat me u een handje helpen.'

Ze liet het toe, vroeg niet eens wat hij hier deed, waarom hij na middernacht nog in het halletje rondhing. Terwijl hij haar hielp de kinderwagen de trap op te dragen, legde Ward uit dat hij zijn huissleutel in het appartement van zijn vriendin had laten liggen en dat ze nog niet terug was. Hij charmeerde haar met het verhaal dat hij had voorbereid.

'Ik ben Eddie, trouwens, Eddie Lister.' Hij aarzelde. 'Jelena's vriend?'

Hij zag er keurig en respectabel genoeg uit in Eds donkerblauwe pak van Brooks Brothers. Ward had drie kwartier gewacht.

Ze keek hem uitdrukkingsloos aan.

'Jelena Sejour van 4A... dat zwarte meisje?' Hij gebruikte de niet-politiek correcte term zodat ze het zich later zou herinneren.

'O... o ja. Tuurlijk, ik weet wie u bedoelt.'

Hij hield de voordeur wijd voor hen open, raapte toen zijn rugzak op en volgde de moeder met haar kinderen het gebouw in. Bij hun appartement op de begane grond wenste hij hen goedenacht, waarna hij de trap op liep.

69

Jelly was meteen op bed gaan liggen nadat ze thuis was gekomen en had zich niet bewogen. Ze had haar schoenen uitgeschopt, tenminste, wat daarvan over was, en kon het niet meer opbrengen om zich uit te kleden. Ze had altijd gezegd dat als ze elkaar ooit zouden ontmoeten, het een totale chaos zou worden. Nou, ze kon tevreden zijn, daar had ze gelijk in gekregen.

Het appartement lag er nog net zo bij als ze het had achtergelaten – make-up, ondergoed, kleren, handdoeken, alles lag overal, alsof er een tornado door haar kamer was geraasd. Ze had veel werk besteed aan haar uiterlijk, maar dat leek nu belachelijk en zinloos. De asbak op de glazen koffietafel naast haar zat vol half opgerookte peuken met diverse kleuren lippenstift op de filters. Wereld, donder op, dacht ze.

Mistigris hield haar vanaf zijn favoriete plek, boven op de kast, in de gaten. Haar andere kat, Minou, zag ze niet. Ze moest plassen, maar wilde de stemming die zijn kus bij haar had opgewekt nog niet verstoren. Ze had nog steeds die suffe, sentimentele wals van het ballet in haar hoofd.

Jelly kende het nummer niet dat op het display van haar mobiel stond. Maar ze wist gewoon dat hij het was. Ze trok het koptelefoontje los uit de telefoon, wachtte tot hij voor de vierde keer overging en drukte op 'Luidspreker'. 'Ja?'

Ed zei zachtjes: 'Wat je ook doet, hang niet op. Luister even...'

'Waarom bel je? Je hebt drie seconden.'

'Het gaat niet over ons, Jelly. Check je e-mail. Ik heb je een tekening gestuurd van iemand. Het is belangrijk dat je heel goed naar zijn gezicht kijkt. Als je hem vanavond ergens gezien hebt, misschien bij het Metropolitan, of op weg terug van het restaurant...'

'O, mijn god! Hoe dúrf je met die shit aan te komen!'

'Het is niet wat je denkt. Ik probeer je niet bang te maken, echt niet.'

'Eddie, doe dit nou niet, alsjeblieft. ALSJEBLIEFT... laat me met rust.'

Ze zette haar mobiel uit, gooide hem naast zich neer en barstte in tranen uit. Na een tijdje stond ze op en liep naar haar computer. Ze zag de kleine envelop in haar inbox. Als ze hem opende, voelde ze zich verplicht te antwoorden en dat was precies wat hij wilde. Ze klikte op Eds e-mail en bewoog de cursor naar 'verwijderen', maar aarzelde toen.

En als hij nou eens geen rottigheid wilde uithalen?

Ze hoorde een geluid bij haar voordeur. Haar ogen dwaalden door de keuken en het halletje, vlak voor de deurbel klonk.

Een beetje aangeschoten schonk ik mezelf nog een whisky in, liep ermee naar het raam en keek naar de East River. Ik dacht aan Jelly, aan hoe ze net gereageerd had. Ze had me er min of meer van beschuldigd dat ik het gevaar dat Ward vormde gebruikte om contact met haar te houden, om door te gaan. Misschien had ze gelijk. Als we vanavond gevolgd waren, had ik daar eerlijk gezegd niets van gemerkt. Maar toch... ik wilde echt dat ze naar die tekening zou kijken. Gewoon voor de zekerheid.

De telefoon ging. Ik wankelde naar de tafel en nam op.

'Waar is Campbell?' Het was de vrouw van de detective, Kira, die me terugbelde. 'Ik heb niets meer van hem gehoord, en ik maak me zorgen.'

'Als ik wist waar hij was, mevrouw Armour, dan had ik u niet hoeven lastigvallen, maar ik weet zeker dat hij contact zal opnemen,' zei ik, en ik probeerde overtuigender te klinken dan ik me voelde.

'Hij belde me ergens vanuit Jersey. Dat was meer dan twee uur geleden.'

'Heeft hij gezegd wat hij daar deed?'

'Op u wachten.'

'Mevrouw Armour,' ik deed erg mijn best om goed te articuleren, 'ik heb nooit tegen uw man of tegen wie dan ook gezegd dat ik naar La Rochelle zou gaan.'

'Hij had het nummer uit Grace' mobiel.'

Mijn hoofd tolde. 'Grace Wilkes? De huishoudster op Skylands?'

Ik hoorde haar aarzelen. 'Heeft Campbell u dat niet verteld?'

Er trok een gevoel van onheil door me heen.

'Hij ging vanochtend terug naar dat huis, voor hij uit Norfolk wegging, en ontdekte dat ze dood was. Ze was vermoord.' Ik liet me in een stoel zakken.

'Jezus.' Ik was meteen nuchter. 'Weet u dat zeker?'

387

'Of ik dat zeker weet?'

'Sorry, ik hoor dit net voor het eerst...'

Ik hoorde haar een snik inslikken. 'O, god.'

Ik voelde me verloren. 'Hoor eens, ik weet zeker dat het goed met hem gaat.'

'Maar waarom kan ik zijn mobiel dan niet bereiken?' vroeg ze met een hoge, schrille stem. 'Ik heb hem gewaarschuwd. Ik probeerde hem tegen te houden, vond dat hij met deze zaak moest stoppen. Hij weet alles van computers... niet van psychopaten.'

Ze viel stil. Ik hoorde haar huilen.

'Het komt allemaal door u. U hebt Campbell hierbij betrokken. Hij zou al die risico's nooit genomen hebben als u hem niet... zoveel had geboden. Hij had me niet verteld dat hij in moeilijkheden zat, hij had schulden die hij moest betalen. O, god, ik weet gewoon dat er iets met hem is gebeurd.'

'Mevrouw Armour, ik beloof u dat uw man dat geld meer dan...'

'Wat kan mij dat géld schelen!' gilde ze.

'U moet me helpen,' zei ik zachtjes. 'Dan helpt u ook Campbell. Het kan zelfs zijn leven redden.' Ik pauzeerde. 'Ik moet erachter komen wat er nu in Wards hoofd omgaat, wat hij denkt dat ik hem heb aangedaan.'

Het viel weer stil.

'Zijn hoofd is de website. Hij denkt dat u naar het echte Skylands bent gekomen... dat u voor June kwam. Hij wil iedereen laten weten dat u haar vermoord hebt, en zijn vader ook.'

'Ik ben daar nooit zelfs maar in de buurt geweest. Hoor eens, ik heb June Seaton één keer ontmoet, op een feest in New York. We hebben toen de avond samen doorgebracht. Meer niet. Ik heb haar daarna nooit meer gezien.'

'Misschien, maar in zijn hoofd was u daar wel.' Ze aarzelde. 'Hij kan verdrongen hebben wat er die avond echt gebeurd is.'

Ik dacht aan het gezicht en de handen van de jongen die onder het bloed van zijn moeder zaten.

'Hoe bedoelt u? *Mijn god*... hij was toen negen.'

'Campbell vroeg me of ik dacht dat Ernest zijn ouders kon hebben vermoord en de herinnering daaraan verdrongen kon hebben. Het is eerder voorgekomen. Als hij redenen had om te vrezen dat zijn moeder weg zou lopen en hem bij zijn agressieve vader zou achterlaten – het is mogelijk.'

'Maar wat heb ik daarmee te maken? En mijn gezin?'

'June Seaton schreef een liefdesbrief die ze nooit verstuurd heeft.

Toen die twee jaar geleden opdook, kan dat voor Ward de aanleiding zijn geweest. Gevoelens van berouw hebben opgewekt, die hij nooit aan zichzelf kan toegeven. Dus heeft hij zijn schuldgevoel op u geprojecteerd...'

'Maar waarom heeft hij mij dan niet te pakken genomen? Waarom Sophie?'

'Om u te laten lijden. Hij wilde zijn ouders' dood "wreken" en uw leven verwoesten. Hij gebruikte uw dochter, maar had er niet op gerekend dat hij verliefd op haar werd... wat hem, vermoed ik, alleen maar meer in de war bracht.'

'Verliefd? Zei u net niet dat die vent een psychopaat is?'

'Volgens mij zit hij in een psychologische zuiveringsfase die hij niet helemaal begrijpt – of beter gezegd, daar zit hij in gevangen.' Ze wachtte even. 'En het is nog niet voorbij.'

'Hoe bedoelt u?'

'Campbell heeft aanwijzingen gevonden dat Ward misschien weer een moord gaat plegen. Toen we aan het bellen waren, was hij een kast aan het doorzoeken, ik geloof dat hij zei dat hij in de kamer van het dienstmeisje was. Daar vond hij een computertas of rugzak.'

'Jezus christus.'

'Misschien moet ik u dit allemaal niet vertellen. In de rugzak zat een kaartje met een naam en een adres, en Campbell zei dat het volgens hem hetzelfde was als dat van uw kantoor in Parijs. Hij dacht dat ú Ward zou kunnen zijn... alleen wist hij niet zeker of u er ingeluisd werd. Ik heb de politie gebeld. Ik wist niet meer wat ik moest doen.'

'U had groot gelijk. Wat was die naam?'

'Hij heeft het wel tegen me gezegd. David en nog iets.'

'Kan het David Mallet zijn geweest?'

'Mallet... Mallory. Mallet, ja, dat was het. Hij wist dat die naam was verzonnen, omdat het een van de standaardnamen is die we beiden in ons werk gebruiken.'

Ik hoorde mezelf vragen: 'Zei u Mallory?'

Ik belde Jelly op haar mobiel. Die stond uit. Ik probeerde haar vaste nummer en kreeg een antwoordapparaat – ze had haar telefoon doorgeschakeld.

Een computerstem vroeg of ik mijn naam wilde noemen, anders kon het gesprek niet worden doorgegeven. Ik gaf mijn naam en adres en zei (voor ik me bedacht dat dit systeem geen boodschappen kon herkennen) dat het om een zaak van leven en dood ging.

'Dank u. Momentje graag.'

Na wat een eeuwigheid leek, terwijl ik luisterde naar de instrumentale versie van 'Mr. Bojangles', hoorde ik dezelfde blikkerige stem zeggen: 'De persoon die u probeert te bereiken is niet beschikbaar. Dank u. Tot ziens.'

Ik vloekte, wachtte even en drukte op de herhaaltoets.

70

Jelly liep naar de deur, haar blote voeten maakten geen geluid op de kale houten vloer. Ze schoof het veiligheidsklepje van het kijkgaatje opzij en legde haar oog tegen de lens. Guy Mallory stond in de gang, half weggedraaid, en keek naar de trap.

Ineens draaide hij zich om, alsof hij iets had gehoord, en ze zag dat hij een pak en een stropdas droeg, wat raar stond bij de rugzak die over zijn schouder hing. Hij kwam een stap dichter bij de deur, ze ging vlug rechtop staan en dacht snel na.

'Jelena, ik weet dat je daar bent.'

Te laat om te doen alsof ze er niet was. 'Guy? Wat doe je hier?' Ze probeerde groggy te klinken, alsof hij haar wakker had gebeld. 'Ik heb toch gezegd dat ik niemand wilde zien.'

Ze keek weer door het gaatje. Zijn gezicht, vertekend door de groothoeklens, zag er gebeeldhouwd uit, bijna als een masker. 'Gaat het goed met je?'

'Ja, prima,' zei ze. 'Ik heb wat paracetamol ingenomen. Wil je nu alsjeblieft weggaan? Laat me maar slapen.'

'Ik moest zeker weten dat je veilig was.'

'Veilig? Ja, het gaat goed, echt waar.'

'Toen ik er van jou eerder niet in mocht, dacht ik dat dat was omdat je stalkervriend er was. En dat je niets kon zeggen, snap je? Ik wilde gewoon zeker weten dat alles goed was.'

'Hij is er niet, Guy. Het gaat goed, dank je.'

'Je hebt dus niets van hem gehoord?'

Ze aarzelde. 'Niet echt... hij... nou ja, ik heb hem even gezien. We hebben geluncht, we hebben het over de toestand gehad en dat was het. Geen plannen om weer af te spreken.'

'Dat is moeilijk te geloven. Stalkers kunnen heel vasthoudend zijn.'

'Hoor eens, een ding weet ik heel zeker... hij is geen stalker.' Maar ze klonk niet overtuigd.

Jelly dacht aan Ed, die haar belde, mailde en weer belde – ze had zijn laatste telefoontje geweigerd... misschien lag het aan haar, gaf ze hem een verkeerd idee. Voor ze het wist zou hij voor haar deur staan. Hij wist nu waar ze woonde.

'Weet je wat het is, ik zag hier eerder een kerel rondhangen in de hal beneden, en die zag er wat verdwaasd uit.'

'Ja? En wat dan nog? Dit is New York, Guy.'

'Hij kan terugkomen. Ik probeer je alleen maar te beschermen.'

Achter haar ging de telefoon. Jelly liet het klepje vallen en leunde met haar rug tegen de deur. Shit. Ze streek met haar vingers door haar haar en sloot haar ogen, wat moest ze nu doen?

'Ga je die nog opnemen?' vroeg Guy aan de andere kant van de deur.

O, wat kon het haar verdomme ook schelen! Ze draaide het slot open.

Zodra de deur open was, schoot Ward langs haar heen recht op de telefoon af die op het glazen tafeltje stond en nam hem op.

Hij luisterde en keek ondertussen naar Jelly, op blote voeten en amper gekleed, naar de rommelige kamer en hij rook de vage ammoniakgeur van kattenpis – een loden rechthoek met stompe hoeken. Hij moest zich voor zijn zintuigen afsluiten.

'Ken jij ene Ed Lister?'

Ze knikte verdrietig.

'Wil je met hem praten?'

Ze schudde haar hoofd. 'Ik wil niet met hem praten.'

Hij drukte op een toets en verbrak de verbinding. 'Zei ik het niet? Die kerel laat je niet met rust.'

Hij zag hoe ze een pakje Marlboro openmaakte en een sigaret opstak terwijl ze de kamer binnenkwam. Ze plofte op het voeteneind van het bed en hij zag haar tranen.

'Hé, het is oké nu. Zolang ik in de buurt ben, kan hij je niets doen.'

'Je begrijpt het niet,' zei ze en ze blies rook uit.

'Je voelt iets voor hem, dat weet ik,' zei hij meelevend, 'maar die gevoelens zijn niet echt. Je kent hem niet eens. Jelena, dit is allemaal niet écht. Mag ik gaan zitten?'

Ward liet de rugzak van zijn schouder glijden, legde hem op de rotan bank, maakte wat plaats en ging zitten.

'Een stalker,' ging hij verder op dezelfde gevoelige toon, 'hoe oprecht die ook mag lijken, is een notoire leugenaar. Al die zoete praatjes die hij tegen je ophangt over echte liefde en het lot, dat het in de sterren staat geschreven – allemaal leugens. Hij hing hier beneden rond. Wees niet verbaasd als hij nog eens terugkomt en je probeert te "redden" van gevaar.'

Ze fronste haar wenkbrauwen. 'Waarom zou hij denken dat ik in gevaar ben?'

'Je bent ook niet in gevaar... alleen bij hem. Het is een normale stalkerfantasie. Hij droomt ervan om jou zijn liefde te bewijzen door ridderlijk gedrag. Hij draait de boel om, hij zal beweren dat hij het slachtoffer is en dat jíj hém stalkt, dat de stalker gestalkt wordt. Zie je met wie je te maken hebt? Als jij hem niet geeft wat hij wil, wordt je vriend gewelddadig. Je moet de autoriteiten vertellen over Ed Lister, je moet hem aangeven bij de politie of de FBI. En wel nu meteen.'

Ze lachte. 'De politie? Je maakt een grapje.'

'Het kan heel snel gaan. Bij iemand als Ed kan liefde in een oogwenk omslaan in allesverterende haat. Als hij je niet krijgt, geloof me, dan zorgt hij ervoor dat niemand je krijgt.'

Dat had hij letterlijk uit zijn eigen 'profiel' gehaald, dat Campbell geschreven had, ongetwijfeld met hulp van zijn weduwe Kira.

'Wat is er, Mistigris?' Jelly glimlachte. 'Hij gaat alleen naar mensen die niet van katten houden. Zijn naam betekent "joker" in het Frans.'

'Ik vind het een leuke naam.' Hij keek nietszeggend toen het beest op zijn schoot sprong en begon te spinnen. 'Je moet iemand bellen.'

Ze schudde haar hoofd. 'Dat kan ik Ed niet aandoen. Trouwens, ik weet toevallig dat hij morgen naar Londen vliegt.'

'Sorry dat ik het zeg,' en hij leunde achterover en aaide de kat, 'maar dat weet je helemaal niet. Je weet geen flikker van Ed. Je bent niet véílig als je hier blijft.'

'Ho, ho, rustig aan...'

'Als ik hier wegga, ga ik naar het huis van mijn oma in New Jersey.' Hij sprak heel nadrukkelijk, hij moest het haar laten voelen. 'Daar is meer dan genoeg ruimte. Als je wilt, kun je daar vannacht slapen. Geen verplichtingen.'

'Bedankt, maar toch maar niet.'

Nog steeds koppig. Dom van haar, maar hij had het kunnen verwachten. Hij zag dat ze zenuwachtig werd, dapper probeerde te lijken.

'Je leven is in gevaar, Jelly. Waar kun je anders naartoe?'

Ze nam een lange trek van haar sigaret, draaide met haar ogen, blies wat rook uit en drukte toen de sigaret uit in de overvolle asbak, waar hij niet naar kon kijken zonder een donkere tunnel te zien, breed aan deze kant en versmallend tot in het niets.

'Je zei Jelly.'

'Andere mensen noemen je toch zo?'

Ze keek hem even aan. 'Ja, het is mijn bijnaam.'

Hij haalde zijn schouders op. 'We hebben niet veel tijd.'

'Oké, oké.' Ze zuchtte. 'Ik ga wel naar mijn vriendin Tachel. Ik denk dat ik daar vannacht wel kan slapen. Je kunt me daar afzetten. Ze woont vlak bij de rondweg – weet je waar Woodside is?'

Ward glimlachte. 'Geen probleem.'

'Ik moet even andere kleren aantrekken.'

'Wil je dat ik buiten wacht?'

'Welnee, ik ga naar de badkamer.'

Zodra hij hoorde dat Jelly de deur achter zich op slot deed, opende Ward een zijvakje van zijn rugzak en haalde er een kleine draadtang uit. Hij gaf haar een halve minuut, toen smeet hij de kat van zijn schoot, stond op en liep naar het raam waar de telefoonlijn het appartement in kwam. Hij knipte de draden door.

Daarna pakte hij met een van Jelly's afgedankte panty's de telefoonhoorn en veegde hij eventuele vingerafdrukken eraf. En voor de zekerheid poetste hij ook de telefoon zelf en het glazen tafeltje schoon.

Hij ging weer zitten, maakte het grote vak van zijn rugzak open en haalde er een in oliedoek gewikkeld pakje uit. Daar haalde hij de mezzaluna uit en die legde hij voorzichtig op zijn knieën; vervolgens trok hij, terwijl hij het mes bij een van de handvatten vasthield, het plastic eraf. Hij pakte het doek en het plastic en stopte die terug in zijn rugzak, daarna ritste hij een lang zijvak open en stopte daar het mes in, met de handvatten naar buiten. In plaats van met de rits, sloot hij het vak nu met klittenband, zodat hij makkelijk bij het wapen kon als hij zijn rugzak om had.

Hij had geoefend op de 'greep' – linkerhand voor zijn lichaam langs en onder zijn rechteroksel door – net zolang tot hij ervan overtuigd was dat hij in iedere situatie binnen anderhalve seconde het wapen had.

Ward haalde een paar nieuwe rubberen handschoenen tevoorschijn. Hij blies in de vingers van elke hand voor hij ze aantrok, daarna trok hij aan het rubber en liet het knallen om de luchtbellen eruit te krijgen.

Hij hoorde vanachter de gesloten badkamerdeur het trage ritme van rapmuziek; ze had natuurlijk de radio aangezet voor wat privacy. Hij vond haar preutsheid aandoenlijk.

71

Jelly zat voorovergebogen op het toilet, ze hield zich met één hand aan het bad vast en de andere hield ze voor haar mond om te voorkomen dat ze het uit zou schreeuwen. Een minuut geleden had ze Tachel gebeld, ze had de telefoon horen overgaan en toen ineens was de lijn dood geweest.

Ze wist meteen wat dat betekende.

Het had al niet goed gevoeld toen ze Guy had binnengelaten. Op dat moment had ze ervandoor moeten gaan, toen ze voor het eerst dat onbehaaglijke gevoel had, toen ze nog de kans had. Wat had haar in hemelsnaam bezield dat ze de deur voor hem open had gedaan? Ze staarde naar de hoorn van de wandtelefoon die langzaam ronddraaide aan het snoer.

Ze pakte de hoorn op en probeerde weer te bellen, deze keer 911, voor de zekerheid. Niets. Hij moest de draden hebben doorgesneden. Haar mobiel lag in de andere kamer. Die had ze mee willen nemen, maar ze had dat kolereding niet zo gauw kunnen vinden en Guy had gezegd: schiet op, we moeten opschieten. Hij zou die inmiddels ook wel hebben. O, jezus christus.

Waarom deed hij dit? Wat wilde hij van haar? Ze dacht aan Eds e-mailbijlage, die ze expres niet had willen openen, en werd ineens misselijk van angst. Ze had niet gemerkt dat ze vanavond gevolgd werden, toch? Iemand die op Guy leek? Hoe had ze zich toch zo in de maling kunnen laten nemen, hij had haar er bijna van overtuigd dat Ed het gevaar was! Het was Guy... die mensen vermoordde. Maar daar moest ze nu niet aan denken. Ze moest kalm blijven, zich concentreren, een uitweg vinden.

Het badkamerraam was geen optie: veel te klein om door te klimmen, te hoog om om hulp te roepen. En als ze zou gaan roepen en gillen, zou hij gewoon de deur intrappen. Absurd, zo erg als haar handen trilden.

Ze vouwde ze in elkaar en sloot haar ogen. Toen kwam er een idee bij haar op, door haar angst heen.

Er was iemand die ze kon proberen te bereiken – haar buurman, de zonderling van 4B. Die was altijd thuis. Ze had niet eerder aan hem gedacht omdat hij half gek was en ze geen contact hadden vanwege dat muziekgedoe. Maar als Lazlo niet sliep – en zelfs als hij wel sliep – dan wist ze hoe ze zijn aandacht moest trekken.

Jelly klom op het bad en zette de doucheradio aan. Ze drukte haar oor plat tegen de tegels onder de douchekop en luisterde. Ze hoorde iemand lopen aan de andere kant – goddank, hij was nog wakker. Toen begon het gemopper. Twee stemmen, de één hoog en huilerig klagend over het lawaai, de andere boos.

Ze hoorde Lazlo naar zijn badkamer stommelen, hoorde hem in zichzelf praten en op de tussenmuur bonken.

Ze draaide de volumeknop voor Jay-Z zo ver mogelijk open.

'Ik zou dit helemaal niet met u bespreken als het geen noodgeval was.'

'Het spijt me, meneer, maar als ik de toegangscode van de abonnee niet heb, kan ik haar op geen enkele manier bereiken. Ik kan de doorschakeling niet ongedaan maken.'

'Wilt u me dan een lol doen, mevrouw, en wilt u zelf het nummer proberen? Misschien accepteren ze uw telefoontje wel.'

'Momentje graag.'

Even later kwam de telefoniste terug en zei dat ze er niet door kwam omdat er een storing op de lijn was. Toen wist ik zeker dat Jelly in acuut gevaar was. Het betekende dat 'Guy Mallory' daar al was.

'Hij gaat haar vermoorden.'

'Meneer, probeert u dan de hulpdiensten.'

'Daar is geen tijd meer voor,' riep ik.

'Ik heb nog meer telefoontjes,' zei ze vermoeid en ze beëindigde het gesprek met: 'Dank u voor het bellen met AT&T.'

Ik knalde de hoorn op de haak, overstuur door de ernst van de situatie.

Ik had ongeveer tien minuten verspild aan de telefoon en was er niets mee opgeschoten, ik had verdomme al halverwege 39th Street kunnen zijn. Ik pakte mijn jas en stond al in de hal op de lift te wachten toen de telefoon overging.

Ik aarzelde even, maar rende toen terug.

'Meneer Lister?' Het was Eve-Louise van de receptie. 'Hier staan twee rechercheurs van de New Yorkse politie die met u willen praten.'

'Zeg maar dat ik eraan kom.'

Ward klopte op de badkamerdeur. 'Tijd om te gaan, liefje.'

Ze gaf geen antwoord. Hij hoorde de harde muziek, het bonken op de muur – hij wist nu wat ze daar aan het doen was. 'We moeten gaan, Jel.'

'Jelena?' Hij probeerde de deurknop, stapte net naar achteren om de deur in te trappen, toen het geluid stopte – ze had de radio uitgezet. Hij hoorde de wc doorspoelen en toen ging de deur open en stapte Jelly naar buiten met een oude Lord&Taylor-boodschappentas vol met logeerspullen. Ze had een spijkerbroek en een T-shirt aangetrokken en Ward ving een vleugje parfum op, dat ze ook voor hem had opgedaan toen ze gingen eten.

Een groene, glazen presse-papier, glad en koel tegen zijn wang.

'Ik ben klaar,' zei Jelly. Hij zag dat haar handen beefden. 'Ik moet alleen nog wat brokjes en schoon water voor de katten neerzetten.'

'Oké, maar we hebben niet de hele dag.'

Terwijl zij voor de beesten zorgde, keek Ward door het kijkgaatje de gang in. De kust was veilig.

Op hun verdieping woonden alleen Lazlo en zij. Toen ze de deur van haar appartement op slot had gedraaid en de gang in wilde lopen, zag Jelly de deur van 4B krakend opengaan en zag ze het kraaienoog van haar buurman boven de ketting verschijnen. Toen verdween het oog en hoorde ze Lazlo met iemand achter zich praten. Ze herkende die andere stem, die hoge, schelle stem, die klonk als een vittende vrouw.

'Ik kan dit geen seconde meer verdragen. Weet je wel hoe laat het is? Je moet er wat aan doen, je moet die teef de mond snoeren.'

'Zo is het wel genoeg,' bulderde Lazlo.

En hij riep door de spleet naar Jelly: 'Deze keer ben je veel te ver gegaan. Vuile teef! Ja, ja, je hebt me wel gehoord, slet. Ik ga voor altijd en eeuwig een einde maken aan dat smerige spelletje van je.'

Hij had deze idiote onzin wel vaker uitgekraamd, maar nog nooit in haar gezicht. Jelly schreeuwde terug vanuit de gang: 'Als het je niet bevalt, waarom bel je de politie dan niet, klootzak?' Ze voelde hoe Ward een arm om haar schouders legde en haar in de richting van de trap duwde.

'Hier willen we niets mee te maken hebben.'

'Jij achterlijke mongool,' ging ze verder, 'jij hoort opgesloten te worden! Als jij het alarmnummer niet belt, doe ik het wel.'

De deur werd dichtgegooid. Jelly bad dat Lazlo de boodschap had begrepen, maar veel hoop had ze niet. Ze hoorde een ketting rammelen en het volgende moment sprong er een reus in een donkerblauwe pyjama en badjas de gang in. Lazlo was groot, maar niet intimiderend.

'Ik heb er genoeg van,' gromde hij, zijn dikke wangen waren paars en trilden van woede.

'Terug, bozo,' waarschuwde Guy hem.

'En wie ben jij, verdomme?' Hij liep naar hem toe. 'Wie denk je wel dat je bent, dat je zo tegen me durft te praten? Klootzak.'

Maar ineens, alsof iemand een knop in zijn hoofd had omgedraaid, verdween zijn woede. Zonder ook maar met zijn ogen te knipperen, veranderde Lazlo in de man die ze kende – beleefd, bedachtzaam, ongevaarlijk.

'Gaat het, juffrouw Sejour?'

Guy gaf antwoord: 'Ik zeg nooit iets twee keer.'

'Valt deze man u lastig?' Hij deed een stap naar voren.

Nu pas begreep Jelly wat ze had gedaan, het gevaar waarin ze hem had gebracht door hem bij haar problemen te betrekken. Ze gebaarde fanatiek naar Lazlo dat hij hen met rust moest laten, dat hij naar binnen moest gaan. Maar hij bleef naar hen toe komen.

Guy zei heel kalm: 'Je bent te ver gegaan, dikzak.'

Door de dreiging in zijn stem keek Jelly naar beneden. Guy had een of ander krom mes in zijn hand. Een glimmend metalen verlengstuk van zijn arm dat hij recht naar beneden, pal naast zijn lichaam hield.

Ze gilde: 'Hij heeft een mes!'

Guy liet haar schouder los om zich te concentreren op de enorme vleesmassa die op hen afkwam. Dit was haar kans om hem af te leiden, haar enige kans om te vluchten. Jelly dook achter hem weg toen hij met een achterwaartse zwaai met het mes naar de onbeschermde keel van Lazlo uithaalde, en rende naar de trap.

Ze sprong, nam drie treden tegelijk, struikelde en viel op de eerste tussenvloer. Een vreselijk geluid boven haar, iets tussen een kuch en een gesmoorde kreet, maakte haar doodsbang. Maar ze bleef rennen, bang dat ze, als ze achterom zou kijken en Guy zag, zou bevriezen. Jelly was op de tweede tussenvloer toen ze hem achter zich hoorde – door het zware gebonk klonk het alsof hij hele trappen afsprong – hij won terrein.

Hij had haar ingehaald toen ze op de begane grond was.

'Ik sta hier recht tegenover geparkeerd,' zei Guy kalm en hij pakte haar arm alsof er niets was gebeurd. 'We gaan samen naar buiten.'

Hij hijgde niet eens.

Er spatte iets op de tegelvloer. Jelly keek omhoog. Hij bedekte haar mond, ving de kreet op voor die haar mond kon verlaten. Bloed druppelde... stróómde naar beneden in het smalle trappenhuis. Ze voelde een warme golf langs haar blote tenen glijden, onbeschermd in haar Old Navy-slippers, en viel bijna flauw.

'Als je slim bent,' zei Guy en hij hield haar steviger vast, 'stap je braaf in de auto en zeg je niets.'

De lift was al voorbij de tiende verdieping, begon aan het laatste stuk naar de lobby waar de rechercheurs op me wachtten, toen mijn mobiel overging.

'Ja?' Ik hoorde een automotor starten, verkeer.

Een mannenstem zei: 'Zeg tegen hem dat we een ritje gaan maken.'

'Wie is dit?'

'Zeg tegen hem dat we naar het huis gaan, hij kent de weg. O, sorry, liefje, je kunt natuurlijk niet praten met mijn lul in je mond.' Ik hoorde het geluid van tape die scheurde en toen een gil die ik herkende. 'Zo beter?'

Ik hoorde Jelly snikken.

'Zeg tegen hem dat ik je vermoord als hij de politie belt.'

Ik kende die stem. De laatste keer dat ik hem had gehoord was in de tuin van de Villa Nardini in Florence geweest, bij de grot waar Sophie was gestorven – het hese, ritmische midwestern geteem dat afsloot met: 'Rustig aan, hè, Ed.'

Ze riep uit: 'Alsjeblieft, doe me geen pijn, o, God...'

En toen hoorde ik niets meer.

72

Ergens halverwege de George Washington-brug leunde ik naar voren en zei tegen de taxichauffeur dat mijn plan veranderd was en dat ik, als we aan de New Jersey-kant waren, wilde dat hij direct omdraaide en me terugbracht naar de stad.

Hij keek me aan in zijn achteruitkijkspiegel, maar zei niets.

We reden aan de laagste kant van de brug in de richting van Gilmans Landing, waar ik dacht dat Ward Jelly naartoe bracht. De laatste kilometers ging ik twijfelen. Ik wist natuurlijk hoe ik daar moest komen – *hij kent de weg* – maar wat als ze niet naar het huis onderweg waren? Zou hij Skylands hebben bedoeld? Wat als het een valstrik was? Ik hoorde de wielen zingen: fout gegokt, verkeerde beslissing.

Mijn mobiel ging over. Hij lag naast me op de achterbank van de taxi waar ik hem net had neergegooid. Om de paar minuten probeerde ik Jelly te bellen.

Ik graaide hem van de bank en drukte op de 'antwoord'-toets. 'Ed Lister.'

Niets. Ik hoorde vage achtergrondmuziek, het klonk als de blazers van een Mariachi-band, maar niemand zei iets. Ik keek op het display en zag het pictogram van een binnenkomende video-opname knipperen.

Het kleine scherm lichtte op, werd donker en toen verscheen er een beeld van een onopgemaakt bed, met verwarde lakens en kussens tegen het hoofdeinde. Langzaam draaide de camera naar een schilderij aan de muur. Ik herkende het uit Jelly's omschrijving: een stilleven van Braque van muziekinstrumenten. Dit moest haar kamer zijn, haar appartement op 39th Street.

Het beeld bevroor. Ik dacht: nee, jezus, nee, ze zijn daar nog. Ik ben er ingetuind. Hij gaat haar gewoon in het appartement vermoorden... als hij het al niet gedaan heeft. De video was waarschijnlijk een opname van haar moord, die hij mij wilde laten zien.

Ik wachtte op het vervolg, misselijk van angst, probeerde mezelf voor te bereiden op de horror die me te wachten stond. We hadden dit eerder meegemaakt, maar deze keer liet ik het gebeuren. Mijn gedachten gingen terug naar mijn overhaaste vertrek uit het Carlyle: ik was op de vijfde verdieping uit de lift gestormd, had de diensttrap naar de achteruitgang van het hotel genomen en had de rechercheurs het nakijken gegeven – en toen vond ik tijdenlang geen taxi. Ten slotte besloot ik niet eerst naar Jelly's appartement te gaan. Ik had berekend dat Ward zo'n vijftien tot twintig minuten voorsprong op me had, dus ik had geen seconde te verliezen.

Het scherm van mijn mobiel kwam weer tot leven.

Ander beeld. In plaats van naar het stilleven van Braque keek ik nu naar een opzichtig schilderij op zwart fluweel van de Maagd van Guadeloupe. Andere kamer. Het was net uitstel van executie. Ik had maar één keer in de kamer gekeken, maar ik herkende de kamer van het dienstmeisje in La Rochelle. Ze waren al in het huis. Toen zwenkte de camera naar beneden en wist ik dat het om een liveopname ging. Bij het voeteneind van het bed zag ik een ineengedoken figuur op een stoel, armen en benen vastgebonden, hoofd ingepakt als een mummie in zilverkleurige tape (alleen de ogen en neusgaten waren zichtbaar). Voor zover ik kon zien was Jelly bij bewustzijn. Het was nog niet te laat, zei ik tegen mezelf.

Een onverwachte beweging voor de lens belemmerde even het zicht. Toen ik alles weer kon zien, stond de camera op haar ingepakte gezicht ingezoomd en zag ik de angst in haar ogen. Jelly reageerde op iets wat naar haar toe kwam – ik kon niet zien wat, ik zag alleen de twee bogen die in haar wijd open pupillen weerspiegeld werden. Toen werd het scherm zwart.

Ik zei in de telefoon: 'Hoeveel wil je?'

'Je weet héél goed dat het niet om geld gaat.'

'We kunnen dit samen oplossen... wat je ook wilt, ik doe het.'

Ward lachte. 'Je snapt het nog steeds niet, hè, Ed?'

'Laat haar gaan. Je mag me alles uitleggen als ik er ben, maar een onschuldig iemand vermoorden helpt je niets.'

'Helpt mij? In godsnaam Ed, ze zullen zeggen dat jíj haar vermoord hebt. Dát is het hele plan. En weet je wat? Ze krijgen nog gelijk ook. Ik ga nu ophangen.'

'Wacht... er is nog iets wat je moet weten...' Maar hij had al opgehangen.

Ik keek uit het raam en zag dat we bijna bij het tolhuisje voor de brug waren. De chauffeur reed door de poort en ik zei dat hij rechtsaf Pallisades

Parkway op moest gaan – ik was weer van gedachten veranderd.

Hij keek nogmaals naar me in zijn achteruitkijkspiegel en ik stak een paar honderddollarbiljetten omhoog en duwde die onder de plastic tralies door. 'Hoe snel kunt u daar zijn?'

'Ik kan mijn vergunning kwijtraken,' zei hij.

Ik stak er nog twee omhoog.

Het was warm en stoffig in de bak van het reservewiel van de stationcar. Jelly lag opgekruld als een vraagteken, ze kon zich niet bewegen en de bodem van de bagageruimte boven haar werd op zijn plaats gehouden door het reservewiel. Elke keer als ze ademhaalde, moest ze een claustrofobische paniekaanval onderdrukken, waardoor ze amper een volgende hap lucht durfde te nemen. Wat als ze moest niezen en haar neusgaten verstopt raakten? Wat als ze spontaan een bloedneus kreeg, wat ze soms had? Als tiener vond ze dat haar neusgaten te groot waren. Nu wenste ze dat ze zo groot waren als Ohio.

Ze lag in de inktzwarte duisternis, voelde zich slap en duizelig, was bang dat ze van haar stokje zou gaan, hoewel ze niet kon vallen. Haar instinct zei haar dat ze koste wat kost wakker moest blijven. Ze begon in haar hoofd gedichten, teksten en grappen op te zeggen, om haar geest wakker en alert te houden. Ze moest vechten om niet in slaap te vallen.

Ze stapte op muziek over. In haar hoofd speelde ze de nocturne van Chopin die ze voor de recital geoefend had en stelde zich voor dat mensen gesprekken voerden, praatten en ruziemaakten in muzikale zinnen. Haar aandacht dwaalde af. Misschien was dit een droom. In zijn auto was er iets gebeurd... ze dacht dat Guy een naald in haar arm had gestoken. Maar dat kon ze ook gedroomd hebben.

Ze had geen idee waar ze waren, alleen dat het een heel eind van Manhattan vandaan moest zijn. *Een naald!* Het was veel te rustig voor een stad. Ze herinnerde zich een bord waarop *Atrium of Tenafly* stond... wat betekende dat, verdomme? Een verlaten parkeerplaats. Guy die haar uit de Golf had geholpen en had gezegd dat ze in een oude stationcar moest kruipen. Wat was hij van plan? Misschien had hij haar een rohypnolinjectie gegeven, de vergeet-me-pil... ze moest even weg zijn geweest. Had hij het al gedaan?

Jelly kon zich niets meer herinneren, kon niet meer logisch denken.

Ze probeerde haar armen en benen te bewegen. Er gebeurde niets. Het kwam niet alleen doordat ze zo strak vastgebonden was of doordat ze door de vorm van de bak van het reservewiel gedwongen werd in een bepaalde houding te liggen dat haar spieren niet meer functioneerden.

Ze moest bijna overgeven van de geur van benzine en olie. Toen, uit het niets, verscheen het beeld van een krom mes en voelde ze Lazlo's warme bloed op haar voeten. Ze kokhalsde, haalde adem door haar neus. Wat was er met Guy gebeurd? Ze had een tijdje geleden een portier horen dichtslaan, of was het een minuut geleden? Ze was alle besef van tijd kwijt. Ze wist totaal niet meer wanneer hij terug zou komen.

Jelly luisterde ingespannen. De tape die hij om haar hoofd had gewonden, zat over haar oren. Het was alsof ze luisterde naar het ruisen van de zee in een schelp. Maar behalve het constante geluid van de branding leek het alsof ze water hoorde stromen.

De stationcar stond schuin. Misschien dacht ze daarom de hele tijd dat ze zou vallen. Hij moest op een helling geparkeerd staan.

Ik ging langzaam naar boven, trede voor trede, en probeerde niet eens zachtjes te doen. Als ze hier waren, dan zou Ward de taxi op de oprijlaan hebben gehoord en de koplampen hebben gezien. Ik hield mijn ogen gericht op de deur van het dienstmeisje op de overloop boven me en wenste dat ik een geweer of een ander wapen had.

Ik wist nog steeds niet of ik de goede beslissing had genomen. Toen ik een paar minuten eerder op La Rochelle was aangekomen, had ik geen auto's zien staan. Het huis was helemaal verlicht, wat me bemoedigend leek, maar ik zag niemand. Ik liep meteen naar de keuken, naar het achtergangetje, stopte onder aan de trap en luisterde.

De deur van Jesusita's kamertje zat op slot. Met de brandblusser die op de overloop stond sloeg ik de deurknop aan diggelen en ramde ik de deur open. Ik zag het onopgemaakte bed, de lege houten stoel en stukken touw om de poten ervan. Ze waren hier geweest, maar waren nu weer weg. Er kwam licht uit de badkamer. Water glinsterde op de drempel van de half openstaande badkamerdeur. Ik duwde die helemaal open.

Alles zag er heel normaal uit. De tegelvloer was nat, alsof iemand net gedoucht had. Onder de wasbak lag een stapel handdoeken en een natte badmat. De stop zat nog in de badkuip en er stond nog een paar centimeter zeepwater in. Ik stak mijn hand erin, koud.

Ik knipte het licht uit, liep terug naar de kamer en gooide de brandblusser op Jesusita's bed. Toen stond ik stil en probeerde na te denken. Waarom had Ward me die livevideo gestuurd, vervolgens Jelly meegenomen en de deur van een lege kamer afgesloten? Waarom al die moeite? Omdat hij tijd moest winnen? Hij wilde toch zeker weten dat ik ze vond? Ik zou niet naar La Rochelle toe gelokt zijn als ik geen deel zou uitmaken van zijn plan.

Toen begreep ik hoe het in elkaar stak. De lege stoel, het touw, de verwarde lakens, ik begreep het: als Kira Armour gelijk had met haar analyse van Wards motieven, zijn idiote idee dat ik zijn ouders had vermoord, dan zouden dit onderdelen worden van het bewijs tegen mij, het spoor dat ik achtergelaten zou hebben om een moord voor te bereiden. Mijn vingerafdrukken waren vast overal te vinden.

Het was een valstrik. Ik herinnerde me de slaperige, doodsbange blik in Jelly's ogen en voelde me kwaad worden bij de gedachte dat iemand haar pijn ging doen vanwege mij. Ik was degene die Ward kapot wilde maken. Ik sloot mijn ogen en zag zijn moeder gestrekt op de vloer van de scheepscontainer, doornat, een bloedspoor uit een mondhoek. Als ik niet die ene noodlottige nacht met June Seaton had doorgebracht, zou dit allemaal nooit zijn gebeurd.

Het verleden had me ingehaald en op zo'n wraakzuchtige manier dat alles wat ik verkeerd deed buitenproportioneel werd uitvergroot. De ironie was dat ik zo opging in mijn zoektocht naar de moordenaar van Sophie, dat ik niet in de gaten had dat ik deze verschrikkelijke gebeurtenissen misschien zelf in gang had gezet. En dat het mijn schuld was dat ze stierf.

Als dat waar was, zelfs al was het maar gedeeltelijk waar, dan was dat moeilijk te verkroppen.

Maar dat moest ik nu loslaten. Ik kon geen tijd verspillen met betreuren wat niet meer veranderd kon worden. Ik dacht aan Jelly en mijn liefde voor haar – een liefde die haar leven in gevaar had gebracht en die, tenzij ik haar vond voordat Ward zijn zieke dreigement had kunnen uitvoeren, de oorzaak van haar dood zou worden.

'Ze zullen zeggen dat jij haar vermoord hebt... en weet je wat? Ze krijgen nog gelijk ook.'

Hij had echt mijn hulp niet nodig om zijn plan uit te voeren, om haar míjn slachtoffer te maken. Ik was bang dat Ward niet zou wachten en dat hij alvast zonder me zou beginnen, dat ik niet in staat zou zijn om te voorkomen dat alle verschrikkingen zich zouden herhalen.

Het kostte me maar een minuut om de andere kamers door te lopen en te constateren dat ze niet meer in het huis waren. Ik was opgelucht toen ik ontdekte dat Alice Fielding ongedeerd was – de oude dame lag in bed in haar kussens weggezakt, zo te zien diep in slaap. Ik keek in de garage en zag dat haar Subaru en de antieke Buick stationcar allebei weg waren. Ze konden in een van beide vertrokken zijn, maar iets zei me dat Ward en het meisje het terrein niet hadden verlaten.

Er waren niet veel plekken waar hij haar mee naartoe genomen kon hebben. Ik pakte een zaklantaarn van de tafel op de veranda en rende door de tuin, via de terrassen naar het zwembad. Omdat ik geen sleutel van het hek had, kon ik alleen maar met een lichtstraal door de tralies schijnen in de richting van de kleedhokjes en het badhuis. Er bewoog niets tussen de vluchtige schaduwen. Het zwembad zelf, leeg en overwoekerd door onkruid, was omheind om ongelukken te voorkomen. Er dook een herinnering op aan een van die warme weekenden in augustus, jaren geleden, toen ik Sophie had leren duiken en onder water had leren zwemmen. Het terrein was verlaten.

Ik knipte de zaklamp uit en stond doodstil te luisteren in het donker. Ik hoorde in de verte het gebrom van het stadsverkeer, maar dichterbij was alleen de stroming van de Hudson te horen, die zwart en zilver glinsterend tussen de bomen meanderde. Een voorgevoel, een gevoel van het onvermijdelijke, dreef me naar de rivier.

Ik rende langs de oever, zwaaide de zaklantaarn heen en weer over de rivier, riep Jelena's naam – nu bang dat ik te laat zou zijn. Dit was het spelletje dat Ward leuk vond om te spelen: me valse hoop geven, me laten geloven dat ze nog leefde, terwijl het ergste allang gebeurd was. Het zou hem een gevoel van absolute macht geven. Ik dacht erover de politie te bellen. Hij had me gewaarschuwd om dat niet te doen, maar ik zag niet welk verschil dat zou maken.

Ter hoogte van het botenhuis stopte ik om op adem te komen. Weer riep ik Jelly's naam, al was het alleen maar om Ward te laten weten dat ik het nog niet had opgegeven, en wachtte. De duisternis onthulde niets. Toen hoorde ik een geluid tussen de bomen en struiken bij de rivieroever, dat klonk als de schreeuw van een vogel, misschien een nachtreiger. Ik hoorde het weer. Alleen klonk de schreeuw deze keer menselijk.

Heel zwak, maar heel duidelijk – een schreeuw om hulp.

Het was een mannenstem, ergens in de buurt. Ik deed de zaklamp weer aan en richtte de lichtstraal op het verlaten botenhuis, dat smal en spookachtig opdoemde tegen de sterreloze lucht boven mijn hoofd. Ik liet de lichtbundel langs de openstaande deur glijden, over het donkere interieur, en daarna over het pad dat door het moerassige terrein tussen het botenhuis en het karrenspoor liep.

Halverwege zag ik een figuur in de richting van het droge terrein kruipen.

Campbell Armour keek niet op en reageerde niet toen het licht op hem viel. Hij stopte ook niet. Zijn bril was weg, zijn gezicht, haar en sweater zaten onder het bloed, maar hij bleef naar voren kruipen, elleboog voor elleboog, en sleepte zijn korte kreupele beentjes achter zich aan. Ik knielde en legde een hand op zijn schouder.

'Campbell,' zei ik dicht bij zijn oor. 'Ik ben Ed Lister.'

Hij kromp ineen bij het horen van mijn stem, toen draaide hij zijn hoofd om en ik zag dat zijn ogen vol bloed zaten. 'Hij heeft het meisje, Campbell. Weet jij waar ze naartoe zijn?'

'Ik dacht dat jij... hem was.' Er volgde een lange stilte. Toen zei hij heel langzaam: 'Ik wil dat je mijn vrouw belt, zeg haar...' Zijn stem stierf weg.

'Ik ga hulp halen, daarna kun je zelf met haar praten. Waar zijn ze?'

Hij gaf geen antwoord en ik was bang dat ik niets meer van hem zou horen.

'Campbell, hij wil haar vermoorden... we hebben niet veel tijd.'

'Ik hoorde een auto voorbij komen... andere kant van de baai.'

Ik wist wat hij bedoelde. De oeverweg loopt door een klein verwilderd gebied met moerassen en zandbanken naar een stenen pier die zo ver uitsteekt dat hij in de hoofdstroom van de rivier uitkomt. Het pad eindigt bij een privésteiger, waar we vroeger elke zomer de zeilboot van de Fieldings te water lieten. Het was niet moeilijk te bedenken waarom Ward haar hiernaartoe had gebracht.

Ik pakte mijn mobiel, toetste 911, en nadat ik had gesproken met de meldkamer gaf ik de mobiel aan Campbell.

'Blijf waar je bent. Dan vinden ze je wel.'

'Ik ga nergens naartoe,' zei Campbell en ik zag een glimp van een glimlach. 'Dit was geen onderdeel van het plan, makker.'

'Jij hebt hem gevonden, Campbell... het komt allemaal goed,' zei ik, hoewel ik niet kon zeggen hoe ernstig gewond hij was. 'Een miljoen dollar staat morgen op je rekening.'

'Voor het geval ik het niet...' Hij vroeg me toen, tergend langzaam om iets voor hem te doen – iets zakelijks. Ik beloofde het hem. Ik gaf een tikje tegen zijn schouder en stond op.

'Ed, wacht. Hij heeft een mes... het zal lijken alsof jij het gedaan hebt.'

'Weet ik,' zei ik en ik begon te rennen.

Al vlug verliet ik het pad en dook in de rietkragen; ik waadde door de grote lisdodden die als een dikke muur voor me oprezen. Toen ik me in het modderige water liet zakken, torenden ze hoog boven me uit.

Hemelsbreed lag de steiger maar een paar honderd meter van het moeras. De route over de weg is veel langer.

73

Ward stond op de helling vlak bij de waterkant en zag hoe de rivier de stemming en het temperament van de nachthemel aannam. Het wolkendek was gebroken boven de kliffen van de Palisades en er stond een handvol sterren boven het gladde oppervlak van de diepe vaargeul in het midden.

De met lichtspikkels bedekte rivier stroomde door hem heen en hij zag hem draaien en kronkelen tot één lange Möbiusband. Het voelde zijdeachtig op zijn tong en het smaakte bitter, metaalachtig, dik – een combinatie van paardenbloemmelk en bloed, de smaak van eeuwig verdriet.

Hij dacht aan de vrouw in de kofferbak van de auto en besloot dat hij niet langer kon wachten. Het deed er niet echt toe of Ed Lister erbij was om alles te zien of niet. In beide gevallen zou dit hem kapotmaken. Hij had graag dit moment met hem gedeeld, maar nu moest het maar gebeuren.

Wacht eens even... 'moest het maar gebeuren'? Proef ik hier een lichte weerzin? Je gaat me toch niet vertellen dat je gevoelens hebt voor die chick, Ward. Ward??? O, jasses, die heb je, toch? Mijn advies is: houd je aan de plannen, man, wacht tot hij hier is. Luister...

Vanuit het moeras kwamen ritselende geluiden.

Nee, hij voelde niets voor Jelly. Hij vond haar aardig, ze was leuk, en in een ander leven hadden ze vrienden kunnen worden, maar ach. Hij zou rustig doen wat hij moest doen.

Hij liep naar de Buick, maakte de achterklep open en gooide het reservewiel op de betonnen steiger. Hij gaf het een zet in de richting van de rivier. Hij zag hoe de band stuiterde toen die het water raakte, naar één kant overhelde, en vervolgens met de stroom mee uit het zicht dobberde.

Hij hing zijn rugzak over zijn schouders.

Vanwaar die haast? Ed komt er zo aan. Waarom wacht je niet?

Ward tilde de bodem van de kofferbak op. In het donker kon hij Jelly nog net onderscheiden, die opgekruld in de ruimte van het reservewiel lag. Hij pakte het lampje van zijn sleutelbos uit zijn zak (de binnenverlichting van de auto deed het niet) en scheen met de saffieren straal in haar gezicht. Ze knipperde met haar ogen en hij keek glimlachend op haar neer.

'Wees maar niet bang, Jelena. Ik zorg ervoor dat niemand je pijn doet.'

Jij wilt Lister op de eerste rang laten zitten toch? Hem lekker alles laten meemaken? Het blijft hem veel langer bij als hij getuige is, als hij eraan deelneemt. Misschien wel voor eeuwig. Kom op, man...

Hij probeerde het mes te verbergen dat hij in zijn andere hand had, maar ze voorvoelde blijkbaar wat er stond te gebeuren. Ze begon te kronkelen en schudde met haar, maakte een kreunend, steunend geluid toen ze uit de bak probeerde te komen. Hij las de vertwijfelde smeekbede in haar ogen, die veel te veel wit lieten zien, terwijl ze in hun kassen rolden. Hij greep een arm en trok haar bovenlichaam op zo'n manier naar buiten dat haar hoofd op de rand hing en haar keel vrij was.

'Maak het je gemakkelijk, liefje. Lig stil voor me.'

Maar dat deed ze niet, en ze hield ook niet op met kreunen, wat hem op zijn zenuwen werkte. Ward legde een hand over Jelly's ogen, zodat hij niet hoefde te zien hoe smekend die keken. Hij voelde haar natte wimpers in zijn handpalm toen hij de glimmende mezzaluna boven zijn hoofd ophief, met een van de handvatten stevig in zijn vuist.

Hij stond op het punt het te gaan doen, liet het gekromde blad zwaaien – in zijn hoofd ging zijn arm al naar beneden – toen hij weerstand voelde. Hij kreeg niet het gebruikelijke 'dit is het'-gevoel, geen extatisch gevoel van openbaring, geen diepe overtuiging van zijn eigen hogere ik. Tja, nou... *heb ik niet geprobeerd je te waarschuwen?*

Hij was weer terug op Skylands, voor de halfopen deur van de slaapkamer van zijn ouders. Hij zag de spiegel van de toilettafel, waarin een detail van het schilderij boven het bed te zien was. Hij bewoog en de deur ging wat verder open, zodat hij meer zag: het leven veranderd in een bloedbad... zijn moeders omgekeerde ogen die hem aanstaarden, met een bittere smaak als kinine... de grijsroze slijmerige stukjes hersenen van zijn vader op de muur, het plafond... het droge gezoem van een miljoen insectenvleugels.

Het veranderde nooit. Hij hoorde het hoge, schrille gejammer dat als ijskoude vingers om zijn hart sloot. Toen trof hem de doordringende geur van een gummetje... het bloed.

Hij kon niet over de drempel de kamer instappen, kon niet zien wie er bij hen was. In het epicentrum van zijn hersenen voelde hij ineens een grote hitte, alsof er kortsluiting was ontstaan in het synaptische of neurale circuit. Maar daar stond iemand... in de spiegel, onder het bloed, klein van stuk. De spiegel liegt nooit.

Grace' stem roept je: 'Ernie, Ernie.'

Het beeld ging in rook op; de slaapkamer, de stoffige overloop, het gesnik van Grace dat echode door het stille huis, alles verdween; liet hem alleen, overstuur en trillend, blij dat hij eindelijk met zijn familie werd herenigd, met zichzelf. Blij dat hij thuis was.

Hij hoorde Ed door de duisternis ploeteren.

Ward liet zijn wapen zakken en keek naar de lucht, de paar sterren. Hun kleine dikke gezichtjes, angstaanjagend plomp, die naar hem keken. Oké, oké. Hij duwde het meisje weer in de bak van het reservewiel. En sloeg de klep dicht. Hij liep naar het chauffeursportier en leunde naar binnen om de versnelling in zijn vrij te zetten.

'Als je in het water terechtkomt, moet je je niet verzetten,' zei hij zacht, hij wilde haar over de achterbank heen geruststellen. 'Probeer één te worden met de geest van de rivier.'

Toen haalde hij de handrem eraf en sloot de deur.

De stationcar rolde de helling af, en het zware vehikel kreeg steeds meer vaart. Maar Ward kon nu al zien dat het niet hard genoeg ging. De smalle steiger was op sommige plaatsen verbrokkeld, er zaten gaten in het beton, wat de snelheid eruit haalde. De voorwielen van de Buick reden in een groef en toen de auto tot stilstand kwam, raakte hij amper het water.

Hij hoorde het ploeteren dichterbij komen. Hij keek naar de riet-kragen en verwachtte Ed al te zien verschijnen. Het bloed steeg naar zijn wangen.

Hij werd overvallen door een woedende opwinding, raakte bijna in paniek.

Hij dacht erover onder de motorkap te duiken en de gaskabel af te stellen en korter te maken, maar daar was geen tijd meer voor. Ward sprong van de steiger en zocht op het strand naar een grote steen. Hij vond er één pal naast een oud hek – hij voelde zwaar genoeg en had de juiste vorm.

Hij nam hem mee naar de wagen, ging achter het stuur zitten en startte de motor. De grote V8 sputterde even, maar sloeg niet aan. Het snorren werd minder, de accu raakte leeg. Ward vloekte, stopte, en draaide het contactsleuteltje weer om. Niets. Hij herhaalde het proces, deed dat nog een keer en nog een keer tot de motor plotseling kuchte en pruttelend tot leven kwam.

Hij duwde met de steen het gaspedaal tot op de bodem en klemde hem vast zodat hij niet weg kon rollen. Hij zette de auto in de versnelling en sprong naar buiten toen de oude Buick naar voren schoot. De wagen bewoog als een hoovercraft, het water spoot omhoog langs de nephouten zijportieren, waarna de auto op de stroom meedeinde en zonk.

Ward stond erbij en zag hem zinken. Even dacht hij dat hij het hoofd van het meisje voor het raampje van de achterklep zag, maar het was te donker om dat goed te zien.

Het lopen ging moeilijker en langzamer dan ik dacht. Wadend door het moeras kon ik weinig zien achter de hoge biezenmuur recht voor me. Ik moest stoppen om me te oriënteren op de stadslichten van Yonkers ver voor me of op de lichten van de George Washington-brug achter me. Ik hoorde de rivier rechts van me stromen, maar je raakte hier gemakkelijk gedesoriënteerd.

Ongeveer halverwege het moeras liep ik verder landinwaarts om een geul diep water te vermijden toen ik een automotor hoorde starten. De motor draaide op volle toeren, vlak daarna klonk er een zware plons. Ik wist meteen wat het was. Ik rende verder, biddend dat ik nog op tijd zou zijn.

Eindelijk kwam ik achter de biezen vandaan en ik rende blootsvoets – ik was mijn sokken en schoenen in het moeras verloren – over het kiezelstrand naar de steiger. Ik zag niemand, maar de straal van mijn zaklantaarn verlichtte al snel de stationcar die tien, misschien twintig meter van de kant lag, half onder water. Er was nog steeds hoop.

De auto lag vast op een zandbank die in dit gedeelte van de Hudson bij laagwater een obstakel vormt voor boten. Ik wist dat de diepe geul wat verderop lag en dat de onderstroom de wagen die kant op zou stuwen. Ik nam aan dat Jelly in de auto zat. Ik trok mijn jasje uit, sprong in het water en waadde in de richting van de Buick. Toen hoorde ik een stem mijn naam roepen. Dat kon alleen maar Ward zijn.

Ik wilde hem negeren en doorwaden, maar ik begreep dat ik niet ver zou komen. Ik keek achterom en zag iemand doodstil op de rand van de steiger staan, de glans van een gebogen mes bewoog ritmisch in zijn linkerhand.

Ik knipte de zaklantaarn uit toen Ward van de steiger afsprong en naar me toe kwam, plonzend door het ondiepe water. Ik voelde het zweet op mijn rug snel afkoelen.

Hij was zo snel bij me dat ik geen tijd had om te bedenken hoe ik mezelf zou gaan verdedigen. Instinctief dook ik in elkaar, ik hoorde de mezzaluna over mijn hoofd zoeven en voelde Wards schouder tegen mijn borstkas rammen en me omver duwen. Ik krabbelde meteen overeind, voor hij zijn evenwicht terug had, en greep zijn arm, die met het mes, van achteren vast. Hij sloeg me met de achterkant van zijn vrije hand keihard op mijn mond, maar ik bleef aan zijn arm hangen toen hij zich omdraaide. Hij had een veel betere conditie dan ik en was veel sterker. Het was gewoon geluk dat ik zo dicht bij hem wist te blijven; ik wist dat als ik nu los zou laten, ik geen nieuwe kans zou krijgen. Hij sloeg me weer op mijn hoofd, deze keer met zijn vuist en ik ging kopje-onder.

Ik voelde dat mijn greep verslapte en plotseling zat ik op mijn knieën in het water en stond hij met de mezzaluna boven zijn hoofd voor me. Ik probeerde op te staan. Hij schopte me in mijn ribben. Ik voelde een vlammende pijn in mijn zij en viel om.

Ik wachtte op Wards genadeslag. Maar in plaats daarvan liet hij het mes langs zijn zij hangen. Ik had nog steeds de zaklantaarn vast en scheen met de straal recht in de ogen van Sophies moordenaar. Als ik toen logisch had kunnen nadenken, had ik geweten dat hij me helemaal niet wilde doden, hij wilde me tegenhouden, ik mocht niet naar die stationcar.

'Ga je gang, kijk maar goed.' Hij glimlachte naar me. 'Zie je een familiegelijkenis? Mensen hebben me verteld dat ik veel op June lijk.'

'Ik heb jouw moeder lang geleden ontmoet,' piepte ik en ik probeerde me op handen en voeten omhoog te werken. 'Maar ik kan me haar niet zo goed meer herinneren.'

'Nou, is dat niet jammer? Want je hebt behoorlijk wat indruk op haar gemaakt. Ik hoor graag dingen over mijn moeder, Ed. Trouwens, June – Junebug, zo noemde mijn vader haar – was een charmante, intelligente vrouw.'

'Ik herinner me haar als behoorlijk gestoord. Dat is misschien een trekje dat je geërfd hebt.'

Hij lachte. 'Jij hebt toen misbruik van haar gemaakt.'

'Ik heb haar niet vermoord.'

Hij viel even stil.

'Wat zou je zeggen, Ed, als ik zei dat ik niet geloof dat je... haar hebt vermoord? Ik had het mis.' Hij haalde zijn schouders op. 'Ach, we maken allemaal wel eens fouten.'

Hij wilde een reactie van mij, wilde me boos maken. Ik scheen met het licht naar de Buick die als een gestrande walvis op de zandbank lag.

Ik zag dat hij een beetje bewoog, nu de onderstroom harder tegen de verborgen lading duwde.

'Wil je zeggen dat Sophie voor niets gestorven is, zonder reden?'

'Iemand moet de prijs betalen.' Hij glimlachte, schudde zijn hoofd. 'Als je het prettig vindt om te weten: je dochter heeft nooit geweten wat er zou gaan gebeuren. Ik liep haar in de tuin achterna, je kent die stallen waar ze de citroenbomen 's winters in bewaren? Ik dook achter haar op... ze heeft niet geleden. Helemaal niet.

Ik hield van haar, Ed. Ze voelde alleen niet hetzelfde voor mij.'

'Jij bent degene die hiervoor zal boeten,' gilde ik naar hem.

'Weet je wat Dante Vergilius laat zeggen in het *Purgatorio*? "Liefde is het zaad in je van iedere deugd en *van alle daden die straf verdienen*."'

'En wat wil je daar verdomme mee zeggen?'

'Je staat nog steeds bij me in het krijt.' Ward haalde zijn schouders op. 'Weet je, het doet er niet toe of je die nacht nou wel of niet in het huis was. June was van plan haar gezin te verlaten, ons te dumpen... voor jou. Jij was het.'

'En jij dacht dat ik dat wist?'

'We doen allemaal dingen in ons leven, Ed, die tot onvoorziene consequenties of repercussies leiden die nooit onze bedoeling zijn geweest, en meestal weten we daar niets van. Misschien heb jij mijn moeder niet vermoord, maar je bent goddomme heel zeker de oorzaak van haar dood, jij was de katalysator – jij ontstak het vuur in haar grillige hart – en dat maakt je net zo schuldig als wanneer je dat mes had vastgehouden.'

'Maar ik héb dat mes niet vastgehouden... dat deed iemand anders.'

Hij ging gewoon door. 'Je denkt waarschijnlijk dat ik te streng over je oordeel, omdat je jong was, onbekend in de stad, onzeker? Nou, kijk dan naar al dat geweld dat voortgekomen is uit jouw ene nacht met June Seaton.'

'O, daar heb ik heel veel over nagedacht.'

'Jij bent verantwoordelijk voor de schade die is aangericht, Ed, voor het verwoesten van mijn leven. Je hebt alles van me afgenomen wat ik had, alles waar ik van hield.'

'Dat is de omgekeerde wereld,' zei ik rustig. 'Jij bent degene die onze levens heeft verwoest. Toen jij dat mooie, onschuldige kind vermoordde... dát was voor niets. Jij kunt gewoon niet leven met wat je gedaan hebt... jij wist heel goed, jij hebt altijd geweten, wat er met je moeder en vader gebeurd is.'

Hij lachte niet-begrijpend. 'Leg het uit, Ed.'

'Jij hebt ze vermoord, jij zieke klootzak.'

Ward was even doodstil.

'Laten we logisch blijven nadenken. Ik herinner me niet alles wat er die avond is gebeurd, maar een negenjarig kind dat zijn ouders afslacht, *de twee mensen van wie hij het meeste in de wereld houdt? In koelen bloede?* Vind je dat logisch klinken?'

'Ik dacht dat jouw soort nooit iets vergat.'

'Mijn "soort"? Heb je dat ook van Kira Armour gehoord?'

Ik hoorde de stationcar bonken en schrapen over de bodem. Ik schreeuwde: 'We moeten het meisje eruit halen.'

'Dan ben je een beetje aan de late kant, held. Maar ik wil je nog wel vertellen dat Jelena een lekker ding is... man, wat was ze gewillig.'

Hij wachtte even. 'Gewoon even pesten, mister.'

Zonder enige waarschuwing schoot hij uit met zijn linkervoet, mikte op mijn hoofd. Hij miste, maar raakte wel de zaklantaarn die uit mijn hand schoot. Ik greep zijn voet vast en stond tegelijkertijd vlug op. Ward viel achterover en ging in de duisternis kopje-onder. Ik sprong boven op hem, vergat dat hij dat mes nog steeds had, en sloeg hem zo hard en zo vaak als ik kon, ik voelde een neus en jukbeenderen.

Ik stond op en waadde in de richting van de auto.

Ik had hem lang niet hard genoeg geraakt. Hij stond alweer op zijn voeten en ditmaal rook hij bloed, kwam hij grommend achter me aan. Ik hoorde hem naderen, steeds vlugger. In mijn verbeelding voelde ik al hoe de mezzaluna mijn rug openspleet, maar ik veranderde van koers en liep in de richting van de oever. Er schoot een donkere schaduw langs me heen. Ik hoorde een vloek en een harde plons. Toen stilte.

Ik kon niet zien wat er gebeurd was, maar vermoedde dat hij was uitgegleden en met zijn hoofd op een steen onder water was gevallen. Ik stak mijn hand in het water en voelde in de modder en stenen en vond bijna meteen een arm en een schouder. Hij was half buiten bewustzijn en kreunde toen ik hem op het strand trok.

Ik wrikte de mezzaluna uit zijn hand en, over hem heen knielend, zette het vlijmscherpe mes op zijn keel. Ik kon Wards gezicht niet zien en ik wist niet hoe erg gewond hij was, maar ik bedacht dat ik alleen maar zijn ellendige leven had gered om hem te vermoorden. Dit was het moment waarvan ik had gedroomd, waarvoor ik had geleefd. Hier was mijn kans om de dood van Sophie te wreken.

Ik greep hem bij zijn strot, genoot van het gevoel van mijn vingers in de koude, gespannen spieren van zijn nek. Het enige wat ik nog moest doen, was het mes zacht over zijn luchtpijp halen. Het zou zo simpel moeten zijn.

Maar dat was het niet. Ik had meer nodig. Ik wilde Ward sorry horen zeggen, gemeend, ik wilde dat hij alles opbiechtte en mij daarna om vergeving zou smeken voor wat hij Sophie had aangedaan. Hij begon te kokhalzen en even verslapte mijn greep. Ik weet niet waarom, misschien omdat zijn eigen zieke idee van wraak mijn eigen wraakgevoelens had geblust, of omdat ik eindelijk begreep dat, wat hij ook gedaan had en hoe afschuwelijk zijn daden ook waren, hij toch een menselijk wezen was. Of misschien gewoon omdat ik niet in staat was om bewust iemand te doden. Op het moment dat ik zo stond te twijfelen, kwam door een zuigend geluid uit de rivier de benarde positie van Jelly weer in beeld.

Ik keek op en zag de vaalbleke contouren van de stationcar voorover kantelen en onder water glijden. Ik wierp het mes weg en, terwijl ik Ward half bewusteloos achterliet op het strand, waadde en zwom naar de plek waar ik dacht dat de wagen was gezonken.

74

Watertrappend in de rivier was het moeilijker om afstanden in te schatten dan op het land. Ik speurde snel het wateroppervlak af naar een draaikolk of luchtbellen uit een gezonken voertuig, maar er was niets. Toen haalde ik een paar keer kort adem, gevolgd door een diepe ademteug; ik dook onder en bleef net zo hard doortrappen tot ik de bodem raakte. Ik was niet bang, ik had genoeg ervaring als duiker en ik wist wat ik moest doen. Ik probeerde de stationcar te vinden door eerst dicht bij het duikpunt te blijven en daarna het zoekgebied uit te breiden door steeds grotere cirkels te zwemmen. Het was zo donker dat het geen verschil maakte of ik mijn ogen open of dicht hield. Ik moest op de tast mijn weg zoeken over de ongelijke rivierbodem. Al snel verloor ik mijn gevoel voor richting.

Na ongeveer veertig seconden, waarin ik geen spoor van de gezonken Buick had gevonden, kwam ik boven om wat lucht te happen en keek weer al watertrappend om me heen of er ergens beroering was. In alle richtingen zag ik alleen maar de donker voortglijdende waterspiegel van de Hudson. Ik werd steeds wanhopiger. Ik voelde hoe de sterke stroming me naar beneden trok, en plotseling leek mijn hoop om de auto te vinden en het meisje op tijd te bereiken verloren. Ik wist dat ik me op mijn taak moest concentreren, niet op de persoon die ik moest redden, maar toch was het de gedachte aan Jelly en hoe bang ze nu moest zijn die me kracht gaf.

Ik had mezelf ervan overtuigd dat ze nog steeds leefde, daar beneden, dat ze nog bij bewustzijn was; maar ik wist dat dat elke seconde onwaarschijnlijker werd. Toen zag ik, terwijl ik naar de oever keek, een paar meter bij me vandaan een uitbarsting van luchtbellen het verder gladde wateroppervlak verstoren.

Ik nam nog een diepe teug adem en dook weer onder water.

Ik heb van al die jaren duiken één ding geleerd: het is belangrijk om onder water kalm te blijven. Ik wist dat het, vanaf het moment dat de Buick te water raakte – tenzij de ramen openstonden – minstens drie minuten en misschien meer zou duren voordat de auto volkomen gezonken was. Dat wilde niet per se zeggen dat degene die erin gevangenzat zo lang had. Maar paniek is dé vijand. Ik schatte dat Jelly nog maar net een minuut onder water was.

Ik was nog twee keer onder water gedoken toen ik de stationcar vond: hij lag op zijn kant op een diepte van ongeveer vijf meter. Snel zwom ik over de voorbumper en de voorruit heen, en trok mezelf aan de imperiaal verder totdat ik bij het achterste passagiersportier kwam. Ik rukte de deur open en slaagde erin die zo lang tegen de stroom in open te houden dat ik naar binnen kon zwemmen voordat de zwaartekracht en het gewicht van het water het portier weer achter me dichtsloegen.

De auto was al helemaal volgelopen. Een van de ramen die nu op de rivierbedding rustte was open geweest of verbrijzeld, maar wat er ook de oorzaak van was: Jelly's overlevingskansen werden erdoor verminderd. Ik voelde rond in de cabine, ging methodisch de stoelen voorin en achterin langs voor het geval ze vastzat in een veiligheidsriem. Er was geen spoor van een lichaam.

Inmiddels had ik het grootste deel van mijn luchtvoorraad opgebruikt. Mijn longen voelden alsof ze op het punt stonden te imploderen (Wards trap in mijn ribben verergerde dat nog) en ik concentreerde me op elke truc die ik kende om adem te sparen, zoals het vrijlaten van kleine bellenstroompjes lucht en tegelijkertijd kauwen. Al snel besefte ik dat ik niet genoeg lucht over zou hebben om eruit te komen. Ik worstelde me naar de kofferbak, zonder te letten op het verstandige stemmetje dat erop aandrong dat ik nu, onmiddellijk naar boven moest, nu het nog kon.

Toen draaide de auto ineens, hij gleed een stuk door en bleef schuin liggen, met de voorkant lager dan de achterkant. Ik wist niet zeker hoe ver we van de oever waren weggegleden, maar ik nam aan dat de Buick dicht bij de rand van een diepe vaargeul lag, waar het water bij hoogtij soms wel dertien tot zeventien meter diep is. Ik wist dat als de stroming ons over de rand zou duwen, de kansen dat ook maar iemand het zou overleven minimaal waren. Daar stond tegenover dat het vooroverzakken van de stationcar me op een idee bracht – feitelijk mijn laatste hoop. Ik werkte me omhoog en vond in de verste hoek van de kofferbak dat waar ik naar op zoek was – een driehoekje opgesloten lucht.

Ik brak door het wateroppervlak heen, met mijn neus en mond eerst, en na de opluchting van die eerste gulzige ademteug, zoog ik mijn longen vol met wat smaakte naar pure zuurstof. Het duurde even voordat ik me in het pikkedonker realiseerde dat de snelle moeizame ademhaling die ik hoorde niet die van mezelf was. Ik voelde iets naast me bewegen en wist dat ik niet alleen was in de kofferbak. Ik kon niet zien hoe ze eraan toe was.

Het enige wat ertoe deed was dat ze nog leefde.

Ik raakte Jelly's gezicht aan en ontdekte dat haar mond nog steeds zat dichtgeplakt met tape. Ze kreunde toen ik aan haar achterhoofd voelde of ik de tape los kon maken. Er was geen tijd meer. Ik voelde dat het water in onze tijdelijke luchtgrot steeg. Een dringende stem in mijn hoofd zei dat we er nú uit moesten.

'Het komt goed,' schreeuwde ik naar Jelly, terwijl ik haar kin omhoog duwde om haar neus boven het wateroppervlak te houden. Haar armen waren achter haar rug vastgebonden. 'We blijven kalm en zwemmen hier samen uit...'

Het water had mijn mond bereikt.

Het was mijn plan geweest om dezelfde weg terug te gaan als ik binnen was gekomen, maar ik besefte dat het manoeuvreren met een vastgebonden persoon door de ruimte tussen de bovenkant van de achterbank en het dak met een zichtbaarheid van nul onmogelijk zou zijn. Ik tastte naar de handgreep waarmee de achterklep van de Buick van binnenuit te openen was (die herinnerde ik me nog uit de tijd dat Sophie en George klein waren en graag achterin zaten). Toen ik die vond, duwde ik de zware achterklep met mijn voeten naar beneden. Omdat de scharnieren op de bodem rustten, bleef hij open. Ik instrueerde Jelly dat ze een paar korte ademteugen moest nemen, gevolgd door een diepe. Toen stak ik mijn armen door de hare en trok haar onder water.

Terwijl we door de open achterklep naar buiten gleden, zwom ik voor ons allebei en zette me hard af tegen de achterbumper om weg te komen bij de auto. Ik schoot omhoog, maar Jelly bleef achter. Ik zwom terug en trok aan haar arm, probeerde haar weer met me mee te trekken, maar ze gaf niet mee. Iets hield haar vast en verhinderde haar te ontsnappen.

Ik kon alleen maar bedenken dat haar voeten vastzaten of dat Ward ze op de een of andere manier aan de Buick had vastgebonden. Ik wist dat ik maar een paar seconden had om haar te bevrijden. Dus liet ik Jelly's arm los, dook naar beneden en voelde langs haar benen of ze ergens aan vastzaten.

Onder de rand van haar spijkerbroek liet ik mijn hand over haar blote kuit glijden, maar ik vond niets, totdat ik een bekende vorm voelde die ik eerst even niet thuis kon brengen, omdat die er niets te zoeken had.

Bij de tweede aanraking voelde ik de omtrekken van benige, klauwende vingers die zich vastklampten aan haar vlees. Ik realiseerde me dat het een hand was – een hand rond haar enkel, die haar vasthield.

Een schok ging door me heen en ik draaide me om, waarbij ik mijn hoofd stootte tegen de bumper van de Buick. Ik opende mijn ogen in het troebele water en een moment lang was er overal om me heen licht, een schitterend turquoise waas, alsof ik op een zomerse dag naar een zwembad staarde. Ik had geen idee waar ik was, of wat onder of boven was: ik besefte dat ik water had ingeslikt en aan het hallucineren was. Ik wist dat het de hand van Ward was en dat hij me hierheen gevolgd moest zijn, bereid om tot een krankzinnig uiterste te gaan om er zeker van te zijn dat het meisje zou verdrinken. Ik zag hem toen niet meer als een mens, maar als een soort onverzoenlijk monster dat ons tot in de diepte gevolgd was.

Ik had hem moeten doden toen ik de kans had.

In een vlaag van woede en walging haalde ik met mijn blote voeten uit naar de plek waar ik dacht dat Wards hoofd zou zijn. Ik kon hem helemaal niet zien, zelfs geen donkere schaduw. Ik voelde alleen dat mijn hiel iets raakte wat meegaf; dat kon een gezicht zijn, dus schopte ik nog een keer. Ik had een arm om Jelly's benen, probeerde haar nog steeds los te trekken, maar ik kwam niets verder. Ward moest zichzelf op de een of andere manier aan de wagen hebben vastgemaakt. Ik stelde me voor dat hij met één hand de trekhaak vasthield en zijn onderlijf om een achterwiel had geslagen, op de manier waarop een moeraal zijn staart om een uitstekende rots of een deel van een scheepswrak slaat om zijn prooi vast te houden tot die verdrinkt.

Terwijl ik keer op keer naar beneden schopte, kreeg de wanhoop de overhand en begon ik flauw te vallen. Ik herinner me dat ik dacht dat het nu allemaal voorbij was, dat we allebei zouden sterven, toen ik een verandering in het water om ons heen voelde. Ik merkte dat de stroom sterk trok aan het in de onderstroom liggende deel van de Buick en dat de auto, plotseling, begon te bewegen.

Ik weet niet of Ward het ook voelde, maar iets zorgde ervoor dat zijn greep om Jelly's enkel losser werd. Ik had nog precies genoeg kracht over om haar arm te grijpen en haar weg te trekken, toen de zware auto op zijn dak kantelde, en met zijn wielen omhoog over de rand van de onderwaterrichel viel en weggleed naar de bodem van de diepe vaargeul.

We stegen naar de oppervlakte. Ik herinner me niet de opluchting van mijn eerste verse ademteug, of de vreugde omdat we de avondlucht weer zagen of het gevoel van dankbaarheid omdat we nog leefden – alleen een irrationele, primitieve angst dat Ward ons nog steeds vanuit de diepte kon aanvallen. Ik draaide me op mijn rug en zwom naar de oever, waarbij ik er alles aan deed om Jelly's hoofd boven water te houden.

Ik wist zelfs al voordat ik haar de kant op droeg en haar op haar zij legde, dat ze gestopt was met ademhalen. Ik doorliep de hele procedure: ik legde mijn wang vlak bij haar gezicht, controleerde of er nog een ademstroom was; ik lette op het rijzen en dalen van haar middenrif. Niks. Ik pakte haar arm om haar pols te voelen, vond niets en drukte mijn oor op haar borst. Er was een vage hartslag. Ze leefde, zo leek het. Maar nog maar net.

Er was geen tijd om de tape van haar hoofd te halen. Ik krabde aan de tape die haar mond bedekte, kreeg mijn vingernagels onder een naad en trok die opzij, waardoor ik een opening kreeg. Toen trok ik haar hoofd achterover, drukte haar neusgaten dicht, haalde diep adem en blies langzaam en zacht in haar mond. Na een paar seconden trok ik mijn hoofd weg, telde éénduizend, tweeduizend... Bij vijfduizend boog ik me weer voorover en herhaalde ik de levenskus, waarop ze een kokhalzend geluid maakte: er kwam rivierwater omhoog, ze begon te kuchen en deed haar ogen open.

Het duurde even voordat ze kon praten.

We zaten op de aanlegsteiger, uitgeput en bibberend, met onze armen om elkaar geslagen om het wat warmer te krijgen. Ik kon in de verte het geluid van sirenes horen en zag tot mijn opluchting de blauwe flitsen van zwaailichten aan de andere kant van de baai. Ze kwamen langzaam naar ons toe langs de kustweg vanaf het oude botenhuis.

Het feit dat de politie en hulpdiensten naderden betekende dat Campbell levend gevonden was en genoeg bij kennis was geweest om hen onze richting uit te sturen. Hoewel het leek alsof ze er nu goed aan toe was, wist ik dat Jelly ook medische hulp nodig had.

'Dit verandert niets,' mompelde ze.

'Waar heb je het over?'

Er viel een stilte. Ik zei: 'Ik ben voor je teruggekomen, toch?'

Ze lachte. 'Ja, en daar deed je nog behoorlijk lang over!'

Eerder, kort nadat we aan wal waren geklauterd, hoorde ik verderop in de rivier een vaag geplons. Het was onmogelijk om erachter te komen of het Ward was, maar ik vroeg me daardoor wel af wat hem ertoe gebracht had ons tot in het water te achtervolgen. Misschien had hij beseft dat ik kans zou zien om Jelly te redden uit de gezonken stationcar en vond hij het te riskant om op de oever af te wachten.

Het politierapport concludeerde dat hij die nacht waarschijnlijk verdronken was in de Hudson en dat zijn lichaam was meegevoerd naar zee. Ik kon me in die theorie vinden, al was het maar omdat Jelly zich er minder zorgen door maakte. Maar er werd geen spoor meer gevonden van Ward.

'Hij is er nu niet meer,' zei ik zacht. 'Voorgoed weg.'

'Maar als...' begon ze.

'Jelly, van nu af aan beloof ik je...'

'Niet doen.' Ze legde een vinger op mijn lippen. 'Alleen omdat je mijn verdomde leven hebt gered... o jezus, Ed, ik heb hem binnengelaten.' Ze begon te huilen. 'Ik heb hém binnengelaten.'

'Het is nu allemaal voorbij.'

'O ja?'

'Probeer niet te praten,' suste ik haar.

Parijs

Ik wachtte tot het recital was begonnen en het ensemble bijna klaar was met het Chopin-gedeelte van het programma voordat ik de deur boven in de zaal zachtjes opendeed en naar binnen ging.

Het was vroeg in de avond en de Salle de l'Orgue was zo donker dat de achterste rijen bijna onzichtbaar waren vanaf het podium. Ik vond een pilaar om tegen te leunen en mezelf gedeeltelijk achter te verbergen – er waren genoeg lege plaatsen in het kleine ondergrondse amfitheater (het was een informeel concert door studenten), maar ik wilde niet dat ze wist dat ik in het publiek zat.

Op het podium, rechtop zittend achter de concertvleugel, zag Jelly er magerder en ouder uit, met wat scherpere trekken in haar gezicht dan ik me herinnerde, maar nog net zo mooi. Sinds we elkaar voor het laatst gezien hadden in New York hadden we incidenteel contact gehouden, maar we hadden de oude band tussen ons verbroken. Ze had me gemaild dat ze was toegelaten tot het Conservatoire en ik vond het prettig om te weten dat er in ieder geval íéts goeds was voortgekomen uit de nachtmerrie die ze vanwege mij had doorgemaakt.

Nadat ik uit de Verenigde Staten was teruggekomen, had ik Laura een volledig, ongecensureerd verslag gedaan van alles wat er gebeurd was. Ik was eerlijk en open tegen haar, omdat ik eigenlijk geen enkele reden had om dat niet te zijn. Haar reactie was onverwacht. Toen ik uitgepraat was, lachte ze alleen maar triest en zei: 'Dit maakt het niet gemakkelijker voor mij om míjn verhaal te doen, Ed.' Toen onthulde ze dat er iemand anders in haar leven was, en dat het al een tijd aan de gang was – zelfs al voordat Sophie werd vermoord. Laura wilde een nietigverklaring, de katholieke manier van scheiden, op basis van clandestiniteit – wat me nu een beetje ironisch overkomt – wat inhoudt dat onze echtvereniging ongeldig was omdat we niet voor de Kerk waren getrouwd.

Ik ben nog steeds met de nasleep daarvan in het reine aan het komen.

Het ensemble was aan het einde gekomen van Chopins polonaise, de strijkers trokken zich terug en lieten de laatste glijdende tonen van de piano in de lucht hangen. Het publiek applaudisseerde toen de violist en de cellist naar voren kwamen en een buiging maakten. Jelly bleef zitten terwijl het applaus wegstierf en de andere twee musici het podium verlieten.

Ze wachtte tot het publiek ging zitten en begon toen met haar solostuk. Het was een impromptu van Schubert, langzaam en melancholiek met een vloeiende melodielijn die hoog uitklonk boven de donkere, meer gepassioneerde passages die ze met zo'n delicate aanslag en met zoveel gevoel speelde, dat het onmogelijk was om niet ontroerd te raken. Ik luisterde min of meer betoverd totdat ik me realiseerde dat ik de tijd was vergeten en te laat zou komen voor een andere afspraak. Ik glipte naar buiten en deed de deur geluidloos achter me dicht.

Ik bleef een ogenblik in de donkere gang staan. Er steeg een beklemmend gevoel op uit mijn borst, dat een harde knoop vormde achter in mijn keel. Ik overwoog of ik zou wachten tot het einde van het concert en gewoon hallo zou gaan zeggen, en misschien zou vragen of ze mee wilde om iets te gaan drinken.

Ik kon makkelijk mijn plannen veranderen. Maar iets in me weerhield me ervan. Ik voelde een weerstand om me weer met haar in te laten, hoewel ik nog altijd evenveel voor haar voelde en de situatie thuis veranderd was. Onherroepelijk. Ik weet niet waarom, maar ik besloot simpelweg dat het beter was om de dingen te laten zoals ze waren.

Ik hoorde gedempt maar enthousiast applaus in de zaal. Als toegift speelde ze een vlotte Scott Joplin-rag die ik nog niet eerder had gehoord. De tuimelende, genadeloos vrolijke *barrelhouse-sound* bracht een glimlach op mijn gezicht. Toen draaide ik me om en beklom de smalle trap die tussen de zwarte, leistenen muren omhoogdraaide en uitkwam op de grote hal. Ik was bijna boven toen ik zag dat daar iemand stond, een lange, bekende gestalte.

De kleren die hij droeg – pak, overhemd, das, zelfs de schoenen – waren of van mij of identiek aan die van mij. Ik zag dat zijn hand de leuning vastgreep op hetzelfde moment dat mijn hand dat deed. Pas toen besefte ik mijn fout: er was daar niemand, ik liep alleen naar mijn eigen spiegelbeeld toe, in een grote spiegel aan de achterkant van de halfopen deur.

Ik schreef een brief aan de ouders van Sam Metcalf en de familie van Linda Jack, het andere meisje in de trein. Ik vond het gemakkelijker om te schrijven nu ik hen kon vertellen dat er een vorm van gerechtigheid had plaatsgevonden, dat de moord op hun kinderen was gewroken.

Wraak roept primitieve gevoelens op. Ik ben niet trots op de bevrediging die de wraak me gegeven heeft, maar ik kan niet net doen alsof ik niet blij ben dat Ernest 'Ward' Seaton uit deze wereld verdwenen is. De persoon die dit gevoel het best kan invoelen en ook deelt (hij heeft me ooit verteld dat hij een Siciliaanse grootmoeder heeft) is Andrea Morelli. Ik heb Morelli onderschat. Zonder zijn rustige vasthoudendheid en zijn harde maar meelevende karakter zou de uitkomst misschien heel anders geweest zijn. Hij kreeg een onderscheiding voor zijn rol in het opsporen van de moordenaar van drie buitenlandse inwoners van Florence en ik heb gehoord dat hij op de lijst staat voor een promotie.

En stilletjes heb ik hem op mijn eigen manier mijn dankbaarheid betoond.

Campbell Armour is volledig hersteld van zijn verwondingen. Hij heeft geluk gehad en toen het er echt toe deed, bleef zijn geluk bij hem. De klappen die hij gekregen heeft van Wards hamer bezorgden hem een gebroken schedel en een epiduraal hematoom (een ophoping van bloed in het hersenvlies), wat een spoedoperatie noodzakelijk maakte. Zijn vrouw en dochter kwamen overgevlogen uit Tampa en ik zorgde ervoor dat ze konden logeren in La Rochelle, zodat ze dicht bij het ziekenhuis in Englewood waren. Onlangs kreeg ik een e-mail van Campbell, waarin hij vertelde dat het fijn was om weer thuis te zijn, schuldenvrij en vol goede hoop dat hij rond Kerstmis weer zou kunnen tennissen. Zijn bewering dat hij nu permanent genezen is van zijn gokverslaving vond ik minder overtuigend.

Ik droom nog altijd van Sophies moord. Ik ben niet opgehouden met rouwen om mijn dochter en betwijfel of ik dat ooit zal doen. Net zoals ik niet verwacht dat ik ooit het idee kwijt zal raken dat ik op de een of andere manier verantwoordelijk ben voor wat er gebeurd is. Maar het leven gaat door en dat lijkt nu minder wreed, minder onrechtvaardig. Ik kan niet zeggen dat ik vrede heb gevonden met mezelf, ik verwacht geen 'afsluiting' en wil die ook niet, maar ik kan het nu tot op zekere hoogte accepteren.

Ik ben er zeker van dat Jelena met haar 'laat het achter je, ga verder'-filosofie een positieve invloed heeft gehad – ik moet haar bedanken voor het feit dat ze me geholpen heeft om de weg naar een nieuw leven te vinden.

Op de avond van het concert, toen ik terugkwam in het hotel, stond er een berichtje van haar op mijn laptop. Ze had me achter in de Salle de l'Orgue gezien, verscholen in de schaduw, zoals zij dat uitdrukte, en was woest dat ik het lef had gehad om langs te komen en er weer tussenuit te knijpen *zonder haar dat zelfs maar te laten weten.* Ze zei dat ze me na het recital overal had gezocht, maar dat ik al weg was.

Ik antwoordde met een korte verontschuldiging, legde uit dat ik andere plannen had.

Toen ik een week later terugkwam in Parijs, belde ik Jelly op. De volgende avond ging ik met haar eten in een restaurant dat L'Ami Louis heette.

Ik vond het eerst wat ongemakkelijk om weer samen te zijn. Misschien omdat we elkaar eindelijk ontmoetten onder omstandigheden die omschreven zouden kunnen worden als bijna normaal. Vreemden, maar ook weer niet. Het was niet zo dat we ons opgelaten voelden, maar we waren gereserveerd en een beetje afstandelijk. Het was alsof we het gesprek van vroeger weer voortzetten en tegelijkertijd helemaal opnieuw begonnen. Tijdens het eten, en ook later die avond, hadden we het niet over Ward.

Nadat we het restaurant verlaten hadden, liet ik ons afzetten bij de Pont de la Concorde, vanwaar we langs de oevers van de Seine terugliepen naar het Ritz. Min of meer zoals ik het me ooit had voorgesteld. We stopten op precies dezelfde plek waar ik maanden geleden had gestaan, toen ik stroomopwaarts door een boog in de Pont des Arts naar de verlichte torens van de Notre Dame keek, en wenste dat Jelly bij me was. Nu was ze er.

Ik liep door, gaf haar een arm en bleef misschien vijftig meter verder langs de oever weer staan. Toen gebeurde er iets waarvoor ik geen verklaring heb.

We stonden aan de kade bij een lege aanlegsteiger, deelden een sigaret (ze was overgestapt op Gauloises) en praatten. Ik moet zeggen dat het bij de waterkant noch vreedzaam noch erg romantisch was. Het begon net te regenen en we konden elkaar nauwelijks verstaan door de blèrende gids op een passerende *Bateau-Mouche.* Maar toen de rivier weer rustig werd, hoorde ik tussen het geklots van de golven van de boot tegen de kade een vaag geluid dat me deed huiveren.

Het was onmogelijk te zeggen waar de muziek vandaan kwam. Ik keek rond, maar we bevonden ons tussen twee bruggen en er was geen spoor van iemand op de weg erboven. De kade was verlaten.

'Is dat jouw mobiel?' vroeg Jelly fronsend.

Ik schudde mijn hoofd, niet wetend of het een ringtone was die ik hoorde, een ander soort opname of gewoon iemand die een wijsje floot, maar we herkenden allebei de eerste onheilspellende noten van 'Für Elise'.

Het duurde niet meer dan een paar seconden. Toen de melodie in tempo toenam en aanzwol tot het gracieuze bloeien der arpeggio's die terugmoduleren tot het hoofdthema, viel de muziek plotseling weg.

Ik voelde mijn hart tegen mijn ribben bonzen terwijl ik heel stil bleef staan en Jelly's arm vastgreep, vastbesloten om niet overdreven te reageren. Ik wilde de stenen trap naar de Tuillerieën oprennen voor het geval hij daar ergens was, ons in de gaten hield. Maar dat zou haar alleen maar bang hebben gemaakt. Ze was zich niet bewust van de betekenis van wat we zojuist gehoord hadden en ik kon haar daar nu onmogelijk over inlichten. Ik maakte een luchthartige opmerking over het feit dat in Iran vuilnisauto's dat wijsje gebruiken om de mensen eraan te herinneren dat ze hun vuilnis buiten moeten zetten.

Verder gebeurde er niets. En er is sindsdien ook niets meer gebeurd. Ik geloof niet erg in toeval, zoals ik al eerder heb gezegd, maar deze keer was het bijna zeker niets anders dan dat. Niettemin heb ik te accepteren dat, voor zover het om Wards overlijden gaat, er altijd een zweem van twijfel zal blijven bestaan.

Jelly en ik zien elkaar tegenwoordig vrij vaak, vooral als ik in Parijs ben. Ik weet niet wat de toekomst voor ons in petto heeft. Zij gelooft dat je het leven van dag tot dag moet leven. Ik heb plannen om met mijn leven nieuwe richtingen in te slaan waarvan ik me niet makkelijk kan voorstellen hoe zij daarin past. Er is veel om aan te werken en we zullen de verschillen tussen ons misschien nooit oplossen. Maar ik had het waarschijnlijk bij het rechte eind toen ik tegen haar zei dat dit altijd 'heeft moeten gebeuren'.

Feitelijk had Ward die woorden geschreven: daar wees Jelly al snel op. Maar toen glimlachte ze en zei dat het daardoor niet minder waar was. Waardoor ik moest denken aan het moment waarop ik haar uit die taxi zag stappen bij Lincoln Center en op de een of andere manier wist dat zij het echt was.